MOLTKE

Bogen er udgivet med støtte fra:

Alfred Good's Fond
Carlsen-Langes Legatstiftelse
Den Hielmstierne-Rosencroneske Stiftelse
Dronning Margrethes og Prins Henriks Fond
Etatsråd Georg Bestle og Hustrus Mindelegat
Greve Adam og grevinde Margit Moltke-Huitfeldts familiefond
Kong Christian den Tiendes Fond
Kong Frederik og Dronning Ingrids Fond til humanitære og kulturelle Formål
Krista og Viggo Petersens Fond
Margot og Thorvald Dreyers Fond
Majoratsforeningen
Ny Carlsbergfondet
Overretssagfører L. Zeuthens Mindelegat

samt personlige bidrag fra familien Moltke:

Alexandra Jaretzki, grevinde Danuta Moltke, greve Casper Moltke, greve Christian Moltke, greve Erik Moltke, greve Henrik C.W. Moltke, greve Henrik Kristian Moltke og greve Peter Moltke

MOLTKE

RIGETS MÆGTIGSTE MAND

KNUD J.V. JESPERSEN
CARSTEN PORSKROG RASMUSSEN
HANNE RAABYEMAGLE
POUL HOLSTEIN

GADS FORLAG

INDHOLD

FORORD

Overhofmarskal og lensgreve Adam Gottlob Moltke (1710-92) er i kraft af sin usædvanlige løbebane en enestående skikkelse i det lange persongalleri, der har bidraget til at forme udviklingen i Danmark. Takket være sin mangesidede virksomhed skriver han sig tillige ind i bredere sammenhænge, som hver især er fascinerende.

Han personificerer således her i Danmark det favoritvæsen, som var et ledsagefænomen til opbygningen af den stærke tidlig-moderne statsmagt. På europæisk plan frembragte dette system magtfulde minister-favoritter som kardinalerne Richelieu og Mazarin (Frankrig), Hertugen af Buckingham (England) og Hertug Gaspar de Guzmán greve Olivares (Spanien). De sikrede, at statsmaskineriet fungerede, selv om kongen var svag. Foruden Moltke kan man på dansk grund tilsvarende pege på skikkelser som Corfitz Ulfeldt, der var landets egentlige leder i Christian IV's sidste vanskelige regeringsår, Peder Griffenfeld, som bragte den unge enevælde til at fungere, og endelig Struensee, som i et hektisk og tragisk forløb introducerede den oplyste enevælde i Danmark. Som nærmest altformående maskinmester i enevoldsstatens maskinrum udøvede Moltke over en tyveårig periode samme magt som disse. Han adskiller sig imidlertid fra de førnævnte ved sin konservative livsindstilling og ved det forhold, at hans samlede magtperiode var noget længere og ikke endte i personlig tragedie.

Som utrættelig iværksætter og støtte for kunst, arkitektur og videnskab indskriver Moltke sig tillige hæderfuldt i historien om den mæcenvirksomhed, som i tidens løb har båret og beriget dansk kulturliv. Symbolsk nok står hans hyldest til Frederik V – den uovertrufne rytterstatue midt på Amalienborg Slotsplads – lige i centrum af Frederiksstaden, som også blev grundlagt på hans initiativ. Statuen er tillige centralpunkt i den imponerende akse, der som sit ene yderpunkt har C.F. Tietgens Marmorkirke og som det andet Mærsk Mc-Kinney Møllers operahus. Dermed er Moltkes vægtklasse som mæcen antydet. I virkeligheden overgås han nok kun af Brygger Jacobsen, far og søn. Endelig er der kun få sidestykker til hans virksomhed som godssamler, der i løbet af mindre end tyve år gjorde ham til en af landets største godsejere og tillige initiativtager til den kommende store omlægning af dansk landbrug.

Der er med andre ord tale om en helt usædvanlig skæbne og livsbane. Hvor utroligt det end lyder, har han – i modsætning til de andre her nævnte favoritter – imidlertid aldrig fået sin egen udførlige biografi. Måske fordi hans løbebane ikke endte så dramatisk som disses, måske fordi hans stilfærdige, konservative gemyt ikke i samme grad har appelleret til historikerne.

Dette værk, som udkommer i 300-året for A.G. Moltkes fødsel, forsøger at råde bod på denne undladelsessynd. Initiativet til værket udgik i sin tid fra en komité bestående af greve Christian Moltke til Bregentved, greve Adam Moltke-Huitfeldt til Espe, greve Henrik Moltke og greve Poul Holstein. Velvilligt støttet af en række fonde har denne komité tilvejebragt det økonomiske grundlag for realisering af projektet og tillige befordret arbejdet ved at give adgang til A.G. Moltkes omfattende arkiv og mange andre Moltke-memorabilia. Derudover har komiteen ikke på nogen måde blandet sig i forfatternes arbejde og tolkninger, der står helt for vor egen regning. For denne forberedende indsats er forfattergruppen komiteen stor tak skyldig.

Vi skylder ligeledes fotografen Elizabeth Moltke-Huitfeldt en varm tak for det store arbejde, hun har lagt i at optage og bearbejde en lang række af de mange billeder, der pryder værket og gør illustrationssiden til noget helt særligt.

Endelig skal Gads Forlag takkes for et godt og smidigt samarbejde gennem hele forløbet, i særdeleshed forlagsredaktør Henrik Sebro for den overordnede projektstyring og forlagsredaktør Grethe Jensen for med vanlig effektivitet at have fungeret som billedredaktør og bearbejdet vore tekster, så de i så vidt omfang som muligt fremstår som et hele, der samlet tegner et afrundet billede af en usædvanlig skæbne i enevældens Danmark.

Forfatterne

MENNESKET & STATSMANDEN

Af Knud J.V. Jespersen

Hvis nogen enkeltperson kan siges at personificere den danske enevælde på dens middagshøjde, er det Adam Gottlob Moltke. Uden andre reelle kvalifikationer end en rodfæstet gudsfrygt, en klar forstand, en utrættelig arbejdsevne og – ikke at forglemme – en enestående evne til at vinde skiftende monarkers tillid tjente han under samtlige fire enevoldskonger i 1700-tallet. I en kritisk tyveårs periode midt i århundredet var han den dansk-norske stats reelle hersker, da den formelle konge af Guds nåde, oldenborgeren Frederik V, i praksis viste sig uegnet til at løfte det regeringsansvar, som han var født til at bære.

Ved skæbnens tilskikkelse blev Moltke således – set i historiens lys – nærmest inkarnationen af *l'ancien régime* på dansk grund. Men også på andre måder rummer hans bemærkelsesværdige løbebane en række paradokser, som kun kan forklares, når man tillige medtænker den særlige kosmopolitiske indstilling, der herskede i de ledende lag i 1700-tallet, og de uanede muligheder for hurtig opstigen til magtens tinde – og omvendt risiko for tilsvarende bratte fald – som det enevældige system åbnede for talentfulde og ambitiøse fyrstetjenere. Moltke var således fra fødslen end ikke den danske konges undersåt, men mecklenburger, og han havde ingen form for formel civil eller militær uddannelse, hvilket ellers var den gængse adgangsbillet til en karriere i statsadministrationen eller ved hoffet. Hans avancement fra page til almægtig overhofmarskal og fra halvfattig adelsmand til lensgreve og en af landets største jorddrotter hang udelukkende sammen med hans hoftjeneste og evne til at opnå skiftende kongers gunst. Når han formulerede sig på skrift – både i private optegnelser og i sin omfattende korrespondance – skete det så godt som udelukkende på tysk eller fransk, kun undtagelsesvis på dansk. Derved adskilte han sig dog ikke fra sine herrer, kongerne, eller fra centraladministrationen i almindelighed, som i det daglige også benyttede sig af de to europæiske hovedsprog, og der er ikke tvivl om, at Moltke både forstod og talte dansk – brugen af det var blot ikke kutyme i de toneangivende lag i 1700-tallet.

FORRIGE SIDE / Adam Gottlob Moltke malet 1760 på sin karrieres højde af Carl Gustav Pilo. *Privateje. Foto Elizabeth Moltke-Huitfeldt.*

Fra Mecklenburg til Møn

Adam Gottlob Moltke blev født på godset Walkendorf i Mecklenburg den 11. november 1710 som barn nummer otte ud af en søskendeflok på elleve. Hans barndomshjem var et middelstort nordtysk gods, som ikke udmærkede sig ved ekstravagant rigdom, men på den anden side langtfra kunne kaldes fattigt. Det havde vel en størrelse, så det – administreret med omtanke og en vis sparsommelighed – kunne danne grundlag for standsmæssig opfostring af den store børneflok og sikre udkommet til ejeren, Adam Gottlobs fader, Joachim Moltke. Denne var ved sønnens fødsel 48 år gammel og havde forinden været 17 år i dansk krigstjeneste, som han forlod med rang af kaptajn efter at have gjort Den Skånske Krig (1675-79) med. Derefter gik han over i braunschweigsk tjeneste, men havde i kraft af sin lange tjeneste un-

A.G. Moltkes forældre. Faderen, Joachim Moltke, optræder i harnisk, hvilket formentlig er en mindelse om årene i dansk og braunschweigsk militærtjeneste, inden han fra 1697 helligede sig driften af sine mecklenburgske godser. Moderen, Magdalena Sophia von Cothmann, tilhørte ligeledes Mecklenburgs øvre sociale lag. Sammen blev de forældre til en børneflok på elleve, hvoraf Adam Gottlob var nummer otte. *Privateje. Foto Elizabeth Moltke-Huitfeldt.*

Batailllen
Gadebusch i Meclenburg
emellan denn Kongliga Swenska
Armeen, under Hanns Excellences Kongl. Rådets
Feldtmarschalcens Gr. Stenbocks commende, och den
Danska Armeen, commenderad af Hanns Konglige
Mayestet af Dannemarcn, samt dess allierade
Saxiske Troupper, somm commenderades af Gen.
Feldtmarschalcen Grefwe Flemming. d. 20 Dec. 1712.
Gadebusch
Wakenstedt
Swenska arméen oppställd till bataille.
Swenska arméens bagage.
Swenska arméens annmarche
Ordre de Bataille af denn Kongliga Swenska Armeen.
Konglige Rådet och Feltmarschalcken Grefwe Stenbock.
General Lieutenant Rücker
General Maier Marschalcn
General Maier Putbuß
General Maier Ascheberg
Oberste Mardefeldt

der Christian V's faner naturligvis knyttet nogle bånd til Danmark og til det danske kongehus, hvilket kan være en forklaring på, at han i samråd med sin hustru, Magdalena Sophia von Cothmann, valgte at sende sønnen til Danmark, da denne endnu kun var barn. En anden forklaring kunne dog meget vel være simpel frygt for drengens sikkerhed. Netop da Adam Gottlob blev født, rasede Store Nordiske Krig (1709-20), der blev det sidste store krigeriske opgør mellem Danmark og Sverige, men også involverede samtlige magter rundt om Østersøen. I de første år var en af krigens hovedskuepladser netop Mecklenburg, hvor danske, svenske, preussiske og russiske hære jævnligt udkæmpede slag og også indimellem gjorde livet surt og farligt for indbyggerne. Forældrenes beslutning om at sende Adam Gottlob til Danmark kan derfor meget vel være dikteret af et forståeligt ønske om at få ham væk fra krigszonen.

Der var imidlertid også en helt tredje, konkret grund til, at Danmark blev valgt som opholdssted for drengen. Her befandt sig nemlig i forvejen to af hans yngre farbrødre, som begge havde nære forbindelser til den danske enevoldskonge efter smukke militære karrierer og perioder med hoftjeneste. Den ældste af disse, Hans Friedrich, havde i en længere periode gjort hoftjeneste ved Christian V's hof som page, hofjunker og siden staldmester. I årene omkring Adam Gottlobs fødsel var han således staldmester ved Frederik IV's broder, Prins Carls lille, men prægtige hof på Vemmetofte Kloster og var dermed en forholdsvis kendt skikkelse i hofkredse. Han forblev ungkarl og havde således ikke selv familieinteresser at pleje.

Den yngre farbroder, Caspar Gottlob, havde ligeledes tjent som hofjunker ved Christian V's hof, hvor han sluttede nær forbindelse med den daværende kronprins, den senere Kong Frederik IV. Efter en længere og temmelig eventyrlig militær karriere på de europæiske slagmarker blev han i 1703 som belønning for sine tjenester udnævnt til amtmand over Møn og tog derefter sammen med sin unge hustru, Ulrica Augusta von Hausmann, som han ægtede i 1704, fast ophold på Møn i den enkle, men smukke amtmandsbolig Nygaard; senere kendt under navnet Marienborg, som han selv havde ladet opføre. Det var et udtryk for den gunst, som han nød hos Frederik IV, at denne ofte aflagde besøg i amtmandsboligen, når hans vej faldt forbi. Så vidt vi ved, var amtmandsparret de første mange år uden børn, og dette var sikkert medvirkende til, at de bestemte sig for at optage Adam Gottlob fra den talstærke børneflok hjemme i Mecklenburg i huset som deres egen søn.

Præcis hvornår drengen kom i huset på Nygaard, ved vi ikke; men vi ved fra hans egne senere optegnelser, at han betragtede amtmandsboligen som sit barndomshjem og senere i livet med glæde huskede tilbage på en

Slaget ved Gadebusch syd for Wismar den 20. december 1712 var et af de afgørende under Store Nordiske Krig. Det stod mellem en svensk hær under ledelse af general Magnus Stenbock og en dansk-sachsisk styrke. Resultatet blev et blodigt nederlag for danskerne og sachserne; men slaget banede på længere sigt vejen for de svenske troppers endelige fordrivelse fra Nordtyskland i 1713. Stikket viser de to hæres indledende opstilling med den svenske hær nederst. Slaget var blot ét af de mange voldsomme militære opgør i Nordtyskland i krigens første faser og muligvis en medvirkende årsag til, at Adam Gottlobs forældre valgte at sende deres lille søn i sikkerhed i Danmark.

harmonisk opvækst i de smukke, rolige omgivelser og det landlige miljø. Denne opvækst har sikkert nok virket stimulerende på hans æstetiske sans og på den glæde ved kunst og smukke ting, som siden gjorde ham til en af 1700-tallets flittigste kunstsamlere og mæcener.

OPVÆKST I AMTMANDSGÅRDEN

Hvilken opdragelse og undervisning drengen modtog i barndomshjemmet, ved vi stort set intet om, eftersom vore kilder tier på dette punkt. Man må imidlertid formode, at det stilige og standsbevidste amtmandspar med forbindelse til de højeste kredse har sørget for, at han fik en boglig uddannelse og kristelig opdragelse, som gradvis kunne forvandle det opvakte, nysgerrige barn til den kosmopolitisk indstillede og vidende verdensmand, som var tidens adelige dannelsesideal. Hans senere evne til ubesværet at udtrykke sig skriftligt på sit modersmål tysk og på dannelseselitens sprog fransk og – da den tid kom – hans sikre evne til at gennemskue og give råd i vanskelige statssager peger i det mindste klart i retning af en omhyggelig uddannelse og omsorgsfuld moralsk vejledning fra barnsben af. Der er næppe heller tvivl om, at amtsmandsparret foretog en omhyggelig karriereplanlægning på drengens vegne – en planlægning, der, som de udenlandske fyrstetjenere de jo i bund og grund var, måtte have en eller anden form for hoftjeneste som mål. De har derfor givetvis gjort sig umage for at bibringe ham den ydre fremtræden og de slebne manerer, der kunne gøre ham *hoffähig*.

Nogen formaliseret videregående uddannelse, endsige en dannelsesrejse til større europæiske læresteder og storbyer, som ellers var en fast bestanddel af den velaflagte adels uddannelsesprogram for deres sønner, blev der imidlertid aldrig tale om for Adam Gottlobs vedkommende – måske af den simple grund, at familien ikke var i stand til at bestride de betydelige udgifter, der var forbundet dermed. Skønt født i et fremmed land forblev der paradoksalt nok noget hjemmegroet dansk over Moltkes horisont og anskuelser sammenlignet med de kosmopolitiske kollegieherrer og hoffolk, som han senere kom til at færdes iblandt. Og det notoriske træk af bjergsomhed på egne og sin store families vegne, som senere gjorde ham til en af rigets største godsejere, kunne vel også godt udlægges som hans måde at kompensere for en opvækst, hvor midlerne relativt set var knappe.

For den ældre Moltke stod mindet om det stille landlige liv på Møn i et forklaret, gyldent skær. Han vender flere gange tilbage dertil i sin selvbiografi, hvor det skildres som noget nær en idealtilstand. Og skal man tro hans memoirer, rakte hans egne ambitioner i ungdommen heller ikke længere end til i tidens fylde at overtage farbroderens amtmandskab på det sted, som han følte sig så stærkt knyttet til. Også efter at han i 1722 havde tiltrådt sin første hoftjeneste, var han en hyppig gæst i barndomshjemmet hos tanten og farbroderen, og efter sidstnævntes død i 1728 og Moltkes giftermål i 1735 opholdt det nygifte par sig så ofte, det lod sig gøre, hos tanten på Nygaard, hvor også de første af deres mange børn kom til verden. I 1739 fik han Christian VI's tilladelse til at bruge Nygaard som sit eget, og året efter fik han også det længe ønskede løfte om at få amtmandsstillingen; men i sidste øjeblik ombestemte Kongen sig – af grunde, som vi kommer tilbage til – og udnævnte ham i stedet til første kammerjunker hos Kronprins Frederik, den senere Frederik V. Dermed var hans skæbne beseglet og de langvarige, ungdommelige drømme om et jævnt og stille liv på Møn kuldkastet.

Det er vel næppe rimeligt at mistro hans oprigtighed, når han i erindringerne anfører, at han modtog Kongens afgørelse i denne sag med "stor bekymring og mange tårer". Det var trods alt en livsdrøm, der bristede, og han måtte nu se i øjnene, at hans fremtid fra nu af var uløseligt knyttet til hoffet og i særdeleshed til en fyrste, hvis særprægede karaktertræk allerede da gav anledning til bekymring. Omvendt kan man måske godt tillade sig at formode, at den aldrende Moltke, da han i sin livsaften nedskrev sine erindringer, har kunnet fristes til i tankerne at idealisere landlivet på Møn en anelse efter en lang og travl hofkarriere i magtens centrum, hvor intriger, bagholdsangreb og rygtesmederier var daglig kost.

Men hvorom alting er – det enkle, tilbagetrukne liv som amtmand på Møn forblev en drøm og et fatamorgana. Foreløbig havde amtmandsparret andre planer for deres velbegavede plejesøns fremtid. Denne fremtid lå efter deres erfaringer i hoftjeneste ved den enevældige trones fod, hvilket kunne åbne uanede karrieremuligheder videre frem. I marts 1722 tiltrådte Adam Gottlob i en alder af elleve år sin tjeneste som page for Kronprins Christian, den senere Christian VI.

Læreår ved det enevældige hof

Da den høje, spinkle, elleveårige Adam Gottlob med det let rødlige hår i marts 1722 på Frederik IV's bud tiltrådte sin tjeneste som yngste page for Kronprins Christian, trådte han dermed ind i en verden, som var helt ny og meget forskellig fra den, han havde levet i hos amtmandsparret på Møn. Det må have været en kolossal omvæltning for drengen at komme fra den beskedne og velordnede dagligdag på Nygaard til de pragtfulde, men uoverskuelige omgivelser ved hoffet, hvor alle kæmpede mod alle om de kongeliges gunst, og hvor tingene langtfra altid var, hvad de gav sig ud for at være.

Adam Gottlob kom i en vis forstand til et ganske nyetableret hof, idet den da 22-årige Kronprins Christian året forinden havde giftet sig med Sophie Magdalene, det niende blandt fjorten børn af Markgreve Christian Heinrich af Brandenburg-Kulmbach. Året efter Adam Gottlobs ankomst til hoffet, i 1723, blev det unge kronprinspar forældre til deres førstefødte, Prins Frederik – den senere Frederik V – som blev bestemmende for Adam Gottlobs senere skæbne.

Det var ikke noget muntert og løssluppent prinsehof, som drengen mødte ved ankomsten. Kronprins Christian var af natur alvorstung, indesluttet og tillige genert og kejtet i sin omgang med andre mennesker. Af sin ungdoms lærer, Johan Georg Holstein, var han blevet opdraget med den pietistiske livsopfattelse og var selv dybt religiøs med klar hældning i retning af den nye fromhedsbevægelse, der betragtede enhver letfærdig og munter livsudfoldelse som nærmest syndig. Kronprins Christian var med andre ord lidt af en religiøs dødbider, for hvem livet på ingen måde var en leg, men en gudgiven opgave, der skulle forberede mennesket til det evige liv i Herrens skød. Dertil kom også, at han bar på en stor vrede mod sin fader, Kong Frederik IV, som han fandt, havde behandlet hans elskede moder, Dronning Louise, hensynsløst og nedværdigende ved åbenlyst at hengive sig til en rad af skiftende elskerinder. I 1712 havde han endda ladet sig vie til venstre hånd til en af disse, nemlig den smukke adelsdatter Anna Sophie Reventlow, som han oven i købet – skamløst efter Kronprinsens begreber – ægtede til højre hånd allerede dagen efter Dronning Louises bisættelse den 3. april 1721. Dette tændte hos Kronprinsen et uudslukkeligt had mod den nye Dronning Anna Sophie og hele 'den reventlowske bande' af kongelige yndlinge, som i resten af Frederik IV's regeringstid slog takten både ved Kongens hof og i regeringskollegierne.

Kronprinsens ægtefælle, Sophie Magdalene, var i denne som andre sager af ganske samme opfattelse som sin gemal. Både personlighedsmæssigt og i ydre fremtræden mindede hun i øvrigt stærkt om manden – udpræget religiøs i pietistisk retning, alvorlig, sky og kejtet i forhold til omgivelserne og ikke mindst bjergsom på vegne af sine tyske slægtninge, som efterhånden i stort tal flokkedes om hoffet og ofte lod sig underholde af den kongelige kasse. Hun forblev trofast mod sine tyske rødder og omgav sig livet igennem helst med tyskere. I lighed med sin ægtefælle betjente hun sig i samtaler udelukkende af det tyske sprog. Over begge ægtemager, som i øvrigt levede i et harmonisk og lykkeligt ægteskab, hvilede der et skær af tung alvor, skyhed og tendens til isolation, hvilket naturligvis smittede af på deres hof og siden også kom til at sætte et umiskendeligt præg på Christian VI's kongegerning og det hofliv, der indrammede det.

Datidens enevældige hof kan på ingen måde sammenlignes med den beskedne hofholdning, der omgiver vore dages konstitutionelle monark. Hvor den samlede hofholdning i vore dage blot omfatter nogle få hundrede personer, når alt regnes med, beskæftigede det enevældige hof på Moltkes tid mange tusinde mennesker lige fra den højfornemme overhofmarskal og ned til den yngste lakaj og hønseplukker. Hoffet var uden sammenligning hovedstadens største virksomhed, og titusinder af Københavns indbyggere var økonomisk afhængige af det som leverandører, ansatte osv. Hoffet og hoffets liv dominerede med andre ord fuldstændig livet i København.

Hoffets efter vore begreber kolossale omfang og rolle hænger sammen med, at dets funktion dengang var helt anderledes end i dag. Den enevældige konge af Guds nåde var det absolutte midtpunkt i det vidtstrakte oldenborgske dobbeltmonarki, og hans magt strakte sig fra Nordkap til Elben og fra Grønland og de øvrige nordatlantiske besiddelser over de danske kernelande til Bornholm. Desuden rådede han over mindre tropekolonier i Vestindien, på Afrikas guldkyst og i det fjerne Indien. Fra ham alene udsprang ifølge Kongeloven al politisk magt, og hans ord var som følge deraf lov i hele det vidtstrakte rige. Hoffets rolle var at synliggøre og danne den ceremonielle ramme omkring den enorme magtkoncentration, som kongen repræsenterede, og tillige – sammen med centraladministrationens kollegier i Den Røde Bygning – at sikre, at kongens afgørelser i stort som småt blev omsat i politisk og administrativ handling, samt at hans vilje blev efterlevet. Moderne begreber om en upolitisk centraladministration og et politisk neutralt hof var i denne sammenhæng uden mening. Hele det enevældige magtapparat med hoffet i centrum var ét stort gennempo-

Det enevældige styre var kosmopolitisk og valgte sine tjenere uden hensyn til nationalitet i nutidig forstand. I den senere del af Moltkes embedstid begyndte nye begreber som patriotisme og fædrelandskærlighed dog at gøre sig gældende i takt med udvikling af en borgerlig offentlighed. I dette lys er det ganske tankevækkende, at han ved udsmykningen af sit nyopførte Amalienborg-palæ i 1756 valgte at lade kunstneren Joseph-Marie Vien udføre dette motiv, der symboliserer Fædrelandskærligheden. Men det hænger formentlig sammen med, at han forstod fædrelandet som hele den enevældige konges magtområde. *Foto Klemp & Woldbye.*

litiseret system, hvis altoverskyggende opgave det var at omsætte kongens vilje til praksis og våge over, at hans enevældige magt ikke blev antastet. I dette strengt hierarkiske system var nærheden til kongen aldeles afgørende for den enkelte embedsmands position og indflydelse – jo tættere på kongen, desto større muligheder for at påvirke beslutningerne. Med megen ret er det blevet hævdet, at i enevoldstiden var de otte fliser foran kongen de vigtigste i verden. Det var fra denne position, at verden kunne bevæges. Det var disse fliser, som Adam Gottlob med sin pagetjeneste tog de første skridt i retning af at erobre.

DEN UNGE PAGE

Hvorfor Kronprins Christians øjne netop faldt på den spinkle dreng fra Møn, ved vi ikke meget om. Men man har vist lov til at formode, at den venskabelige forbindelse mellem amtmanden og Frederik IV har spillet en rolle. Kongehuset har altid haft det bedst med at holde sig til det sikre og det kendte, og kongefamilien kendte meget vel amtmandshjemmet på Møn og havde flere gange ved selvsyn haft lejlighed til at danne sig et indtryk af drengens karakter og kundskaber. Det var selvfølgelig heller ikke uden betydning, at Adam Gottlob fra fødslen tilhørte en velanset gammel adelsslægt, og bestemt heller ikke ligegyldigt, at denne slægt ikke var en del af den indfødte danske adel, men havde rod og base i Nordtyskland, dvs. inden for den kulturkreds, som kongefamilien var dybt fortrolig med, men som til gengæld lå uden for den danske fødselsadels domæne.

Siden statsomvæltningen i 1660, der introducerede enevælden i Danmark, havde der hersket dyb gensidig mistro mellem den indfødte danske adel og kongehuset. Mange medlemmer af den gamle fødselsadel fandt, at Frederik III ved sit kup havde berøvet dem den magt og indflydelse, som adelen mente at have en naturlig adkomst til, og de skumlede indbyrdes – om end lavmælt – over det politiske magttab og den sociale deroute, som systemskiftet havde medført for standen. De første enevoldskonger så til gengæld medlemmerne af den gamle adel som potentielle systemfjender og holdt dem så vidt muligt langt borte fra egentlig indflydelse. Både Christian V og Frederik IV advarede således i deres testamenter udtrykkeligt deres efterfølgere mod nogen sinde igen at besætte indflydelsesrige embeder med medlemmer af den gamle fødselsadel. I stedet benyttede de sig af den ret, som de ifølge Kongeloven af 1665 havde, til frit at vælge deres rådgivere og højeste embedsmænd blandt velkvalificerede borgerlige eller indkaldte udenlandske adelige, hvis udnævnelse og embedsansvar udelukkende skyldtes kongelig nåde og ikke beroede på tilhørsforhold til en gammel magtelite. En konsekvent efterlevelse af dette princip var en del af den unge enevældes overlevelsesstrategi.

Udnævnelsen af den unge mecklenburgske adelssøn Adam Gottlob Moltke passede perfekt ind i dette mønster. Det har givetvis heller ikke været Kronprins Christian ukært, at han med optagelsen af den unge Moltke i sin stab øjnede en mulighed for på længere sigt at få et redskab i hænde til at udrense 'den reventlowske bande', som til hans udtalte harme var blevet mere og mere toneangivende efter faderens formæling med Anna Sophie Reventlow. Denne forventning – hvis den da har været til stede – viste den unge Adam Gottlob med det blide sind sig ikke villig til at opfylde, da det i 1730 kom til stykket. Tværtimod tog han senere kraftigt afstand fra de drastiske personudskiftninger i forbindelse med tronskiftet; men derfor kan det ikke udelukkes, at forventningen om hans brugbarhed i dette øjemed kan have været medbestemmende for hans optagelse i Kronprinsens nære kreds af tjenere i 1722.

Hvad var det så egentlig for en stilling, som den unge Adam Gottlob havde fået ved Kronprinsens hof? En page var typisk en ung mand fra den højere adel, som familien gennem forbindelser til de kongelige kredse havde skaffet ophold ved hoffet i håb om en fremtidig hofkarriere for denne. Og til hvert af hofferne i den samlede kongelige husholdning var der til stadighed knyttet et antal af disse drenge og unge mænd. Deres vigtigste opgave var hele tiden at være om deres herre, gå ham til hånde, underholde og være ham til selskab, når han ønskede det. I hoffets hierarki var pagestillingen i sig selv ganske ubetydelig, og aflønningen bestod nærmest blot af kost og logi. Set fra det unge menneskes synsvinkel bestod stillingens væsentligste attraktion derfor i at være tæt på de kongelige og – hvis man ellers gjorde en god figur – muligheden for at benytte den som afsæt for avancement til finere og mere betydende positioner ved hoffet. Det kunne eksempelvis være til den betroede stilling som kammerpage, der var den første blandt pager. Denne stilling indebar, at man skulle sove i et værelse, der stødte umiddelbart op til den kongelige herres sovegemak, så man kunne tilkaldes på alle tider af døgnet. Kammerpagen var desuden fritaget for at bære liberi, hvilket ellers var obligatorisk for pagekorpset. Det var netop denne betroede stilling, Adam Gottlob fik hos den syvårige Kronprins Frederik (V) i forbindelse med tronskiftet i 1730, hvilket må ses som et klart vidnesbyrd om, at Christian VI havde fattet tillid til den unge mand.

Næste trin kunne være en udnævnelse til kammerjunker – en hoftitel, som nu er gået helt ud af brug, og et udtryk, som vi nu om dage nok snarest forbinder med koldskål – hvilket i datidens rangsyge samfund indebar det store plus, at man blev placeret 'i rangen' og ifølge den gældende rangforordning kom til at rangere lige efter oberstløjtnanter. Denne charge opnåede Adam Gottlob i 1735, hvorved han var endeligt accepteret i det gode hofselskab. Med en kammerjunkertitel i hus lå vejen mod stjernerne åben. Schweizeren Elie-Salomon-François Reverdil, der i en længere periode opholdt sig ved Frederik V's hof som lærer for Kronprins Christian (VII) og senere som kabinetssekretær, gør i sine trykte memoirer tykt nar af tidens danske rang- og titelvæsen og anfører blandt andet, at en kammerjunker må være meget ubehændig, om han ikke ender med at blive kammerherre og dermed i rangen stå lige med generalmajorer og kontreadmiraler, når han er 25 eller højest 30 år. Denne prestigefyldte hoftitel måtte Adam Gottlob dog vente på til 1743 – han var da knap 33 år – hvor han også blev udnævnt til hofmarskal for Kronprins Frederik (V). Denne lettere forsinkelse af kammerherrenøglen i forhold til Reverdils angivelse kan muligvis tages som en indikation af, at familien Moltkes forbindelser til hoffet ikke da var helt så tætte som andre fornemme slægters, men også som udtryk for, at han opnåede sine udmærkelser i kraft af egne fortjenester og ikke blot som følge af familiens anseelse.

UDLANDSREJSER

I modsætning til mange af sine unge standsfæller var Adam Gottlob hverken særlig berejst eller rejselysten. Han holdt sig helst inden for rigets grænser og – i sine unge år – allerhelst på Møn. Det er således betegnende, at han i sine erindringer finder anledning til udtrykkeligt at anføre de to tilsyneladende eneste udlandsrejser, som han i sin ungdom fik lejlighed til at foretage – begge til Tyskland og begge som led i hoftjenesten. De repræsenterede åbenbart en så stærk afvigelse fra hans normale livsmønster og sædvanlige horisont, at han selv i den fremskredne alder, hvor han nedfældede erindringerne, huskede dem og fandt dem nævneværdige.

Den første rejse blev også hans ilddåb som nyudnævnt page, da han i 1722 kort efter sin tiltræden blev udpeget som medlem af Kronprinsesse Sophie Magdalenes broder Markgreve Friedrich Ernst af Brandenburg-Kulmbachs følge, da denne skulle rejse tilbage til sit markgrevskab efter et besøg hos søsteren og svogeren i København. Hvad der i øvrigt forefaldt på denne kortvarige pligtrejse, melder historien ikke noget om; men man må gå ud fra, at den unge page derunder havde anledning til at stifte nærmere bekendtskab med Sophie Magdalenes talrige søskendeflok og danne sig et indtryk af det stilfærdige og nøjsomme liv ved Markgrevens lille, pietistiske hof. Om det var uheldige erfaringer derfra, der lagde grunden til det livslange kølige forhold mellem Moltke og Sophie Magdalene, er ikke til at sige; men det er en kendsgerning, at den senere dronning efterhån-

den udviklede en modvilje mod Moltke, som i hofkredsen var så alment kendt, at den mange år senere kunne tjene som alibi for hans afskedigelse i unåde.

Adam Gottlobs anden længere tysklandsfærd fandt sted i 1728, hvor der også indtraf to andre skelsættende begivenheder i hans liv, nemlig at hans plejefader, amtmanden, døde, og at han ved sin tantes mellemkomst blev trolovet med sin senere hustru, den to år yngre Christiana Friderica von Brüggemann fra det lille herresæde Ulriksholm på Fyn. Selv om både farbroderens død og trolovelsen var sikre tegn på, at Adam Gottlob så småt var på vej ind i de voksnes rækker, var både han og hans tilkommende dog endnu for unge til at indgå ægteskab og stifte familie. Det måtte vente nogle år. Det umiddelbart foreliggende var rejsen til Tyskland som medlem af kronprinsparrets følge.

Hverken som kronprins eller konge var Christian VI meget rejsende. Han befandt sig – ligesom Moltke – bedst i de vante daglige omgivelser, og bortset fra lejlighedsvise pligtrejser inden for sine egne rigers grænser foretog han kun ugerne og undtagelsesvis enkelte rejser til Tyskland for at besøge svigerfamilien. Rejsen i 1728 var en sådan undtagelse. Rejsens første mål var Carlsbad, hvor kronprinsparret vederkvægede sig med en brøndkur og underholdt sig med en række af Sophie Magdalenes slægtninge, som ligeledes havde indfundet sig. Derfra gik turen videre til Bayreuth, Gera og Halle, og i denne pietismens hjemby mødte Kronprinsen og hans følge selve stifteren af den herrnhutiske fromhedsbevægelse, Grev Zinzendorf, hvis belæringer og prædikener gjorde stærkt indtryk ikke blot på det i forvejen stærkt troende kronprinspar, men også på den unge lydhøre page Adam Gottlob. For første gang stiftede han her for alvor bekendtskab med den særlige vækkelsesbevægelse, som kom til at sætte sit præg på hans livssyn og kristendomsopfattelse for resten af livet og – som følge af kronprinsparrets pietistiske vækkelse – tillige kom til at præge hoflivet og derigennem også undersåtternes liv i almindelighed gennem hele Christian VI's regeringstid. Den stærke religiøse påvirkning, som kronprinsparret og den unge Moltke modtog under denne rejse – samme år som store dele af København blev lagt øde i en stor brand – var nok den mest varige virkning af denne rejse.

Dette repræsentative portræt forestiller A.G. Moltkes første hustru, Christiana Friderica von Brüggemann. Den smukke oberstdatter fra Fyn ægtede i 1735 Moltke og fødte ham i løbet af deres 25-årige ægteskab ikke færre end tretten børn, hvoraf dog et enkelt døde som spæd. Hun blev stammoder til de stadig blomstrende slægtslinjer Bregentved og Nøer. *Privateje. Foto Elizabeth Moltke-Huitfeldt.*

PIETISME OG TRONSKIFTE

I kredsen omkring den enevældige konge selv var stemningen også i færd med at ændre sig i retning af det mere gudfrygtige. Den forhen så livslystne Frederik IV blev i sin livsaften oftere og oftere grebet af tungsind og mørke tanker. Han følte nu dagligt, hvorledes hans kræfter aftog, og gennem sine sidste par regeringsår legede han ofte med tanken om at overlade tronen til sin søn og selv trække sig tilbage til et stille og kontemplativt otium på sit smukke nordsjællandske lystslot, Fredensborg, som han i 1720 havde ladet opføre i anledning af afslutningen på Store Nordiske Krig.

Dertil kom det nu ikke, idet døden indhentede ham, inden planerne kunne virkeliggøres; men meget tyder på, at han i sine sidste år var plaget af stigende anfægtelser over den hensynsløse behandling af sin første dronning og tynget af de ulykker, som storbranden i 1728 forårsagede, sammenholdt med voksende ærgrelse over den reventlowske kreds' hensynsløse føren sig frem i ly af Dronning Anna Sophies skørter. Personligt var det ham et mene tekel, at alle hans børn med Anna Sophie døde som spæde, og den aldrende Frederik IV var tilbøjelig til at tolke alle disse prøvelser som en straf fra Gud, hvilket stemte hans sind i pietistisk retning. Et ubedrageligt tegn på, at vindene blæste i den retning, var den sabbatordning, som han udstedte i april 1730, et halvt års tid inden han døde. Ordningen rummede strenge straffe for forsømmelse af kirkegangen og forbød alle former for verdslige aktiviteter på helligdage. Den blev dermed et sigende udtryk for den nye fromhedsbevægelse, der havde grebet Kongen og hoffet, og dermed også et forvarsel om den alvorsfulde kristendom, der kom til at præge Christian VI's regeringstid.

Kort forinden Frederik IV undertegnede denne strenge kirketugtsordning, havde han taget et skridt, som var af direkte betydning for den nu nittenårige Adam Gottlob Moltke. Den 31. marts 1730 – på Prins Frederiks (V) syvårs fødselsdag – udnævnte han nemlig Adam Gottlob til kammerpage – dvs. særlig betroet rådgiver og tjener – hos tronfølgerens ældste søn. Der er god grund til at antage, at Kongens valg af Adam Gottlob til denne betroede post hang nøje sammen med Frederik IV's nyvakte fromhed. I 1728 var Adam Gottlob som nævnt vendt tilbage fra tysklandsrejsen tydeligt grebet af den pietistiske fromhedsbevægelse. Og Kongen, som i forvejen havde fattet tillid til den unge mand – det nævner Moltke selv udtrykkeligt i sine erindringer – så givetvis i ham en velegnet læremester og opdrager for den unge prins, der gennem ham ville kunne bibringes de kristelige og moralske dyder i pietistisk ånd, som Frederik IV i løbet af sine sidste regeringsår var kommet til at sætte højt, og som tronfølgerparret selv fra første færd havde levet efter.

Eftersom Adam Gottlob desuden gennem sine otte års hoftjeneste havde vist sig forstandig, diskret og ubrydeligt loyal, var valget af ham som mentor for landets engang kommende konge således fuldstændig ligetil. Selv om han næppe tænkte særligt over det, havde Frederik IV med denne udnævnelse reelt afgjort Adam Gottlobs skæbne. Fra dette øjeblik blev hans livsbane og hele hans tilværelse uløseligt knyttet til den unge dreng, som engang i tidens fylde skulle sidde på den dansk-norske enevoldstrone og råde for stort og småt i det vidtstrakte rige. Ingen havde dengang fantasi til at forestille sig, at det også skulle falde i den unge tyske kammerpages lod at komme til at fungere som landets egentlige regent, fordi hans kongelige elev og ven skulle vise sig ude af stand til at løfte sin opgave.

Den 12. oktober 1730 døde Frederik IV efter længere tids svagelighed, og i samme sekund, som han havde draget sit sidste suk, efterfulgtes han automatisk, som foreskrevet i Kongeloven, af sin søn – den da 31-årige Christian VI – på den enevældige trone. Regeringsskiftet medførte øjeblikkeligt drastiske ændringer i kongeparrets egne omgivelser og i regeringskredsen. Mest opsigtsvækkende var det, at den nye konge som en af sine første regeringshandlinger og i lodret modstrid med faderens testamentariske bestemmelse bortviste Dronning Anna Sophie fra hoffet og pålagde hende at tage fast ophold på sit fødegods, Clausholm i Jylland, hvor hun derefter levede i bodfærdig ensomhed indtil sin død i 1743. Dermed demonstrerede han klart, at hans had til den kvinde, som han anså for den egentlige årsag til sin elskede moders langvarige fornedrelse og tidlige død, var forblevet usvækket. Samtidig rensede han hele 'den reventlowske bande' ud af regeringskontorerne, hvor de nu i snart en halv snes år havde spillet førsteviolin. Kun en enkelt af faderens ministre, nemlig finansminister Christian Ludvig Plessen, fik lov til at beholde sin post, mens resten blev erstattet med personer uden tilknytning til den reventlowske kreds.

Den nye konge markerede dermed et klart brud med faderens linje og hele politik, hvilket yderligere understregedes af, at han som en af sine første regeringshandlinger også afskaffede Frederik IV's nyligt indførte sabbatordning og hans landmilitsordning – begge dele yderst upopulære i befolkningen. At begge disse beslutninger var en anelse overilede – nærmest truffet af popularitetshensyn og i trods mod faderen – ses imidlertid af, at Kongen allerede i 1733 måtte indføre stavnsbåndet, som lagde endnu stærkere bånd på bøndernes frihed, end landmilitsen havde gjort, og i 1736 den tvungne konfirmation, der gav kirken lige så stor kontrol over troslivet, som sabbatordningen havde gjort.

HOLSTEIN OG SCHULIN

Af afgørende betydning for Adam Gottlobs fremtid blev det, at Christian VI midt i 1730'erne foretog en ganske omfattende regeringsrokade, hvorved de ministre, som han havde udpeget ved sin regeringstiltræden, gled ud og på de centrale poster erstattet af to yderst kompetente personer, der ikke

blot nød – og forstod at bevare – Kongens ubetingede tillid, men også tog den unge Moltke under deres beskyttende vinger og i praksis blev hans politiske læremestre og forbilleder. Det drejede sig om Johan Ludvig Holstein og Johan Sigismund Schulin, der på dette tidspunkt begge var omkring fyrre år gamle.

Johan Ludvig Holstein var ligesom Adam Gottlob mecklenburger af fødsel. Som søn af Frederik IV's indflydelsesrige gehejmestatsminister Johan Georg Holstein blev han tidligt knyttet til det enevældige hof, fra 1721 som hofmarskal hos Kronprins Christian (VI), hvorved han blev Adam Gottlobs direkte overordnede, da denne året efter kom til hoffet. Ved tronskiftet i 1730 fik han den vigtige stilling som stiftamtmand over Sjællands Stift og overtog på Kongens direkte opfordring i 1735 den centrale post som oversekretær i Danske Kancelli, hvilket også gav ham sæde i Konseilet, kongens øverste regeringsråd. Trods en noget kantet personlighed var Holstein en dygtig politiker og en glimrende og loyal embedsmand, hvilket bevirkede, at han bevarede sin centrale position og indflydelse helt frem til sin død, uantastet af kongeskiftet i 1746. Moralsk og religiøst lå han helt på linje med Christian VI, som flittigt brugte ham som sparringspartner og personlig rådgiver også i sager, som lå uden for Holsteins egentlige embedsområde. Han nød med andre ord Kongens ubetingede tillid, og da det blev Frederik V's tur til at regere, videreførte dennes da almægtige overhofmarskal A.G. Moltke tillidsforholdet og kvitterede på denne måde for den beskyttelse og vejledning i praktisk politisk håndværk, som han i sine yngre år havde modtaget fra Holstein.

Johan Sigismund Schulin var født i Bayern og var i sin ungdom hofmester og opdrager for den senere Dronning Sophie Magdalenes temmelig ustyrlige brødre, de unge markgrever af Brandenburg-Kulmbach. Han viste sig at have godt tag på den vanskelige opdragelsesopgave, og under det danske tronfølgerpars kurbadsrejse i 1728 fik Christian VI et så gunstigt indtryk af ham, at han i forbindelse med tronskiftet i 1730 kaldte ham til Danmark og gjorde ham til direktør i generalpostamtet. Det var en mere betydningsfuld stilling, end man umiddelbart forestiller sig, idet direktøren i realiteten også var landets øverste spionchef, som ved at kontrollere indholdet af breve og diplomatpost fremskaffede nyttige oplysninger om mulige indenlandske anslag mod Kongen og om fremmede magters hensigter og planer. Det var med andre ord en særdeles betroet stilling, som Christian VI havde sat Schulin på, og dermed et vidnesbyrd om den ubegrænsede tillid, som han nød hos kongeparret, der også flittigt benyttede ham som rådgiver i personlige anliggender.

I 1735 avancerede han til øverstesekretær i Tyske Kancelli og var dermed helt frem til sin død den faktiske og yderst kompetente leder af lan-

Carl Gustav Pilos portræt af gehejmeråd og lensgreve Johan Ludvig Holstein, malet omkring 1750, viser en magtfuld og viljefast personlighed, som i både Christian VI's og Frederik V's regeringstid satte sit stærke præg på dansk statsstyre og ydede sit til, at enevælden fungerede. Som chef for Danske Kancelli fra 1735 og frem til sin død i 1763 satte Holstein et stærkt og positivt præg på dansk kultur- og lærdomsliv. Det var bl.a. på hans initiativ, at Videnskabernes Selskab blev stiftet i 1742, og han beklædte i en længere årrække stillingen som dets første præsident. *Det Nationalhistoriske Museum på Frederiksborg Slot. Foto Hans Petersen.*

dets udenrigspolitik. Schulins styrke lå i, at han trods sin betydelige magt og indflydelse aldrig et øjeblik glemte, at Kongen var den virkelige magthaver, hvorfor han altid omhyggeligt sørgede for at få alle væsentlige beslutninger til at fremstå som Kongens egne, selv om de i realiteten var Schulins. I erindringerne omtaler Moltke Schulin med stor beundring, varme og hengivenhed, og der er næppe tvivl om, at Schulin var hans vigtigste læremester i den vanskelige balancegang at udøve stor magt i det enevældige system uden derfor med tiden at miste Kongens gunst.

Hos disse to erfarne hofmænd og politikere modtog den unge Adam Gottlob værdifuld anskuelsesundervisning i at begå sig i det enevældige magtcentrums klippefyldte farvand. Og selv om vi ikke helt kan vide det, er der næppe tvivl om, at det var efter deres råd, at Christian VI i 1743 besluttede at kuldkaste Moltkes amtmandsdrømme ved at udnævne ham til Kronprins Frederiks hofmarskal. Med deres smidige og driftssikre protegé i denne centrale position havde de to drevne statsmænd både fremtidssikret deres egne positioner og samtidig skabt en slags garanti for, at landet også ville kunne regeres, selv om den kommende konge – hvad der allerede da var foruroligende tegn på – skulle vise sig uegnet til at løfte ansvarets byrde. Det var utvivlsomt også efter råd fra den da sygdomssvækkede Schulin, at Frederik V i 1749 beordrede, at alle indkommende og udgående depecher i Tyske Kancelli i fremtiden skulle tilstilles Moltke til gennemlæsning, så han personligt kunne give Kongen kvalificeret rådgivning i udenrigssager. På denne facon søgte den aldrende udenrigsminister, så vidt han kunne, at sikre, at hans lærling kunne videreføre den udenrigspolitiske linje, som han havde lagt. Takket være indbyrdes tillid og overensstemmende holdninger sad triumviratet Holstein-Schulin-Moltke solidt på magten i den enevældige danske stat i Frederik V's første regeringstid.

Ægteskab og familieliv

Som allerede nævnt havde Adam Gottlobs tante, amtmandinden på Møn, allerede i 1728 – samme år som hendes egen mand, Caspar Gottlob Moltke, afgik ved døden og blev stedt til hvile i familiens gravkapel i Stege Kirke – taget skridt til at finde en passende ægtefælle til sin unge plejesøn. Hendes øjne faldt i denne forbindelse på den da sekstenårige Christiana Friderica von Brüggemann, datter af den afdøde amtmands tidligere officerskammerat Godske Hans von Brüggemann, som var ejer af hovedgårdene Ulriksholm og Østergaard på Kerteminde-egnen. Det har desuden nok også spillet en rolle for valget, at amtmandinden og pigens moder var søstre. Brüggemann-familien på Fyn var således i forvejen en del af amtmandsfamiliens bekendtskabskreds og tilhørte samme miljø – enevoldsadelens øvre mellemlag – som amtmandsfamilien. Den indtagende unge pige fra Fyn præsenterede sig derfor i alle måder som et passende parti for plejesønnen. Og sådan blev det. Ved tantens mellemkomst gav de to unge i forbindelse med amtmandens bisættelse hinanden deres ord på, at de ville gifte sig og stifte familie, når de havde nået en passende alder. Dermed var grunden lagt til et efter alt at dømme lykkeligt ægteskabeligt liv, der varede indtil Christiana Fridericas død i 1760.

Selve brylluppet måtte dog på grund af de trolovedes unge alder vente nogle år endnu. Adam Gottlob havde i disse år hænderne fulde af sin hoftjeneste, og Christiana Friderica var endnu kun en umoden teenager. Men i 1735 fandt man, at tiden var inde, og den 9. september 1735 stod brylluppet på det lille smukke renæssanceslot Ulriksholm, som Christian IV i sin tid havde ladet opføre. Dermed indledtes et 25 år langt, frugtbart ægteskab, som resulterede i ikke færre end tretten levendefødte børn. To af sønnerne blev stamfædre til de stadig eksisterende moltkeske linjer af Bregentved og Nøer (efter godset Noer).

Med så mange børnefødsler må Christiana Friderica nærmest have været konstant gravid gennem hele sit voksenliv; men derved adskilte hendes tilværelse sig ikke synderligt fra hovedparten af hendes medsøstres i en tid, hvor de eneste præventionsmidler var afholdenhed og amning – og Moltke-familien tilhørte jo et statuslag, hvor amning af børnene som hovedregel besørgedes af betalte ammer fra fattigere samfundslag. Desuden var en stor børneflok en naturlig foranstaltning for at sikre slægtens overlevelse i en tidsalder, hvor børnedødeligheden var uhyggeligt høj.

Damsholte Kirke tæt ved Nygaard (Marienborg) på Møn opførtes 1741-43 på initiativ af A.G. Moltke efter tegninger af arkitekten Philip de Lange i en blidt formet barokstil. Flere af Moltkes børn af første ægteskab blev døbt i denne kirke, hvis oprindeligt billedløse kirkerum var indrettet i overensstemmelse med pietismens ideal om, at ordet fra prædikestolen var det væsentlige i gudstjenesten. Denne blev følgelig centralt placeret i en søjleramme over alteret. Kirkens indre kom på denne måde til at afspejle Moltkes religiøse overbevisning. *Foto Leif Schack-Nielsen, Biofoto/Scanpix.*

En omfattende børneflok var imidlertid ikke alene bestemmende for moderens livsførelse, men også for faderens adfærd og holdninger. Overlevede sønnerne de første farlige barneår, skulle de – i et tilfælde som Moltkes – have en passende og ofte kostbar uddannelse og desuden gerne sikres passende positioner som godsejere eller embedsmænd. Og døtrene skulle for at udgøre passende partier forsynes med en standsmæssig medgift, som kunne gøre dem attraktive for unge mandlige standsfæller. Det var hovedsageligt ægtemandens ansvar at sikre, at dette skete fyldest, så slægten kunne opretholde eller endog forbedre sin sociale status. Det krævede som regel både omtanke og betydelig bjergsomhed. Og når den samlede børneflok, som i Adam Gottlobs tilfælde, endte med at løbe op i ikke færre end 23 overlevende sønner og døtre med to hustruer – hvormed han mere end tangerede den ellers helt usædvanligt fertile Christian IV's rekord – krævede det en helt usædvanlig grad af økonomisk omhu og strategisk planlægning at sikre familiens fremtid. Det er en nærliggende forklaring på, at pengesager livet igennem optog Moltke stærkt – hvilket bl.a. fremgår af, at han i sine personlige erindringer ofte vender tilbage til dem – og at han fra mange sider i samtiden fik ry for stor pengeglæde på familiens vegne. Der er næppe heller tvivl om, at hensynet til børnenes fremtid har udgjort en vældig drivkraft i hans forbløffende personlige karriere, der i løbet af få årtier forvandlede ham fra beskedent amtmands-plejebarn til landets mægtigste mand og hovedrig godsejer.

Foreløbig skulle familielivet dog grundlægges, og for at sikre en rolig begyndelse på dette fik Adam Gottlob i de første år af sit ægteskab frihed fra sin hoftjeneste og Kongens tilladelse til sammen med sin unge hustru at tage fast ophold hos tanten på Nygaard. Her kom parrets første barn – en søn, som sikkert af reverens for kongefamilien fik navnet Christian Friderich – til verden den 13. juli 1736, og flere sønner og døtre fulgte hak i hæl. Ved udløbet af 1737 var det imidlertid slut med den pastorale idyl på Møn. På denne tid døde nemlig Kronprins Frederiks ældste kammerjunker, og hans hofmester, Christoph Ernst von Beulwitz, var syg. Kongen lod derfor Adam Gottlob kalde til København, hvor han måtte overtage posten som Kronprinsens første kammerjunker og ofte også overnatte i dennes nærhed. Sammen med sin lille familie måtte han derfor – ugerne, fremgår det af hans erindringer – rykke til hovedstaden.

Det fremgår imidlertid også af erindringerne, at han under dette ophold jævnligt pressede på hos Kongen for at opnå dennes løfte om amtmandskabet på Møn, hvilket også lykkedes. I 1739 fik han af Kongen overdraget brugen af Nygaard, og i 1740 fik han tillige udvirket, at det store Stege præstekald blev delt i to. Som et særligt tegn på velvilje over for sin tro tjener approberede Kongen i 1741 arkitekten Philip de Langes tegninger til den elegante lille Damsholte Kirke og betalte oven i købet hovedparten af byggeomkostningerne. I 1743 kunne den smukke kirkebygning indvies som gudshus for det nye sogns indbyggere og som en bekvemt beliggende herskabskirke for det unge ægtepar på Nygaard. Indvielsen skete ironisk nok næsten samtidig med, at Moltke blev udnævnt til kammerherre og hofmarskal hos tronfølgeren, hvorved enhver mulig drøm om et fremtidigt, roligt familieliv på Møn lige så stille fortonede sig.

MEDVIND OG MODVIND

Trods de ændrede vilkår med et familieliv, som hovedsageligt måtte udfolde sig tæt ved tronens fod i rigets hovedstad, levede Moltke efter alt at dømme lykkeligt og harmonisk med sin Christiana og den støt voksende børneflok. Og efterhånden som hans rigdom voksede i takt med hans ind-

A.G. Moltke portrætteret af G.V. Baurenfeind efter Pilo på sin livsbanes og karrieres middagshøjde, kort efter at han i 1752 var blevet Ridder af Elefantordenen. På brystet bærer han Kongens brillanterede emaljeportræt, og i hånden holder han tegnet på sin høje embedsværdighed, overhofmarskalstaven. Derfra kunne det næsten kun gå ned ad bakke, og 1760'erne blev da også i mange henseender et prøvelsernes årti for den ellers så succesombruste statstjener. *Foto Elizabeth Moltke-Huitfeldt.*

flydelse, blev rammerne om familielivet også mere og mere statelige. Straks efter tronskiftet i 1746 forærede Frederik V ham kvit og frit det anseelige gods Bregentved ved Haslev, hvis hovedbygning han med bistand fra tidens betydeligste arkitekt, Niels Eigtved, senere lod ombygge i elegant rokokostil. På Kongens fødselsdag i 1750 ophøjede denne Bregentved med underliggende godser til grevskab og udnævnte samtidig Moltke til greve sammen med et par fremtrædende regeringsmedlemmer. Moltke og hans familie kunne derefter henregne sig til de allerfineste lag i den danske adel.

På nogenlunde samme tid tog han også de første skridt til i selve hovedstadens hjerte at indrette en vinterbolig, som i udstyr, pragt og elegance overgik de fleste øvrige af byens adelspalæer, nemlig det Amalienborg-palæ, der endnu i dag bærer hans navn, men også benævnes Christian VII's palæ efter en af dets senere beboere. Anledningen til opførelsen af palæet, der ligeledes skete efter tegninger af Niels Eigtved, var planerne om opførelse af en helt ny, fashionabel bydel, Frederiksstaden, som markering af den oldenborgske kongeslægts 300-års jubilæum på Danmarks trone. Centrum i det nye byanlæg skulle ifølge planerne være en stor ottekantet slotsplads, Amalienborg Slotsplads, omkranset af fire i det ydre nogenlunde ens adelspalæer, opført af nogle af tidens førende adelsfamilier. Den altoverkommende overhofmarskal Moltke var – selvfølgelig, tør man næsten sige – primus motor i dette store byudvidelsesprojekt, og for selv at vise vejen lod han – med betydelig økonomisk støtte fra de kongelige kasser – som den første Eigtved opføre sit Amalienborg-palæ. Da det efter en imponerende arbejdsmæssig kraftpræstation stod klar til ibrugtagning i 1754, fremstod det både i det ydre og det indre som et pragteksempel på det ypperste i tidens stilrene arkitektur og står endnu i dag – efter en gennemgribende restaurering – som et lysende monument over rokokoens på én gang lette og overdådige elegance. Dette palæ blev i resten af hans levetid den smukke ramme om familien Moltkes liv i hovedstaden. To år efter hans død, i forbindelse med Christiansborgs brand i 1794, blev det overdraget til kongefamilien som bolig for Christian VII.

Adam Gottlobs trofaste hustru, Christiana, nåede vel ind imellem de mange børnefødsler også at nyde godt af denne imponerende medvind for familien. Hun kunne tillige glæde sig over, at ægtefællen i 1745 af Kongen blev udnævnt til Hvid Ridder – dvs. Ridder af Dannebrogordenen – og i denne sammenhæng antog valgsproget *constantia et fidelitate*, med bestandighed og troskab. Dette passede i lige grad på forholdet mellem ægtefællerne og på Moltkes optræden i forhold til sine kongelige herrer og velyndere. Også ægtemandens udnævnelse i 1752 til Blå Ridder, bærer af den fornemme Elefantorden, kunne hun glæde sig over. Det var den

ADAM GOTLOB MOLTKE Comes in Breqentved
Liber Baro de Lindenborg et Hoeg=holm Dominus de Tryggevelde & Alslew
Ord: Eleph: Eqv: Auratus S. R. M. D & N Consil. Int. & Supr: Cur: Marescallus.
En Tibi Posteritas! Gentis Reparator in Arcto
Moltkius Ille, suæ Nobilitatis Honos
Candida Mens, Cautus Rerum Moderator & Aulæ;
Quo præeunte, novos duxit Apollo Choros.
Nomen avet Gens Gotha suis intexere fastis,
Et Cognata canit Stemmata Principibus.
Tam Clarum est, quod spirat Opus! modo Gratia posset
Aere loqui, Titulos quod superaret, erat.

definitive udnævnelse. Højere var det ikke muligt at nå på den lange ærestrappe op til enevoldstronen. Og det må også langt have oversteget de forventninger og drømme, som en halvfattig, indvandret, tysk adelsmand og en beskeden, fynsk oberstdatter kan have næret i deres ungdom.

De mange barnefødsler – hver især en potentielt livstruende affære for både moder og barn med 1700-tallets beskedne lægelige kunnen – havde imidlertid slidt på Christianas helbred, og i februar 1760 afgik hun ved døden efter kort tids sygdom, men længere tids svagelighed i en alder af blot 47 år. I sin selvbiografi noterede Moltke med sorg tabet af hustruen og tilføjede: "Herren glæde hendes sjæl og gøre hende evigt vel for al den kærlighed og trofasthed, som hun har vist mig i hele sit liv." Med disse kærlige ord tog Moltke afsked med sin hustru og livsledsagerske gennem alle de fremgangsrige år. At livet trods alt skulle gå videre ses dog også af hans bemærkning i umiddelbar fortsættelse deraf, hvor han anfører, at han allerede samme år, den 9. september – som faktisk var 25-års dagen for hans første ægteskab – indgik et nyt ægteskab med den kun 26-årige Sophia Hedwig Raben, datter af en velanskreven adelsslægt og siden 1753 hofdame hos Frederik V's anden dronning, Juliane Marie. Det var sikkert netop i denne sammenhæng, at Moltke havde gjort den unge dames bekendtskab, og aldersforskellen taget i betragtning er det ikke forunderligt, at han afsluttede indførslen om sit fornyede ægteskab med et ønske om, at hans unge kone heller ikke efter hans egen død måtte mangle noget.

Det kom hun da heller ikke til – hun overlevede ham med ti år – og hun gled ubesværet ind i den herskabelige moltkeske husholdning og i rollen som hustru og moder. I løbet af deres 32 år lange ægteskab fødte hun Moltke ti børn, hvoraf de to første dog døde som spæde; men hun opnåede ikke desto mindre at blive stammoder til ikke færre end tre af de endnu levende moltkeske slægtsgrene, nemlig linjerne Glorup, Espe og Nørager. Hun synes tillige at have været en både heldig og handlekraftig dame. I det politisk set vanskelige år 1769, hvor Moltke stod i overhængende fare for endeligt at miste sine resterende embeder, og hvor greveparret både mistede en spæd datter og en syvårig søn, kom hendes lotteriseddel mirakuløst nok ud med hovedgevinsten på ikke færre end 65.000 rigsdaler – en formidabel sum, der faldt på et tørt sted i den altid anspændte grevelige økonomi. Sin gudfrygtige natur tro tolkede Moltke i sine erindringer de tragiske børnedødsfald som en guddommelig påmindelse om menneskelivets og lykkens forkrænkelighed, hvorimod han opfattede grevindens spilleheld som tegn på, at Guds nåde trods alt fortsat skinnede over ham og hans hus. Sin evne til selvstændig handling viste grevinden, da hun i 1793 – året efter ægtemandens død – til sin søn Gebhard fik oprettet stamhuset Moltkenborg af godserne Glorup, Rygaard og Anhof på Fyn og dermed

A.G. Moltkes anden hustru, Sophia Hedwig Raben. Den unge dames ansigtsudtryk udstråler viljefast beslutsomhed, og hun stod da også last og brast med sin ægtefælle i den modgang, der fulgte efter Frederik V's død. Kort efter ægtemandens død fik hun i 1793 oprettet stamhuset Moltkenborg på Fyn til sønnen Gebhard. Hun fødte Moltke ti børn, hvoraf de fire dog døde som spæde. Fra de overlevende udspringer de stadig blomstrende slægslinjer Glorup, Espe og Nørager. *Privateje. Foto Elizabeth Moltke-Huitfeldt.*

Glorup set fra havesiden. Straks efter købet i 1762 iværksatte Moltke med hjælp fra arkitekten N.-H. Jardin en omfattende ombygning, der gav det store bygningskompleks sin nuværende nyklassicistiske skikkelse. Den store smukke park er ligeledes Moltkes værk. *Foto Elizabeth Moltke-Huitfeldt.*

langtidssikrede endnu en gren af sin efterslægt en høj position i datidens godsejerdanmark.

Efter årene med Johann Friedrich Struensees diktatur og de mange omvæltninger, der fulgte deraf, var der ikke mere nogen plads for Moltke i magtens korridorer, og de sidste godt tyve år af deres ægteskab levede greveparret i stille tilbagetrukkethed på Bregentved optaget af at sikre fremtiden for børnene af begge ægteskaber, så langt som det i de forvirrede tider omkring Den Franske Revolution overhovedet stod i deres magt.

Moltke og Kronprinsen

På Prins Frederiks syvårs fødselsdag, den 31. marts 1730, udnævnte prinsens bedstefader, Kong Frederik IV, som nævnt den da nittenårige Adam Gottlob Moltke til kammerpage hos barnebarnet. Udnævnelsen var et udtryk for den tillid, som kongefamilien nærede til den unge Moltke, og blev for ham tillige et afgørende skridt på den lange og stejle karrierevej, der i løbet af femten-tyve år forvandlede ham fra ydmyg page til almægtig overhofmarskal og rigets mest indflydelsesrige mand.

En sådan karriere var ikke bare usædvanlig i samtiden, men i hoffets historie i det hele taget. Bortset fra Peder Griffenfeld i Christian V's tidlige regeringstid var det aldrig sket tidligere, at en hofmand avancerede fra en ydmyg underordnet position til en ledende hofstilling. Traditionelt var der nærmest vandtætte skotter mellem hoffets såkaldte overcharger – de ledende embedsmænd ved hoffet – og de almindelige hofbetjente og embedsmænd i den forstand, at det normalt var umuligt at avancere fra sidstnævnte kategori til den første. Den nærmest ufravigelige regel var, at hoffets ledende embedsmænd rekrutteredes udefra blandt højtstående officerer, fremtrædende diplomater eller andre fornemme embedsmænd, hvorimod en karriere op gennem hierarkiet som Moltkes var et absolut særsyn, der ikke har paralleller i den senere hofhistorie. Selv den dag i dag er det fast praksis, at kongen – nu Dronningen – henter sine ledende embedsmænd udefra, således at interne karrierespring i lighed med Moltkes ikke forekommer.

Når Moltke i den grad kom til at udgøre en markant undtagelse fra en hævdvunden og ellers strengt håndhævet regel, skyldes det, at den lille Prins Frederik fra første færd knyttede sig tæt til den tolv år ældre hofmand, der hurtigt blev hans nærmeste fortrolige og efterhånden udviklede sig til noget i retning af en faderskikkelse eller en ældre broder for ham. For så vidt som fyrstelige personer – og især enevældige fyrstelige – overhovedet kan have venskaber i gængs forstand, opstod der efterhånden et forhold mellem de to, som bedst kan betegnes som et fortroligt venskab, så langt som den store afstand i status og tidens stive etikette overhovedet tillod det. Den unge prins nærede ubegrænset tillid til sin ældre – men stadig unge – ven, og denne omfattede på sin side kongesønnen, Danmarks kommende enevoldskonge, med stor og kærlig hengivenhed. Deres indbyrdes forhold var kendetegnet ved en gensidig tillidsfuldhed og loyalitet, som varede ved og forblev usvækket, lige indtil Frederik V den 14. januar 1766 drog sit sidste suk i sin elskede Moltkes arme. Dette helt særlige fortrolighedsforhold mellem de to var – i forening med Moltkes medfødte taktfølelse og evne til aldrig at stjæle rampelyset fra sin herre – hovedforklaringen på, at han også i denne henseende i enestående grad blev en mønsterbryder.

Selv om den gensidige sympati mellem kongesøn og kammerpage fra første færd var til stede og forblev det livet igennem, var de i næsten alle henseender vidt forskellige. Der var ikke alene aldersforskellen, hvor tolv år jo især i de yngre år kan virke som et betydeligt svælg. Moltke var af natur og i kraft af sin trygge opvækst i det beskedne amtmandshjem stilfærdig, eftertænksom, arbejdsom og lidet selvhævdende. Han var desuden en dybt troende kristen, stærkt præget af pietismens strenge fromhedsidealer, som han også i sin daglige livsførelse med alvor søgte at efterleve. Samtidige portrætter af Moltke viser ham som en høj, langbenet, lidt spinkel mand med et ansigtsudtryk, som nok er imødekommende venligt, men også røber en vis forsigtig reservation over for omgivelserne. Det var disse karakteristika, som den unge Christian VII – formentlig i forbindelse med Moltkes endelige afsked fra statstjenesten i 1770 – spiddede på sin vante ondskabsfulde, ironiske facon, da han kort betegnede ham som "Storch vom unten und Fuchs vom oben" – stork for neden og ræv for oven. Selv om denne uvenlige kongelige karakteristik blev fremført, efter at hen ved halvtreds års deltagelse i hofintriger og rivalisering om magten i enevoldsstatens centrum givetvis havde sat deres præg på Moltkes karakter, ramte den utvivlsomt også noget centralt i den unge Moltkes væsen, nemlig den forsigtighed og tilbageholdenhed, der undertiden kunne give hans færden et skær af uudgrundelighed.

Den svenske gesandt i København, Baron Otto Flemming, beskrev i 1751 i en indberetning til Stockholm Moltke på følgende måde:

> "Moltke er høj af vækst, han har en hurtig og let opfattelse, er venlig og tjenstvillig, behagelig at tale med, opmærksom, utrættelig i alle sysler, hvormed han overvældes, da han næsten har at gøre med alt, uden at han dog synes at have noget bestemt hverv; han er en forstandig hofmand, en brav karakter, fast og pålidelig i, hvad han lover, omhyggelig med at sætte sig ind i alle sager, meget øm over sin herres ære … han må hele dagen være om Kongen, og det er vanskeligt, at nogen mod hans vilje kan trænge sig ind i Kongens tillid; han støtter denne i hans sans for fredelige sysler og holder stærkt på det fastsatte politiske system udadtil."

Behagelig i omgang, arbejdsom, brav, ordholdende og ubrydeligt loyal mod kongen og det enevældige system var således karakteristikken af Moltkes person fra denne udenlandske iagttager, som ikke havde nogen særlig grund til at være ham specielt venligt stemt. Da rapporten oven i købet var fortrolig, har man lov til at formode, at ordene afspejlede gesandtens ærlige og bedste vurdering. Selv om den er affattet tyve år efter, at Moltke tiltrådte sin tjeneste hos Kronprins Frederik, virker det samtidig sandsynligt, at det også var disse karaktertræk og egenskaber hos den unge hofmand, som i første omgang førte til hans udnævnelse til Prins Frederiks kammerpage og siden gjorde, at han vandt dennes ubetingede tillid og fortrolighed.

Selv om en britisk diplomat lidt senere, da det dansk-britiske forhold var lettere anspændt, omvendt beskrev Moltke som personligt bjergsom, uelskværdig og herskesyg, forekommer Flemmings karakteristik dog mest dækkende. Moltkes karakter har da højst sandsynligt også rummet træk af hårdhed og bjergsomhed – ellers var han næppe kommet så langt, som han kom – men den harmoni, der i det store hele karakteriserede statens ledelse i Frederik V's tid, og hvori Moltke var en nøglefigur, støtter snarere den svenske end den britiske diplomats vurdering. Havde den sidste været rigtig, ville det hele sikkert være endt i splid og intriger under denne konges personligt svage ledelse. Vi må derfor standse op ved den opfattelse, at Moltke i kraft af sine karakteregenskaber og sin vindende personlighed fra første færd blev netop den klippe af ro, stabilitet og pålidelighed, som Kronprins Frederik havde så hårdt brug for.

KRONPRINSEN

Den unge prins, som Moltke med sin udnævnelse til kammerpage fik betroet et medansvar for, var af natur et muntert, udadvendt og elskværdigt barn. Han var sine forældres eneste søn og fik fra første færd en opdragelse, som skulle gøre ham skikket til engang at overtage den ophøjede enevoldstrone og videreføre regeringen efter de idealer om fromhed og kongemagtens ophøjethed og fjernhed, som hans pietistiske forældre hyldede og praktiserede. Ud over at bibringe ham et mindstemål af kundskaber søgte hans skiftende lærere derfor at indpode ham pietismens fromhedsbegreber og ansvarsbevidsthed i forhold til hans høje kommende kald.

Disse anstrengelser faldt imidlertid i nogen grad på stengrund. Den unge prins var ikke nogen særlig opmærksom elev, og boglig viden synes i det hele taget ikke at have haft hans interesse. Hans interesser i den retning synes at have begrænset sig til en smule historielæsning, ligesom

FIG. 13.
FIG. 14.
FIG. 14.
FIG. 15.
FIG. 16.
FIG. 17.
FIG. 18.
FIG. 18.
FIG. 19.
FIG. 20.
FIG. 20.
FIG. 21.
FIG. 15.
FIG. 21.
FIG. 23.
FIG. 22.
FIG. 24.

hans opmærksomhed kunne fænges af møntsamlinger og visse illustrerede værker om naturgenstande og kuriositeter. Til gengæld udviklede han med tiden – måske som en slags genetisk arv fra oldefaderen Christian V – én altopslugende interesse, nemlig jagt, især den vilde og fysisk krævende parforcejagt. Samtidig lurede der i drengens sind et generationsoprør mod den næsten demonstrative fromhed og de stive ceremonielle former, der karakteriserede faderens hof, hvilket senere, da det blev hans tur til at indtage enevoldstronen, medførte dybtgående forandringer i hoflivet og kongemagtens offentlige fremtræden. Sådanne oprørske tanker måtte han dog foreløbig holde for sig selv – eller højst dele med sin fortrolige kammerpage – så længe faderens ord var lov i riget og ved hoffet.

I den føromtalte indberetning fra 1751 af den svenske gesandt, baron Otto Flemming, gav denne også en karakteristik af den da 28-årige Frederik V. Det hed deri om ham:

> "Frederik V er en smuk og venlig mand, retsindig og nådig, han har et jævnt temperament, fører en ordentlig levemåde uden nogen bekendt passion, og hvis han har haft en sådan, har han, efter hvad der fortælles, søgt at bekæmpe den ... Han er meget venlig i sin måde at tale på, der kan nok ligesom være noget ængsteligt ved hans optræden, hvad der kan komme af hans opdragelse, og han kan have lidt svært ved at begynde en samtale, især i store selskaber; men han vil dog gerne underholde sig med fremmede, og når han taler med en enkelt, taler han med lethed og forstand. Han er begavet med mange kongelige dyder og egenskaber og meget æret og anset af sine undersåtter."

Der er jo alt i alt tale om et meget positivt portræt af den unge konge, der beskrives som et venligt, jævnt og en smule genert menneske. Man hæfter sig imidlertid ved den lidt forblommede omtale af en mulig "passion" hos ham, hvilket antyder, at Flemming vidste en hel del mere, end han var rede til at fremsætte på skrift i en diplomatisk depeche. Det var nemlig på den tid velkendt i indviede kredse i hovedstaden, at Kongen i løbet af sin kronprinstid havde udviklet to afgørende karakterbrister, som endte med at forpeste livet for ham selv og hans omgivelser og i praksis gjorde ham ude af stand til at regere uden konstant at have Moltke ved sin side. Den ene var hans umådeholdne trang til indtagelse af alkohol, der førte til, at han endte sine dage som et alkoholiseret vrag i en alder af blot 42 år. Den anden var en seksuel perversion i retning af sadisme, der fandt udtryk i jævnlige vilde, såkaldte Venus- og Bacchusorgier, hvor han under indtagelse af rigelige mængder alkohol førte an i eskapader, der involverede skiftende letlevende kvinder. Disse forlod ofte selskaberne med blodige

Eftersom naturvidenskaberne efter Moltkes opfattelse forsømtes af Universitetet, tog han skridt til oprettelse af et særligt Natural- og Husholdningskabinet på Charlottenborg med ham selv som præses og to tilknyttede professorer. Selv var han ivrig samler af konkylier og andre naturfrembringelser og udvirkede, at den tyske konkyliolog og kobberstikker Frants Michael Regenfuss i 1754 trådte i statens tjeneste med den opgave at udarbejde et komplet tavleværk over snegle, muslinger og andre skaldyr. Første (og eneste) bind udkom i 1758. Derefter gik arbejdet delvis i stå og ophørte helt ved Frederik V's død. Her ses planche II fra Regenfuss' værk, *Auserlesne Snecken, Muscheln und andere Schaaltiere* (1758). *H.M. Dronningens Håndbibliotek.*

rygstykker efter piskeslag, når Kongen efter at have fået tilfredsstillet sine lyster endelig var faldet sammen i en alkoholisk døs.

VEJLEDER OG SKRIFTEFADER

Det var altså dette på en gang sympatiske, men også afsporede, dette godlidende, men også selvdestruktive, dette almægtige, men også dybt afmægtige menneske, som den unge Moltke bandt sin skæbne til, da han først på året 1730 sagde ja til stillingen som kammerpage og siden i 1735 som kammerjunker hos ham. Det blev hans livs udfordring og en næsten daglig øvelse i resignation og tilgivelse, men også hans enestående mulighed for at bruge alle sine statsmandsevner og nå samfundets absolutte top.

Trods de utallige skuffelser, som den daglige omgang med dette utilregnelige og karaktersvage menneske må have beredt Moltke, hører man aldrig fra hans side et ondt ord. Tværtimod var han – som baron Flemming anførte – altid meget øm over sin herres rygte, og i hans egne efterladte papirer leder man forgæves efter blot en enkelt negativ ytring om Kongen. Der synes virkelig at have været tale om ægte hengivenhed ved første blik. Og at den var gengældt fra hans herres side, fremgår tydeligt af den samling på 75 små håndbreve – oftest hastigt skrevne billetter – fra dennes hånd, som Moltke bevarede i sit arkiv til minde om, som han selv anførte i et vedlagt notat, sin kongelige herres "fortræffelige karakter og hans kærlighedsfulde gode hjerte."

Disse små notitser, der kronologisk begynder i 1740, da Kronprinsen var sytten år gammel, og strækker sig frem til slutningen af hans regeringstid, emmer af hengivenhed over for "mein allerliebster Moltcke" og afslører et nært fortrolighedsforhold mellem de to. De giver samtidig et godt indblik i den senere Kong Frederiks ofte tumultariske privatliv og hans deraf følgende personlige anfægtelser, som han åbent bekendte for sin trofaste Moltke. Det bliver der lejlighed til senere at vende tilbage til. Her skal blot refereres et par eksempler fra kronprinstiden, hvor den vordende konges karaktermæssige svagheder endnu ikke helt havde taget magten fra ham, men hvor han blot fremtræder som en livsglad og elskværdig yngling, der allerede da var stærkt afhængig af sin kære Moltke.

Den allerførste notits daterer sig til den 6. maj 1740, hvor Moltke med sin familie opholdt sig på Møn i anledning af sin hustrus nedkomst med deres fjerde barn, Ulrica Augusta Wilhelmine, den 30. april. Kronprinsens brev rummer en overstrømmende lykønskning med familieforøgelsen og afsluttes med et indtrængende ønske om, at Moltke snart vender tilbage til København. Det samme ønske er temaet i det næste bevarede brev fra 2. juni 1741, hvor Moltke atter i en periode havde taget ophold på sit elskede Møn. Kronprinsen presser på for at få ham til at fremskynde sin tilbagerejse med ordene: "Mit eneste forlangende går udelukkende på snart at se Dem igen her hos mig, thi jeg kan forsikre Dem for, at det forekommer at være lang tid siden, at vi har talt sammen, hvorfor jeg griber lejligheden til her skriftligt at forsikre Dem om mit venskab fra nu af og i evighed. Amen!" Den unge kronprins savnede tydeligvis Moltkes trygge selskab og daglige rådgivning. Det samme fremgik også af et brev godt halvanden måned senere, den 22. juli, hvor Kronprinsen tilføjede: "For øvrigt tænker jeg flittigt på Deres gode formaninger og vil med Guds hjælp forsøge at efterleve dem. Gud velsigne Dem tusindfold for alt det gode, De har sagt mig, hvilket ikke skal forblive ubelønnet. Blot Gud vil give mig lejlighed til virkelig at bevidne Dem min kærlighed, vil jeg til enhver tid gøre det med største glæde …".

Disse uddrag viser, at Moltke allerede på dette tidspunkt ikke kun var en trofast fyrstetjener, men af Kronprinsen blev betragtet også som en nær ven og moralsk vejleder, som han støttede sig til i stort og småt. De viser tillige, hvor altopslugende et hverv Moltke havde påtaget sig med at holde den ustabile kronprins på nogenlunde ret spor, og hvilken takt og balancekunst det må have krævet af ham dagligt på den ene side at optræde som den respektfulde fyrstetjener og på den anden tale faderlige alvorsord med den unge mand, når han – hvad alt for jævnligt skete – trådte ved siden af og gav efter for sine laster og sanselige tilskyndelser.

HOFMARSKAL FOR KRONPRINSPARRET

Som det fremgår af de citerede brevuddrag lykkedes denne balancegang så godt, at Moltkes tilrettevisninger ikke gjorde mindste skår i Kronprinsens hengivenhed for ham. Det blev klart i 1743, da tiden for Kronprinsens formæling med Louise af England nærmede sig, og han derfor skulle have sin særskilte hofstat med egen hofmarskal i spidsen. På Kronprins Frederiks bestemte forlangende og trods modstand fra Dronning Sophie Magdalene, der som nævnt ikke kunne lide Moltke, valgte Christian VI at efterkomme sønnens ønske om at få Moltke som hofmarskal – også fordi Kongen i modsætning til sin gemalinde nærede sympati for ham og havde tiltro til hans evner til at holde sin ustabile søn på dydens smalle vej.

Den 16. juli 1743 udnævnte han derfor A.G. Moltke til Kronprins Frederiks hofmarskal med en gage, som i første omgang blev fastsat til

1.500 rigsdaler, men straks efter blev forhøjet til 2.000 rigsdaler årligt, da Moltke gjorde forestilling hos Kongen om, at han ikke ville kunne leve standsmæssigt ved hoffet for den først fastsatte gage. Dermed var ungdomsdrømmen om at ende sine dage som amtmand på Møn ganske vist endegyldigt bristet, således som Moltke ikke uden et anstrøg af krukkeri anførte i sin selvbiografi, hvor han sin natur tro tilskrev denne skæbne Guds vilje. Til gengæld havde han med denne udnævnelse taget det helt afgørende skridt på den vej, som blot få år senere skulle føre ham frem til en position som Danmarks mægtigste mand i nøje samvirke med sin kongelige velynder.

Moltkes første store opgave som hofmarskal var at bringe de sidste formaliteter og praktiske arrangementer i orden i forbindelse med Kronprinsens forestående giftermål, som var blevet forhandlet endeligt på plads i løbet af foråret 1743. Valget som Kronprinsens gemalinde og Danmarks kommende dronning var faldet på den attenårige, engelsk-hannoveranske Prinsesse Louise, som var datter af den engelske konge, George II, tillige kurfyrste af Hannover. Som med alle fyrstelige ægteskaber på denne tid var der også i dette tilfælde tale om et politisk betinget giftermål, hvor ægteskabsforbindelsen indgik som led i et større politisk-diplomatisk spil. Sagen var nemlig, at Danmark i disse måneder aktivt søgte støtte til planer om at bringe den danske kronprins i stilling til konkurrencen om den ledige plads som svensk tronfølger med henblik på en personalunion mellem de to nordiske riger. Dertil søgte man også Englands støtte, og ægteskabsplanerne mellem Kronprins Frederik og Louise var tænkt som et synligt symbolsk udtryk for den nærmere forbindelse mellem de to lande.

Af årsager, som der ikke her er grund til at komme nærmere ind på, endte de svenske tronfølgeplaner med at gå i vasken; men det gjorde til gengæld ikke det planlagte ægteskab. Selv om Frederik og Louise aldrig havde set hinanden, før de mødtes ved brudeskamlen, var Frederik på forhånd blevet så indtaget i den unge dame efter at have fået forevist et billede af hende, at han var blevet endog meget ivrig efter at få hende til ægte. Og da en tilnærmelse til England fortsat var i den danske regerings interesse, førtes ægteskabsforhandlingerne mellem de to hoffer til en positiv afslutning i løbet af sommermånederne 1743. Kronprinsen var lykkelig og forventningsfuld og erklærede, at der ikke blot var tale om en god alliance, men at der oven i købet også fulgte skønhed og gode egenskaber med.

Efter tidens skik fandt der først en symbolsk vielse sted i brudens hjemland, i dette tilfælde nærmere betegnet i Hannover, hvor Louises broder, hertugen af Cumberland, fungerede som stand-in for den fraværende, rigtige brudgom ved en ceremoni den 10. november 1743. Straks derefter satte bruden med følge kursen mod Altona – det dansk-norske monarkis sydligste by – hvor hun blev modtaget af Kronprinsen, som med sit følge allerede havde opholdt sig i byen nogle uger.

I spidsen for dette følge stod den nye hofmarskal, A.G. Moltke, der som et udtryk for Kongens velvilje og tillid kort forinden – den 2. september – var blevet benådet med kammerherrenøglen og dermed var rykket endnu et trin op på ærens trappe. Som et yderligere udtryk for den tillid, Kongen nærede til Moltkes karakter og dømmekraft, havde denne forinden afrejsen ifølge Moltkes egne optegnelser givet ham instruks om at holde nøje øje med Kronprinsens gøren og laden og givet ham fuldmagt til at ordne alt i forbindelse med rejsen og opholdet efter eget bedste skøn og løse mulige opstående problemer, som han fandt det bedst og rigtigst. Denne særlige instruks til Moltke var givetvis et udtryk for, at Kongen var fuldt bekendt med sønnens særlige tilbøjeligheder og bekymret for, hvad han kunne finde på, når han var uden for faderens rækkevidde. Men den var samtidig udtryk for Kongens tiltro til Moltke, som til overflod fik besked på to gange ugentlig at rapportere tilbage til Kongen om Kronprinsens færden og turens forløb. Moltkes ansvarsfulde rolle på denne færd var således ikke blot at stå i spidsen for alt det praktiske, men også diskret at fungere som Kongens øjne, øren og arm – uden tvivl noget af en ilddåb for den kun 32-årige hofmarskal.

Moltke bestod imidlertid denne prøve med så megen bravur, at Kongen efterfølgende udtrykte sin varme anerkendelse af hans indsats og – hvad han ikke uden en vis selvfølelse anførte i sin selvbiografi – siden betroede ham flere sager, hvis løsning krævede særlig fortrolighed og diskretion. Moltke havde her for alvor vist sig at være den diskrete hofmand og problemknuser, som evnede at færdes sikkert i det minefyldte område mellem den fromme kongelige fader og hans livslystne, karaktersvage søn, og som siden også formåede at afbøde de værste skadevirkninger, da sidstnævnte viste sig mindre egnet som regent.

OVERKÆMMERER

Den højtidelige formæling mellem Kronprins Frederik og Louise blev fejret med en stor fest den 11. december i den imponerende riddersal på det nyopførte, men endnu knap færdige Christiansborg Slot – hovedstadens uden sammenligning største bygningsværk – hvor Moltke som en selvfølge var til stede og deltog i festlighederne. Skønt slottet var mastodontisk, var der imidlertid ikke plads til, at det nygifte kronprinspar kunne indlogeres der – store dele af slottet var fortsat en travl byggeplads. Som en midlertidig løsning rykkede det unge par derfor med deres stab ind på Char-

Nutidigt foto af Prinsens Palæ, det nuværende Nationalmuseum. Som hofmarskal hos Kronprins Frederik (V) havde Moltke embedsbolig bag de høje vinduer i stueetagen over den svingende mørke bil. *Foto Elizabeth Moltke-Huitfeldt.*

lottenborg, hvor man opholdt sig, indtil Prinsens Palæ – det nuværende Nationalmuseum – var blevet sat i stand til at modtage dem. Som sommerboliger fik parret stillet Jægerspris Slot og Sorgenfri til rådighed. Først ved tronskiftet i 1746 kunne parret – nu som kongepar – tage residens på det egentlige kongeslot, Christiansborg.

Ansvaret for det praktiske arbejde med og økonomien bag istandsættelse og nyindretninger af parrets boliger blev lagt i hænderne på Moltke, som også selv fik en anseelig embedsbolig først på Charlottenborg i stueetagen til venstre for porten ud til Kongens Nytorv og derefter i Prinsens Palæ i stueetagen ud mod Frederiksholms Kanal og Ny Vestergade. Også denne opgave løste han tilsyneladende til sine herskabers fulde tilfredshed, for allerede året efter blev han ved siden af stillingen som hofmarskal udnævnt til overkæmmerer – dvs. øverste økonomiansvarlige – for Kronprinsens hof. Han kombinerede med andre ord i sin person de stillinger, som i nutidig hofsammenhæng betegnes hofmarskal og økonomichef, hvilket gav ham afgørende indflydelse på stort og småt ved det hof, som han forvaltede.

Allerede i forbindelse med formælingsrejsen til Altona havde han givet en prøve på sin kompetence og opfindsomhed, når det gjaldt pengesager og økonomiforvaltning. Sagen var den, at den lidt påholdende Christian VI kun ønskede at spendere 30.000 rigsdaler på denne brudefærd, selv om Moltke forudså, at dette beløb ikke ville række og derfor gjorde forestilling hos Kongen om at få beløbet forhøjet. Da Kongen afslog dette, undlod Moltke at insistere, men gik i stedet til regeringens magtfulde udenrigsminister Schulin, som udvirkede, at Moltke fast kunne trække de nødvendige beløb på en åben kassekredit hos et bankier-firma i Hamburg. Denne fikse manøvre er et tidligt eksempel på den måde, som Moltke også sidenhen foretrak at løse problemer på, nemlig ved i stedet for direkte konfrontation diskret at finde en udvej ved hjælp af det indflydelsesrige netværk af magtfulde politikere og embedsmænd, som han efterhånden opbyggede omkring sin person. Episoden afslører også i et glimt, at den gamle erfarne udenrigsminister allerede på dette tidspunkt optrådte i rollen som den unge hofmarskals beskytter og støtte.

Af den samtidige forfatter Charlotta Dorothea Biehl, hvis fader var inspektør på Charlottenborg og derfor også havde embedsbolig dér, fik den nye unge Kronprinsesse et særdeles overstrømmende skudsmål. Da kronprinsparret tog bolig på Charlottenborg, var Dorothea, som hun som oftest nøjedes med at kalde sig selv, en ung og særdeles observant pige på tolv-tretten år, som dagligt og på første hånd havde lejlighed til at iagttage parrets færden. Sine indtryk nedskrev hun mange år senere i sine erindringer. Hun berømmer deri Louise for hendes gode sind, ligefremme være-

måde, smukke ydre og målbevidste arbejde for at blive dansk og en god ægtemage for sin mand. Helt bortset fra de politiske hensyn, som i første omgang havde bragt ægteskabet i stand, er der næppe heller tvivl om, at kongeparret og indviede kredse omkring det også havde det håb, at ægteskabet ville få den vidtløftige og udsvævende kronprins til at falde til ro og lægge sine laster på hylden, og det har givetvis også været forhåbningen hos Moltke, der jo havde det daglige ansvar for sin herres gøren og laden.

Den 22-årige Dronning Louise malet i 1747 af C.G. Pilo. Det er lykkedes kunstneren at indfange den ligefremme livsglæde og åbenhed over for omgivelserne, der gjorde hende til den nok mest populære dronning i det oldenborgske dynastis historie. Hun formåede i sit korte liv sammen med sin gemal at forvandle det stive, lukkede hof til et strålende centrum for kulturelle og selskabelige udfoldelser. Blandt hendes ubetingede beundrere var Ludvig Holberg og A.G. Moltke. *Statens Museum for Kunst.*

KRONPRINSELIG IDYL MED MISLYDE

Det syntes i første omgang virkelig også at lykkes. Kronprins Frederik virkede fra første færd oprigtigt forelsket i sin smukke og livlige hustru. Charlotta Dorothea Biehl beskriver således en rørende scene fra parrets sidste juleaften på Charlottenborg, som hun iagttog gennem vinduerne fra sin udkigspost i gården:

> "Prinsessen stod foran sit toiletbord, som stod foran et meget stort fag vinduer, der gik ud til gården, og, som det synes, søgte efter noget i æskerne, da Kronprinsen kom ind til hende med en tallerken med kirsebær. Hun gav ham et kys for dem og har ventelig bedt ham spise med, thi han satte tallerkenen på toiletbordet, og nu gik det på en spisen løs. Men hvordan spiste de? Af det kirsebær, han skulle have, tog hun stilken i munden, og han måtte tage det ved hendes læber; hun fik sine på samme måde af ham, men formodentlig måtte hun et par gange have trukket bærret ind i munden, så han ikke fik andet end kysset, thi han truede hende, og den næste gang må han ved sin hurtighed have trykket bærret itu, siden hun viste ham, at det var stænket på hendes bryst, men som hun viste ham det, lå hans læber på stedet, og hendes til hans pande, siden det øvrige af hans ansigt var skjult. I denne stilling forblev de i nogle minutter, begyndte derpå at spise kirsebær igen, og da tallerkenen var tom, slog han sin højre arm om hendes liv og gik ud af gemakket med hende."

Dette kælne optrin afspejler klart et nyforelsket par, som var dybt optaget af hinanden, og syntes dermed at være selve indfrielsen af de forhåbninger, som Moltke og andre havde næret. De følgende år nedkom Louise da også med stor regelmæssighed med de fem levendefødte børn, som ægteparret nåede at få, inden hun i 1751 på tragisk vis døde i barselsseng.

Forhåbningerne om, at Kronprinsens nyvundne ægteskabelige lykke ville få ham til at lægge sin ustabile livsførelse bag sig, viste sig dog snart

Marcus Tuschers portræt fra omkring 1744 af Christian VI og hans familie i et fornemt barokesceneri ved Hirschholm Slot. Kongeparret flankeres af deres to børn, Kronprins Frederik (V), der optræder i harnisk, og Prinsesse Louise, der er i samme store skrud som moderen, Dronning Sophie Magdalene. Prinsesse Louise ægtede i 1749 en tysk småfyrste, men døde allerede 1756 i en alder af tredive. *De Danske Kongers Kronologiske Samling, Rosenborg.*

forgæves. Samtidig med at den netop beskrevne hyrdescene udspillede sig, løb der nemlig på Charlottenborg vilde rygter om, at han, stærkt assisteret af sin kammerjunker, Henrik Vilhelm Tillisch, hengav sig til natlige excesser med samme kammerjunkers søster, som regelmæssigt blev smuglet ind i palæet ved nattetide. Ifølge Charlotta Dorothea Biehl fik dette Moltke til at befale de mulige adgangsveje blokeret med hængelåse, som dog ofte viste sig opbrudte om morgenen. Dette mummespil stod på hen over julen 1743 og må sikkert have givet anledning til daglig bekymring for Moltke, som jo ønskede det bedste for sit herskab og nødig så fornyede rygter om Kronprinsens skørlevned brede sig. Desuden var et utilsigtet overforbrug af hængelåse næppe heller den nøjeregnende hofmarskals kop te.

Dette var formentlig baggrunden for, at Moltke kort efter nytår 1744 i alvorlige, indtrængende vendinger følte sig foranlediget til at foreholde Kronprinsen det umoralske og uholdbare i hans opførsel, hvilket dog blot udløste en rasende og afvisende reaktion fra denne. Vi kender til episoden på grund af et brev af 11. januar 1744 fra Kronprinsen til Moltke, hvori førstnævnte åbenbart efterfølgende er kommet på bedre tanker og lover bod og bedring:

> "Min allerkæreste Molck. Af mit hjertes grund beder jeg Dem om tilgivelse for det, hvormed jeg har forulempet og bedraget Dem. Guderne skal vide, at det piner mit hjerte og giver mig sjælekval, og at jeg har behandlet min inderligt elskede Molck og bedste ven så ondt. Med Guds hjælp håber jeg aldrig at gøre det igen og undgå alt, hvad der bare minder om at gå Dem for nær."

Brevet slutter med et trohjertigt: "vivat Molck. Deus tibi benedicas", Molck han leve. Gud velsigne dig. Dette skulle dog langtfra blive det sidste angergivne brev, som Moltke modtog fra sin herre, når denne havde forløbet sig eller brudt sine løfter om bod og bedring. Tværtimod falder de tæt op gennem 1750'erne og afspejler dermed en afsender, som i stigende grad kom i sine lasters vold, og en modtager, hvis hverv som moralens vogter og som skriftefader mere og mere mindede om et sisyfosarbejde.

MOLTKE SOM MÆGLER

Selv om Moltke således gjorde sit yderste for at holde skandalen inden for husets fire vægge, nåede rygterne naturligvis efterhånden også Kongens øre, hvilket bragte ham til den 17. februar 1744 at skrive et brev til sønnens hofmarskal, hvori han lod Moltke vide, at han samme dag havde haft en

alvorlig faderlig samtale med sønnen i anledning af de verserende rygter om, at denne omgikkes "Huren und Maitressen". Han befalede derefter Moltke til at tage en tilsvarende alvorlig samtale både med Kronprinsen og kammerjunker Tillisch for på denne måde at finde ud af, om det var noget, som Tillisch havde sat Kronprinsen i hovedet og eventuelt også sat i værk. Moltke skulle desuden gøre det klart for Kronprinsen, at Kongen under alle omstændigheder ønskede Tillisch fjernet fra hans omgivelser, eftersom alene rygterne, uanset hvor grundløse de måtte være, var skadelige for Kronprinsens omdømme. Han pålagde sluttelig Moltke at rapportere tilbage til ham personligt, når denne for alle parter ubehagelige mission var udført. Dette delikate hverv var dermed et eksempel på de særligt betroede opgaver på Kongens vegne, som Moltke senere hen omtalte i sin selvbiografi.

Allerede dagen efter forelå Moltkes rapport i form af et brev til Kongen, hvori han redegjorde for resultatet af sine afhøringer af Kronprinsen og Tillisch. Det fremgik deraf, at Kronprins Frederik lettere brødebetynget måtte indrømme, at de to sammen havde haft planer om at smugle en "Frauenpersohn" ind til Kronprinsen; men han svor på sin ære på, at planerne aldrig var blevet ført ud i livet. Det samme gjorde Tillisch, selv om også han vedgik, at han efter Kronprinsens ønske havde truffet visse indledende forberedelser. På dette grundlag konkluderede Moltke, at der for begges vedkommende sandsynligvis blot havde været tale om nogle hede ungdomsfantasier, som dog aldrig var blevet til andet end netop fantasier, og han henstillede derfor allerunderdanigst til Kongen, at denne lod nåde gå for ret og overlod det til Moltke at lægge låg på hele sagen for at undgå yderligere offentlig opmærksomhed om den pinlige affære. Moltke trådte med andre ord – og sandsynligvis mod bedre vidende – ind som et beskyttende skjold mellem den lastefulde kronprins og hans strenge fader og tilbød sig som det, man med et moderne udtryk betegner som spindoktor for Kronprinsen i forhold til offentligheden.

Dagen efter, den 19. februar 1744, fulgte så et anerkendende brev fra Kongen til Moltke, hvori han takkede hofmarskallen for indsatsen og tilsluttede sig hans forslag. Han resolverede dog, at Tillisch ufortøvet måtte fjernes fra Kronprinsens omgivelser, fordi han – som Kongen udtrykte sig – "von sehr verliebten Temperament seyn soll", skulle være af et meget kærlighedsfuldt temperament. Dette skulle imidlertid ske diskret ved udadtil at give det udseende af, at Tillisch havde fået tilladelse til at forlade hovedstaden for en længere periode for at besøge sin fader. For yderligere at holde gode miner til slet spil bestemte Kongen, at samme Tillisch skulle bevare sin gage som kammerjunker. Kongen valgte med andre ord i et og alt at følge Moltkes råd om diskret at dysse sagen ned i stedet for, som det først havde været hans agt, at fare frem med bål og brand med deraf følgende risiko for offentlig skandale. Således gik det, og ved Moltkes foranstaltning blev Tillisch efterfølgende diskret sendt på porten, og sagen døde derefter hurtigt hen.

Forløbet af denne episode er ganske kendetegnende for den måde, som Moltke foretrak at løse problemer på: ubrydeligt loyal mod sin herre, men håndfast virkende i kulissen for en mindelig løsning, som ikke kompromitterede dennes gode navn og rygte, så vidt det overhovedet var muligt. Moltke var allerede på dette tidspunkt en øvet problemknuser og viste sig tillige snart at være en så dreven spindoktor, at han slap af sted med i offentlighedens øjne at forvandle den karaktersvage og mere og mere alkoholiserede Frederik V til en skikkelse, der snarere mindede om imperatorskikkelsen på Salys rytterstatue – en bedrift, som må få nutidens spindoktorer til at blegne af misundelse.

Fra Frederik V's mange hengivne breve til Moltke ved vi nøje, i hvor høj grad denne værdsatte og var afhængig af Moltkes indsats. Og at Kong Christian VI tilsvarende satte pris på ham og til sin død bevarede en usvækket tillid til ham, fremgår alene af, at han på Kronprins Frederiks fødselsdag, den 31. marts 1745, slog den kun 34-årige hofmarskal til Hvid Ridder. Denne udnævnelse, som befæstede Moltkes position i toppen af det enevældige embedshierarki, var det definitive skulderklap til den unge hofmand og tillige sikkert ment som en tak fra den gamle konge for med fast og venlig hånd at have styret hans karaktersvage søn nogenlunde sikkert gennem ungdomstidens mange farer og fristelser. Dengang som nu var det fast skik, at man ved en sådan udnævnelse skulle vælge sig et symbolum eller et motto, der i kort form gav udtryk for modtagerens grundlæggende værdier og livssyn. Moltke valgte som tidligere nævnt som sit riddersymbolum ordene "constantia et fidelitate" – med bestandighed og troskab. Hans konsekvente efterlevelse af dette motto i forhold til sine kongelige herskaber – rollen som det stabile, trofaste ankerpunkt i et ellers ubestandigt og intrigefyldt hofmiljø – er en vigtig nøgle til forståelse af hemmeligheden bag hans lange, imponerende karriere i magtens absolutte centrum.

Godt et år efter at have slået Moltke til ridder døde Christian VI i en alder af 46 år efter seksten års kristelig regeringstid. Med ham forsvandt indremissionsmanden på den danske enevoldstrone. Den blev derefter indtaget af sønnen, som på næsten alle områder var sin faders modsætning. Tronskiftet varslede nye tider i Danmark, og for såvel Frederik V som for hans trofaste Moltke begyndte en helt ny livsfase. For den førstes vedkommende blev denne fase nærmest én lang deroute, men for den sidstes karrierens højdepunkt og kulminationen af indflydelse og velstand.

I magtens centrum

I det karakteristiske fromt-pietistiske tonefald, som Moltke anlagde i sine erindringer, kommenterede han under året 1746 det kongelige dødsfald den 6. august med følgende ord:

> "Anno 1746 den 6. august behagede det den almægtige Gud at udfri den fromme og gode Kong Christian VI af denne dødelighed."

Han fortsatte derefter med at anføre, at han fra samme dag at regne var blevet udnævnt til den nye konges overhofmarskal og dermed til hoffets ledende skikkelse. Sammen med det nye kongepar rykkede han nu ind på Christiansborg, hvor han fik rådighed over den imponerende overhofmarskallejlighed i selve slottets hovedfløj i umiddelbar nærhed af de kongelige gemakker. Også i fysisk forstand var Moltke dermed rykket direkte ind i selve den enevældige stats magtcentrum. Det forblev hans position, så længe Frederik V levede.

Samtidig blev Moltke for første gang godsejer i egen ret, idet den nye konge den 20. september 1746, blot halvanden måned efter tronskiftet, skænkede ham det anseelige midtsjællandske gods Bregentved ved Haslev kvit og frit. Det gamle kirke- og siden adelsgods Bregentved havde siden 1718 været i kronens eje; men med tilskødningen til Moltke blev det atter privat ejendom og kom til at danne kernen i det vældige godsimperium, strækkende sig over samtlige monarkiets landsdele, som A.G. Moltke opbyggede i de følgende årtier. Han havde dermed for alvor fået foden under eget bord.

Hvad der egentlig bevægede Kongen til denne overmåde generøse gestus, er vi kun mangelfuldt underrettet om – ud over at det er veldokumenteret, at han satte overordentlig stor pris på sin overhofmarskal og nærmest betragtede ham som en fader. Det er endvidere velkendt, at Frederik V var et ganske overordentlig gavmildt menneske over for dem, som han satte pris på. Noget tyder desuden på, at tilskødningen af Bregentved i virkeligheden var indfrielse af et gammelt løfte tilbage fra kronprinstiden. I Moltkes brevarkiv findes nemlig blandt de mange breve fra Frederik V også ét fra 25. juli 1744, hvori han endnu en gang forsikrede Moltke om sin store hengivenhed for ham og tilføjede:

"Som en garanti for, at jeg også agter at holde, hvad jeg lover, så lover jeg hermed skriftligt min allerdyreste Moltke, at han og hans familie til evig tid skal have Svanholm i besiddelse, koste hvad det så koste vil."

Nutidigt foto af kapellet på Bregentved. Det pragtfulde alterparti i barokstil er en arv fra Poul Vendelbo Løvenørns ejertid i 1730'erne. De simple træbænke er en senere tilføjelse. I dette smukke, højtidsfulde rum kunne A.G. Moltke fra 1746 dyrke sin Gud med al den inderlige hengivelse, som hans pietistiske fromhed fordrede. *Foto Elizabeth Moltke-Huitfeldt.*

Om denne gestus var Kronprinsens måde at takke Moltke for hans mæglende og udglattende indsats i Tillisch-sagen få måneder forinden, ved vi ikke. Men det er en kendsgerning, at Kronprinsen netop i sommeren 1744 erhvervede det gamle herresæde Svanholm nær Skibby i Hornsherred og i forbindelse dermed iværksatte en større ombygning. Vi tør måske også gætte på, at Kronprinsen efter sit moralske svigt i ovennævnte sag har været så opsat på at vise Moltke, at han trods alt var mand for at holde sit ord, at han fandt det passende at benytte sin nyerhvervelse som et pant på dette. I hvert fald afsluttede han sit løftebrev med følgende indtrængende ord:

> "Jeg beder blot om, at De bevarer disse linjer, indtil jeg virkelig med hånd og segl kan bevise, at jeg er Deres trofaste ven og oprigtigt vil holde mit løfte indtil døden. Amen. Vor kærlighed skiller intet andet end døden. Bliv blot altid hos mig, så vil jeg være hjerteligt fornøjet og takke Gud derfor."

I modsætning til de fleste øvrige breve var dette forsynet med Kronprinsens segl som et synligt udtryk for dets bindende karakter, hvilket viser, at han har tillagt det en helt særlig vægt. Bag brevets afsluttende appellerende bemærkninger aner man muligvis et opgør, hvor Moltke kan have ønsket sin afsked som følge af Kronprinsens gentagne løftebrud. Brevet og det deri indeholdte løfte forstås under alle omstændigheder bedst som Kronprinsens desperate forsøg på at fastholde Moltke ved sin side.

Det lykkedes som bekendt, selv om det altså i sidste ende ikke blev Svanholm, men Bregentved, der blev pantet på deres fortsat nære indbyrdes forhold. Men under alle omstændigheder havde den nye konge så hurtigt, som det i praksis lod sig gøre, indfriet sit gamle løfte til Moltke og dermed effektivt bundet ham til sig for resten af sin regeringstid. Med denne i sandhed kongelige gestus forstummede fra Moltkes side i praksis enhver tale om afsked. Bregentved blev den synlige garanti for, at Moltke trods alle prøvelser og skuffelser i fremtiden ville følge sin konge i tykt og tyndt.

NY REGERINGSSTIL

Tronskiftet gav sig ikke mindst i det ydre kraftige udslag, som især var synlige for de københavnere, der dagligt færdedes omkring kongeslottet. Christian VI's hof havde været stærkt præget af den pietistiske ånd, som tilsagde fromhed og forsagelse. Og det gamle kongepars naturlige skyhed og deres ideer om kongemagtens uendelige ophøjethed havde bragt dem til at isolere sig nærmest totalt fra det folk, som de herskede over. I direkte modsætning dertil var både Frederik V og hans dronning Louise åbne, elskværdige naturer og folkelige af væsen. De nød åbenlyst begge at færdes frit iblandt folk, blande sig med dem og mærke deres hyldest. Symbolsk nok blev den jernlænke foran slottet, som havde skullet holde folk på afstand, straks fjernet. Det samme gjorde de drabelige hestgardister, som med dragne sabler havde bevogtet slottets porte, og den massive husareskorte, som plejede at omgive den kongelige vogn. Den nye regering signalerede med andre ord fra første færd åbenhed og folkelighed og opnåede derved en enestående popularitet. Kongeparret lod sig ofte se ved folkelige arrangementer ude i byen, og slottets mange pragtsale dannede snart ramme om det ene kongelige selskab efter det andet med det unge livlige kongepar som det naturlige og feterede midtpunkt. Det var, som om en ny livsglædens ånd omsider havde indfundet sig efter mange års indeklemt fromhed og ceremoniel stivhed.

Hvor meget af æren for dette radikale stilskifte, man egentlig skal tillægge Moltke som hoffets øverste embedsmand og Kongens nærmeste – og eneste – fortrolige, er ikke til at sige. Formentlig ikke alverden i betragtning af, at han i mangt og meget delte opfattelse og værdier med Christian VI. Forandringerne afspejlede sikkert i langt højere grad det nye kongepars livsglade personligheder, og Moltkes opgave bestod væsentligst i at føre dem ud i livet, hvilket han også med stor loyalitet gjorde.

På de indre linjer var hans indflydelse derimod enorm, og her satte hans holdninger og værdier sig omgående tydelige og varige spor. Det viste sig på en pudsig måde straks ved tronskiftet, da Frederik V, som traditionen bød, skulle proklamere det valgsprog, som han ville føre sin regering efter. Utvivlsomt efter samråd med Moltke kom hans kongevalgsprog til at lyde: "Constantia et prudentia" – med bestandighed og klogskab. Når man betænker, at Moltke året forinden som sit riddermotto havde valgt ordene "constantia et fidelitate", ligger det ligefor at se ham som den egentlige ophavsmand til Kongens valgsprog. Ordet "constantia" går igen i begge deviser og afspejler Moltkes grundlæggende konservative gemyt. "Fidelitate" er naturligvis en pligt for kongens mest betroede tjener, mens "prudentia" er en dyd for statens øverste herre. Nært beslægtede, som disse to valgsprog er, afspejler de tilsammen i kort form Moltkes livssyn og ideer om god regeringsskik.

Han lod det imidlertid ikke blive ved sådanne kortfattede programerklæringer. Flere års dyrekøbte erfaringer med Kronprinsens begrænsede intellekt og arbejdsevne havde overbevist ham om, at denne havde behov for langt mere udførlig vejledning både på det principielle plan og i daglig regeringspraksis, hvis han med held skulle kunne udfylde rollen som enevældig monark over et stort og sammensat rige. I forbindelse med tronskiftet satte han sig derfor hen og udarbejdede en omfattende skriftlig regeringsplan, som han daterede Christiansborg den 26. september 1746 og gav den sigende overskrift *Uforgribelige tanker og plan, hvorefter jeg allerunderdanigst ønsker, at Deres Majestæt bestandig må regere Deres riger og lande og befordre Deres undersåtters timelige og evige vel.* Denne plan, affattet på Moltkes modersmål tysk, var ikke blot møntet på selve tronskiftet og mulige forandringer i forbindelse dermed, men var faktisk en redegørelse for et samlet regeringsgrundlag – en drejebog for den kommende regeringsperiode – således som den ifølge Moltke burde forme sig. Samlet set

A.G. Moltkes patent af 31. marts 1750 på værdigheden som Greve af Bregentved med Kongens segl i gylden seglkapsel og en farvelagt tegning af hans grevelige våben. Denne udnævnelse var en besegling af den høje gunst, han nød hos Kongen, og et udtryk for, at han herefter kunne henregne sig til de fornemste lag i den danske adel. *Foto Elizabeth Moltke-Huitfeldt.*

afslører den et meget betydeligt mål af menneskeklogskab og statsmandskløgt hos den 35-årige overhofmarskal, hvilket er så meget mere bemærkelsesværdigt i betragtning af, at hans personlige erfaringshorisont i realiteten begrænsede sig til hoftjeneste ved det enevældige hof.

MOLTKES REGERINGSPLAN

Moltkes plan var stilet direkte til den nye konge og sammenfattede i skriftlig form – som det hed i indledningen – de tanker, som han mere spredt tidligere havde givet udtryk for i lejlighedsvise samtaler med Kronprinsen om hans kommende regering. Og det er kendetegnende for det nære tillidsforhold mellem de to, at han indledningsvis tog sig den uhørte frihed direkte at advare Frederik V imod at give sig sine laster i vold, eftersom han også på det moralske plan burde kunne fungere som et eksempel til efterfølgelse:

> "Den allerhøjeste give, at Deres Majestæt altid vil være en viis Salomon og en from Josias, og skulle det ske – hvilket Gud dog nådigt forbyde – at Deres Majestæt, revet med af denne eller hin lidenskab, skulle synde mod Gud, håber jeg, at De i lighed med David vil lade Dem omvende og gøre bod."

Moltke kendte sin unge herre ud og ind og besad tillige tilstrækkelig civilcourage til at løfte denne formanende pegefinger. Således taler en tro rådgiver uden frygt og dadel – og hans nærgående råd blev da heller ikke taget ilde op, selv om Kongen beklageligvis viste sig ude af stand til at efterleve det.

I direkte fortsættelse deraf greb han fat om endnu en nælde, nemlig misforholdet mellem Kongelovens teori om kongens personlige magtudøvelse og det enevældige systems faktiske funktionsmåde. Kongeloven forudsatte jo uden videre, at kongen personligt traf alle store og små beslutninger i sit vidtstrakte rige. I virkelighedens verden lod dette sig naturligvis ikke gøre, og de første enevoldskonger havde hver på deres facon søgt at løse problemet. Christian V havde således en overgang forsøgt sig med en enkelt almægtig minister – Griffenfeld – mens hans efterfølgere, Frederik IV og Christian VI, søgte at leve den personlige enevælde ud med en umenneskelig daglig arbejdsbyrde til følge. Moltke kendte sin unge herre godt nok til at vide, at denne hverken havde intellektuel eller arbejdsmæssig kapacitet til at fortsætte ad dette spor. Han slog derfor fast, at et kongeligt styre på detailplanet var en umulighed. Kongen måtte således nødvendigvis have et pålideligt Konseil og kollegiesystem ved sin side, som kunne informere, rådgive og føre kongelige beslutninger ud i livet. Dette ville, understregede Moltke, ikke gøre det mindste afbræk i kongens magtfuldkommenhed, men tværtimod være en sikring af regeringens kvalitet og effektivitet.

Med henvisning til de uheldige erfaringer efter den omfattende udrensning af topembedsmænd i forbindelse med det forrige tronskifte i 1730 henstillede Moltke kraftigt, at Frederik V så vidt muligt lod faderens erfarne og velprøvede kollegieherrer fortsætte på deres poster og i det hele taget begrænsede udskiftningerne i rådgiverkreds og embedsapparat til et minimum. Han understregede betydningen af, at kongens topembedsmænd ikke alene var fortrolige med deres embedsområde, men også med landets sæder og skikke, således at de nødvendige forandringer kunne ske gradvis, på kvalificeret grundlag og i respekt for landets og samfundets særpræg. Han advarede i denne forbindelse stærkt kongen imod at lade sig friste til at ansætte udenlandske projektmagere med højtflyvende reformideer i fremtrædende stillinger. Dette ville efter Moltkes opfattelse med stor sikkerhed føre til kaos og utilfredshed – en vurdering, som han viste sig at få sørgelig ret i 24 år senere, da den tyske oplysningsmand Struensee fik frie hænder til i et snuptag at forsøge at reformere det danske samfund fra øverst til nederst. Moltke var af natur de små forsigtige fremskridts mand og bestemt ingen revolutionær himmelstormer – ordet "constantia" i hans riddermotto var ikke tom tale, men udtryk for en grundlæggende livsfilosofi.

Et velfungerende, loyalt embedsmandskorps var for Moltke alfa og omega i god regeringsførelse. Men omvendt formanede han også Kongen til at vise loyalitet over for sine betroede embedsmænd og, så langt det overhovedet lod sig gøre, bakke deres beslutninger op og kun skride til afskedigelse, hvis der efter grundig undersøgelse forelå klare beviser på embedsmisbrug eller inkompetence.

Besindige reformer

Alle disse gode og velbetænkte råd efterlevede Frederik V trofast med det resultat, at hans regeringstid – trods hans personlige inkompetence og efterladenhed – blev en af de mest stabile i hele enevældens historie. Tronskiftet medførte således kun ganske få udskiftninger på topembedsmandsplan og da under yderst hensynsfulde former, og derefter afskedigedes ingen ministre i hele Frederik V's regeringstid, selv om nye naturligvis kom til, efterhånden som de gamle fra faderens tid døde eller valgte at afgå på grund af alder. Ved Moltkes mellemkomst skiftede den danske enevælde i Frederik V's tid karakter fra en personlig til en bureaukratisk enevælde, som fungerede velsmurt, forudsigeligt og regelbundet med et minimum af kongelig indsats. Den resulterende harmoni i systemet kan vel nok i nogen grad tilskrives Frederik V's beskedne herskerambition, men skyldes først og fremmest, at Kongens efterlevelse af Moltkes regeringsplan banede vejen for et gnidningsfrit og tillidsfuldt samarbejde mellem regeringens topfolk.

Moltke lagde i fortsættelsen sin herre stærkt på sinde, at fredens sysler og den rolige udvikling af samfundslivet var langt mere betydningsfuldt for en fyrstes eftermæle end krigeriske bedrifter. Og med henvisning til især Holstens avancerede jorddyrkningsformer anbefalede han en systematisk reform af det tilbagestående danske landbrug ved dyrkningsomlægning og nyopdyrkning. Det var vel at mærke ikke bøndernes frihed, der lå ham på sinde – på dette punkt var han ikke reformist – men derimod omlægninger, der kunne optimere udbyttet og effektivisere driften.

Han rettede ligeledes en harsk kritik mod Københavns Universitet og dets højt betalte professorer, som han fandt gjorde alt for lidt for videnskabernes fremme, og foreslog i stedet indretning af andre institutioner til gavn for kunst og videnskab – en tanke, der skete fyldest bl.a. med indretningen af det såkaldte malerakademi, senere Kunstakademiet, i hjertet

Kuppelsalen på Charlottenborg. Som aktivt interesseret i kunst havde Moltke et åbent øje for kulturlivets betydning for statens og monarkiets trivsel. I 1748 indtrådte han således som præses for det Malerakademi, der var blevet grundlagt af Christian VI, og som på Kongens fødselsdag den 31. marts 1754 fik sin endelige form i skikkelse af Det Kongelige Danske Skildre-, Billedhugger- og Bygnings-Academie på Charlottenborg, hvor det også i dag har til huse. *Foto Elizabeth Moltke-Huitfeldt.*

af hovedstaden i 1748. Endelig foreslog han en række foranstaltninger til ophjælpning af byerhverv og handel og formanede, med henvisning til den netop da grasserende kvægpest, som kostede landbruget store summer, Kongen til så vidt overhovedet muligt at holde skatterne i ro. Alt i alt en række gode og velbetænkte råd på det indenrigspolitiske område fra en mand, som tydeligvis tænkte i fredelige og erhvervsfremmende baner. Det var en rådgivning, som Kongen i det store hele fulgte, og som dermed blev grundlaget for regeringsførelsen, så længe Frederik V levede og Moltke befandt sig i magtens centrum.

Udenrigspolitiske visioner

Planen afsluttedes med en veritabel *tour de force* gennem det udenrigspolitiske problemkatalog, hvor Moltke land for land opridsede, hvad der efter hans vurdering var vigtigt at holde sig for øje, når danske interesser skulle varetages. Således anbefalede Moltke i forholdet til Sverige altid at støtte

A.C. Rüdes maleri i Kuppelsalen på Fredensborg viser situationen, da Vestindisk-Guineisk Kompagni i 1754 overdrog de tre dansk-vestindiske øer til kronen. Til venstre modtager Frederik V overdragelsesdokumentet, og ved hans side står i baggrunden A.G. Moltke. Herren med det hvide skærf, deputeret i kommercekollegiet Jean Henri Desmercières, bar ligesom Moltke selv to kasketter ved denne lejlighed. Dels som højtbetroede kongelige embedsmænd, dels som henholdsvis præses og storaktionær i Kompagniet. Det lykkedes de to storinteressenter at bringe det nødlidende handelskompagni ind under statens beskyttende vinger og samtidig indkassere en betydelig økonomisk gevinst, idet staten – ved Moltkes mellemkomst – gik med til at indfri aktierne til deres pålydende værdi. *Foto Det Nationalhistoriske Museum på Frederiksborg Slot.*

det parti, som ønskede en svag kongemagt, fordi en stærk svensk konge historisk set altid havde medført krig og ulykke for Danmark. I forhold til Rusland fandt han det vigtigt at bevare venskabelige forbindelser og anbefalede stærkt at gøre det yderste for at få forhandlet en mageskiftetraktat vedrørende Gottorp på plads, således at denne kilde til rivninger og ufred mellem det danske kongehus og det russiske zardynasti, der var af huset Gottorp, endeligt kunne bringes ud af verden. Vigtigst af alt var det imidlertid at bevare et godt forhold til de to vestlige stormagter Frankrig og Storbritannien, idet disse to magter frem for nogen var afgørende for Danmarks skæbne. Omvendt advarede Moltke i stærke vendinger imod at fæste nogen som helst lid til Preussen, hvis konge han ligeud betegnede som upålidelig, magtsyg og danskfjendtlig.

Bortset fra dette stærke udfald mod den gryende tyske stormagt, som måske kan tilskrives hans mecklenburgske rødder, var den røde tråd i Moltkes udenrigspolitiske plan realpolitisk varetagelse af danske interesser med alle de midler – på nær krig – der stod til rådighed. Det var således ikke en politisk idealist, der her talte, men en snusfornuftig realpolitiker af nærmest machiavellistisk støbning, som ikke et øjeblik slap sin konges og Danmarks interesser af syne.

Det skitserede udenrigspolitiske program lignede til forveksling det, som Moltkes ven og velgører, den siddende udenrigsminister J.S. Schulin, i årevis havde søgt at følge. Og der er al mulig grund til at formode, at Moltke inden nedskrivningen nøje har afstemt det med denne. Også her støttede han sig altså kraftigt til de gamle erfarne lederskikkelser i den afdøde konges regering. Og med sin grundlæggende konservative indstilling og sin medfødte politiske begavelse blev han på denne måde det naturlige bindeled mellem disse og den nye uprøvede konge – og dermed også deres vigtigste redskab til at sikre, at den rolige og stabile politiske linje, som de havde stået for under Christian VI, kunne videreføres under den unge Frederik V.

MANDEN I MIDTEN

Den ekstraordinære indflydelse, som Moltke opnåede i denne periode, kan således ikke blot tilskrives hans nære forhold til Kongen, men hang også nøje sammen med den formidlerrolle, som han så villigt påtog sig mellem landets virkelige magthavere – excellencerne og Konseilet – og den formelle indehaver af magten, Kongen. Det var naturligvis heller ikke uden betydning, at Moltkes og excellencernes verdensbilleder stort set var sammenfaldende, hvorved der som oftest var fuld overensstemmelse mellem hans rådgivning og hans personlige opfattelser. Desuden var han personligt tilbageholdende nok til at stille sig tilfreds med den uformelle magt, der lå i hans rolle, og stræbte ikke efter nogen formel stilling i selve regeringen. Derfor udgjorde han ikke i denne henseende nogen trussel for mere ambitiøse toppolitikere, mindst af alle for sin indflydelsesrige læremester, J.S. Schulin, hvis diskrete og konfliktundvigende regeringsstil han tværtimod med held tog som forbillede for sin egen magtudøvelse.

Det er således kendetegnende, at da Frederik V i forbindelse med sin salving i 1747 insisterede på at give sin overhofmarskal titel af gehejmeråd, dvs. medlem af Konseilet, accepterede Moltke kun dette under forudsætning af, at han ikke skulle give møde i Konseilet eller deltage i dettes forhandlinger. Med sin vågne sans for den uformelle magtudøvelses store muligheder indså han klart, at en formel regeringspost og aktiv deltagelse i forberedelsen af de sager, der skulle forelægges Kongen, kun kunne svække hans stilling som dennes nærmeste rådgiver og det eneste forbindelsesled mellem monark og regering.

Da Kongen i 1749 på ny udtrykte ønske om, at Moltke også formelt skulle indtage sin plads i Konseilet – den egentlige regering – vægrede

C.G. Pilos repræsentative portræt af A.G. Moltke 1750 viser den nyslåede lensgreve. Her for første gang afbildet med det brillanterede brystsmykke med Kongens portræt, som han i 1749 modtog som en særlig udmærkelse. Privateje. *Foto Elizabeth Moltke-Huitfeldt.*

Første side af A.G. Moltkes pragtfulde grevelige patent af 31. marts 1750, der lagde endnu en alen til hans hastige sociale opstigning og politiske indflydelse i årene efter Frederik V's tronbestigelse. *Foto Elizabeth Moltke-Huitfeldt.*

han sig atter på det bestemteste. Igen bøjede Kongen sig for sin nære rådgivers ønske; men samtidig blev der som nævnt truffet den ordning, at udenrigsminister Schulin skulle lade Moltke tilstille alle ind- og udgående depecher vedrørende forholdet til fremmede magter, så han også på det udenrigspolitiske område kunne være fuldt orienteret om udviklingen og dermed så meget desto bedre være i stand til at råde Kongen. Flere af de danske gesandter i udlandet lugtede snart lunten og indledte selvstændig korrespondance med Moltke for på denne måde at gøre deres opfattelser gældende på højeste sted.

Den almægtige overhofmarskal endte således snart med at sidde i centrum af et kolossalt, uformelt netværk dækkende både inden- og udenrigspolitik, hvilket forlenede ham med en enorm indflydelse. Moltke var simpelthen ikke til at komme uden om i dansk politik i disse år. I kraft af sit nære forhold til Frederik V var det lykkedes ham at forvandle den i ho-

Endnu et synligt tegn på Frederik V's nærmest grænseløse gunst: Det rigt brillanterede brystsmykke med Kongens portræt, som Moltke modtog 1749 efter at have ledsaget Kongen på en rejse til Norge. *Foto Elizabeth Moltke-Huitfeldt.*

vedsagen ceremonielle post som overhofmarskal til rigets mest magtfulde politiske embede – en situation, der ikke er set hverken før eller siden. Først et par år før Frederik V's død – i 1763 – indtog Moltke endelig sin plads i Konseilet som egentligt regeringsmedlem; men det skete symptomatisk nok på et tidspunkt, da hans storhedstid lakkede mod enden, i takt med at Kongens helbredstilstand svækkedes.

Fra 1748 fik Moltke tillige betroet stillingen som direktør for Kongens partikulærkasse – nogenlunde svarende til vore dages civilliste – hvilket gav ham kontrol over en af datidens største pengekasser. Dermed fik hans indflydelse også en klar økonomisk dimension, idet midler fra Partikulærkammeret i de følgende år benyttedes til at understøtte kultur- og erhvervslivet og igangsætte de storstilede planer om bygning af Frederiksstaden med Moltke som den egentlige primus motor. Heller ikke på disse felter var den allestedsnærværende overhofmarskal til at komme uden om. Hvis nogen ville have noget udrettet – det være sig inden for eller uden for landets grænser – var det Moltke, man måtte henvende sig til. Det vidste snart enhver.

Trods Moltkes udprægede sans for den stille magt forsagede han dog langtfra visse ydre tegn på sin betydningsfulde stilling og den gunst, han stod i hos Kongen. På Kongens fødselsdag den 31. marts 1747 lod han sig således dekorere med ordenen *de l'Union parfaite*, den af Christian VI og Sophie Magdalene indstiftede husorden til særligt udvalgte tæt på kongefamilien. Og to år senere modtog han som en særlig gunstbevisning et rigt brillanteret emaljeportræt af Kongen, beregnet til at bære på brystet. Endnu et år senere, i forbindelse med Kongens fødselsdag den 31. marts 1750, modtog han det definitive bevis på Kongens gunst og sin høje status, idet Kongen ved denne lejlighed ophøjede ham i grevestanden og gav ham patent på, at hans besiddelse Bregentved mv. herefter var et lensgrevskab. Intet under, om den da knap fyrreårige overhofmarskal ved denne lejlighed for en stund lod tanken dvæle ved det enestående i den meteoragtige karriere, som i løbet af få årtier havde forvandlet ham fra en mecklenburgsk indvandrer i ret beskedne kår til en stærkt ombejlet skikkelse, der lige ubesværet færdedes i selve magtens centrum og i rigets højeste sociale lag. Hans opstigen mod magtens og velstandens tinder syntes i disse år nærmest at være uden ende.

MEDALJENS BAGSIDE

Der var imidlertid også en bagside af denne ellers så strålende medalje, nemlig Kongens uberegnelighed og ofte hidsige og udfordrende adfærd, når han dyrkede sine guder, Venus og Bacchus. Frederik V var nok et lastefuldt og karaktersvagt menneske; men ubegavet var han ikke. Derfor var han inderst inde godt klar over, at han trods sin formelle magtfuldkommenhed i virkeligheden blot var en marionet i hænderne på excellencerne – inklusive Moltke – uanset med hvilken ærbødighed og udsøgt høflighed, de ellers omgikkes ham. Og når han fik for meget at drikke – hvilket ofte skete – kunne frustrationerne komme op i ham og få ham til at optræde aggressivt også over for Moltke, som jo desuden i sagens natur næsten altid var om ham. Denne måtte derfor som pris for sin store indflydelse ofte lægge øre til kongelige fornærmelser, som endda kunne virke ekstra ydmygende, eftersom de ofte blev udtalt i overværelse af Kongens svirebrødre og -søstre. Undertiden kunne det gå så vidt, at det blev selv den ellers så langmodige Moltke så meget for broget, at han truede med at tage sin afsked eller ligefrem anmodede om den.

En sådan situation indtraf den 24. november 1749, hvor Kongen – med sine egne ord i et undskyldende brev dagen efter – "ved min ubeherskede tale endnu en gang har gjort Dem ked af det og krænket". Optrinet havde bragt Moltke til på stedet at bringe sin afsked på bane, hvilket fik Kongen til dagen efter at sende ham sin mest uforbeholdne skriftlige undskyldning med løfte om, at det aldrig skulle gentage sig. Og han tilføjede afsluttende:

> "Kun om endnu ét beder jeg, nemlig at De denne gang ikke taler om afsked eller lignende. Jeg lover Dem hermed skriftligt for Gud, at det er mig så kært altid at beholde Dem her hos mig, at jeg – hvis jeg igen skulle krænke Dem, hvilket Gud forbyde – da ikke vil tage det ilde op, om De kom på sådanne tanker. Gud velsigne Dem min kære Moltke. Jeg forbliver til min død min hjertenskære Moltkes oprigtige tro ven."

Den ustabile konge viste sig imidlertid som sædvanligt ude af stand til at holde sine dyrebare løfter, og i de oprivende dage i forbindelse med Dronning Louises pludselige død i barselsseng kort før jul i 1751 gik det galt igen. Uden at vi kender den konkrete anledning, overfusede den stærkt uligevægtige konge atter Moltke, som på dette tidspunkt selv var sygdomssvækket, på en så hårdhændet måde, at Moltke straks efter satte sig til skrivepulten og med henvisning til Kongens skriftlige løfte fra 1749 affattede en regulær afskedsansøgning, som han siden bevarede i koncept i sit arkiv. I brevet, der var affattet på fransk, hed det bl.a.:

> "Det er med den yderste smerte og beklagelse, at jeg – forårsaget af min dårlige helbredstilstand – ser mig nødsaget til allerunderdanigst at bede Deres Majestæt om afsked fra mine embeder. Jeg føler, Herre, at den taknemmelighed, som jeg skylder Deres Majestæt for alle de nådesbevisninger, som De har æret mig med gennem de 29 år, jeg har haft den ære at tjene Dem, burde afholde mig fra at fremføre en begæring af denne art – men, Herre, den hårde nødvendighed forpligter mig til at fremsætte dette ønske for Dem."

Om brevet nogen sinde blev afleveret til Kongen, ved vi faktisk ikke; men vi ved, at Kongen den 21. december 1751 – to dage efter Dronningens død – sendte Moltke et undskyldende brev med mange hengivne tilkendegivelser. Han betegnede bl.a. sig selv som Moltkes "klener Cerl", hans lille fyr. Og enden på det hele blev da også, at Moltke forblev i sin stilling, selv om bruddet denne gang nok var tættere på end nogen sinde tidligere. Samværet med den uligevægtige monark var utvivlsomt opslidende, og det er tydeligt, at ovenciterede afskedsansøgning var skrevet af en mand, som var frustreret og dødtræt af det sisyfosarbejde, som det var at holde Kongen på blot nogenlunde ret køl.

Hvilken krævende opgave, det måtte være næsten dagligt at agere skriftefader, problemknuser, skærmbræt og skydeskive for et så karaktersvagt menneske som Frederik V, der oven i købet ofte henfaldt i voldsomme selvbebrejdelser over sit lastefulde liv, fremgår af et kvalfuldt bekendelsesskrift fra Kongen, som Moltke opbevarede blandt sine papirer. Det er nedfældet med Kongens egen hånd og skrevet i 1762, netop da landet befandt sig i en overhængende fare for krig med Rusland. Skriftet afspejler på gribende vis et menneske i stor sjælskvide og afslører dermed også i et glimt omfanget af Moltkes opgave, samt hvilke modstridende kræfter og følelser i Kongens sind han til stadighed måtte forholde sig til. Skrivelsen, der nærmest har form af en bøn til Gud, lyder i omtrentlig dansk oversættelse fra Frederik V's tyske således:

> "Oh, store Gud, Fader, Søn og Helligånd vær mig nådig. Ak, for Jesu Kristi dyrebareste blod og sår vær mig arme synder nådig. Jeg lover dig alene, du sande treenige Gud, Fader, Søn og Helligånd, at være dig tro til mine dages ende. Jeg forsager Djævelen og alle hans gerninger og alt hans væsen for tid og evighed, ja til evig tid. Stå mig dog bi i mine forehavender og lad mig for din nådes skyld ikke i stikken. Giv mig blot også kraft og mod til at kæmpe for din ære i al den tid, jeg er tilmålt. Oh Herre, Herre, hjælp mig ud af al min nød, du min Gud, min trøstermand. På dig tror og bygger jeg, vær mig for Jesu Kristi skyld nådig. Vær i din nåde ikke unådig mod den kærlighed, som jeg bærer og oprigtigt nærer til dem, som jeg er så forpligtet over for. Du min hjælper og eneste trøst i liv og død, vær mig, oh trofaste Gud, for din barmhjertigheds skyld nådig.
>
> Jeg er en orm, støv, aske og jord, ja endog tusind gange mindre end det. Velsign mig og bevar mig; velsign mit land, som du i din nåde har betroet mig; velsign min hustru og børn; velsign og bevar i din nåde også alle mine gode venner. Jeg tilhører dig, min store gode og nådige Gud med liv og sjæl, med gods og blod. Som din vil jeg leve og dø; din vil jeg være og forblive for tid og evighed. Gud være mig for Jesu Kristi skyld nådig. Amen – i Jesu allerhelligste og over alt højlovede og velsignede navn, Amen, Amen.
>
> Herren velsigne os og bevare os.
>
> Herren lade sit åsyn lyse over os og være os nådig. Herren løfte sit åsyn på os og give os fred.
>
> Amen, i Jesu navn, amen.
>
> Frederik, din orm, jord og aske."

Det var dette formelt set magtfuldkomne, men personligt dybt afmægtige og splittede menneske, som det gennem hans tyve vanskelige år på enevoldstronen faldt i Moltkes lod at beskytte ikke blot mod omgivelsernes voksende skepsis og skuffede forventninger, men også i forhold til Kongens egen selvdestruktive adfærd med den deraf følgende selvforagt, således som det klart kommer til udtryk i den her citerede bøn. Det var en daglig kamp for ham selv og hans omgivelser, som først sluttede, da Kongen, nedbrudt på legeme og sjæl, i 1766 omsider udåndede i sin trofaste mentors arme.

Andreas Møllers pragtfuldt indrammede portræt af Frederik V som krigsherre indtog en hædersplads i kirkesalen på Bregentved. Derved kunne Moltke dagligt have sin velynder – og protegé – for øje, også når han opholdt sig på sit gods. Portrættet viderebringer samme myte som rytterstatuen på Amalienborg Slotsplads, nemlig illusionen om Frederik V som en stor monark og dygtig krigsherre. Virkeligheden var en ganske anden. *Foto Elizabeth Moltke-Huitfeldt.*

FRISTELSERNES HOLDEPLADS

En så afgørende position i selve magtens centrum, som den Moltke lige fra begyndelsen af Frederik V's regeringstid indtog, medførte imidlertid ikke blot tunge forpligtelser og et uophørligt stort dagligt arbejdspres, men åbnede også mulighed for begunstigelser og fristende tilbud, som almindelige dødelige blot kunne drømme om. Det har givetvis krævet sin mand at modstå sådanne jævnlige fristelser, som umiddelbart nok kunne virke tiltrækkende, men som på længere sigt ville virke korrumperende og dermed ødelæggende for magtpositionen. Griffenfeld var et iøjnefaldende og afskrækkende eksempel på en magtfuld kongetjener, hvis ubændige trang til personlig berigelse, tørst efter titler og synlig indflydelse havde hidført et brat og dybt fald fra magtens tinder. Men selv om Moltke bestemt ikke var nogen kostforagter, hverken hvad angår titler eller kontante belønninger, viste han ved flere lejligheder en klar fornemmelse for, hvor grænsen for det tilladelige gik – nemlig dér, hvor der kunne sættes spørgsmålstegn ved loyaliteten mod kongen, eller hvor kongemagtens integritet på anden måde kompromitteredes. To eksempler fra den første del af regeringstiden kan tjene til at belyse dette.

Den første daterer sig til 1749, kort efter at Moltke som nævnt havde fået tillagt særlig indseende med de udenrigske sager. I diplomatkredse rygtedes det hurtigt, at overhofmarskallen nu var en vigtig nøgleperson i disse anliggender, og at god forbindelse med ham var afgørende, når man ønskede at fremme sit lands interesser hos Kongen. Også den engelske udsending i København, Walter Titley, indberettede hjem til London om Moltkes nye, centrale position, og da den britiske regering netop da var stærkt interesseret i at knytte Danmark nærmere til sit alliancesystem, fik Titley hjemmefra instruks om at forsøge at vinde overhofmarskallen for de britiske synspunkter.

I overensstemmelse med dengang gængs diplomatisk praksis søgte Titley at efterkomme sin regerings ønske ved at købe Moltkes loyalitet. Moltke beretter selv i sine erindringer, at Titley i en samtale mellem de to på sin konges vegne tilbød ham en livslang årlig pension – eller rettere bestikkelse – på 1.000 til 2.000 pund sterling for at tale Storbritanniens sag over for Kongen. Ganske vist angav Titley i sin efterfølgende indberetning det tilbudte beløb til kun 600 pund sterling; men der var under alle omstændigheder tale om en meget betragtelig sum, som nok måtte have kunnet friste en så pengeglad mand som Moltke. Alligevel valgte han på stedet at takke nej med en bemærkning om, at den britiske regering sikkert måtte kunne indse, at han ikke, så længe han stod i den danske konges tjeneste, og slet ikke på dette delikate tidspunkt, så sig i stand til at modtage en pension fra en fremmed magt.

For en sikkerheds skyld føjede han dog til, at han var rede til at genoverveje det generøse tilbud, hvis han en dag ikke mere befandt sig i den danske konges tjeneste. Dermed sluttede denne sag – som Moltke noterede i selvbiografien, så "hørte jeg efter denne ytring ikke mere derom". Og dog – helt slut var sagen alligevel ikke. Hvad Moltke nemlig ikke fortæller i selvbiografien, men hvad fremgår af en senere indberetning fra Titley til London, er, at han et års tid senere diskret lod Titley forstå, at han med sin konges tilladelse var villig til at modtage en hvilken som helst engangssum – men ikke et årligt beløb – som den engelske konge måtte ønske at tilstå ham. Denne henvendelse blev til gengæld ignoreret fra britisk side, og Moltke kom således aldrig på briternes lønningsliste.

Episoden viser imidlertid to ting, nemlig at Moltke på den ene side nok lod sig friste så langt, at han forelagde sagen for Kongen og opnåede dennes tilladelse til at modtage et engangsbeløb, men at han på den anden side havde et sikkert blik for farerne ved den dobbeltposition, som et ja til en løbende pension ville medføre. Selv om penge havde høj tiltrækningskraft på Moltke, prioriterede han også i dette tilfælde loyaliteten mod sin konge højere. Hans grænse gik, hvor denne blev truet.

Det andet eksempel stammer fra foråret 1752, kort efter den afholdte, kun 27-årige Dronning Louises pludselige og smertefulde død i barselsseng den 19. december 1751, hvilket havde hensat Kongen i den dybeste fortvivlelse og anger over sin troløse optræden over for hende. Dette bragte ham til i den følgende tid at søge trøst og glemsel i nye udskejelser til udtalt sorg og forargelse for omgivelserne.

For inderkredsen stod det derfor klart, at det gjaldt om at få Kongen gift igen så hurtigt som muligt, så han atter kunne have en dronning ved sin side som et stabiliserende element. Resultatet blev det hastigt arrangerede giftermål med Juliane Marie, en hertugdatter fra Braunschweig-Wolfenbüttel,

A.G. Moltkes smukke spisesal i Amalienborg-palæet. Rummets overdådige og kostbare udsmykning er udtryk for hans glæde ved smukke ting og røber tillige, hvilke næsten ufattelige rigdomme han forstod at skaffe sig gennem sit virke. *Foto Elizabeth Moltke-Huitfeldt.*

som derved i en alder af kun 22 år måtte løfte den utaknemmelige opgave at efterfølge den populære og almindeligt afholdte afdøde Dronning Louise. Hendes opgave lettedes ikke af, at hun havde en tilbøjelighed til stammen og af natur var temmelig genert og tilbageholdende. Hun virkede derfor fra første færd som en fremmed fugl – også på sin ægtemand, der nok i det store hele optrådte høfligt og korrekt over for hende, men helt åbenlyst ikke omfattede hende med samme hengivenhed, som den afdøde Louise trods alt havde været genstand for. Formælingen skete ved en stilfærdig ceremoni iscenesat af Moltke på Frederiksborg Slot den 8. juli 1752, godt syv måneder efter den dybt begrædte Louises død. Forud for dette forløb indtraf der imidlertid en episode, som satte Moltke i dyb forlegenhed.

Karakteristisk nok hentyder Moltke i sine erindringer kun til den i de mest uklare og slørede vendinger. I omtrentlig oversættelse lyder de afgørende passager således:

> "Imidlertid behagede det Hans Kongelige Majestæt før samme formæling at gøre mig andre og højst fordelagtige forslag, derunder ét, som i særdeleshed var smigrende, hvilket sidste jeg dog – Herren være lovet – afslog i dybeste ærefrygt. Min familie ville måske derved for en

> tid være blevet lykkelig, men ville også i høj grad blive misundt af folk og til sidst være blevet ulykkelig. Jeg ser det som en særlig nåde fra den Allerhøjeste, at Han gav mig kraft og mod til at undvige denne højst nådige, men også yderst farlige anmodning."

Hvad Moltke med disse dulgte vendinger hentydede til, var intet mindre end et forslag fra Kongen om, at han i stedet for at søge sig en ny ægtefælle i udlandet giftede sig med Moltkes ældste datter, Catharine Sophie Wilhelmine, der var født i 1737 og i årene 1747-51 havde gjort tjeneste som hofdame hos Dronning Louise, hvorved også Kongen havde lært hende at kende.

Det var dette forslag, som hensatte Moltke i dyb forlegenhed og bestyrtelse, således som det fremgår af den citerede passage fra erindringerne. På den ene side kunne udsigten til at blive en del af selve den kongelige familie umiddelbart nok virke tillokkende – og da forslaget kom fra Kongen selv, var det jo i sagens natur svært at afslå. På den anden side indså Moltke klart, at et ja til et sådant ægteskab ville være en grænseoverskridende handling, der ikke blot ville bringe hans unge, uskyldige datter i en yderst vanskelig situation og formentlig forpeste resten af hendes tilværelse, men også ville betyde, at han selv overskred den hårfine grænse mellem rollen som diskret kongetjener og en ny identitet som delagtig i den kongelige privatsfære. Og hvor risikabel en sag det kunne være, illustreres jo klart af Struensees kranke skæbne tyve år senere, efter at han ikke blot helt havde overtaget Christian VII's regeringsansvar, men også fortrængt ham fra den kongelige ægteseng.

Det stod derfor den realistisk tænkende Moltke klart, at disse kongelige planer – hvor oprigtige og velmente de så end var – for enhver pris måtte forpurres. Det var imidlertid sin sag direkte at nægte at efterkomme en enevældig monarks udtalte ønske, så da Kongen i foråret 1752 luftede sine planer over for Moltke, handlede denne hurtigt og resolut. Over hals og hoved fik han arrangeret, at hans kun fjortenårige datter omgående blev forlovet med den da tyveårige stamherre til grevskabet Wedellsborg, Lensgreve Hannibal Wedell-Wedellsborg. Formælingen mellem det usædvanligt unge par fandt sted blot få måneder senere, nemlig den 16. juni 1752, kun tre uger før Kongens bryllup med Juliane Marie. Dette hastigt arrangerede ægteskab varede indtil Grev Hannibals død i 1766, hvorefter Catharine Sophie Wilhelmine tilbragte sin lange enkestand, der varede til hendes død i 1806, på faderens grevskab Bregentved.

A.G. Moltke havde således ved en resolut indskriden ikke blot frelst sin datter fra en formentlig krank skæbne, men tillige effektivt forhindret, at han selv blev tvunget til at overskride den usynlige grænse, som ingen hverken før eller siden slap godt fra at overskride, nemlig den, som Kongelo-

Jens Juels charmerende portræt af A.G. Moltkes yndlingsdatter, Catharine Sophie Wilhelmine, som han i 1752 over hals og hoved måtte bortgifte til den unge lensgreve Hannibal Wedell til Wedellsborg for at forhindre, at Kongen anholdt om hendes hånd. Hun er her portrætteret under sin lange enkestand (1766-1806), som hun stilfærdigt tilbragte i faderens nærhed på grevskabet Bregentved. *Privateje. Foto Elizabeth Moltke-Huitfeldt.*

ven trak rundt omkring den enevældige monark og hans hus. Det lykkedes ham endda at gøre det på en så hensynsfuld måde, at han ikke blot undgik at fornærme Kongen, men tværtimod i forbindelse med dennes formæling med Juliane Marie modtog det højst tænkelige bevis på hans fortsatte gunst, nemlig Elefantordenen, og dermed værdigheden som Blå Ridder. Med forårets begivenheder i frisk erindring var det sikkert ikke helt tilfældigt, at han som sit valgsprog som elefantridder valgte ordene "Candide et caute" – med oprigtighed og forsigtighed – de betegnede meget præcist både hans forhold til Kongen personligt og karakteren af den daglige balanceakt, som det var at sikre magtapparatets ubrudte funktionsduelighed, selv om magtens officielle centrum – enevoldsmonarken – i praksis ikke var skikket til at løfte regeringsansvarets byrde.

Statsmagtens forvaltere

Johan Sigismund Schulin var præstesøn fra Bayern og gennemførte som ung universitetsstudier i Jena, Helmstedt og Leiden. I 1730 trådte han i den danske konges tjeneste og blev året efter optaget i den danske adel. Med rang af gehejmeråd fra 1738 var han regeringens egentlige leder og udenrigsminister, en post, som han bevarede til sin død i 1750. I sine sidste embedsår påbegyndte han den store omlægning af dansk udenrigspolitik i retning af det franske alliancesystem, som hans efterfølger, J.H.E. Bernstorff, bistået af Moltke, videreførte. For sine tjenester blev han i 1750 kort før sin død ophøjet til lensgreve, og C.G. Pilos portræt af ham er malet i forbindelse med udnævnelsen. *Det Nationalhistoriske Museum på Frederiksborg Slot. Foto Hans Petersen.*

Den 13. april 1750 døde Johan Sigismund Schulin efter i femten år med fast hånd at have styret dansk udenrigspolitik. Hans død efterlod et tomrum i centrum af den danske udenrigsledelse; men som allerede nævnt havde han forinden gennem en årrække omhyggeligt sørget for at dele sine udenrigspolitiske synspunkter med Moltke – som han tidligt havde vurderet ville blive en central skikkelse i magthaverkredsen – i så høj en grad, at denne endte med fuldstændigt at adoptere det schulinske system og tankesæt på det udenrigspolitiske område. Dette kom som anført klart til udtryk i Moltkes regeringsplan af 1746, og hans indflydelse på feltet cementeredes yderligere ved den allerede nævnte bestemmelse af 1749 om, at Moltke skulle have direkte indsigt i den udenrigske korrespondance, så han kunne give Kongen kvalificerede råd. Schulin var således nok død; men hans ideer om udenrigspolitikkens førelse levede videre hos hans protegé, den almægtige overhofmarskal, som nu også kom til at spille en afgørende rolle ved udpegningen af hans efterfølger.

I Schulins sidste år på posten havde dansk udenrigspolitik været under forsigtig omlægning. Denne omlægning bestod i en gradvis frigørelse fra de traditionelle alliancer med Storbritannien og Rusland og en begyndende tilnærmelse til det franske system, hvoraf også den gamle, men nu svækkede arvefjende Sverige var en del. Grundtanken bag var, at en nærmere forbindelse med Sverige og støtte fra Frankrig ville fremme regeringens ønske om en større selvstændig rolle i Østersøen, som gennem de senere årtier havde været domineret af britiske og russiske stormagtsinteresser til skade for dansk indflydelse i nærområdet. Som led i tilnærmelsen til Frankrig tog Schulin i sit sidste leveår – uden tvivl efter aftale med Moltke – derfor skridt til at bringe en efterfølger for sig selv i stilling, som nød den franske regerings tillid. Hans øjne faldt i denne forbindelse på den danske gesandt i Paris, J.H.E. Bernstorff, som dermed – efter nogle indledende vanskeligheder, som vi vender tilbage til – gjorde sin entré på den danske politiske scene. I tæt parløb med Moltke kom han til at dominere denne i resten af Frederik V's regeringstid.

Johan Hartvig Ernst Bernstorff var nogenlunde jævnaldrende med Moltke og ligesom denne født i Nordtyskland – for Bernstorffs vedkommende i kurfyrstendømmet Hannover, der på denne tid var i personalunion med Storbritannien – men bortset derfra var hans løbebane næsten så

forskellig fra Moltkes, som tænkes kunne, indtil deres veje endelig mødtes i 1751. Bernstorff havde i sin ungdom modtaget en formel universitetsuddannelse i Tübingen efterfulgt af omfattende studierejser til europæiske læresteder og hoffer med henblik på en karriere som topdiplomat – kort sagt tidens klassiske verdensmandsuddannelse.

På disse rejser var han kommet i forbindelse med brødrene Christian Ludvig og Carl Adolph von Plessen, som begge var medlemmer af Christian VI's Konseil, og tillige med Danmarks daværende gesandt i Wien, C.A. Berckentin, selv senere magtfuld minister under både Christian VI og Frederik V. De fattede alle interesse for den veluddannede og sprogkyndige unge mand med de slebne manerer og sikrede ham 1732 ansættelse i Tyske Kancelli, datidens Udenrigsministerium. Derfra gik hans diplomatiske karriere stejlt opefter. Efter flere betydelige gesandtskabsposter i Det Tyske Rige opnåede han i 1743 udnævnelse til sin ønskepost, nemlig stillingen som dansk gesandt i Europas vigtigste hovedstad, Paris. Denne post bestred han med stor dygtighed frem til 1750, hvor Schulin – der anså ham for landets dygtigste diplomat – hjemkaldte ham med henblik på at gøre ham til sin efterfølger som udenrigsminister.

Det skulle imidlertid snart vise sig, at det slet ikke var så enkel en sag, som man skulle tro, at skifte udenrigsminister – så meget mindre som hele udenrigspolitikken som nævnt netop da befandt sig i støbeskeen. Det var dermed i høj grad en post, som også berørte udenlandske interesser. Moltke beretter således i sine erindringer, at den russiske regering, da den kom under vejr med den nye, mere franskvenlige kurs, lod sin repræsentant i København lægge et kraftigt pres på Moltke for at få denne til at foranledige Schulins øjeblikkelige afskedigelse og indsættelse af en mere russisk-venlig efterfølger, hvilket – som Moltke anfører – "gav anledning til mange ubehagelige diskussioner". Disse bestod nærmere betegnet i, at Moltke klart afviste det russiske ønske med henvisning til kongens suveræne ret til frit at vælge sine ministre, og at Schulin efter hans opfattelse loyalt havde forvaltet sin konges politik. Omvendt havde også den franske udenrigstjeneste gennem sin gesandt i København på samme tid travlt med, ved tilkendegivelser til såvel Moltke som Schulin, at fremme Bernstorffs kandidatur som ny udenrigsminister.

Betydelige stormagtsinteresser krydsedes således i denne sag, og lige præcis i krydspunktet stod Moltke, som i sidste ende var den eneste, der for alvor havde Kongens øre og derfor var i stand til at råde ham. Hans rådgivning blev af samme grund afgørende for, at Kongen først på året 1750 gav sit samtykke til hjemkaldelse af Bernstorff, så han – eller måske snarere Moltke – kunne tage ham nærmere i øjesyn og gøre sig bekendt med hans opfattelser. Til alles overraskelse viste det sig imidlertid, at man havde gjort regning uden vært. Mod forventning viste Bernstorff sig nemlig ikke spor opsat på at bytte Paris ud med København. I et svarbrev af 9. marts 1750 til Schulin anførte han således, at ikke blot passede hans åndelige personlighed bedst til diplomatisk virksomhed; men den plage, som han havde af sin gigt, og hans svage syn gjorde det nødvendigt for ham at leve i et mildt klima, helst beskæftiget med diplomatisk gerning. Han tilføjede dog, at såfremt hans helbred engang bedrede sig, ville han da gerne overveje at overtage et embede i Danmark.

Dette svar var unægtelig en streg i regningen og skabte da også nogen forvirring på hjemmefronten. Det lød jo nærmest som én lang, dårlig undskyldning – en 37-årig mand plaget af gigt og dårligt syn, har man hørt mage! – og man konkluderede derfor, at der måtte ligge noget andet bag, som Bernstorff blot ikke ønskede at fæstne til papiret. Enden på det hele blev, at man alligevel bad ham komme hjem for nærmere at forklare sig, idet han samtidig fik løfte om under alle omstændigheder at kunne vende tilbage til posten i Paris, hvis alt andet glippede.

Da Bernstorff i maj måned 1750 indfandt sig i København, forklarede han da også sagens rette sammenhæng for Kongen og Moltke. Ifølge Moltkes optegnelser var Bernstorffs vægring ved at indtage posten som dansk udenrigsminister og medlem af Konseilet begrundet i hans position som hannoveransk adelsmand og dermed den britisk-hannoveranske krones formelle undersåt. Sagen var, at den britiske tronfølger, Prins Frederick Lewis af Wales – fader til Christian VII's senere dronning Caroline Mathilde – kort forinden havde tilkendegivet over for Bernstorff, at han agtede at sætte ham i spidsen for Hannovers administration, når hans fader, den regerende britiske konge, forventeligt om kort tid afgik ved døden, og han selv blev konge. På denne baggrund havde Bernstorff afgivet et løfte om ikke at påtage sig nogen post – som f.eks. posten som den danske konges udenrigsminister – der kunne være en hindring derfor.

Dette løfte mente Bernstorff trods ihærdige overtalelsesforsøg ikke at kunne løbe fra; men på Moltkes opfordring skrev først Dronning Louise et brev til sin broder, Prinsen af Wales, hvori hun bad ham stille Bernstorff frit. Hans svar blev imidlertid et nej, og det samme blev ligeledes tilfældet, da Frederik V senere selv rettede en tilsvarende henvendelse til sin svoger. Dermed var Bernstorff foreløbig ude af billedet som dansk udenrigsministeremne.

MOLTKE OG GREV LYNAR

Når Moltke engagerede sig så stærkt, som tilfældet var, i denne sag og lagde sig kraftigt i selen for Bernstorff, hang det efter alt at dømme sammen med, at den eneste anden mulige kandidat til udenrigsministerposten var Danmarks daværende ambassadør ved det russiske zarhof, Grev Rochus Friedrich Lynar – endnu en tyskfødt topembedsmand i dansk tjeneste. Denne førte netop i foråret 1750 alvorlige forhandlinger med den russiske ledelse om den gottorpske mageskiftesag, som allerede havde rumlet i nogle år, men efter mange forviklinger først i 1773 førte til et resultat i form af en egentlig traktat. Tanken bag denne var, at Danmark og Rusland ved at enes om at mageskifte den gottorpske hertugs besiddelser i Hertugdømmerne med grevskaberne Oldenburg og Delmenhorst, således at den danske konge fik fuld kontrol over disse mod at afgive grevskaberne, endelig kunne få løst et længe udestående problem. Den russiske zarfamilie tilhørte huset Gottorp og benyttede dette slægtskabsforhold til at blande sig i dansk politik, hvilket gav anledning til jævnlige rivninger mellem de to magter. Hvis huset Gottorp i kraft af en aftale indgået mellem de to parter helt kunne fjernes fra Hertugdømmerne, ville det betyde en væsentlig formindskelse af Danmarks afhængighed af Rusland og dermed begyndelsen til en normalisering af forholdet mellem de to magter.

Der var derfor væsentlige og modstridende danske såvel som russiske interesser involveret i denne sag; men i foråret 1750 så det faktisk en overgang ud, som om det skulle lykkes for grev Lynar at få en aftale i stand. Russernes pris for en aftale syntes imidlertid at være, at den russiskvenlige Lynar blev dansk udenrigsminister efter Schulin. Det harmonerede til gengæld meget dårligt med den franskorienterede politik, som Schulin og hans elev, Moltke, stod for – og som også Bernstorff var en tydelig eksponent for. En overgang så den russiske plan faktisk ud til at skulle lykkes, for i slutningen af maj – efter Bernstorffs afslag – skrev den da fungerende udenrigsminister Berckentin til Lynar i Sankt Petersborg, at han skulle holde sig rede til at komme hjem og overtage posten, så snart Kongens endelige afgørelse forelå.

Dermed troede Lynar naturligt nok, at den hellige grav var vel forvaret, og han forberedte sig så småt på en fremtid i den danske regeringsledelses alleroverste top. Her havde han imidlertid gjort regning uden Moltke, som var stærkt opsat på at videreføre den udenrigspolitiske nyorientering i retning af Frankrig, som Schulin havde påbegyndt. Personligt kunne han heller ikke lide Lynar, som han anså for en upålidelig hykler. Uanset at Lynar var designeret til posten modarbejdede Moltke derfor aktivt hans kandidatur bl.a. ved – ifølge sine egne optegnelser – at lade den franske regerings advarsler mod Lynar som udenrigsminister komme Kongen for øre. Denne valgte i lyset deraf at trække sagen i langdrag under henvisning til, at Lynars tilstedeværelse i Sankt Petersborg

ikke kunne undværes, så længe magtskifteforhandlingerne befandt sig i en kritisk fase.

Det gjorde de hen over sommeren 1750, indtil de samme efterår omsider faldt endegyldigt på gulvet, hvorefter Lynar til sin store skuffelse måtte indse, at missionen i denne omgang var mislykkedes. Årsagen dertil var nok snarere intern splid i zarfamilien end udygtighed fra Lynars side; men et personligt nederlag og prestigetab for ham var det under alle omstændigheder. Og Moltke tøvede da heller ikke med i sine optegnelser at tillægge Lynar hovedansvaret for sammenbruddet, fordi han efter hans

Christian VI's Christiansborg var det største og mest repræsentative kongeslot i Danmarks historie. Herfra styrede Moltke på sin konges vegne gennem tyve år Danmark. Louis August le Clercs store prospekt yder det fuld retfærdighed, men er ikke lige troværdigt i skildringen af slottets omgivelser. *Statens Museum for Kunst.*

oplysninger ganske unødvendigt havde holdt forhandlingerne hemmelige for den magtfulde Storfyrstinde Katarina, og "når hun spurgte til dem, i sine svar havde betjent sig af udtryk, som gjorde hende utryg og krænket". Lynar var med andre ord i Moltkes øjne en udiplomatisk klodsmajor, som ved sin optræden havde tabt en vigtig sag på gulvet. Han kunne derfor efter Moltkes opfattelse ikke betros ansvaret for dansk udenrigspolitik, hvilket han næppe heller lagde skjul på over for Kongen, som jo altid lyttede opmærksomt til sin nærmeste rådgivers ord.

Den enes død …

Resultatet var, at Lynar aldrig fik den post, som egentlig var blevet ham lovet. Resten af året 1750 gik, uden at Kongen lod høre fra sig. Og i marts 1751 skete der så det, at prinsen af Wales ganske uventet døde, hvorved Bernstorff pludselig var løst fra sit løfte til ham og dermed også frit stillet til at tage imod det tidligere tilbud om at overtage ledelsen af dansk udenrigspolitik. I maj 1751 forelå hans udnævnelse til medlem af konseilet, og den 1. oktober overtog han formelt den ledige udenrigsministerpost efter Schulin. Den vragede Lynar måtte forbitret og dybt skuffet tage til takke med en betydningsløs post i rigets udkant som statholder over Oldenburg og Delmenhorst, hvorfra han efter anklager for embedsmisbrug i øvrigt blev afskediget uden pension i 1765. I sine efterladte memoirer lagde han ikke skjul på sin bitterhed mod Bernstorff og især Moltke, som efter hans opfattelse var de egentlige ansvarlige for hans vanskæbne.

Der er heller næppe tvivl om, at Moltke mere eller mindre diskret spillede en hovedrolle i dette delikate spil om udenrigsministerposten, og at han bar en væsentlig del af ansvaret for, at den endte med at tilfalde Bernstorff og ikke Lynar. Selv om de anvendte metoder til at nå dette resultat ikke alle kan anses for lige stuerene, er der dog næppe tvivl om, at Moltke i denne sag handlede ud fra, hvad han anså for Danmarks bedste interesser. Han frygtede med Lynar at få en russisk trojansk hest ind i den inderste regeringskreds, og han var tillige overbevist om rigtigheden af at videreføre Schulins nyorientering af dansk udenrigspolitik i franskvenlig retning. I hans øjne var Bernstorff den rigtige mand til at varetage denne opgave, og sagens forløb viser, at han også var rede til at tage de nødvendige midler i brug for at nå den løsning, som han anså for bedst for sin konge og for Danmark, selv om prisen så måtte blive nogle personlige fjendskaber – i dette tilfælde Lynars.

Med Bernstorff fik Moltke en jævnbyrdig med- og modspiller i den magtfulde inderkreds af excellencer, der styrede dansk politik i resten af Frederik V's regeringstid. Dansk politik formedes i disse år i stort og småt i et parløb mellem disse to magtfulde skikkelser. Ingen andre kunne måle sig med deres format, og selv den enevældige konge var oftest blot tilskuer, når de to slog takten, selv om de begge hele tiden passede nøje på for at få det til at fremtræde, som om det var den stadig mere forsumpede og dekadente Frederik V, der bestemte. Ingen i samtiden var dog i tvivl om, at Bernstorff og Moltke var magtens virkelige forvaltere.

MOLTKE OG BERNSTORFF

I sine erindringer omtaler Moltke ufravigeligt Bernstorff i de mest smigrende og respektfulde vendinger, og om hans embedsførelse bemærker han, at Bernstorff løftede sit ansvarsfulde hverv som udenrigsminister "med den største hæder, dygtighed og utrættelig flid". Uden undtagelser afspejler Moltkes efterladte skriftlige udtalelser en dyb professionel og personlig respekt for Bernstorff, om end deres indbyrdes forhold vist aldrig udviklede sig til et egentlig venskabsforhold – dertil var de trods alt nok for forskellige. Og respekten var gensidig, hvilket klart fremgår af et brev, som Bernstorff den 14. december 1770 – kort efter at de begge var blevet endeligt afsat fra deres embeder i forbindelse med Struensees faktiske magtovertagelse – skrev til sin gamle kollega. Heri hed det bl.a.:

> "Jeg har været i stand til på nært hold at følge Deres Excellences synspunkter, handlinger, råd og optræden, og jeg vil, indtil jeg drager mit sidste suk, højlydt udtale, at aldrig har en minister, der i den grad som De har besiddet sin herres kærlighed og tillid, gjort mere hæderfuld brug af sin indflydelse eller arbejdet med større iver for sin konges hæder. Aldrig skal jeg glemme, og aldrig skal jeg fortie, at i de seksten år, i hvilke jeg har været et nøje underrettet vidne dertil, har Deres Excellence hverken kendt hævn eller hovmod eller misbrugt Deres magt. Kærlighed til Deres herre og til staten har besjælet alle Deres handlinger; De har gjort vel mod alle, ondt mod ingen. Ved Dem har handel og skibsfart blomstret, ved Deres råd har de fattige og syge fundet bistand, ved Deres mellemkomst har fortjente mænd fundet beskyttelse og enhver dyd opmuntring; med ét ord: De har gjort den tid, i hvilken man lånte Dem øre, til en velgørenhedens og hæderens epoke. Dette vil jeg overalt bekræfte, jeg, der ved det, og som, himlen være lovet, er kendt i og uden for riget som den, der ikke smigrer, end ikke mine venner. Dette er den sandhed, der altid

vil udgøre Deres Excellences lykke, en lykke, som ingen dødelig kan fratage Dem hverken i denne verden eller den næste."

Selv når man tager i betragtning, at disse ord veksledes mellem to nyligt faldne storheder, som kun havde deres stille otium at se frem til, og for hvem den fælles magtperiode måtte stå i et forklaret skær, må man alligevel antage, at Bernstorffs varmt anerkendende ord udtrykker hans grundopfattelse af Moltke og hans virke og samtidig afspejler hans overordnede vurdering af deres lange samarbejde. Det fremgår klart, at Moltke i Bernstorffs øjne havde været en pålidelig samarbejdspartner og det egentlige omdrejningspunkt i den regering, som han også selv havde været et vigtigt medlem af.

Nu kan tingene i aftenrødens formildende skær jo ofte tage sig mere idylliske ud end i dagens klare lys. Og man bør da heller ikke af disse tilbageskuende bemærkninger lade sig forlede til at tro, at samarbejdet mellem de to ambitiøse og stærke personligheder altid er forløbet lige gnidningsfrit. Moltke tog jo sin rolle som Kongens vogter og nærmeste rådgiver yderst alvorligt og værnede med nidkærhed om den. For den selvbevidste og scenevante Bernstorff, der havde et internationalt statsmandsry at værne om, må det derfor fra begyndelsen have været lidt af et irritationsmoment, at Moltke også efter udenrigsministerskiftet fastholdt den særlige rolle i udenrigsanliggender, som han havde fået tillagt i 1749, hvilket nok kunne opfattes som en indskrænkning af Bernstorffs embedsmyndighed og – som historikeren Erik Arup et sted syrligt bemærkede i en ophedet debat om forholdet mellem de to med kollegaen Aage Friis i 1921 – potentielt kunne reducere ham til en slags udenrigspolitisk departementschef under udenrigspolitikkens egentlige leder, Moltke.

På Louis Tocqués repræsentative portræt fra 1759 af udenrigsminister og greve Johan Hartvig Ernst Bernstorff ses en verdensmand på karrierens højdepunkt. Bernstorff var af fødsel hannoveransk adelsmand, men hans diplomatiske løbebane gjorde hele Europa til hans hjemmebane. Skønt meget forskellig fra A.G. Moltke i udsyn og temperament var de to glimrende sparringspartnere, og sammen dominerede de to dansk politik fra 1751 og frem til Frederik V's død i 1766. *Det Nationalhistoriske Museum på Frederiksborg Slot. Foto Hans Petersen.*

Preussisk offensiv

Udsigten til noget sådant kan næppe have passet den ærekære Bernstorff særlig godt, og der er da også tegn på, at han og Moltke de første par år af Bernstorffs ministertid måtte igennem nogle territorialkampe, som gav visse dønninger også uden for landets grænser. Det var således tilfældet i 1752-53, hvor Frederik den Store af Preussen håbede på at kunne benytte giftermålet mellem Frederik V og Juliane Marie af Braunschweig-Wolfenbüttel, der var hans svigerinde, til at knytte Danmark nærmere til Preussen i en regulær alliance. Dette modsatte Bernstorff sig med stor styrke, ikke blot fordi han som hannoveraner nærede en instinktiv uvilje mod Preussen, men også fordi han fandt en sådan alliance i strid med danske interesser, idet den ville true det gode forhold til Storbritannien, som han fandt vigtigt for Danmark.

Derved pådrog han sig Frederik den Stores udelte vrede. Han karakteriserede åbent Bernstorff som en engelsk spion, der med sin modstand skadede Danmarks virkelige interesser, og gennem sit diplomati iværksatte han en målrettet kampagne for at få fjernet Bernstorff fra udenrigsministerposten. Gennem sin gesandt i København, en foretagsom diplomat ved navn Johann August von Häseler, havde han hørt vedholdende rygter om, at Moltke skulle være blevet træt af Bernstorffs fremfusende facon og hans dominerende stil, hvorfor han skulle have ladet sig forlyde med, at han fortrød at have hjulpet ham til vejrs. Denne tilsyneladende splittelse i den danske regeringstop søgte den preussiske konge nu at udnytte til egen fordel. Han overvejede således en overgang at bestikke Moltke til at medvirke til Bernstorffs fjernelse; men så vidt vi ved, blev det dog ved overvejelserne, og i Moltkes erindringer er der intet spor af, at et sådant forsøg skulle være gjort.

Derimod beretter Moltke i sine efterladte skrifter om en anden preussisk offensiv iværksat gennem Dronning Juliane Maries broder, Hertug Ferdinand af Braunschweig, der aflagde besøg i København i 1753 i forbindelse med søsterens nedkomst med Arveprins Frederik. Herom beretter Moltke, at:

> "Skønt det angivelige hovedformål med dette besøg var at aflægge høflighedsvisit hos søsteren og det kongelige hus, så viste det sig, at han tillige havde i opdrag på den preussiske konges vegne at fremsætte en række forslag, der alle sigtede mod en nærmere forbindelse med dette hof. Da imidlertid Kongens aftaler med andre magter ikke tillod en sådan forbindelse, kunne man fra dansk side ikke give et positivt svar. Den preussiske konge syntes at være blevet særdeles stødt derover, og da han havde fået den opfattelse, at Baron Bernstorff søgte at modvirke de preussiske planer, så pålagde han Prins Ferdinand at arbejde for, at denne retskafne minister fik sin afsked og blev fjernet fra Kongens omgivelser. I denne anledning blev der af vigtige personer gjort mange forsøg og forestillinger.
>
> Først da Kongen én gang for alle havde gjort det helt klart, at han ikke uden de allervigtigste årsager ville foretage forandringer i sit ministerium, og at han var overbevist om, at sådanne i almindelighed var mere til skade end gavn, indså man, at det ikke var foreneligt med Kongens værdighed og anstændighed at afskedige én af sine mest kompetente ministre, fordi en fremmed magt ønskede og forlangte det. Således forblev denne offensiv uden nogen som helst virkning og Prinsen rejste hjem igen uden at have bragt hver-

ken den ene eller den anden af den preussiske konges planer nærmere virkeliggørelse."

Uanset at der i samtidens sladdervorne diplomatiske miljø verserede talrige rygter om stridigheder og jalousi mellem Bernstorff og Moltke – hvilket udmærket kan have været tilfældet – tyder Moltkes ovenciterede udlægning omvendt på, at grænsekonflikterne trods alt ikke var mere dybtgående, end at Moltke, da det virkelig gjaldt, gik hårdt i brechen for udenrigsministeren.

Selv om Moltke her som altid er omhyggelig med at fremstille Kongen som den egentlige beslutningstager, fremgår det alligevel tydeligt mellem linjerne, at det var ham selv, der orkestrerede den blanke afvisning af preusserne. I hans kølige beskrivelse af preusserkongen hører man således ekkoet af hans tidligere karakteristik i regeringsprogrammet af Preussen som en ondsindet magt, og man genkender også hans tidligere indtrængende råd til den tiltrædende konge om loyalt at støtte sine ministre, hvis disse kom under utilbørligt pres. Det beskrevne begivenhedsforløb og overvejelserne bag lå således i nøje forlængelse af de regeringsprincipper, som Moltke allerede ved Frederik V's tronbestigelse havde gjort sig til talsmand for. Og det peger derfor i retning af, at Moltke i den tilspidsede situation valgte at sætte disse grundprincipper over eventuelle uoverensstemmelser med Bernstorff og bakke ham op i stedet for at medvirke til hans fald.

DET SAMARBEJDENDE EXCELLENCESTYRE

Det er nærliggende at antage, at denne episode kom til at markere et vendepunkt i Moltkes og Bernstorffs indbyrdes forhold. Fra dette tidspunkt forvandledes de indledende tilløb til rivalisering og kamp om de otte vigtige fliser foran den enevældige konge til den arbejdsdeling og det tillidsfulde samarbejde, som karakteriserede deres virke i resten af Kongens regeringstid. Episoden havde efter alt at dømme gjort det klart for dem begge, at de var dybt afhængige af hinanden og havde brug for hinandens støtte. Som sagen ligger oplyst, havde det været en smal sag for Moltke ved denne lejlighed at lade Bernstorff falde, hvis det var det, han havde ønsket. Det havde blot krævet, at han rådgav Kongen anderledes, end han rent faktisk gjorde. Men det ønskede han ikke. Med sin udtalte tro på kontinuitet og instinktive mistillid til pludselige forandringer og personudskiftninger valgte han at støtte Bernstorff i dennes krisestund, ligesom han få år forinden havde beskyttet Schulin, da denne blev udsat for et tilsvarende pres fra russisk side.

Dermed sikrede han – uanset sine personlige følelser for Bernstorff – det, der for ham var det vigtigste, nemlig stabilitet og forudsigelighed i dansk udenrigspolitik. Moltke havde med andre ord vist, at han var til at stole på i en presset situation, men havde på den anden side også over for Bernstorff demonstreret, hvor afgørende hans rådgivning af Kongen var. Dette var Bernstorff naturligvis fuldt på det rene med, og han affandt sig derfor med den kendsgerning, at adgangen til at påvirke Kongen beherskedes af Moltke, og at denne fortsat havde et særligt ord at skulle have sagt i landets udenrigspolitik. Omvendt vandt Bernstorff stigende anerkendelse hos Moltke – og hos Kongen – for sin uomtvisteligt store udenrigspolitiske begavelse, sit store internationale netværk og sin driftsikre forvaltning af den schulinske arv på udenrigsområdet. Moltke var jo selv gammel Schulin-elev, og da deres udenrigspolitiske holdninger således stort set var sammenfaldende, overtog den erfarne diplomat Bernstorff snart det samlede ansvar for udenrigspolitikken, mens han trygt overlod de otte fliser foran kongen til Moltke.

På tærsklen til katastrofen

Selv under den store krise i 1762, hvor en direkte krigerisk konfrontation med Peter III's Rusland kun var et mulehår fra at blive en realitet og dermed også en eksistentiel trussel mod selve statens beståen, bestod deres sammenhold sin prøve trods ekstremt pres udefra og højlydt hjemlig utilfredshed med det, som på løbesedler og i nyhedsblade benævntes excellencernes misregimente. I den panikfyldte forsommer 1762, mens store russiske troppestyrker samledes i Nordtyskland, og den danske hær mobiliserede i Holsten, lød der fra mange sider mere og mere højlydte opfordringer til Kongen om endelig selv at gribe tøjlerne og sætte det uduelige excellencestyre med Moltke i spidsen fra magten. I betragtning af Frederik V's notoriske regeringsuduelighed ville noget sådant have været en katastrofe, og realiteten var da også, at de to ledende skikkelser i regeringen, Moltke og Bernstorff, hver på deres måde gjorde alt, hvad der var menneskeligt muligt for at imødegå truslen og redde staten fra undergang.

Bernstorff trak i alle de diplomatiske tråde, som han havde til sin rådighed, dels for at få en forhandlingsløsning i stand med Rusland, dels for at fremskaffe allieret militærhjælp, men forgæves. Zar Peter III, som også var hertug af Gottorp, var fanatisk opsat på at gennemtvinge sine krav i Hertugdømmerne med magt. Og Danmarks potentielle allierede, Frankrig og Storbritannien, havde begge hænderne mere end fulde med den nærmest

verdensomspændende krig, som havde raset siden 1756 og først fandt sin afslutning i 1763. Mod sådanne odds kom selv Bernstorffs statsmandsevner til kort. Moltke arbejdede især på de indre linjer for at forhindre Kongen i at føje de røster, som med styrke krævede, at han skulle give Zaren alt, hvad han forlangte, for at undgå den ultimative katastrofe, åben krig. Dette lykkedes virkelig for Moltke, efter – som han selv anfører i sine optegnelser – at han med stor styrke havde fremført "alle mulige og umulige bevæggrunde". Støttet af et flertal af ministrene fik han den rådvilde og skræmte konge til at stå fast på, at landafståelser ikke kunne komme på tale, selv om alternativet så var åben krig, og – som han lammefromt bemærker: "Dette vandt så meget lettere Kongens bifald, fordi han selv var af samme mening".

Grevinde Moltkes gemak i Amalienborg-palæet. Som det ses, er gemakket i dag indrettet som gæsteværelse; men den overdådige vægudsmykning i rokokostil og dørstykkerne står i samme skikkelse, som da Harsdorff omkring 1770 nyindrettede rummet i Louis Seize-stil. *Foto Elizabeth Moltke-Huitfeldt.*

Den alvorlige krise endte i øvrigt med at løse sig selv på overraskende vis – nemlig ved, at Peter III den 8. juli 1762 blev styrtet af sin hustru, Katarina. Da ægtefællen var ombragt, tog hun magten i Rusland og beordrede som noget af det første den russiske hær i Tyskland hjem, efter at de russiske og de danske styrker i nogle højspændte dage havde stået i Mecklenburg og kigget hinanden i øjnene, klar til kamp. Dermed vendte alt sig på mirakuløs vis til det bedste, og den indenlandske storm mod excellencerne lagde sig også i denne omgang.

I en længere, heftig debat omkring 1920 mellem historikerne Erik Arup og Aage Friis mente Arup at kunne påvise, at Moltke under optakten til krisen i foråret 1762 personligt havde blandet sig i det diplomati, som Bernstorff udfoldede ved det russiske hof for at bilægge konflikten, og dermed på utilbørlig vis havde gået udenrigsministeren i bedene. Dette skulle ifølge Arup have lagt grunden til et varigt modsætningsforhold mellem de to. Meget tyder på, at Arup har ret i, at Moltke gennem sine forbindelser aktivt søgte at påvirke udviklingen til gunst for Danmarks interesser; men intet peger til gengæld i retning af, at dette skete for at overtrumfe Bernstorff eller for at tiltage sig yderligere magt på det udenrigspolitiske område. Med ordningen fra 1749 om, at Moltke skulle have særligt indseende med de udenrigske handlinger, havde han jo allerede al den indflydelse og informationsadgang, som han kunne ønske sig, hvorfor hans aktive medvirken til krisens løsning nok snarere skal ses som hans forsøg på at leve op til den særlige forpligtelse, som Kongen havde tillagt ham i forholdet til fremmede magter. Modsat Arup er det også vanskeligt i dette at se noget forsøg på at snigløbe Bernstorff. Tværtimod virkede de to excellencer hver med deres udgangspunkt nøje sammen for den fælles sag, nemlig at undgå en åben konflikt med Rusland om det ømtålelige mageskiftespørgsmål. Bernstorff ved at trække i de relevante tråde i sit store diplomatiske netværk og Moltke ved på et så fuldstændigt informationsgrundlag som muligt at råde sin konge og dermed sikre, at de rigtige beslutninger blev truffet.

Også i denne yderst tilspidsede situation trak regeringens to ledende skikkelser således efter alt at dømme på samme hammel, og det er da også vanskeligt at få øje på egentlige vidnesbyrd om et modsætningsforhold mellem de to hverken dengang eller senere, når man ser bort fra de lejlighedsvise gnidninger af saglig art, som nødvendigvis måtte forekomme i samarbejdet mellem to mænd, som hver især forvaltede et tungt ansvarsområde og tilsammen havde det egentlige ansvar for statens politik og dermed i sidste instans rigets overlevelse. Den ophedede diskussion mellem Arup og Friis synes i tilbageblik fattig på saglig substans og afspejler derfor nok i højere grad faglig jalousi og personligt uvenskab mellem de to ellers udmærkede historikere.

Årene 1746-66 betegnes almindeligvis som Frederik V's regeringstid; men fra Bernstorffs udnævnelse til udenrigsminister i 1751 er det i virkeligheden nok så retvisende at betegne årene som Moltke og Bernstorffs store magtperiode. Det var disse to tyskfødte adelsmænd, som i et tæt samarbejde bar statsstyrets byrde og sikrede kontinuitet og sammenhæng i magtudøvelsen. Det var dem, der sammen bragte riget frelst gennem alle omskiftelser og ved omhyggelig balancegang formåede at holde landet uden for de mange krige og stormagtsopgør, der rasede ude i verden og tæt ved statens grænser. Den harmoniske forening af Bernstorffs kosmopolitiske statsmandskunst og Moltkes pligttroskab og kontinuitetsbevidsthed var garantien for, at landet kunne regeres også i en tid, hvor selve kongemagten i skikkelse af den svage Frederik V var nødlidende. Symbolsk kom de to mænds centrale position i tidens magtapparat måske tydeligst til udtryk i forbindelse med Kongens død den 14. januar 1766. Frederik V udåndede i sin trofaste Moltkes arme, og som regeringens ledende minister bekendtgjorde Bernstorff efterfølgende fra slottets balkon Kongens død for folket og udråbte hans efterfølger.

De sidste år ved magten

Under året 1763 noterede Moltke i sin selvbiografi følgende:

> "I begyndelsen af året 1763 behagede det Hans Majestæt Kongen på egen tilskyndelse at udfærdige en ordre til mig om at indtage min plads i Konseilet. Jeg modtog med største taknemmelighed denne ordre, men udbad mig allerunderdanigst, at skønt Hans Majestæt allerede ved tidligere lejligheder havde villet vise mig denne nåde, så ville jeg ydmygst bede om at lade det forblive, som det hidtil havde været. Hans Majestæt imødekom også min bøn; men i mellemtiden var det imidlertid blevet bekendtgjort i alle departementerne, at jeg var blevet udnævnt. Alligevel indfandt jeg mig ikke til alle de ordinære Konseilmøder, fordi alle inden- og udenlandske sager i forvejen kom til mit kendskab og for størstedelens vedkommende gennem mig blev forelagt for Hans Majestæt."

Med disse lidt floromvundne bemærkninger markerede Moltke sin formelle indtræden i Konseilet og dermed også sin status som egentligt regeringsmedlem på linje med de øvrige gehejmestatsministre. Skønt han forbeholdt sig ret til ikke at give møde i Konseilet, udskiftede han dermed efter mange års tøven omsider sin uformelle, men yderst reelle politiske magtposition, hvor overhofmarskalembedet havde været eneste platform, med en formel ministerpost og dertil hørende reelt ministeransvar. Han trådte med dette skridt for første gang i sin karriere ud af den svært gennemskuelige halvskygge omkring tronens fod og ind i den politiske hovedscenes klarere og mere afslørende lys.

Sædvanen tro beskriver Moltke ganske vist dette afgørende skridt som udtryk for Kongens bestemte ønske og et resultat af dennes befaling, og det fremgår tillige, at han kun ugerne og med store betænkeligheder efterkom sin herres ordre. Som han selv fremhæver, havde han hidtil i kraft af den særlige position som sin kongelige vens højt betroede rådgiver og daglige vogter faktisk været bedre informeret og kunnet øve langt større indflydelse end nogen minister. Hans enestående magtposition beroede i vid udstrækning netop på, at han ved at undgå at blive viklet ind i det formelle magtapparats irgange og indbyrdes kontroverser kunne virke som et effektivt filter mellem dette og den formelt magtfuldkomne konge. I betragtning af hans uomtvistelige magt over Kongen er der næppe større tvivl om, at han – hvis han virkelig havde ønsket det – godt kunne have undgået, at Kongen traf denne beslutning. Det ønskede han imidlertid næppe. Og det var der flere gode grunde til.

NØDVENDIG KURSÆNDRING

Én grund til netop på dette tidspunkt at indtræde i Konseilet var, at statsfinanserne efter den omfattende militære mobilisering i forbindelse med den truende krig med Rusland året forinden på det nærmeste lå i ruiner. De eksploderende militærudgifter havde slået bunden ud af statskassen i en sådan grad, at det for første gang i Frederik V's regeringstid blev nødvendigt at udskrive betydelige ekstraskatter for at få statsbudgettet til at hænge sammen. Dette var jo i direkte modstrid med Moltkes grundlæggende forestillinger om god regeringsførelse og med de regeringsregler, som han i sin tid havde indprentet den unge konge ved dennes regeringstiltrædelse. Og dette betragtede Moltke med stor betænkelighed, fordi den voksende skattebyrde efter hans opfattelse ikke blot var til stor skade for landets hovederhverv, landbruget, men også egnet til at mindske Kongens popularitet og lægge styret for had. Den uheldige udvikling tvang ham derfor længere frem på banen, end han egentlig ønskede, i et forsøg på at få udviklingen under kontrol og mindske de popularitetsmæssige skadevirkninger for det styre, som han selv var en vigtig del af.

Allerede i slutningen af 1762 var han derfor indtrådt som medlem af Overskattedirektionen, hvis væsentligste opgave var at administrere ekstraskatten og føre tilsyn med dens inddrivelse. Han forblev medlem af denne direktion frem til sin afskedigelse i 1766 og vendte i en kortere periode, 1768-70, tilbage som dens præsident. Derfra var springet til en formel regeringspost ikke langt, og således var der i realiteten tale om en gradvis udvikling i Moltkes embedsansvar og ikke et pludseligt spring som følge af Kongens beslutning, således som han selv var tilbøjelig til at fremstille det.

En anden grund var Moltkes altid betrængte privatøkonomi, som netop på denne tid udviste tydelige krisetegn. Han stod netop da ved afslutningen af opbygningen af det omfattende godsimperium, som i løbet af 1750'erne havde forvandlet ham fra en jordløs adelsmand til én af Danmarks allerstørste jorddrotter. Selv om opbygningen af dette i vid udstrækning var sket ved milde gaver fra hans kongelige velgører og kontante tilskud fra forskellige personer, som satsede på hans hjælp i forhold til Kongen, lå der alligevel også et stort element af gældsætning bag, således som der nærmere er redegjort for i Carsten Porskrog Rasmussens afsnit.

Den romantiske allé for enden af parken ved Glorup på Fyn med port ud mod markerne og det nærliggende Rygaard, der indgik i det omfattende godskompleks, som i løbet af bare godt en halv snes år gjorde A.G. Moltke til en af landets største jorddrotter. Heller ikke her fornægter æstetikeren Moltke sig. Bistået af tidens ypperste havekunstnere lagde han mange kræfter i at indrette imponerende haveanlæg omkring sine nyerhvervelser, så bygningerne kom til at fremtræde i harmonisk sammenhæng med det omgivende landskab. *Foto Elizabeth Moltke-Huitfeldt.*

Den almindelige finanskrise efter krigen gjorde oven i købet disse gældsposter ekstra tyngende. Dertil kom også, at bygningen og indretningen af pragtpalæet på Amalienborg havde slugt astronomiske summer, hvortil endelig må føjes, at den store børneflok fra hans første ægteskab nu efterhånden havde nået en alder, hvor der krævedes mange penge til deres uddannelse og indgåelse af passende ægteskaber. Selv om det naturligvis ville være stærkt misvisende at betegne Moltke som en fattig mand, bevirkede hans store børneflok og det statusforbrug, som hans stilling mere eller mindre tvang ham ud i, uvægerligt, at han næsten konstant var i økonomisk bekneb og derfor også altid på udkig efter nye indtægtskilder. Her var statens højtlønnede embeder en tillokkende jagtmark.

I sine erindringer afslører han selv, at dette motiv på ingen måde var ham fremmed. Umiddelbart forud for den ovenciterede passage beretter han således om sin gamle læremester Johan Ludvig Holsteins død i januar 1763. Denne havde som tidligere nævnt været oversekretær for Danske Kancelli og medlem af Gehejmekonseilet. I fortsættelse deraf nævner Moltke, at han fra kancelliets ledende medlemmer straks efter modtog en skriftlig opfordring til at bede Kongen om, at han efterfulgte Holstein som minister og leder af Danske Kancelli. Dette afslog Moltke – om end med beklagelse – idet han henviste til, at hans særlige stilling i forhold til Kongen ikke gjorde det muligt. Med prisværdig ærlighed føjede han dog til, at afslaget skete:

> "Selv om jeg meget vel indså, at min talrige familie nok kunne gøre det ønskeligt at beklæde et embede, som af enhver på denne tid blev betragtet som et af de bedst aflønnede i hele landet."

Man mere end fornemmer af disse ord, hvorledes det har rykket i ham for alligevel at sige ja til dette velønnede ben, som nok havde kunnet medvirke til at lette hans økonomiske trængsler. Og der er næppe større tvivl om, at hans befordring til minister få måneder senere lå i direkte forlængelse deraf og var resultat – ikke af en uventet kongelig beslutning – men af et solidt forarbejde fra Moltkes side.

TRUSLEN FRA SAINT-GERMAINS MILITÆRREFORMER

Den tredje og sikkert væsentligste grund til, at Moltke nu omsider fandt tiden inde til at påtage sig et formelt regeringsansvar, var, at det excellencestyre, som han sammen med Bernstorff og de øvrige højgrevelige regeringsmedlemmer med held havde praktiseret gennem mere end en halv snes år netop da var under større pres end nogen sinde – et pres, som ultimativt kunne ende med dets fald. Baggrunden derfor var ligeledes den netop overståede krigstilstand, og truslen var personificeret i den franskfødte feltmarskal Claude Louis comte de Saint-Germain.

Denne franske officer var i 1761 i kraft af en omfattende krigserfaring fra Europas mange slagmarker og et nøje kendskab til det velsmurte preussiske militærvæsen efter flere års tjeneste i Frederik den Stores hær på Bernstorffs foranledning blevet ansat som dansk generalfeltmarskal – den eneste af slagsen i hele vor historie. Hans opgave var at bringe den ineffektive danske hær på ordentlig krigsfod under indtryk af den optrækkende konflikt med Rusland, hvilket viste sig at være en nærmest håbløs opgave. Til alt held undgik den således mobiliserede hær som nævnt i sidste øjeblik en åben kamp med russerne; men mobiliseringen havde til gengæld nådesløst afsløret hærens elendige organisation og troppernes dårlige træningstilstand som følge af regeringens laden stå til under den lange forudgående fredsperiode. Denne erkendelse sendte chokbølger gennem hele regeringen og åbnede hos alle ansvarlige, fra Kongen og nedefter, for en erkendelse af, at en gennemgribende reform af hele militærvæsenet fra top til bund var påtrængende nødvendig, hvis landet fortsat skulle kunne hævde sin stilling som betydende nation. Det samlede ansvar for denne gennemgribende omlægning blev da lagt i hænderne på den udenlandske ekspert Saint-Germain, som med den samlede regerings fulde billigelse fik frie hænder til at modernisere det utidssvarende danske militærsystem. Han indledte sine reformer omkring årsskiftet 1762-63 og fortsatte dem med stor energi frem til sin afsked i 1766.

Gøgeungen

Det blev imidlertid hurtigt klart for den civile godsejerregerings medlemmer – inklusive Moltke – at de med udnævnelsen af Saint-Germain til øverste leder af militærvæsenet havde indladt sig med en gøgeunge, som kunne ende med at kaste dem ud af reden. Han viste sig nemlig ikke blot at være en dygtig fagmilitær organisator, som var dybt fascineret af det enstrengede preussiske militærsystem med kongen som altbestemmende krigsherre assisteret af en lille gruppe indflydelsesrige officerer. Det var netop dette system, som han ønskede at indføre i Danmark. Men dertil kom, at han tillige var stærkt grebet af den europæiske oplysningstids tanker om monarken som landsfader og enefortolker af folkeviljen, hvilket imidlertid forudsatte et opgør med de gamle feudale barrierer, der hæmmede eller hindrede direkte kommunikation mellem konge og folk. Sådanne tanker var jo en direkte trussel mod det eksisterende danske regime, hvor excellencerne netop udgjorde en sådan feudal barriere mellem konge og folk. I disses øjne forvandlede Saint-Germain sig derfor fra en redningsmand til en eksistenstrussel, i takt med at hans reformideer blev til virkelighed.

Enkelthederne i disse er i denne forbindelse af mindre interesse. Men for at forstå rækkevidden af dem bør det dog nævnes, at Saint-Germain i løbet af 1763 fik gennemtrumfet nedlæggelse af de to gamle, i hovedsagen civilt ledede, regeringskontorer, Generalkrigskommissariatet og Krigskancelliet, som hidtil havde varetaget hærens anliggender. I stedet samlede han hærens øverste ledelse i et enkelt organ, som efter preussisk forbillede benævntes Generalkrigsdirektoriet med ham selv som øverste chef og i øvrigt bemandet med reformivrige officerer, som delte hans oplysningsideer og foragt for godsejerstyret. Som landets reelt fungerende krigsminister havde Saint-Germain adgang til direkte at forelægge sager for Kongen uden om excellencerne, og da netop militærvæsenet interesserede Kongen personligt stærkt, lå der deri en oplagt fare for, at denne kunne lade sig friste til at ignorere sine velprøvede civile rådgivere – derunder Moltke – og lade Saint-Germains militærfaglige rådgivning være eneafgørende for beslutningerne. Eftersom Saint-Germains forbillede var den preussiske militærstat, lå der i denne udvikling også en potentiel fare for, at den danske enevælde gradvis ville forvandle sig til et militærdiktatur i lighed med det preussiske. Og det perspektiv huede naturligvis ikke civilister som Moltke og Bernstorff, der hidtil havde været toneangivende.

Om muligt endnu mere faretruende set fra deres synspunkt var Saint-Germains ophævelse i april 1764 af den gamle landmilits-ordning til fordel for en enhedshær, hvori udskrevne bondesoldater og hvervede professionelle indgik på lige fod. Militært set var den nye organisation utvivlsomt et stort fremskridt; men der var blot den hage ved det, at netop landmilitsen var et hjertebarn for landets godsejere og dermed også for den civile regeringstop. Den udgjorde nemlig selve begrundelsen for at opretholde det stavnsbånd, som siden 1733 havde bundet unge bondeknøse til deres fødegods med henvisning til, at det var godsejernes ansvar at skaffe egnede rekrutter til militsen. Ordningen sikrede imidlertid også godsejerne billig og stabil arbejdskraft, og en sådan var selve livsnerven i det danske godssystem. Forsvandt militsen, bortfaldt i realiteten også begrundelsen for stavnsbåndets fortsatte opretholdelse, og blev dette ophævet, stod også selve godssystemet i dets daværende skikkelse for fald. Landmilitsen – uanset dens åbenlyse militære mangler – var med andre ord selve den sikkerhedssplit, som hindrede det klassiske godssystem i at sprænges, og det var netop den, som Saint-Germain – i øvrigt erklæret tilhænger af bondefrigørelsen – trak ud med sin nyordning af hæren 13. april 1764. Dermed var i realiteten kursen sat mod stavnsbåndets ophævelse 24 år senere og de landboreformer, som gjorde ende på det klassiske godssystem.

Det var dette system, som havde gjort Moltke, Bernstorff og de øvrige excellencer i regeringen rige og magtfulde. Deres status og magtposition stod og faldt med det. Da det efterhånden gik op for dem, hvilken kurs Saint-Germain slog ind på, og hvilken trussel den kunne indebære for deres indflydelse og position, blev de derfor for alvor foruroligede og søgte efter bedste evne at modvirke hans reformer og mindske hans indflydelse på Kongen. Det lykkedes dog kun i begrænset omfang i resten af Frederik V's levetid. Først efter hans død faldt Saint-Germain for alvor i unåde, hvorefter mange af hans reformer blev rullet tilbage, og han selv måtte forlade landet.

For den konservative og traditionelt tænkende Moltke var denne rastløse reformaktivitet en pestilens. I hans øjne kom Saint-Germain – efterhånden som han for alvor trådte i karakter – til at repræsentere alt det,

A.G. Moltkes seglstampe med det grevelige våben og de kongelige ridderordeners insignier. Seglet afspejler Moltkes nøje forbundethed med den kongemagt, som han så trofast tjente. Lensgrevetitlen og værdighederne som Hvid og Blå Ridder var alle udtryk for kongelig nåde. *Foto Elizabeth Moltke-Huitfeldt.*

som han fandt skadeligt for et godt og stabilt styre: Han tromlede sine reformer igennem i et forrygende tempo uden større hensyn til eller respekt for særlige danske forhold og lokal skik og brug. Han optrådte utålmodigt, arrogant og bedrevidende og havde kun foragt tilovers for dansk sprog og kultur, som han ikke fandt det fornødent at sætte sig ind i. Han var med andre ord præcis den type rådgiver, som Moltke ved regeringstiltrædelsen så indtrængende havde advaret den unge Frederik V imod at benytte.

Dertil kom naturligvis også, at selve hans virksomhed direkte truede Moltkes position og alt det, som han havde bygget sin egen rigdom og karriere på. I sit stille sind må han derfor have forbandet den dag, da han, tilskyndet af Bernstorff og i panik over hærens elendige tilstand, indlod ham i magtens korridorer og gav ham adgang til Kongen. Moltkes aktive indtræden i regeringen i 1763 som medlem af Konseilet kan derfor meget vel ses som et modtræk mod al denne rastløse reformiver nu, da skaden alligevel var sket, og Saint-Germain havde vist sig at være modbilledet på alt det, som Moltke troede på og satte højt. Dette skridt ville trods alt give ham en bredere platform at handle ud fra.

EN KAMP MOD TIDEN

Desuden kan det have spillet ind, at selve grundlaget for hans hidtidige magtposition, Frederik V, ikke mere var særlig sikkert. Kongens helbred blev stadig dårligere, og det var efterhånden åbenlyst, at hans regeringstid lakkede mod enden. Bedre end de fleste vidste Moltke, at den unge kronprins, den senere Christian VII, i bedste fald var et usikkert kort at spille på. For et magtmenneske som han med lang erfaring i at vælge sig alliancer, der kunne styrke hans egen position og hans egne planer, gav det derfor god mening på netop dette tidspunkt at sikre sig en position i selve regeringskredsen uden derfor at slippe det nære forhold til Kongen. Det er vel det, der i dagens Danmark almindeligvis betegnes som at udvise rettidig omhu.

Endelig spillede det måske også en rolle for Moltkes beslutning, at han netop på denne tid fik alvorlige helbredsproblemer. I sin selvbiografi noterede han således, at han blev ramt af "en alvorlig sygdom", der begyndte med "et heftigt stik i brystet". I sin vanlige gudfrygtige skrivestil føjede han dog derefter til:

> "Det har imidlertid behaget den almægtige Gud at lade mig komme nådigt igennem det. Han give mig sin nåde, så jeg kan vie ham mine resterende leveår og altid trofast kan vandre hans veje."

Det kunne lyde, som om den nu 53-årige mand en overgang havde mærket dødens kolde pust, og den sparsomme beskrivelse af symptomerne kunne da også tyde på hjerteproblemer af ikke ufarlig karakter. Det er slet ikke utænkeligt, at de mange års uophørlige arbejdspres og ansvarets konstante byrde kombineret med den akutte krisestemning i forbindelse med krigstruslen nu omsider begyndte at sætte sig spor i den ellers ganske robuste mands helbredstilstand og udløste denne sikkert stressbetingede sygdom, som han selv opfattede som livstruende. Tanken om hans pludselige bortgang og hans store uforsørgede børneflok kan meget vel også have spillet en rolle, da han besluttede sig for at modtage et vellønnet, pensionsgivende regeringsembede. Om ikke andet ville det kunne medvirke til at sikre efterslægten økonomisk. Den type overvejelser lå altid højt i Moltkes bevidsthed.

Frederik V's regeringstid frem til 1762 havde i det store hele været lykkelige og fremgangsrige år for Danmark. Ganske vist havde en ondartet kvægpest tyndet kraftigt ud i landets kvægbesætninger og dermed påført landbruget store tab; men der var til gengæld også tydelige tegn på, at den generelle krise, som i første halvdel af århundredet havde holdt landets bærende erhverv i et jerngreb, nu var ved at vende sig til en begyndende højkonjunktur, der varslede bedre tider for landbrug og godsdrift. Vigtigst af alt havde landet været forskånet for de krige, der jævnligt blussede op forskellige steder i Europa, og landets styre havde, hjulpet af Kongens almindelige popularitet og Moltkes evne til at få tingene til at glide ubesværet, fungeret harmonisk med et godt og tillidsfuldt indbyrdes samarbejde mellem de få excellencer, som i praksis regerede på vegne af den enevældige konge.

Også for Moltke havde det været en god og fremgangsrig tid. Han havde med held opbygget sit store godsimperium og havde opført sin pragtfulde københavnerresidens i centrum af den nye fashionable bydel, Frederiksstaden, som han selv havde været med til at planlægge og føre ud i livet. Han havde videre den glæde at se sin store børneflok vokse op og efterhånden blive vel anbragt i betydningsfulde embeder og i standsmæssige ægteskaber. Og han var for sin tjeneste hos sin elskede konge blevet overøst med al den hæder og alle de titler, som man kunne tænke sig. Han kunne også glæde sig over et stort set gnidningsfrit samarbejde med de magtfulde kollegieherrer i regeringen – i særdeleshed Bernstorff – der alle anerkendte hans afgørende rolle som Kongens nærmeste fortrolige.

Alt dette ændrede sig med krisen i 1762. Under indtryk af de nye skatter og Kongens mere og mere åbenlyse svaghed og stigende helbredsproblemer voksede den folkelige utilfredshed. Og da det var utænkeligt åbent at kritisere Kongen selv, rettede kritikken sig i stedet især mod excellencerne i hans nærhed og i særdeleshed mod Moltke, som man mere eller mindre åbenlyst anklagede for bevidst at holde Kongen i en tilstand af afmægtighed for selv at kunne regere. Det var naturligvis hverken sandheden eller blot en del af den – Kongen lå i det store hele, som han selv havde redt – men rygterne og anklagerne kastede alligevel et tvetydigt skær over excellencestyret, som man mente især hyppede egne kartofler, og rokkede derved ved dets autoritet udadtil og indbyrdes tillid indadtil. Dertil kom også, at Kongens stadig dårligere helbred og hyppigere sygelejer varslede en snarlig slutning på hans regering.

Bevidstheden derom bragte naturligt nok magthaverkredsen til at rette tankerne mod tiden efter Kongens død og forsøge i tide at positionere sig bedst muligt i forhold dertil. Oven i købet havde man så fået en veritabel havkat i hyttefadet i skikkelse af Saint-Germain, hvis hårdhændede reformiver ultimativt truede hele systemet. Alt dette lagt sammen bevirkede, at årene fra 1762 og frem til Kongens død i langt højere grad end tidligere blev præget af disharmoni i styrelsen og intrigemageri i excellencekredsen. Ikke mindst Moltke måtte i disse år bruge mange kræfter på at forsvare sin position og centrale rolle. Det var en kamp mod tiden og også en kamp, som han – i betragtning af Kongens hastigt svindende livskraft og den unge tronfølgers notoriske utilregnelighed – ikke havde større udsigt til at vinde. Trods alle forsøg på i tide at bringe sig i stilling til tiden efter regentskiftet skulle der da også blot gå nogle få måneder efter hans gamle velynders død, før han summarisk blev fyret fra alle sine poster af den nye drengekonge.

ROSE-SAGEN

Forinden – nærmere betegnet i marts 1765 – fik Moltke, stærkt sekunderet af Bernstorff, dog lejlighed til i praksis at vise, at den højadelige excellencegruppe ikke blot var en eksklusiv kreds, som nok rivaliserede indadtil, men udadtil stod sammen og dækkede over hinandens fejltrin, således som den ellers fik ry for. Det skete i forbindelse med den såkaldte Rose-sag, som involverede flere højtstående personer tæt på hoffet og i en periode vakte kolossal opsigt i hovedstaden som en af tidens mest omtalte skandalehistorier.

Sagens hovedperson var den da tyveårige skuespillerinde Mette Marie Rose, som var datter af den kongelige skuespiller Christopher Pauli Rose. Om aftenen den 11. marts 1765, efter at have spillet rollen som Bélise i stykket *Vulcani Kjæp,* dukkede den unge jomfru Rose til faderens store uro ikke, som hun ellers skulle, op i sit hjem. Senere viste det sig, at hun – ikke ganske mod sin vilje og oven i købet ved moderens mellemkomst – var blevet bortført til et nærliggende palæ tilhørende lensgreve Christian Conrad Danneskiold-Laurvig, som havde kastet sine øjne på den nydelige unge pige og ønskede at forlyste sig med hende i enrum. Den gode greve var ikke hvem som helst, men en mand af fornem byrd. Som sønnesøn af Frederik III's uægte søn Ulrik Frederik Gyldenløve var han nært beslægtet med kongehuset og en hyppig gæst ved hoffet og kongens tafler. På gerningstidspunktet beklædte han en overordnet stilling i Saint-Germains Generalkrigsdirektorium og dyrkede ligebyrdig omgang med excellencerne i regeringskredsen. Han var tillige kendt for sit ødsle og udsvævende liv og var i hovedstadens højere selskabsliv berygtet som en stor libertiner.

Ham var det altså, som den uerfarne og sikkert en kende naive jomfru Rose havde kastet sig i armene på godt hjulpet af moderens honnette ambitioner på datterens vegne. Her havde de to imidlertid gjort regning uden faderen, som først blev grebet af panik ved datterens forsvinden og dernæst – da sagens rette sammenhæng gik op for ham – af stor vrede over, at hans uskyldige datter var faldet i kløerne på en af byens mest berygtede skørtejægere. Da jomfru Rose efter nogle dage stadig ikke viste sig hjemme, og faderens direkte henvendelse til greven viste sig forgæves, og politidirektøren ej heller viste sig særlig hjælpsom, gik skuespiller Rose i sin fortvivlelse til både Danske Kancelli, Krigsdirektoriet og Bernstorff for at få hjælp til at skaffe datteren hjem. Han blev dog overalt mødt med henholdende svar og modtog endog lavmælte råd om at indstille sine anstrengelser og i stedet glæde sig over, at hans datter havde fundet nåde for en så fornem mands blik. Direkte adspurgt af Kongen selv – som nu fra sine omgivelser også havde hørt om sagen – benægtede Greven pure at kende noget til den og afviste, at jomfru Rose skulle befinde sig i hans hus, selv om alt pegede i den retning.

En hjælper i nøden

Den fortvivlede Rose gav imidlertid ikke så let op. Det var trods alt hans datters dyd og dermed hele hendes fremtid, der stod på spil. Som en sidste udvej søgte og fik han foretræde for Moltke og var dermed så tæt på en henvendelse til selve Kongen, som han overhovedet kunne komme. Det viste sig da, at Moltke var vel bekendt med sagen fra sine kolleger i de regeringskontorer, som Rose forinden havde hjemsøgt, og allerede i samråd med Kongen havde taget visse praktiske skridt til dens løsning.

Ifølge Roses eget referat af mødet indledte Moltke dog med at bebrejde ham, at han ikke straks var kommet til ham, eftersom Kongen jo "... har beskikket mig til at tage imod alle ansøgninger, som enten ikke hører til noget departement, eller ... er af den natur, at det udkræver en hastigere forestilling, end sagernes orden i kollegierne tilsteder." Dertil svarede Rose, som sandt var, at han som den første havde underrettet Moltkes ældste søn, greve Christian Friderich Moltke, der var overdirektør for Det Kongelige Teater og tillige hofmarskal under faderen. Og han var da gået ud fra, at denne havde sat faderen ind i situationen. Derefter tøede Moltke op, og han påhørte opmærksomt Roses fremstilling af sagen, derunder også hans redegørelse for de henstillinger, som han undervejs havde fået om at lade sagen falde. Ved oplysningen derom formørkedes Moltkes åsyn, og han fastslog skarpt: "De har handlet som De burde, og dette vidnesbyrd af Deres hjerte bør tillige blive Dem borgen for, at den bedste konge vil lade Dem vederfares ret."

Trapperummet i Moltkes Amalienborg-palæ med den smukt svungne hovedtrappe op til de øvre etager. Det enkle rum smykkes af en miniatureudgave af den rytterstatue, der står i fuld størrelse lige uden for vinduerne til venstre. Nu om dage er rummet fast standplads for de pressefolk og fotografer, der dækker gæsternes ankomst til Regentparrets nytårstaffel den 1. januar, når disse passerer døren og går op ad trappen. *Foto Elizabeth Moltke-Huitfeldt.*

Moltke erklærede derefter, at han naturligvis ville forelægge Roses bøn for Kongen, selv om det i grunden ikke var nødvendigt. Alle de nødvendige ordrer til fremskaffelse af den forsvundne jomfru og pågribelse af de skyldige var nemlig allerede underskrevet. Han tilføjede afslutningsvis om Kongen, at:

> "Han er for øm en fader for sit folk til, at han ikke skulle føle en faders ganske smerte ved så betydelig en lejlighed. Han har befalet mig at sige Dem i hans navn, at De må søge at sætte Deres sind i rolighed, at sagen ikke mere er Deres, men hans, og at alt, hvad de har at iagttage, er dette, at De stedse siger, hvor De går hen, på det at man straks kan finde Dem. Og i fald man skulle foretage noget videre til at formilde Dem, da ufortøvet at lade mig det vide."

Moltkes afsluttende bemærkninger lod ikke Rose i tvivl om, at sagen nu lå i Kongens – eller rettere Moltkes – stærke hænder, og at retfærdigheden ville ske fyldest. På Moltkes ordre fik politidirektøren besked på ufortøvet og om fornødent med magt at befri den bortførte jomfru og pågribe gerningsmanden og hans eventuelle medhjælpere. Og således skete det. Den slukørede greve måtte erkende sin brøde og tillige – hvad der var mindst lige så alvorligt – vedgå, at han havde løjet Kongen op i dennes åbne ansigt. Den standhaftige Roses krænkede ære var ved Moltkes effektive hjælp reddet. Om det også gjaldt datterens dyd, er straks mere tvivlsomt, ligesom det vel kan betvivles, at Roses eget ægteskab stortrivedes derefter.

Retligt opgør

Det retlige efterspil er i sig selv interessant. Da det drejede sig om en mand af så fornem byrd som Danneskiold-Laurvig, en ætling af selve kongestammen, kunne der ikke være tale om at indbringe sagen for de ordinære domstole. Og da Kongen selv var blevet forurettet ved, at Greven i hans påhør havde benægtet sandheden, tilfaldt det Kongen selv at afsige dommen, hvilket skete med regeringskredsens fulde tilslutning. Og den blev ikke mild. Danneskiold-Laurvig dømtes til straks at betale 10.000 rigsdaler "til gudeligt brug". Desuden skulle han årligt udrede 200 rigsdaler til den unge pige, indtil hun blev gift, og ved den lejlighed udbetale hende en engangssum på 3.000 rigsdaler. Til hendes forurettede fader skulle han hvert år betale 200 rigsdaler, og endelig fik han ordre til ufortøvet at forlade København og tage ophold i sit norske grevskab. Først efter Kongens død vendte han tilbage til hovedstaden. Jomfru Rose blev for en toårig periode anbragt i "et ærbart og stille hus på landet" og skulle hvert år fremvise en uplettet vandelsattest. Hun giftede sig først i 1774 og levede derefter et stille liv i København. På scenen kom hun aldrig mere.

Med sin håndfaste indgriben i denne spektakulære sag havde Moltke og de øvrige medlemmer af regeringen opnået flere ting. For det første blev det slået fast med syvtommersøm, at regeringen med Kongen i spidsen var den gode morals nidkære vogter. For det andet havde man med den hårde dom over Danneskiold-Laurvig i praksis dementeret rygterne om, at de høje herrer dækkede over hinanden. Og for det tredje havde man demonstreret, at Kongen og regeringen også var den lille mands beskytter. Det var imagepleje af høj karat, mesterligt orkestreret af Moltke. Byens førende sladdertaske, Charlotta Dorothea Biehl, var i sine erindringer således ved at strømme over i sin lovprisning af Moltke og hans håndtering af denne sag:

> "Havde Moltke endog ingen anden fortjeneste, så må hans fjender selv tilstå ham, at han var en tro fortolker af sin herres varme menneskekærlighed, at hans højhed og værdighed aldrig var ham i vejen for at udtrykke den, endog imod den allerringeste, at han med den utrætteligste tålmodighed påhørte de urimeligste begæringer og klagemål og aldrig søgte nogen anden ære deri, end at det var Kongens vilje, at den ringeste undersåts suk skulle bringes til ham".

– Smukkere skudsmål kan man vel vanskeligt forestille sig.

FREDERIK V'S DØD

Med stigende bekymring bemærkede kredsen omkring Kongen – og da specielt Moltke med sin nære tilknytning til og afhængighed af majestæten – hvorledes dennes helbredstilstand hastigt forværredes gennem årene 1764 og 1765. Under året 1764 noterede han således med tydelig ængstelse, at Kongen hele sommeren opholdt sig oppe på Fredensborg nærmest som rekonvalescent og praktisk taget ikke viste sig uden for en dør. "Jeg bemærkede, at hans livskraft aftog mærkbart", skrev han i erindringerne, og i fortsættelse deraf beskrev han det triste syn, da Kongen under efterårets festligheder i forbindelse med brylluppet mellem hans næstældste datter, Wilhelmine Caroline, og Landgreve Vilhelm af Hessen søgte at føre sin datter ved armen op ad trappen til de øvre gemakker, men på det nærmeste måtte opgive forehavendet på grund af svækkelse og gangbesvær. Det var tydeligvis sørgeligt for den aldrende hofmarskal at se sin tidligere så livfulde herre og ven i denne medynkvækkende tilstand. Det kunne nok stemme sindet til alvor hos den gamle hofmand. Som en slags modvægt dertil noterede han dog også et enkelt lyspunkt fra samme år, nemlig dåben af hans ældste overlevende søn fra andet ægteskab, Gebhard, som blev stamfader til den stadig levende linje Moltke-Huitfeldt.

Også året 1765 stod i tristessens tegn. Den stadig tydeligere dødsmærkede konge opholdt sig igen sommeren over på Fredensborg, men var efterhånden blevet så svækket, at man først hen i november vovede at udsætte ham for den skrumplende køretur i karosse til København. Moltke beskriver den vanskelige transport således: "Gud hjalp os alligevel under mange besværligheder frem, og vi ankom til Christiansborg den 19. november ved middagstid. Hans Majestæt Kongen var imidlertid så afkræftet, at han hverken denne dag eller de følgende kunne gå udenfor. Han forblev til stadighed i sit værelse, og det viste sig tydeligere og tydeligere, at han var ramt af vattersot, og at der kun var lidet håb tilbage for hans helbredelse, hvilket hensatte alle – og i særdeleshed mig – i den største sorg og kummer." Vattersot var i ældre tid betegnelsen for *hydrops*, sygelig væskeophobning i kroppen.

Det var tydeligt, at enden var nær, og ved juletid var Kongens legeme så stærkt opsvulmet af væske, at livkirurgen, H.F. Wohlert, besluttede at foretage en tapning for at lindre trykket og smerterne. Efter Moltkes udsagn stod Kongen det brutale indgreb igennem med stor tapperhed, hvorimod han selv, som Kongen havde befalet at være til stede, besvimede ved synet af sin herres lidelser og al den væske, der strømmede ud af Kongens legeme gennem drænene. Han måtte derfor ved et par tjeneres hjælp lade sig føre til sit eget værelse og var først dagen efter atter i stand til at være ved den døende konges side.

De sidste to uger af Kongens liv var én lang dødskamp, hvor Kongen i sine stadig sjældnere vågne øjeblikke talte i vildelse om sit skønne kavaleri, anråbte sin afdøde Dronning Louise om tilgivelse for sine synder og bad den vågende, salmesyngende Dronning Juliane Marie tilgive hans slette opførsel imod hende. Hun og Moltke, som også i denne sidste fase varetog alle regeringsforretninger på Kongens vegne, var de eneste, som konstant var omkring ham i de sidste kritiske dage; men en tre-fire dage før døden indtraf, aflagde også Kronprinsen besøg og tilbragte et par timer i enrum med sin døende fader. Hvad de to har talt om, kan vi ikke præcist vide; men Charlotta Dorothea Biehl formoder – med sin gode ven, kabinetssekretær Reverdil som kilde – at Kongen stærkt havde anbefalet Moltke og hans familie til sin efterfølger. Det slutter hun af, at Kronprinsen, da han efterfølgende blev mødt af Moltke uden for sygeværelset, grådkvalt greb dennes hånd og holdt den længe i sine, mens han takkede ham varmt for alt, hvad han havde været for hans fader.

Natten mellem den 13. og 14. januar 1766 var det omsider slut. Kongen blev stadig mere fjern, men skal ifølge Charlotta Dorothea Biehl – stadig med Reverdil som kilde – et par timer før han drog sit sidste suk være vågnet og med et dybt suk have udbrudt: "Gud! Jeg forlader verden i min bedste alder og har dog levet alt for længe, siden jeg har overlevet mine undersåtters kærlighed og draget deres suk og tårer ned over mig, skønt mod mit hjertes drift og vilje." Om den døende konge virkelig har udtalt sig nøjagtigt således, kan vi i sagens natur ikke vide. Men hvis han har, var der tale om en ganske præcis selvkarakteristik og bedømmelse af sin kongegerning som helhed. Kort efter midnat udåndede han i sin trofaste Moltkes arme.

I sine erindringer giver Moltke sin afdøde herre følgende ord med på vejen og beskriver samtidig selve dødsscenen:

"Det er ikke muligt at tænke sig, at en landsherre kunne være bedre sindet mod sit land end han. Og jeg vil åbent bekende, at hvis der undervejs skulle være indtruffet ting, som kan lægges hans regeringsførelse til last, så er fejlen ikke at søge hos ham, men hos dem, der har forelagt dem. Han har gudskelov regeret sit land i fred og ro og i alle henseender forbedret dets velstand og flor, hvilket eftertiden visselig engang vil påskønne og kreditere ham for. Men eftersom det ikke er min hensigt her at nedskrive hans, men mit eget livsløb, så afstår jeg fra førstnævnte og overlader det til mere egnede penne end min at skrive historien om en så berømmelig, livsalig og i det hele taget god regent og konge. Dog vil jeg ikke lade uomtalt, at den højsalige konge kort før sin dødelige afgang lod mig tilkalde gennem kammertjener Jessen og befalede mig at sætte mig tæt op ad ham i sengen. Han lagde derefter sit hoved på mine skuldre og arme og forlod kort derefter denne verden. Dette bekræftes af vedlagte kopi af en attest fra kammertjener Jessen. Originalen ligger ved den af mig forfattede Frederik V's livshistorie."

Med denne smukke minderune over sin afdøde herre og ven satte Moltke også punktum for den mest afgørende fase i sit eget liv. Det fremgik tydeligt af hans varme, hengivne karakteristik, at han ikke blot havde taget afsked med en monark, som han respekterede, men også med en nær ven, som han trods alle fejl og laster elskede. Moltke havde kendt Frederik V fra barnsben og havde fulgt ham tæt og trofast gennem hele hans 42-årige liv, og i ikke færre end 36 af disse 42 år havde han befundet sig i et nært tjenesteforhold til ham – et tjenesteforhold, som også havde udviklet sig til et varmt og tillidsfuldt venskab. Nu lå hans kongelige velgører livløs i hans arme. Dermed var den mand, som ikke blot havde været bestemmende for hans eget liv, men også det faste omdrejningspunkt deri, borte.

Den gamle, trygge verden styret af en velmenende monark og magtfulde excellencer døde med Frederik V. Uden for dødsværelset ventede en ny og usikker fremtid med bitre magtkampe for at positionere sig i forhold til den nye konge, om hvis mentale sundhed der var al mulig grund til at nære alvorlig tvivl. Da Moltke rejste sig fra dødslejet og stille lukkede døren efter sig, trådte han direkte ud i denne usikre og uforudsigelige fremtid.

Faldet fra tinderne

Louis Tocqués charmerende barneportræt af Christian VII. Portrættet fra 1758-59, som var i A.G. Moltkes eje, giver ikke beskueren nogen fornemmelse af, at der bag det uskyldige barneblik lurede et vanvid, der kort efter Kongens tronbestigelse skulle bringe alle de gamle velprøvede ministre – deriblandt A.G. Moltke – til fald, og som endte med at ryste hele det enevældige system i dets grundvold. *Privateje. Foto Elizabeth Moltke-Huitfeldt.*

Da dagen gryede den 14. januar 1766, var nyheden om Kongens død natten forinden allerede gået som en løbeild gennem slottet og byen. Hoffets øverste embedsmænd og ministrene var tilsagt til at give møde i Kongens forgemak for at overvære udråbelsen af efterfølgeren, den unge Christian VII. Tavse og trykkede ved situationen samledes de i god tid for at høre budskabet om tronskiftet blive bekendtgjort fra balkonen ud mod slotspladsen, således som det var skik og brug. Ifølge et samtidigt øjenvidne – den 21-årige Prins Carl af Hessen-Kassel, der med rang af generalløjtnant nu blev chef for Den Kongelige Livgarde til Fods og kort efter svoger til den nye konge – viste især Moltke alle tegn på stærk bevægelse. Kort før udråbelsesceremonien skulle finde sted, kom han ud fra Kongens værelse bleg som en dødning og uden at kunne frembringe et ord. Som hoffets øverste embedsmand var det hans hverv at føre ministrene og de øvrige fornemme embedsmænd ud på balkonen, hvor udråbelsen skulle finde sted. Alene løsningen af denne relativt simple opgave synes at have krævet opbydelsen af alle hans kræfter.

Selve udråbelsen skulle efter gammel skik foretages af Storkansleren; men da dette embede var ubesat i den daværende regering, tilfaldt hvervet i stedet dens fornemste og ældste minister, J.H.E. Bernstorff. Denne placerede sig derfor midt på balkonen, og viftende med et hvidt lommetørklæde råbte han, som traditionen bød, tre gange ud over folkemængden, der havde samlet sig nede på slotspladsen: "Kong Frederik V er død; længe leve Hans Majestæt Kong Christian VII!" Det var et vidnesbyrd om den afdøde konges stærkt faldende popularitet, at folkemængden svarede tilbage med glædesråbet: "Længe leve Kong Christian VII!" I samme øjeblik trådte den nye, unge konge ud på balkonen, hvor han stående ved siden af Bernstorff besvarede folkets hyldest "med den største anstand" – for atter at citere øjenvidnet Prins Carl af Hessen-Kassel. Denne føjede i øvrigt sigende til, at en tyk tåge indtil dette øjeblik havde indhyllet sceneriet; men den lettede i samme øjeblik, som udråbelsen fandt sted, "hvilket blev anset for et lykkeligt tegn". Derefter trak selskabet sig tilbage til den nye konges forgemak, hvorfra de højeste i rangen én efter én blev ført ind til den nye konge for at blive bekræftet i deres stillinger. Under alt dette var Moltke faldet besvimet om og sad nu i en stol i et hjørne af forgemakket, hvor han bistået af nogle af sine sønner forsøgte

A.G. Moltkes svoger og nærmeste rival i tiden omkring tronskiftet, overkammerherre Ditlev Reventlow i Peder Als' fortolkning fra omkring 1770. Portrættet afspejler Reventlows kompromisløse personlighed, der ikke tålte nogen slinger i valsen. Han var en frygtet opdrager for den senere Christian VII og virkede fra 1764 som en nøjeregnende bestyrer af rigets finanser, indtil han i 1770 fik sin afsked sammen med Konseilets øvrige medlemmer. I lighed med Moltke tilkendtes han i forbindelse med mageskifteaftalen med Rusland i 1773 en pension på 4.000 rigsdaler årligt, hvilket ellers også var blevet ham nægtet i forbindelse med afskedigelsen. *Det Nationalhistoriske Museum på Frederiksborg Slot. Foto Kit Weiss.*

at genvinde fatningen og komme til hægterne igen. Det var åbenlyst for enhver, at hans sorg over tabet af sin gamle herre og velgører stak dybt, og at nattens sindsbevægelser havde tæret hårdt på hans kræfter. Men skal man dømme efter de foreliggende stemningsrapporter, var Moltke stort set ene om oprigtigt at begræde tabet af Frederik V. Hos hovedparten af de øvrige tilstedeværende herskede der en lavmælt munter og forventningsfuld stemning. Mens Moltkes tanker og følelser i denne stund rettede sig mod det tabte og den svundne tid, rettede de fleste af de øvrige tilstedeværende deres tanker og forventninger mod den nye konge, som i deres øjne personificerede en bedre og lysere fremtid. Disse forventninger mindskedes ikke af, at han efter råd fra sin gamle lærer, Reverdil, som sit kongelige valgsprog valgte ordene *Gloria ex amore patriæ* – fædrelandets kærlighed, min berømmelse – der varslede en ny og mere fremskridtsorienteret regeringsstil. Det blev også tilfældet, men på en noget anden facon, end det ved udråbelsen forsamlede selskab havde i tankerne.

Selv om Moltke med sit konservative gemyt, sin modvilje mod bratte forandringer og sit særlige forhold til den afdøde monark ved netop denne lejlighed nok var den af de tilstedeværende, der havde mest tilbøjelighed til at lade tankerne vandre bagud i stedet for fremad, var det naturligvis ikke ensbetydende med, at situationen ramte ham uforberedt. Dertil stod der også for meget på spil for ham personligt og familiemæssigt. Tværtimod havde han som tidligere nævnt allerede et par år forinden taget konkrete skridt til at cementere sin position under indtryk af Kongens voksende helbredsproblemer. Og den nye konges gamle lærer og senere kabinetssekretær, schweizeren Reverdil, beskriver i sine erindringer, hvorledes Moltke i tiden op til det kongelige dødsfald udkæmpede en hård magtkamp med den mand, som han anså for sin nærmeste rival til stillingen som den nye konges nærmeste fortrolige, nemlig Christian VII's gamle hofmester og opdrager, greve Ditlev Reventlow.

KAMPEN MED REVENTLOW

Denne ætling af den reventlowske kreds, der tilbage i 1720'erne for en tid havde domineret statsstyret under Frederik IV, var et par år yngre end Moltke og havde i 1755 efter en kortvarig diplomatisk karriere overtaget posten som hofmester hos tronfølgeren. Dette indebar også det samlede ansvar for dennes opdragelse til kongegerningen – en opgave, som Reventlow løste med så stor konsekvens og nidkærhed, at han endte med helt at dominere den psykisk ustabile kronprins, som var direkte bange for ham og ofte blev skræmt af Reventlows grove og fremfusende facon.

I 1763 – samtidig med at Moltke trådte aktivt ind i regeringen – blev også Reventlow medlem af Konseilet og fik således del i den egentlige statsstyrelse med særligt ansvar for finanserne. Han var dermed for alvor blevet en af de betydningsfulde brikker i spillet om magten og som følge deraf også en potentiel trussel mod Moltkes fremtidige stilling.

I betragtning af sit særlige forhold til den kommende regent mente Reventlow at have en særlig adkomst til stillingen som betroet rådgiver og overhofmarskal for den nye konge. Men det var præcis den funktion, som Moltke længe havde haft, og som han håbede at kunne beholde også efter regeringsskiftet. I månederne forinden slog rivaliseringen mellem de to om denne attråværdige post derfor ud i lys lue. Nogle vil måske spørge, hvor regeringens virkelig tunge minister, Bernstorff, var henne i dette spil. Svaret er det enkle, at han slet ikke deltog i det, fordi han havde nok i sit faglige virke og ikke ønskede nogen hofstilling for sig og sine. Spillebanen var derfor overladt til Moltke og Reventlow.

Der knytter sig det pikante forhold til denne magtkamp, at de to spillere faktisk var svogre, og at de og deres familier plejede jævnlig omgang med hinanden. Reventlows hustru, Margrethe Raben, var storesøster til Moltkes anden kone, Sophia Hedwig Raben. De to søstre støttede ikke desto mindre hver især deres ægtemænds respektive ambitioner og blandede sig undertiden aktivt i manøvrerne – til nogen skade, må man formode, for sammenholdet i Raben-familien og for den gode stemning ved familiesammenkomsterne.

Dalende stjerne

Ved Bernstorffs mellemkomst nåede de to rivaler dog i de hektiske dage omkring tronskiftet frem til en løsning, som i det mindste i øjeblikket var tilfredsstillende for dem begge. Moltke skulle beholde sin stilling i Konseilet og posten som overhofmarskal, hvorved han fastholdt sin centrale position i hofadministrationen og ledelsen af Partikulærkammeret – Kongens egen pengekasse – der finansierede hofholdningen og de mange nådesbevisninger fra Kongens hånd. Til gengæld genoprettedes det ellers hvilende embede som overkammerherre til Reventlow, hvilket gav denne ret til at føre tilsyn med alt, hvad der angik Kongens lejlighed og privatliv og være underrettet om alle forhold i forbindelse dermed. Han skulle i øvrigt i lighed med Moltke bevare sine poster i regeringen og fastholdt dermed som denne sin centrale position både ved hoffet og i ministerkredsen. Ved dette kompromis skabtes der således en hårfin magtbalance mellem de to svogre – kampens endelige udfald afhang af deres evne til at vinde den nye konges øre.

Her sikrede Reventlow sig i første omgang en sejr på point, idet han hurtigt efter tronskiftet fik gennemtrumfet en flytning af Kongens Håndbibliotek fra lokalerne i mezzaninen lige under den kongelige lejlighed. Disse lokaler blev i stedet indrettet til bolig for overkammerherren, hvorved han ad en indvendig hemmelig trappe fik direkte adgang til Kongens private gemakker og dermed også uhindret adgang til majestæten selv uden om de mere formelle kanaler, der kontrolleredes af Moltke. Denne privilegerede adgang benyttede han i den følgende tid flittigt til at påvirke Kongen til ugunst for svogeren.

Imidlertid havde Moltke heller ikke ligget på den lade side. Han noterer således med tilfredshed i sine erindringer, at Frederik V kort før sin død i en længere samtale med sønnen indtrængende havde formanet denne til at holde fast på Moltke og lade denne beholde de positioner og den aflønning, som han havde haft hidtil. Der er næppe tvivl om, at dette faderlige råd udsprang af en ægte hengivenhed for den tro overhofmarskal, men det kan på den anden side heller ikke afvises, at denne diskret under sine samtaler ved sygesengen har gjort sit bedste for at lægge Kongen det på sinde. Han beretter ligeledes, at da han hen på dødsnatten skaffede sig adgang til tronfølgerens sovegemak for at underrette ham om Kongens død, modtog Christian VII det triste budskab "med stor standhaftighed" og bekræftede på stedet Moltke i alle hans embeder. Dette takkede Moltke allerunderdanigst for og tilføjede efter sit eget referat:

> "Jeg udtrykte ønsket om at bevare både livskraft og forstand til at kunne yde Deres Majestæt gavnlige og frugtbringende tjenester i fremtiden, hvorpå han til min beroligelse gav et nådigt og imødekommende svar."

Dermed skulle den hellige grav egentlig være vel forvaret. Moltke havde af den nye konges egen mund fået et klart løfte om at kunne fortsætte i samme magtfulde position som hidtil. Men der havde alligevel i den seneste tid været flere foruroligende tegn på, at hans stjerne var dalende, og at grunden langsomt var ved at skride under ham. Et af disse var, at hans næstældste søn, Caspar, som med rang af generalmajor hidtil havde været chef for Livgarden og i lighed med faderen havde stået højt i gunst, blev frataget denne kommando og sendt til sit stamregiment i Holsten langt borte fra hofliv og politisk indflydelse. Ganske vist kunne noget tyde på, at denne forflyttelse til dels kunne have noget at gøre med den unge Moltkes vandel. Han synes at have haft konstant uorden i sin økonomi, og i 1785 tog faderen det drastiske skridt helt at udelukke ham fra arvefølgen til grevskabet Bregentved på grund af gæld. Men i enevældens symbolske magtsprog kunne den pludselige forflyttelse også meget vel tolkes som et budskab til den gamle overhofmarskal om, at også hans tid ved magten nu var ved at rinde ud.

ANKLAGER FOR REGNSKABSSVINDEL

Moltke var selv helt klar over, at der var stærke kræfter i den unge konges omgivelser, som arbejdede målbevidst på at få ham fjernet fra magten, og alle hans manøvrer i Frederik V's sidste tid og hans næsten panikagtige reaktion på Kongens død må derfor ses i dette lys. I erindringerne anfører han således i umiddelbar fortsættelse af referatet af sin natlige samtale med den nye konge følgende:

> "Jeg har i denne forbindelse godt lagt mærke til, hvorledes man ikke blot havde bibragt denne gode herre mange modvillige forestillinger om min ringhed, mens hans fader levede, men også var stærkt beskæftiget med helt at fratage ham de gode tanker, som han endnu måtte have om mig. Alt sammen for at bringe det dertil, at han ikke mere kunne have tiltro til mig."

Det "man", der optræder i dette referat, sigtede uden tvivl først og fremmest til svogeren og ærkerivalen Ditlev Reventlow. Og der skulle da heller ikke gå lang tid efter tronskiftet, før han iscenesatte et veritabelt frontangreb på Moltkes position og personlige hæderlighed, som rummede sprængstof nok til i værste fald at være ødelæggende for ham. Det rettede sig mod hans forvaltning af Partikulærkammeret – en af hans mest magtfulde positioner og samtidig hans mest sårbare punkt, eftersom administrationen af denne kongelige pengetank indebar et betydeligt element af skøn, og Moltke tillige var kendt for ikke at ignorere sine egne interesser i pengesager. Direktøren for Partikulærkammeret var en ombejlet person blandt de mennesker, som ønskede tilskud fra Partikulærkassen, og derfor forlenet med stor indflydelse og megen uformel magt. Denne post ønskede Reventlow sig selv brændende, og af samme grund var det netop her, angrebet mod Moltke satte ind.

I forbindelse med tronskiftet havde Moltke forelagt den nye konge et samlet regnskab for kassens indtægter og udgifter og en oversigt over den aktuelle kassebeholdning. Dette godkendtes i første omgang af Christian VII, som dog næppe havde forudsætninger for at vurdere de mange poster og den økonomiske virkelighed bag dem. Få dage senere lod han imidlertid Moltke vide, at Reventlow og andre havde rejst tvivl om regnskabets rigtighed og tilføjet, at det nok ville have taget sig helt anderledes ud, hvis det var dem, der havde lavet regnskabet. Dette var i høj grad en ærerørig udtalelse og nærmest en beskyldning mod Moltke for regnskabsfusk for egen vindings skyld.

Dette kunne han selvfølgelig ikke have siddende på sig, og han slog derfor hårdt tilbage ved straks at forlange regnskabet revideret af en uvildig kommission nedsat af Konseilet, den samlede regering. Dette bevilgede Kongen, og efter et grundigt arbejde nåede kommissionen frem til det resultat, at Moltkes regnskab i det store hele var retvisende, og at den aktuelle kassebeholdning oven i købet var større end den, som Moltkes regnskab udviste. Sagen afsluttedes derfor med, at Kongen personligt overrakte Moltke et eksemplar af kommissionsberetningen, hvorpå også Reventlow med sin underskrift måtte bevidne regnskabets rigtighed og dermed erkende, at der ikke havde været hold i anklagerne.

Velbekendt med intrigemageriet omkring tronen formanede Kongen nådigt Moltke til at passe godt på dette aktstykke, så det kunne fremdrages, hvis denne eller en lignende sag skulle dukke op igen. Dette gode råd fulgte han og anbragte det i sikkerhed i sit familiearkiv, hvor det endnu findes. Moltke red altså i denne omgang stormen af; men det utidige angreb havde alligevel i alvorlig grad rystet hans tillid til kollegerne i regeringen og troen på, at han fortsat havde en fremtid i denne kreds. Med mere end et skær af sortsyn bemærkede han således i sine erindringer:

> "For øvrigt havde jeg kun liden nytte af den således vundne fordel. Mine fjender har ikke undladt ved forskellige lejligheder at give mig årsag til alskens sorg og bekymring, hvilket jeg dog hellere vil tilgive og glemme end anføre her til deres skændsel. Min kredit ved Hans Majestæt var vel ganske vist lige så god som de øvrige ministres; men jeg havde dog grund til at tro, at netop dette bevægede mine fjender til at arbejde desto hårdere for, at min gunst ikke voksede, men at jeg tværtimod blev isoleret og afskediget."

PRINS CARLS ÆGTESKAB

Den usikre tilstand, hvor Moltke ikke vidste, om han var købt eller solgt, og tilsyneladende så fjender alle vegne, varede ved hen over foråret 1766. Men først på sommeren indtraf den begivenhed, som for alvor fik læsset til at tippe og førte direkte til hans afsked fra alle embeder den 16. juli 1766, nemlig da den førnævnte Prins Carl af Hessen-Kassel friede til Kongens lillesøster, Prinsesse Louise, og fik Kongens ja til forbindelsen.

Prægtig Nøstetangen-pokal og Sèvres-porcelæn, som har været i A.G. Moltkes eje. Moltke var en stor beundrer af det fine håndværk, der lå bag begge disse luksusproduktioner. Glasproduktionen i Nøstetangen var et resultat af Moltkes politiske støtte til ophjælpning af norsk erhvervsliv, og i tidens merkantilistiske ånd gjorde han sig store anstrengelser for at få danske virksomheder til at optage lignende produktioner – med begrænset held, bl.a. fordi den indenlandske ekspertise manglede. Til gengæld havde han bedre held med andre, knap så sofistikerede erhvervsforetagender, f.eks. sandstensbruddet ved Neksø og kalkbruddet i Fakse. *Privateje. Foto Elizabeth Moltke-Huitfeldt.*

Den da 21-årige Prins Carl var næstældste søn af Landgreve Frederik II af Hessen-Kassel. Som tiårig blev han sammen med sine to brødre fjernet fra hjemmet i Kassel på grund af faderens overgang til den katolske tro og sat under sin morfader, den engelske Kong George II's, beskyttelse i Hannover. Ved udbruddet af Den Preussiske Syvårskrig i 1756 blev de tre drenge af sikkerhedshensyn sendt videre til deres onkel, Frederik V, i København, hvor de blev opdraget sammen med dennes børneflok. Prins Carl blev derved nærmest et medlem af kongefamilien og deltog som sådan flittigt i Kronprins Christians grove natlige drengestreger rundt om i København, samtidig med at han fik sig en militær karriere med hurtige avancementer. I forbindelse med kabalerne efter tronskiftet fortrængte han som nævnt således Moltkes søn, Caspar, som chef for Livgarden og afløste kort efter også Saint-Germain som øverste leder af det samlede hærvæsen. Ingen af disse poster havde den uerfarne unge mand dog faglige eller menneskelige forudsætninger for at bestride. I kraft af sit nære forhold til den nye konge var han snarere blot et redskab i hænderne på den hofkamarilla, der søgte at erobre magten efter tronskiftet.

I 1764 var hans ældste broder, den kommende kurfyrste af Hessen, blevet gift med Frederik V's næstældste datter, Wilhelmine Caroline, og i løbet af foråret 1766 tog Prins Carl som nævnt skridt til at anholde om hendes lillesøster Louises hånd, hvilket han fik sin fætter Kongens velsignelse til. Forlovelsen blev deklareret hen på foråret, og brylluppet blev fastsat til senere på året. Forbindelsen mødte imidlertid fra begyndelsen stærk modstand fra de gamle magthavere Bernstorff og Moltke. Fra Bernstorff især, fordi han fandt det stridende mod god dynastipolitik at ofre hele to kongedøtre på det samme, temmelig betydningsløse tyske småfyrstehus; men i betragtning af sin tilbagetrukne stilling i den igangværende magtkamp i hofkredsen gik han dog temmelig stille med dørene.

Moltkes modstand grundede sig til dels på de samme betragtninger, men hang også sammen med, at han anså Prins Carl for et farligt redskab i hænderne på sine modstandere i kredsen omkring Kongen. Det var givetvis i særlig grad Moltke, som Prins Carl af Hessen sigtede til, da han i forbindelse med omtalen af forlovelsen i sine erindringer bemærkede: "Der var flere, som satte sig stærkt herimod, thi de troede gennem min forbindelse med kongefamilien – uagtet at jeg var en kødelig fætter af Kongen – at se mig indtage en så umådelig ophøjelse, at jeg ville få magt over dem alle." Det var naturligvis heller ikke uden betydning for Moltkes stillingtagen, at Prinsen netop kort forinden havde fortrængt hans søn som chef for Livgarden. Han satte sig derfor med næb og kløer mod forbindelsen. I sine erindringer beskrev han det på følgende måde:

> "Da jeg på ingen måde kunne anse denne forbindelse for passende og også, hvor lejlighed gaves, talte imod den, skaffede jeg mig derved endnu en fjende på halsen."

Det fremgår klart af erindringerne, at Moltke anså dette fjendskab for den egentlige grund til sin pludselige afskedigelse den 16. juli 1766 og Prinsen – Kongens nære fortrolige – som den virkelige anstifter af den.

AFSKED I UNÅDE

I Prins Carls egen udlægning af forløbet forholdt det sig ikke helt således. Ifølge ham var det især den gamle Enkedronning Sophie Magdalene, som pressede på hos sin kongelige sønnesøn for at få Moltke afskediget. Hun havde som tidligere nævnt aldrig kunnet lide Moltke, som hun mente havde bevirket det kølige forhold mellem hende og hendes søn, den afdøde Frederik V. Ifølge Prinsens erindringer blev selve beslutningen om afskedigelse netop truffet, da han i selskab med Kongen aflagde et besøg på Vallø Stift, hvor den gamle enkedronning residerede. Han beskrev de nærmere omstændigheder, således som han huskede dem – eller valgte at huske dem:

> "Jeg var alene med Kongen i vognen, da han atter begyndte at tale med mig om, at det var nødvendigt at give grev Moltke afsked, at Kongens moder plagede ham hver dag dermed, og at alle talte ilde om Moltke. Jeg mærkede, at bomben var ved at springe. Jeg svarede Kongen, at jeg troede, man havde uret i de beskyldninger, man fremførte mod denne minister; men for det tilfælde, at Kongen havde bestemt sig for at føje sin farmoder, ville jeg bede Hans Majestæt at formilde tingen så meget som muligt. Det ville derfor være bedst, at afskeden blev udstedt fra det sted, hvor Kongen var sammen med sin farmoder. Man ville da betragte den som yderligere forårsaget af hende og som en af Kongen udvist føjelighed mod hende. Kongen bifaldt dette og gav mig frie hænder. Overceremonimester (Victor Christian) von Plessen, som var en af Grev Moltkes ældste venner, var på Vallø som provisor. Da jeg kom frem, henvendte jeg mig til ham, satte ham ind i hele sagen og bad ham så snart som muligt at begive sig til Grev Moltke, som for nogle uger havde taget ophold på Bregentved, der kun ligger en mils vej fra Vallø. Jeg bad ham i mit navn meddele alle omstændigheder uden at skjule noget og sige, at jeg var overbevist om, at et brev fra Grev Moltke til Kongen, hvori han bad om at måtte trække sig tilbage fra de embeder, der var ham givne af Frederik V, om hvem han endnu havde så levende erindring, ville forhindre enhver ubehagelighed og en mindre tilfredsstillende, måske unådig afsked. Hr. von Plessen tog tidlig derhen næste morgen. Han kom tilbage til middagen med et brev til Kongen fra Grev Moltke, hvori denne i et par linjer anholder om afsked. Kongen var tilfreds med, at tingen var blevet ordnet på denne måde. Sophie Magdalene omfavnede mig strålende henrykt og sagde, at jeg havde overvældet hende med glæde, hvortil jeg (på tysk) svarede hende: "Jeg vil håbe, at dette ingen slemme følger vil have for Kongen"."

Skal man tro denne mere end en anelse selvtilfredse udlægning, var Prins Carl ganske rigtigt den, der effektuerede den gamle overhofmarskals afskedigelse – temmelig sølle bragt til udførelse i ly af Enkedronning Sophie Magdalenes skørter. Bortset fra Prinsens afsluttende bemærkning virker det, som om de to politisk helt uerfarne ynglinge – Kongen og Prinsen – slet ikke fattede alvoren i og rækkevidden af deres handling. Det var tilsyneladende ikke gået op for dem, at de med denne afskedigelse gjorde sig til redskaber for et særligt hofparti, som systematisk stræbte det gamle, i bund og grund stabile, excellencestyre efter livet, og at dette kun var første skridt.

Det gik imidlertid kort efter i al sin gru op for Prins Carl, da det viste sig, at samme kreds havde overtalt Kongen til også at fyre Bernstorff, som Prinsen personligt satte højt. Da kabinetssekretær Reverdil, som ligeledes var Bernstorff venlig sindet, afslørede disse planer for ham, var det, som om det pludselig stod klart for ham, hvad han havde ladet sig bruge til. Han gik derefter direkte til Kongen og meddelte ham, at han og hans hustru omgående ville forlade København og flytte til Tyskland, hvis også denne afskedigelse blev ført ud i livet. Stillet over for truslen om at skulle miste sin bedste ungdomskammerat og nære fortrolige slog den usikre og ulykkelige konge i sidste øjeblik bak, og Bernstorff undgik i denne omgang at dele Moltkes skæbne. Prins Carl afstod efter dette helt fra at spille en aktiv rolle i et intrigespil, som han helt åbenlyst ikke forstod meget af, og året efter valgte han sammen med sin hustru at flytte til Hessen for en årrække, forsvarligt på afstand af de stadig mere kaotiske tilstande ved Christian VII's hof. I denne periode blev parret forældre til Marie Sophie Frederikke, som siden blev Frederik VI's dronning.

DEN FALDNE EXCELLENCE

Tilbage på Bregentved sad en dybt rystet Moltke, der måtte erkende, at slaget var tabt, og at de fjender, som på det seneste havde optaget hans tanker så stærkt, i denne omgang havde vundet. I sine erindringer nedfældede han selv efterfølgende de på én gang bitre og gudfrygtige tanker, som han i sin ensomhed gjorde sig i forbindelse med den bratte omvæltning i sin tilværelse:

> "Efter denne for mig så betydningsfulde forandring livede alle mine fjender voldsomt op og insinuerede om min person uendelig mange usandheder og beskyldninger, som de dog, Gud være lovet, ikke kunne bevise, og som de, takket være den almægtige Guds beskyttelse, heller ikke kunne benytte til at gøre alt det onde imod mig, som de havde i sinde. For dette har jeg og mine børn al mulig grund til at takke Gud. Og da mine modstandere i særdeleshed havde fortalt Kongen, hvilken rædselsfuld rigdom – mere end 10-12 millioner – jeg besad, gav det også anledning til, at jeg ikke fik nogen pension, og at min skyldige gage blev tilbageholdt. Under al den modgang underkastede jeg mig Herrens magtfulde hånd. Jeg kyssede hans tornekrans og erkendte, at jeg i betragtning af Hans skæbne fortjente en endnu hårdere tugtelse end den, jeg allerede havde fået. I mit hjerte følte jeg dog den trøst, at jeg

altid havde beflittet mig på at tjene Kongen og hans hr. fader som en ærlig mand og ikke havde ladet mig afholde derfra af nogen privat interesse eller egennytte. For at mine venner kunne se og føle sig overbeviste om, at mine midler på ingen måde var så betydelige, som mine misundere havde udbredt sig om, lod jeg gennem etatsråd Esmarch – som fra begyndelsen og nu i mere end tyve år havde ordnet mine pengesager og derfor vidste besked om, hvorfra jeg havde så at sige enhver skilling – udarbejde en balance over alle mine midler. Det viste sig derved, at alt, hvad jeg ejede, ikke engang løb op i nærheden af en million. Da jeg i et andet skrift har behandlet forholdet indgående, vil jeg her ikke nævne det yderligere, men blot tilføje, at jeg viste denne balance til forskellige af mine venner i håb om, at de ville give Kongen en helt anden idé om min rigdom. For øvrigt har jeg i skrivende stund ingen pension fået tilkendt og foregøgler mig heller ikke, at det nogen sinde vil ske."

Sidstnævnte pessimistiske spådom kom dog ikke til at holde stik, for da den tidligere omtalte mageskiftetraktat med Rusland om Gottorps besiddelser i 1773 omsider trådte i kraft, tilkendtes Moltke en årlig pension på 4.000 rigsdaler som en art oprejsning og i anerkendelse af hans langvarige arbejde med at få traktaten i hus. Men da var alle Moltkes gamle fjender også borte, spredt for alle vinde af Struensee-tidens kaos. Bemærkningen vidner da blot om, at den her citerede del af erindringsskriftet er nedfældet inden da, formentlig kort efter afskedigelsen eller i de stille år på Bregentved under Struensees regimente.

Under alle omstændigheder afslører Moltkes beskrivelse af prøvelserne efter faldet et dybt såret menneske, som så væsentlige dele af sit livsværk ligge i ruiner og følte sig dybt uretfærdigt behandlet; men sin natur tro lagde han sin skæbne i den almægtige Guds hænder. Hans ægte og dybtfølte kristentro hjalp ham også denne gang gennem hans livs måske dybeste personlige krise. Efter mange års uafbrudt fremgang og opstigen til magtens tinder måtte også Moltke sande, at magten havde sin pris, og at faldet kunne være både dybt og smertefuldt. Heldigvis havde han sin Gud at holde sig til; men ingen kunne vist fortænke ham i også under sine lange ensomme stunder i Bregentveds gemakker at sende længselsfulde tanker tilbage til sin gamle beskytter og velynder, Frederik V, hvis alt for tidlige død havde ændret alt.

Annus horribilis

Det siges ofte, at en ulykke sjældent kommer alene. Det gjaldt også for Moltke. I dette sit trængselsår tog han for første gang fast og varigt ophold på Bregentved, der hidtil ellers blot havde tjent som den travle statsmands midlertidige sommerresidens. I sine erindringer beklagede han sig højlydt over de store omkostninger, der var forbundet med at etablere en helt ny standsmæssig husholdning på landet. Dertil kom, at den grasserende kvægsyge netop dette år med stor styrke ramte hans besiddelser med det resultat, at størstedelen af de store kvægbesætninger på hans seks godser døde eller måtte slås ned og under betydelige omkostninger erstattes med sunde kreaturer. Endelig brændte avlsbygningerne til hans hovedgård Tryggevælde ned til grunden og måtte opbygges på ny. I overensstemmelse med sit fromme gemyt tolkede han al denne modgang som en prøvelse fra Gud og en mindelse om jordelivets forkrænkelighed:

> "Jeg priser imidlertid den almægtige Himmelens og Jordens skaber for at have givet mig den nåde lykkeligt at overvinde al den modgang, som dette for mig så tunge år 1766 har budt mig, og nok at have avet mig med sin tugtende nådehånd uden helt at have knust mig, men tværtimod har ladet mig stå det igennem til hans ros og ære. Han give mig fremdeles den nåde at lade mig bære med tålmod alt, hvad Han efter sin allerhelligste vilje måtte lægge på mine skuldre, og hvad der kan tjene mig til at indse, at selv om denne verden bliver mig stadig mere afskyelig og modbydelig, så bliver Himmelen og evigheden mig stadig sødere og mere tiltalende."

Moltke følte sig i dette sit *annus horribilis* som en slagen og hjemsøgt mand. Fra dette nulpunkt kunne det næsten kun gå fremad. Det gjorde det da også – om end under mere beskedne former end dem, han tidligere havde kendt.

Tilbage i statstjenesten – og ude igen

Tavle fem (Cornus suecica L.; hønsebær) fra det monumentale Flora Danica-værks første hæfte af i alt 54 med samlet 3.240 kobberstukne tavler over alle kendte vildtvoksende planter i Danmark. Igangsættelsen af dette store projekt i 1761 skyldtes A.G. Moltkes initiativ i dennes egenskab af direktør for Kongens Botaniske Anstalt. Moltke sørgede for, at den berømte tyske botaniker G.C. Oeder blev ansat som professor ved Anstalten. Han fik til opgave at skabe det videnskabelige grundlag for det store værk, der fra Moltkes side var tænkt som et monument over Frederik V's – eller rettere Moltkes – bredt anlagte og aktive kulturpolitik. I de følgende år, indtil Oeders død, udsendtes der ti hæfter; men først i 1874 blev værket endelig afsluttet. *Det Kongelige Bibliotek, Fotografisk Atelier.*

I forhold til det blæksorte år forinden tegnede 1767 fra begyndelsen lysere og mere lovende. Allerede den 3. januar nedkom Moltkes hustru med en søn – det nittende i rækken af grevebørn – som ved dåben fik navnet Christian Ludwig. Den lille dreng døde ganske vist senere på året; men hans fødsel ved årets begyndelse blev af Moltke opfattet som et tegn fra Gud på, at Hans nåde stadig hvilede over hans hus, og at lysere tider var på vej.

Det samme blev de stadig flere meldinger, der i vinterens løb indløb fra København om, at Kongen skulle være kommet på bedre tanker og have fortrudt sin bratte og brutale afskedigelse af Moltke. Selv om han med stor opmærksomhed lyttede til sådanne for ham glædelige budskaber, der jævnligt overbragtes ham af familie og gode venner, fastholdt han dog, at han ikke agtede igen at vise sig i hovedstaden, førend Kongen udtrykkeligt opfordrede ham til det og på én eller anden måde udtrykte sin anerkendelse af de tjenester, som han i tidens løb havde ydet kronen og staten. Ikke uden grund følte Moltke sig med andre ord fornærmet, miskendt og gået for nær og foretrak derfor sit ensomme eksil på Bregentved frem for mulige nye ydmygelser i den giftige atmosfære omkring enevoldstronen og dens indehaver, den stadig mere åbenlyst utilregnelige unge Christian VII.

Han skiftede imidlertid holdning, da Kongens betroede kammerjunker Gottfried Schmettau omkring den 18. april 1767 dukkede op på Bregentved medbringende en formel indbydelse til Moltke til at overvære Kongens salving, der skulle finde sted 1. maj, og samtidig lod ham vide, at hans tilstedeværelse ved ceremonien lå Kongen stærkt på sinde. Allerede den 21. rejste Moltke da "i Guds navn" – som han formulerede det i erindringerne – til København, hvor han den følgende dag havde et møde med Kongen i enrum, og "hvor der blev talt om adskillige ting". Hvad disse nærmere betegnet drejede sig om, kan vi kun gætte på; men det er næppe helt ved siden af at antage, at Kongen mere eller mindre har undskyldt sin fremfærd mod Moltke og i øvrigt gjort, hvad han kunne for at formilde den faldne storhed. I hvert fald deltog Moltke samme aften i det kongelige taffel og noterede med tilfredshed, at han "blev vel modtaget af alle og enhver".

Noget kunne dog tyde på, at Moltkes tilstedeværelse i hovedstaden ikke udelukkende var dikteret af den forestående salving, men også skyldtes en indtrængende henstilling fra Bernstorff. Sagen var nemlig, at magtkampene mellem de stridende hoffraktioner med den russisk-gottorpske mageskiftetraktat som omdrejningspunkt netop på dette tidspunkt gik ind i deres afgørende fase med Bernstorffs fald eller forbliven som udenrigsminister som vigtigste indsats.

MAGESKIFTETRAKTAT I HUS

Som tidligere nævnt havde Bernstorff og Moltke i enighed gennem mange år arbejdet målbevidst på at få en mageskifteaftale i stand med Gottorp og Rusland ud fra den betragtning, at en sådan ikke blot ville fjerne gottorpsk indflydelse fra Hertugdømmerne, men også gøre en ende på det pressionsmiddel – løftet om en traktat – som russerne i en lang periode havde benyttet til at skaffe sig politisk indflydelse i Danmark. Efter langvarige forhandlinger med den russisk-gottorpske hovedforhandler, Caspar von Saldern, der opholdt sig fast i København, havde Bernstorff den 22. april 1767 sat sit navn under en foreløbig traktattekst, som med betydelige danske indrømmelser til russerne konfirmerede mageskifteaftalen. Den skulle træde endeligt i kraft, når den russiske tronfølger og Hertug af Gottorp, Paul I, i 1772 blev myndig. Der var alt i alt tale om en betydelig dansk udenrigspolitisk sejr, som omsider ville stille Danmark friere over for Rusland, hvilket hele tiden havde været Bernstorffs og Moltkes langsigtede mål.

Aftalen var således en betydelig politisk bedrift fra Bernstorffs side; men det fik omgående hans fjender ved hoffet og i regeringen til at samle sig i et afgørende forsøg på at få ham fjernet fra udenrigsministerposten, ganske vist ud fra vidt forskellige motiver. Disse fjender var især Generalfeltmarskal Saint-Germain, som kort forinden atter var taget til nåde og var vendt tilbage som chef for det genoprettede Generalkrigsdirektorium, og marineministeren, Frederik Danneskiold-Samsøe, som året forinden også havde medvirket til Moltkes fald og havde overtaget hans plads i Konseilet. Under kraftig indflydelse af preussisk diplomati ønskede Saint-Germain Bernstorff fjernet, fordi han efter dennes mening anlagde en alt for antipreussisk udenrigspolitik til skade for Danmark, mens den stærkt fædrelandssindede Danneskiold-Samsøe fandt, at mageskiftetraktaten – hvis nøjagtige indhold han i øvrigt ikke var bekendt med – rummede alt for mange danske knæfald for russerne og derfor var direkte fædrelandsskadelig. Desuden var han arg modstander af Bernstorffs efter hans opfattelse helt forfejlede erhvervspolitik. Disse to søgte derfor i tiden omkring traktatunderskrivelsen energisk at påvirke Kongen til at skille sig af med Bernstorff. Udenrigsministeren følte således forståeligt nok jorden brænde under sig, hvilket han formentlig holdt sin gamle kollega nede på Bregentved nøje orienteret om. Moltkes fornyede tilstedeværelse i København kan derfor også meget vel ses som en håndsrækning til en nødstedt kollega og et forsøg på at redde den vigtige traktat fra forlis.

Det er i det mindste en kendsgerning, at Moltke straks efter sin ankomst til København i sit palæ modtog en tretten mand stor russisk delegation med den russisk-gottorpske chefforhandler, von Saldern, i spidsen. Ifølge Moltkes eget udsagn mødte den op for at udtrykke russernes glæde over hans tilbagevenden til hovedstaden; men der er næppe tvivl om, at den netop underskrevne traktat også er blevet drøftet, og at von Saldern ligeledes indtrængende har appelleret til Moltke om at støtte Bernstorff i denne kritiske fase. Efter i et lille års tid ufrivilligt at have været henvist til en passiv observatørrolle var den gamle overhofmarskal pludselig atter tilbage i sit rette element, hoflivet med alle dets subtile intriger og storpolitikken, der havde betydning for hele landets skæbne.

DANNESKIOLD-SAMSØES MODTRÆK

Moltkes åbenlyse støtte til Bernstorff og hans modtagelse af den russiske delegation vakte i den grad Danneskiold-Samsøes vrede imod ham, og han søgte med alle midler at presse ham tilbage i eksilet og udelukke ham fra Kongens fornyede gunst. Hos Kongen, som altid gerne lyttede til ondsindet sladder, bagtalte Danneskiold-Samsøe Moltke det bedste, han kunne, og han søgte yderligere at intimidere ham ved at prøve at få Kongen til at godkende, at Kunstakademiets lokaler på Charlottenborg skulle inddrages til brug for Søkadetakademiet. Hvis det lykkedes, ville han ramme Moltke på et særdeles ømt punkt. Kunstakademiet var et af hans hjertebørn, og han havde siden 1748 været præses (formand) for institutionen, som under hans ledelse i kraft af gavmilde bevillinger var blomstret op til at blive et akademi af europæisk format.

Danneskiold-Samsøes manøvre lykkedes ikke. Godt hjulpet af Bernstorff og i kraft af et massivt russisk-gottorpsk diplomatisk pres vandt Moltke i løbet af sommeren 1767 i så høj grad Kongens øre, at han ikke blot på stedet overbevisende kunne imødegå Danneskiold-Samsøes personlige insinuationer, men også i tæt parløb med Bernstorff havde held til at udvirke, at både Saint-Germain og Danneskiold-Samsøe i løbet af efteråret blev afskediget fra alle deres embeder og med kort varsel beordret til at forlade byen.

Over sidstnævnte tog han endda den raffinerede hævn at udvirke en kongelig beslutning om, at Søkadetakademiet for fremtiden skulle have til huse i selve det palæ, som Danneskiold-Samsøe blev tvunget til at rømme i forbindelse med sin afskedigelse og bortvisning. På denne måde fik den gamle excellence klart demonstreret, at han fortsat mestrede magtspillets brutale kunst, og at han stadig var parat til at kæmpe for at vinde krigen, selv om han året forinden havde tabt et slag. Sin natur tro fortolkede Moltke imidlertid dette forløb som udtryk for en højere retfærdighed og guddommelig nåde. Han kommenterede i sine erindringer magtkampen og dens udgang på følgende måde:

> "Dette vakte hos mig megen eftertanke, og jeg erkendte i dette som i alt andet den Allerhøjestes vidunderlige førelse og beskyttelse og indså, hvorledes Hans veje, selv om de til en begyndelse kunne synes hårde og forunderlige, alligevel var fyldt med godhed og sandhed for dem, der holder hans bud og vidnesbyrd i ære. Der skete nemlig for Grev Danneskiold alt det, som han ellers havde tiltænkt mig, hvilket Hans Majestæt Kongen havde den nåde at lade mig vide."

Selv om man i disse ord mere end aner et strejf af skadefryd, var den gamle hofmand ikke i tvivl om, at han havde Gud på sin side, og at han havde sejret takket være sin urokkelige kristentro. Det kan man vist kalde sublimering af det spil, som Moltke havde vist sig at være en mester i, den rå politiske magtkamp, hvor overlevelse afhang af evnen og viljen til i afgørende situationer at slå hårdt og benytte alle de virkemidler, der var til rådighed.

ATTER I KONSEILET

Godt hjulpet af den russisk-gottorpske chefforhandler, Caspar von Saldern, der i kraft af sin effektive, nærmest brutale, facon og med mageskiftetraktaten som et magtfuldt våben havde stor indflydelse på dansk politik i disse år, havde Moltke vinden i ryggen i denne kritiske fase. Som tegn på Kongens nåde fik han i løbet af efteråret 1767 sine gamle poster tilbage som præses for Kunstakademiet og som direktør for Frederiks Hospital. Og presset af von Saldern gav Kongen ham i februar 1768 atter sæde i Konseilet, hvorved han efter knap halvandet års fravær igen formelt var regeringsmedlem og del af Kongens nærmeste rådgiverkreds. Samtidig blev han udpeget til tunge politiske poster som præses i Overskattedirektionen og i det nyoprettede Generallandvæsenskollegium. Førstnævnte havde ansvaret for forrentning og afvikling af statsgælden, og sidstnævnte

Et af Jacopo Fabris romerske prospekter, der stadig pryder et gemak på Bregentved. *Privateje. Foto Elizabeth Moltke-Huitfeldt.*

blev sat i verden for at ophjælpe og modernisere landbruget – en opgave, som sidenhen blev lagt i hænderne på de landbokommissioner, der førte frem til de store landboreformer i slutningen af århundredet.

Den kort forinden afskedigede kabinetssekretær Reverdil – han var et af ofrene for den kabale, der førte Moltke tilbage til magten – som var en varm tilhænger af bondefrigørelse og omfattende landboreformer, kommenterede bittert oprettelsen af dette nye regeringsorgan på følgende måde i sine erindringer:

> "Dette var tåbeligt, thi landvæsenet hørte under kancellierne for lovgivningens vedkommende og under Finansdepartementet for administrationens. At skabe et nyt råd for dette område var det samme som at føje et overflødigt hjulværk til regeringsmaskineriet og følgelig lægge hindringer i vejen for drivkraften; men just dette slette princip stemte fuldkommen med opfindernes hensigt. I spidsen for dette nye råd sattes grev Moltke, der for kort tid siden var trådt ind i ministeriet. Han ejede umådelige godser, hvor bønderne var mere undertrykte end noget som helst andet sted, og han modsatte sig åbenlyst enhver reform."

Det var nu en noget uretfærdig dom fældet af en åbenlyst skuffet og utålmodig reformator. I en tid, hvor landbruget trængte til omfattende driftsmæssige reformer for at leve op til de nye krav, som den begyndende højkonjunktur stillede, var der faktisk god fornuft i at samle ledelsen deraf i et enkelt organ. Og Generallandvæsenskollegiet fik da også i sin korte eksistens under Moltkes energiske ledelse igangsat en række initiativer og startet en debat, som skabte et velegnet sagligt grundlag for de senere reformer.

Hans karakteristik af Moltke som en reaktionær bondeundertrykker er heller ikke retvisende. Moltke var nok af natur konservativ; men han havde gennem flere år været aktivt engageret i omfattende driftsomlægninger efter holstensk mønster på sine egne godser for at optimere udbyttet uden at pille for meget ved den bestående sociale orden, som han anså for en garanti for samfundets stabilitet, og han havde allerede i 1750'erne taget initiativ til en offentlig debat om tiltag, der kunne bedre landets økonomi.

Nogen bondeundertrykker var han heller ikke. Som Carsten Porskrog Rasmussens skildring af hans virke som godsejer viser, var han en patriarkalsk godsejer af den gamle skole, som nok ønskede det størst mulige udbytte af sine besiddelser, men til gengæld nærede en ægte omsorg for sine bønder. I en tid, hvor bratte omvæltninger prægede selve statens styrelse, og hvor projektmagere jævnligt søgte at vinde den viljeløse konges øre for deres mere eller mindre fantasifulde reformprojekter, var det nok slet ikke noget dårligt træk at sætte en forsigtig reformator som Moltke i spidsen for et organ, som skulle prøve at reformere landets største og mest konservative erhverv. Allerede i sine regeringsregler til Frederik V havde han jo erklæret sig som tilhænger af langsomme og gradvise forandringer under respekt for gamle sædvaner og almindelig skik og brug. Det var nyttige egenskaber for en mand, der var sat i spidsen for at effektivisere et erhverv, hvor enhver forandring, selv til det bedre, ofte blev betragtet som af det onde.

OPRØR I ASIATISK KOMPAGNI

Også en ulmende utilfredshed i Asiatisk Kompagnis aktionærkreds lykkedes det Moltke ved sin tilbagekomst at få lagt låg på. Ved siden af sine mange øvrige hverv havde han siden 1750 været præses for dette blomstrende handelskompagni, som under hans magtfulde ledelse i de følgende år sejlede store værdier hjem til Danmark – og til aktionærerne, deriblandt Moltke. I 1751 støttede Kongen – ved Moltkes mellemkomst – Kompagniets udvidelsesplaner i Indien ved at sende to orlogsfartøjer og 300 soldater til Trankebar. Ved skibenes hjemkomst til København i 1754 foreslog han aktionærkredsen, at Kompagniet som udtryk for taknemmelighed over den kongelige støtte skulle bekoste den planlagte rytterstatue af Kongen til opstilling i centrum af Amalienborg Slotsplads lige neden for Moltkes egne vinduer – det blev senere til Salys berømte rytterstatue, der kan beundres

Kaminstykke af François Boucher fra Riddersalen i Amalienborg-palæet, der viser børn i gang med ivrige studier af et danmarkskort. Motivet vidner om Moltkes interesse for geografi og fremmede kulturer som led i den aktive kulturpolitik, som han ønskede fremmet. Efter Moltkes tilskyndelse understøttede Kongen således med betydelige beløb geodæten Carsten Niebuhrs ekspedition til det lykkelige Arabien, og han støttede ligeledes publiceringen af løjtnant Frederik Ludvig Nordens opmålinger og tegninger fra hans mere end tusind kilometer lange rejse op ad Nilen. *Foto Klemp & Woldbye.*

på stedet den dag i dag. Tilslutningen fra aktionærerne var overstrømmende. De besluttede, at Kompagniet skulle afholde alle udgifter til projektet, og den langvarige skabelsesproces gik derefter i gang, således som det nærmere vil blive beskrevet nedenfor i Hanne Raabyemagles bidrag.

Entusiasmen blandt aktionærerne kølnedes dog kendeligt, i takt med at projektet trak ud og viste sig at koste astronomiske summer, der langt oversteg, hvad de selv i deres vildeste fantasi havde forestillet sig. Og i 1760'erne, da udgifterne eksploderede, og det samtidig begyndte at gå dårligere for Kompagniet, truede projektet ligefrem den samlede kompagniøkonomi med stigende aktionærutilfredshed til følge. Mange aktionærer følte, at de var blevet lokket ind i et projekt under falske forudsætninger. Og vreden rettede sig især mod ideens ophavsmand, Moltke.

De utilfredse sættes på plads

Utilfredsheden slog ud i lys lue på en generalforsamling i Kompagniet, der blev afholdt i forbindelse med Moltkes tilbagevenden til hovedstaden i foråret 1767. Forinden havde der i aktionærkredsen cirkuleret allehånde rygter om direktionens misadministration af Kompagniets midler og om, hvorledes direktionens medlemmer med Moltke i spidsen personligt skulle have beriget sig på de menige aktionærers bekostning. Efter i en tid lang i tavshed at have påhørt disse mere eller mindre direkte udtalte beskyldninger besluttede Moltke at sætte hårdt mod hårdt og stillede derfor forslag om, at de utilfredse aktionærer, i stedet for at mumle i krogene, af deres egen midte nedsatte et udvalg, som ville få adgang til sammen med nogle direktionsmedlemmer at gennemgå alle regnskaber, al korrespondance og alle direktionsprotokoller og efter denne gennemgang afgive en samlet betænkning til aktionærkredsen. Stillet over for dette tilbud – eller denne trussel, om man vil – om at stå frem og fægte med åben pande stak den utilfredse gruppe imidlertid halen mellem benene. Moltke beskriver i sine erindringer tilbagetoget således:

> "Ikke blot nægtede man imidlertid at modtage dette tilbud, men gav mundtligt udtryk for – efter at jeg flere gange havde gentaget tilbuddet – at man ikke havde noget at indvende mod direktionen og i øvrigt var ganske tilfredse med dennes møje og flid. Jeg svarede dertil, at hvis man ingen indvendinger havde og ikke forlangte nogen undersøgelse af sagerne, så måtte man også fremtidig vise direktionen tillid og ikke i det skjulte bebrejde og bagtale den. Generalforsamlingen sluttede under alle omstændigheder ganske fredsommeligt, selv om mange på forhånd var af den mening, at den ville blive stormfuld og ubehagelig."

Dermed var det planlagte stormløb mod direktionen og Kompagniets præses effektivt afværget. Den drevne gamle forhandler havde på ny vist sin åndsnærværelse og duelighed i en tilspidset situation og endnu en gang demonstreret, at han ikke lod sig slå af banen uden videre. Han forblev uantastet Kompagniets præses frem til 1771, hvor han valgte at trække sig tilbage til fordel for et langt og stille otium som godsejer.

Trods de løbske omkostninger kunne arbejdet med rytterstatuen også fortsætte, og fra august 1768 kunne Moltke fra vinduerne i sin københavnske residens beskue den prægtige rytterstatue, som havde været årsag til meget af utilfredsheden. Han gav i anledning af dens opstilling et storslået middagsselskab i sit palæ, hvori også den unge dronning, Caroline Mathilde, Enkedronning Juliane Marie og Arveprins Frederik deltog. Udsigten til den nyopstillede statue var "et af de skønneste syn, jeg nogen sinde har set i København", noterede han med tydelig veltilfredshed i sine erindringer. Den 28. november 1770 – samtidig med at det forhadte

A.G. Moltkes profil i biskuitporcelæn, udført af L. Fournier efter Wiedewelt. *Foto Elizabeth Moltke-Huitfeldt.*

Struensee-regime netop var ved at træde i karakter – markerede han den endelige færdiggørelse med endnu et fornemt middagsselskab i sit palæ. Eneste mislyd var, at Kongen, til hvis faders ære statuen var rejst, ikke fandt det umagen værd at deltage – et ildevarslende tegn på, at den gamle excellences tid ved magten nu endelig var ved at rinde ud.

Herrens uransagelige veje

Moltkes erindringer om disse sidste år i aktiv stats- og kongetjeneste udstråler en åbenlys glæde ved igen at være tilbage på magtens arena. Han beretter stort og småt om sin travle embedsvirksomhed, der spændte fra tilsyn med anlæggelse af en ny landevej mellem København og Roskilde til forvaltning af det samlede regeringsansvar under Kongens rejser til udlandet og Holsten. Han nød åbenlyst igen at have hænderne fulde af opgaver. Han og hans familie ramtes dog også af en stor sorg i 1769, da en datter som tidligere nævnt døde ved fødslen, mens hans syvårige søn Friedrich senere på året også pludselig døde, uvist af hvilken årsag. Især det sidste var et stort tab. Moltke betegner selv i sine erindringer drengen som "et af de smukkeste og – efter sin alder – mest fornuftige børn, som jeg nogen sinde havde kendt, ligesom han blev elsket af alle, som havde set ham."

Som det gudfrygtige menneske, han var, tolkede han dog dette tab som et udtryk for Herrens uransagelige veje og slog sig til tåls dermed. På samme måde så han det som et udtryk for Guds førelse, at hans hustrus lotteriseddel mirakuløst nok kort efter kom ud med den største gevinst, der tydeligvis faldt på et tørt sted, "da vor nødlidende privatøkonomi i høj grad havde et sådant tilskud behov", som han åbent medgav i sine erindringer, hvor han i sin karakteristiske kristelige toneart fortsatte:

> "Vi opfattede dette således, at den trofaste Gud efter det smertelige tab af vor søn ønskede igen at glæde os og ville vise, at hans tanker om os ikke var fyldt med vrede, men med fred."

ENDELIG AFSKED

Således vandrede også i Moltkes hus sorrig og glæde til hobe; men fra eftersommeren 1770 begyndte skyerne for alvor at trække sammen om den stadig så travle minister og hans kolleger. Under en rejse til Holsten i sommeren 1770 var den mere og mere utilregnelige Christian VII nemlig kommet under indflydelse af rigsgreve Schack Carl Rantzau (Ascheberg) og kredsen omkring denne, hvortil også lægen Johann Friedrich Struensee hørte. Tilbage i 1762 var greven under en diplomatisk mission til Rusland blevet offer for de tidligere berørte diplomatiske intriger i forbindelse med de afgørende forhandlinger forud for krigsudbruddet og var faldet i unåde hos både Bernstorff og Moltke. Han nærede som følge deraf et uudslukkeligt had til dem begge i særdeleshed og til det daværende excellencestyre i almindelighed. Han spejdede derfor ivrigt efter hævn og mulighed for at vende tilbage til livet ved hoffet, som han elskede. Personligt var han samtidig stærkt optaget af tidens oplysningstanker og ideen om en mere direkte oplyst enevælde uden et forstyrrende lag af konservative excellencer mellem kongen og folket. Han fandt, at disse ideer kunne være en velegnet løftestang til at få vippet hele excellencestyret af pinden og selv indtage en central rolle.

Sin første chance for at påvirke Christian VII i denne retning fik han, da han i 1768 fik sin protegé Struensee placeret som Kongens livlæge under dennes store udlandsrejse. Den næste, og afgørende, kom, da han under Kongens ophold på Rantzaus holstenske gods, Ascheberg, i sommeren 1770 havde held til, sammen med sine oplysningsvenner, at overbevise denne om, at han måtte gøre kort proces med hele excellencestyret, hvis han ville træde i karakter som moderne oplyst enevoldsmonark. Dette blev begyndelsen til enden for det styre, som med Moltke i spidsen havde holdt regimet stabilt under Frederik V – og begyndelsen til det kortvarige, men hektiske Struensee-regime, som vendte op og ned på mange ting i Danmark.

Da det kongelige selskab således beriget i slutningen af august vendte tilbage til København, tog udviklingen hurtigt fart i den retning, som Schack Rantzau og hans meningsfæller havde anvist. Den 13. september blev Rantzaus hovedfjende, udenrigsminister J.H.E. Bernstorff, afskediget fra alle sine embeder og drog i første omgang i eksil til Hamburg for ikke siden at vende tilbage. For Moltke var den brutale udrensning af hans våbenfælle gennem mange år et tydeligt tegn på, at enden også for ham var nær. I erindringerne noterede han lakonisk, at:

> "Vi andre havde også al mulig grund til at tro, at vi snart ville lide samme skæbne i betragtning af, at Kongen ved enhver lejlighed gav udtryk for stor mistillid til os."

Den endelige massakre på excellencerne blev dog udsat på grund af, at den svenske kronprins ventedes på besøg; men det var dog et vink med en vognstang, at Moltkes landvæsenskollegium kort efter blev nedlagt ved kongeligt dekret, ligesom projektet med den nye roskildevej blev lagt i hænderne på andre regeringsorganer. "Deraf kunne jeg meget vel slutte, at man til slut ville sætte mig helt uden for tjeneste," bemærkede en resigneret Moltke i erindringerne.

Samtidig udbad Kongen sig på tilskyndelse af sine nye rådgivere, blandt hvilke Struensee trådte tydeligere og tydeligere frem som den toneangivende, en formel betænkning fra sit Konseil om, hvorledes dets medlemmer mente, at dette kunne omorganiseres, så det bedst tjente landets interesser. Det var jo et spørgsmål med den indbyggede konklusion, at Konseilet i sin nuværende form ikke var et hensigtsmæssigt organ. Skrivelsen var derfor i realiteten et varsel om Konseilets snarlige nedlæggelse som ønsket i kredsen omkring Schack Rantzau og Struensee. Det forstod Konseilets medlemmer, hvoriblandt Moltke, udmærket, og de svarede derfor med betænkninger, som i kraftige vendinger forsvarede den eksisterende orden og påpegede farerne ved bratte, uigennemtænkte forandringer. Af hensyn til eftertiden deponerede de et eksemplar af deres responsa i Danske Kancelli.

Konseilet nedlægges

Det gik, som det måtte gå. Kongen værdigede end ikke Konseilets medlemmer et svar på deres udførlige redegørelser. I stedet udstedte han – eller ret-

tere Struensee, som nu var den, der slog takten – en kortfattet ordre om, at der indtil videre ikke skulle holdes flere konseilmøder. Dette var det definitive varsel om dets endelige nedlæggelse og ministrenes afsked. Og så såre den svenske kronprins og hans følge den 5. december havde forladt den danske hovedstad, udstedtes den 8. december 1770 den ventede kongelige befaling om konseilstyrets endelige opløsning og samtlige ministres afskedigelse. For hovedpartens vedkommende – herunder Moltkes – uden pension. I Moltkes tilfælde skete det endda med den hånlige kongelige tilføjelse, at "den formue, De har skabt i dette land, vil holde Dem skadesløs". Det skal også være ved denne lejlighed, at Christian VII udtalte sin bekendte spiddende karakteristik af den gamle statstjener: "Storch vom unten – und Fuchs vom oben". Moltke kommenterede på sin side den bratte, unådige afskedigelse med følgende resignerende ord i sine erindringer:

Dette rum i Moltkes Amalienborg-palæ, som i dag benævnes Rosen, var oprindeligt ramme om hans private naturaliekabinet. Det rummer i dag den største eksisterende samling af dansk Flora Danica-porcelæn. Loftsbillederne er af Karel van Mander og blev skænket til Moltke og palæet af Frederik V. Den raffinerede indfatning skyldes Jardin. *Foto Elizabeth Moltke-Huitfeldt.*

> "Min skæbne er dermed formentlig fastlagt for resten af min levetid. I Guds navn rejste jeg derpå den 9. januar 1771 tilbage til Bregentved. Herren give mig nåde til, at jeg kan benytte den ro og stilhed, som jeg altid har nydt her, til at holde Hans hellige navn i ære og i værdighed forberede min sjæl på mit salige endeligt, som i betragtning af min alder næppe kan være langt borte."

Den nu tres år gamle magtpolitiker var tydeligt træt efter hen ved tredive omtumlede år i enevoldsmagtens centrum og tillige nedbøjet over den brutale og ydmygende afslutning på en ellers enestående karriere. Samtidig nagede bekymringen for, hvad der dog var ved at ske med den kongemagt, som han havde tjent så trofast siden sit ellevte år. Som tingene havde udviklet sig, kunne han imidlertid blot passivt se til og håbe på, at alt i sidste ende ville vende sig til det bedste. Eneste trøst var, at han lige netop, inden det hele ramlede, havde nået at se og behørigt markere den endelige færdiggørelse af den smukke og imponerende rytterstatue, som til evig tid ville minde eftertiden om den konge, der i eminent grad havde været bestemmende for hans eventyrlige livsbane, og som han skyldte alt.

Alderdommens stilhed

Grunden til den særligt hårdhændede behandling af Moltke skal nok til dels søges i, at de nye magthavere med Struensee i spidsen anså især ham som eksponent for det gamle regime, som de ville til livs. Denne opfattelse fik de yderligere bekræftet, da de ifølge hans egne oplysninger endnu inden hans afskedigelse – med hans søn Ludwig som mellemmand – tilbød ham, at han ikke alene kunne bevare alle sine poster, men også overtage ledelsen af Danske Kancelli, hvis han ville arbejde for Struensees planer for en regeringsomlægning. Danske Kancelli havde i lange tider været ledet af den gamle højt respekterede gehejmeråd Otto Thott, som Moltke havde kendt og arbejdet tæt sammen med i mange år. Et ja til dette forslag, som åbenlyst havde til hensigt at bryde excellencernes enige modstand, ville imidlertid ikke blot være at falde en gammel værdsat kollega i ryggen, men også at svigte selve de grundprincipper, som han havde prædiket for Frederik V og lagt til grund for sin egen gerning. På stedet afviste han derfor med foragt forslaget og føjede i et skriftligt svar ifølge sit eget referat til:

> "… at jeg ikke kendte nogen bedre plan til fremme af almenvellet end den, som hidtil var fulgt, og som jeg i min udførlige skriftlige betænkning nogle måneder tidligere efter kongelig befaling havde givet klart udtryk for. Ej heller forlangte jeg at blive behandlet bedre end mine øvrige kolleger, idet jeg var fuldkommen overbevist om, at de hver i deres fag tjente Kongen med samme troskab og iver som jeg selv. Desuden tillod min tænkemåde mig langt mindre at give anledning til, at en ærlig mand skulle miste sit embede, for at det skulle tildeles mig."

Trods yderligere forsøg på overtalelse lod Moltke sig således ikke friste, men stillede sig solidarisk med sine regeringskolleger – han anså i øvrigt fra begyndelsen henvendelserne for uærligt mente og et klodset forsøg på at drive en kile ind i regeringskredsen – og hævnen i form af den efterfølgende brutale fyring udeblev da heller ikke.

OPRØR MOD DIKTATOREN?

Selv om Moltke dermed var henvist til et stille liv som privatmand på sine godser sammen med familien, slap den ydre verden ikke ganske sit tag i ham. Han korresponderede således livligt med Bernstorff, som fra sine nordtyske besiddelser ligeledes betragtede de politiske omvæltninger i København med uro og bange anelser, og i efteråret 1771 fik han et klart vidnesbyrd om, at han stadig blev anset for en brik i det store magtspil.

Hen imod årets slutning fik han en aften besøg af en af de mere farverige skikkelser i datidens intrigante miljø omkring hoffet, nemlig den politiske eventyrer Magnus von Beringskjold. Denne købmandssøn fra Horsens var i sin tid blevet adlet af den tysk-romerske kejser for sin indsats i Den Preussiske Syvårskrig og havde i begyndelsen af 1760'erne også virket som dansk spion i Rusland. Han havde siden sluttet sig til kredsen omkring Schack Rantzau, Struensees oprindelige mentor, og havde nu sin gang ved Christian VII's tumultariske hof. Han havde desuden haft held til at etablere sig som dansk godsejer ved køb af krongods, blandt andet Moltkes barndomshjem, Nygaard på Møn, som han omdøbte til Marienborg efter sin hustru. Han var imidlertid håbløst forgældet og viste sig ude af stand til at betale købesummen for Marienborg, hvorfor Struensee ønskede købet kendt ugyldigt. Dette havde vakt hans vrede mod diktatoren, som nu også havde lagt sig ud med Schack Rantzau. Sammen pønsede de to derfor på at styrte Struensee, og det var netop i den anledning, han denne sene efterårsaften i 1771 opsøgte Moltke på Bregentved for at få dennes hjælp til planens udførelse.

Moltke kendte udmærket Beringskjold fra tidligere og vidste alt om hans tvivlsomme ry og hans intrigante væsen. Han afslog derfor på stående fod at have lod eller del i kupplanerne og henviste i stedet til den troskabsed, som han havde svoret Kongen, hvilket forbød ham at tage del i sådanne planer. En skuffet Beringskjold måtte da drage derfra med uforrettet sag, og Moltke kommenterede tørt i sine erindringer:

> "Han var ikke synderligt tilfreds med mit svar og rejste endnu samme nat fra Bregentved til København. Efterfølgende har jeg mere end én gang takket Gud for, at jeg ikke indlod mig med ham i en så lusket og farlig sag, men tværtimod havde afvist ham fuldstændigt."

Uanset hvor meget han afskyede Struensee og hans regime, skulle den detroniserede excellence ikke nyde noget af at lægge navn til et foretagende, der i den grad stred imod det æreskodeks og de moralbegreber, som han havde lagt til grund for hele sin virksomhed. Da Bernstorff uafhængigt af Moltke gav et tilsvarende klart afslag på følere fra kupmagernes side, stod det dem efterhånden klart, at der ikke var nogen hjælp at vente fra kredsen af faldne excellencer, hvis æresbegreber åbenbart var anderledes beskafne end deres egne. Enden på det hele blev, at de i stedet søgte støtte hos en mindre nøjeregnende officersklike omkring hoffet, som med støtte fra Enkedronning Juliane Marie og hendes kreds arresterede Struensee og hans elskerinde, Dronning Caroline Mathilde, natten efter hofballet den 17. januar 1772 og således bragte det forhadte Struensee-regime til fald. Dermed var der sat punktum for en af de mærkeligste episoder i dansk enevældes historie – en episode, som med alle sine omvæltninger samtidig kom til at markere overgangen fra adeligt excellencestyre til en borgerlig enevælde.

ENDELIGT UDE

Hvis Moltke havde håbet på, at Struensees fald skulle blive signalet til hans og kollegernes tilbagevenden til magten, tog han nemlig fejl. Ganske vist modtog han kort efter kuppet en nådig håndskrivelse fra Kongen, hvori denne elskværdigt forsikrede ham om sin fortsatte velvilje. Denne besked foranledigede ham til straks efter at bryde op fra Bregentved og forlægge residensen til København for at sondere terrænet og være nærmere på begivenhedernes centrum.

Her fandt han dog stemningen helt forandret i forhold til det, han havde kendt. Det nye borgerlige kabinetsstyre under Ove Høegh-Guldbergs og Enkedronning Juliane Maries håndfaste ledelse havde på ingen måde brug for den gamle statsmand og så i virkeligheden hellere hans hæl end hans tå. Alligevel forblev han i byen vinteren over i det håb, at noget skulle vise sig. Han måtte imidlertid efterhånden indse, at tiderne definitivt var skiftet, og at han nu repræsenterede et levn fra en fortid, som ingen i magthaverkredsen ønskede tilbage. Samtidig stod det ham smerteligt klart, at Kongen selv – magtens formelle centrum – var reduceret til en viljeløs og åbenlyst mentalt forstyrret marionet i hænderne på de nye magthavere. Moltke kommenterede selv mistrøstigt situationen således:

> "Min tilsynekomst vakte straks stor opsigt; men de, som ikke ønskede mig genindsat i Konseilet, eller at jeg skulle have nogen andel i forretningerne, gjorde sig stor umage for at male min tidligere virksomhed i så mørke farver som muligt, for at noget sådant ikke skulle ske, men tværtimod forhindres. Dette bemærkede jeg hurtigt og fattede derfor den beslutning overalt, hvor det kunne synes nødvendigt og nyttigt, at give udtryk for, at jeg på ingen måde stillede krav om igen at træde i Kongens tjeneste, men blot af hensyn til mine mange børn ønskede at få tillagt en årlig pension."

Han måtte med andre ord indse, at løbet for hans vedkommende omsider var kørt, og at hans tid som statstjener og magthaver nu var omme. I erkendelse deraf indrettede han og hans familie sig efter en rutine, som indebar, at man tilbragte vintrene i palæet i København og resten af året på Bregentved uden herefterdags at forsøge at blande sig i statssager. Han havde dog som nævnt den tilfredsstillelse, at den nye regering imødekom hans ønske om en pension. Den blev fastsat til 4.000 rigsdaler om året og kom første gang til udbetaling i 1773 i forbindelse med mageskiftetraktatens ikrafttræden. Ellers udfyldte han – med sine egne ord – sin nu langt rigeligere tid med:

> "... i en mindre kreds af beskæftigelser at være lige så flittig og virksom, som jeg havde været i en større. Gud har da også velsignet mine bestræbelser så vidt, at der på mine godser blev grundlagt og indrettet meget godt og nyttigt."

Scene fra et aftenselskab i "Hans Kongelige Majestæts Apartements Sal" på Christiansborg i Johan Heinrich Wilhelm von Haffners udlægning fra 1781. I salens centrum under lysekronen står den lille Kronprins Frederik (VI), mens de gallaklædte gæster ærbødigt grupperer sig omkring ham. *De Danske Kongers Kronologiske Samling, Rosenborg.*

Jens Juels portræt fra 1780 af den aldrende A.G. Moltke. Selv om den gamle overhofmarskal stadig fremstår som en smuk og statelig mand, har alderen tydeligvis sat sine spor. Det let resignerede ansigtsudtryk afspejler en tidligere magthaver, der synes at have affundet sig med at være blevet skubbet ud i kulissen og nu være henvist til rollen som passiv iagttager. *Privateje. Foto Elizabeth Moltke-Huitfeldt.*

Ud over driftsmæssige forbedringer på selve godserne omfattede denne virksomhed blandt andet også indretning af en almueskole på Bregentved samt en spindeskole i Haslev.

FAMILIEPROBLEMER

Midt under de omvæltninger, som Struensee-perioden gav anledning til for grevefamilien, oplevede Moltke den store sorg at miste sin ældste søn, Christian Friderich, der døde i april 1771 i en alder af kun 35 år. Han havde indtil da gjort en smuk karriere, der i øvrigt mindede en hel del om faderens, og sluttede kort før sin død som overhofmarskal hos Christian VII. Han var ved sin død gift med Ida Hedwig von Buchwald, en velaflagt godsejerdatter, som var søster til Bernstorffs hustru. Denne svigerdatter stod i det slettest tænkelige forhold til den øvrige Moltke-familie og havde samtidig en elsker, Carl Adolf von Plessen, som hun ønskede at gifte sig med straks efter ægtemandens død. Giftermålet fandt sted allerede i januar 1772, og i forbindelse med dødsfaldet og det nye ægteskab rejste fru Ida en række, efter den gamle Moltkes mening, helt ublu arvekrav og truede oven i købet med at trække ham i retten for at få sin vilje.

Den gamle excellence, der som altid var stærkt presset på økonomien, så med rædsel sin privatøkonomi ligge i ruiner som følge af sin svigerdatters arvekrav og sin manglende pension fra statstjenesten. Desuden imødeså han med afsky den offentlige skandale, det kunne forårsage, hvis svigerdatteren gjorde alvor af sin trussel om at indbringe sagen for domstolene med al den skandaliserende omtale, som det kunne medføre. Han appellerede derfor i et indtrængende brev af 31. maj 1771 til sin gamle kollega Bernstorff – det er derfra, vi kender sagen – om, at denne gennem sin hustru, svigerdatterens søster, gjorde sin indflydelse gældende og bragte hende til fornuft.

Det lykkedes åbenbart, eftersom vi ikke hører mere om denne sag; men episoden viser til gengæld, at den gamle greve ikke blot måtte kæmpe på de ydre fronter mod rivalerne ved hoffet, men også på de indre linjer for sin privatøkonomi og mod familiemedlemmer, der ikke var indstillet på at underkaste sig den stramme familiejustits, som han i mange år havde udøvet for at fastholde sin talrige efterslægt i fremtrædende samfundspositioner. Dette opfattede han klart nok som et udslag af sædernes forfald og et udtryk for, at tiderne havde forandret sig i en retning, som han hverken kunne forstå eller billige.

Samme syn på verden afspejles i den antagelig opdigtede, men ikke desto mindre sigende historie om Moltkes unge sønnesøn Adam Gottlob

Detlef Moltke, som under en middag på Bregentved i 1790 skulle have talt varmt for total afskaffelse af hele majoratsinstitutionen med dens lens- og stamgodser. Han havde forinden været ude i den store verden sammen med digteren Jens Baggesen og dér erfaret, hvorledes Den Franske Revolution 1789 væltede gamle klassiske værdier og dyder omkuld. Optændt af revolutionsbegejstring rejste han sig under sin gamle farfaders middagsselskab på Bregentved og udtalte sig begejstret om den dynamiske nye ånd, som begivenhederne i Frankrig blæste ind over et gammelt og træt Europa, og han understregede yderligere sin pointe ved at udskifte de tre sorte fugle i sin personlige udgave af det grevelige moltkeske våben med tre jabobinske frygerhuer – den borgerlige revolutions symbol.

Den forbløffede gamle excellence reagerede angivelig i første omgang vredt ved at udelukke den unge mand fra arvefølgen til Bregentved, men måtte efterfølgende nok i sit stille sind erkende, at verden havde forandret sig fundamentalt siden hans egen storhedstid i Frederik V's dage, og at han nu snarere var blevet et vidne fra en efterhånden fjern fortid end en aktør i den virkelighed, der fremstod efter de revolutionære begivenheder i Frankrig og ud over Europa. Det stod efterhånden mere og mere klart for den firsårige excellence, at han repræsenterede verden af i går, og at de værdier og synsmåder, som han stod for, ikke mere havde særlig værdi i en verden, som var under hastig forandring i retning af et borgerligt lighedssamfund – en tankegang, der i bund og grund var den gamle aristokrat fuldstændig fremmed.

ET SIDSTE GENSYN MED HOFFET

En enkelt gang endnu, langt hen på sin livsaften, fik den gamle hofmand dog lejlighed til at opleve et gensyn med den hofverden, der engang havde været hans – et gensyn, som tillige blev en slags forsoning med kongefamilien efter mange år mere eller mindre ude i kulden. Vi kender til episoden gennem et særligt tillæg til Moltkes erindringer. Han havde ellers afsluttet disse i 1782, men fandt altså de hændelser, som der nedenfor skal berettes om, så betydningsfulde, at han tilføjede et appendiks, hvori han beskrev dem.

Den direkte anledning var Kronprins Frederik (VI's) formæling med sin kusine Marie Sophie Frederikke af Hessen-Kassel i august 1790 og det unge pars indtog i København kort efter. Begivenheden gav anledning til en del selskabelighed på Christiansborg, hvori også deltog den nye Kronprinsesses forældre, den før omtalte Prins Carl af Hessen-Kassel og Prinsesse Louise af Danmark. Det var i øvrigt netop deres ægteskab, som Moltke i sin tid havde sat sig så kraftigt imod, at det gav anledning til hans første afskedigelse i 1767. Som den eneste tilbageværende excellence fra den gamle tid modtog Moltke også indbydelse til at deltage i festlighederne, men afslog efter eget udsagn med henvisning til sin høje alder "og andre omstændigheder".

Fristelsen til endnu en gang, inden det blev for sent, at betræde Christianborgs bonede gulve og eventuelt også opnå en forsoning med Prins Carl af Hessen-Kassel blev imidlertid for stærk. I løbet af efteråret lod han derfor Prinsen forstå, at det ville være ham kært at aflægge lykønskningskur hos hans datter, den nye kronprinsesse, hvilket han bad Prinsen udvirke. Prins Carl, som åbenbart havde lagt deres gamle uvenskab bag sig, var straks imødekommende og lod gennem sin kavaler, Kammerherre Köpper, Moltke vide, at hans datter glædede sig til at hilse på ham. Prinsen forsikrede samtidig, at han ville drage omsorg for, at besøget på slottet kunne afvikles på en sådan måde, at den aldrende Moltke ikke skulle forcere for mange trapper eller udsættes for træk.

Hen under aften den 31. oktober kørte Moltke derfor op foran slottets kirketrappe, hvor to lakajer hjalp ham ud af vognen og op ad trappen, hvor han blev venligt modtaget af Prins Carls to kavalerer, kammerherrerne Köpper og Grüner, der førte ham videre til Prins Carls gemak. Prinsen modtog ham i døren, og efter at de en kort stund havde underholdt sig med hinanden, førte han Moltke videre til sin gemalinde, Prinsesse Louise, som ligeledes havde ønsket at hilse på ham. Siddende i sofaen udvekslede de to da i en rum tid minder fra gamle dage, da Prinsessen var barn og Moltke almægtig overhofmarskal, mens Prins Carl gik ud for at se, om hans datter var rede til at modtage Moltke. Han ledsagede ham derefter til Kronprinsessen og lod efter præsentationen de to alene. Om dette møde berettede Moltke selv:

> "Kronprinsessen modtog mig på det nådigste og bad mig sidde i sofaen hos hende. Vi talte om meget, som vedrørte hendes bedstefader, Kong Frederik V og hendes bedstemoder, Dronning Louise. Jeg blev ganske indtaget i hendes lyse sind og hendes venlige væsen og tog mig den frihed at bemærke, at jeg hos hende fandt mange ligheder med Dronning Louise både i udseende, væsen og hendes elskværdige optræden, hvilket hun fandt det behageligt at høre."

Den gamle mand glædede sig helt åbenlyst over den elskværdige modtagelse og nød at tale om de gode gamle dage med den opvoksende generation. Men ikke nok med det – efter en stund kom også Kronprinsen selv til stede og underholdt sig en stund elskværdigt med Moltke. Da denne samtale var overstået, blev han af Prins Carl atter ført tilbage til Prinsesse

Louises værelse, hvor han til slut fik lejlighed til at hilse på prinseparrets øvrige børn, inden han af kavalererne atter blev ledsaget ned til sin vogn. Dermed var besøget forbi; men det havde helt tydeligt været en stor oplevelse for den gamle hofmand at gense medlemmerne af den familie, som i så mange år havde været omdrejningspunktet i hans liv. Dette fremgår af hans egen tilfredse kommentar:

> "Jeg kom således højst fornøjet tilbage fra disse audienser, og jeg takkede Gud for, at han havde givet mig sundhed og kræfter til at gennemføre det."

Dermed var det imidlertid ikke slut. Få dage senere modtog Moltke besked om, at Enkedronning Juliane Marie og de øvrige kongelige herskaber ønskede at se ham. Og den 4. november begav han sig derfor på ny til slottet, hvor han fik en elskværdig modtagelse af Enkedronningen samt hendes søn, Arveprinsen, og dennes gemalinde. Han blev ligeledes præsenteret for den nittenårige Prinsesse Louise Augusta – frugten af Struensee og Caroline Mathildes kærlighed, nu hertuginde af Augustenborg – og har vel ved denne lejlighed sendt en tanke til hendes for længst henrettede fader, hvis korte hektiske virksomhed definitivt havde gjort ende på hans egen offentlige karriere.

Jens Juels skitse fra 1794-95 til et gruppebillede af den hessiske familie, som efterhånden blev nært indgiftet i den danske kongeslægt. Det ældre af børnene t.v. er Prins Carl og Prinsesse Louises yngste datter, Louise Caroline, der i tidens fylde skulle blive moder til Christian IX. Det yngste barn på billedet er Kronprinsesse Caroline, Frederik VI og Marie Sophie Frederikkes førstefødte. I midten ses Prins Carl af Hessen selv og siddende hans hustru, Prinsesse Louise af Danmark. Længst til højre står deres datter, Marie Sophie Frederikke. *Det Nationalhistoriske Museum på Frederiksborg Slot. Foto Kit Weiss.*

DØD OG EFTERMÆLE

For den efterhånden stærkt alderssvækkede Moltke var disse to sidste besøg på slottet ikke alene en nostalgisk vandring tilbage til en tid, som var svunden og tabt, men også en forsoning med kongefamilien og med sin egen skæbne, som havde været så tæt forbundet med denne. På en forunderlig måde var det, som om disse sidste møder med den kongelige familie på netop det sted, hvor han selv gennem mange år havde haft sit virke og sin daglige gang, fik det hele til i hans egen bevidsthed at gå op i en højere enhed og give hans liv og stræben en samlet mening. Selv formulerede han det således, da han endegyldigt afsluttede sine erindringer:

> "Jeg har anført alt, hvad der ved denne lejlighed er sket, så udførligt, fordi det sikkert er sidste gang i mit liv, at jeg har aflagt besøg hos samtlige kongelige herskaber, og fordi denne overordentlig nådige modtagelse hos dem alle vil overbevise offentligheden om, at man omfatter mig og mine børn med samme nåde som tidligere. Det har denne begivenhed for mig været et afgørende bevis på, ligesom jeg

A.G. Moltkes sarkofag i kapellet ved Karise Kirke. I baggrunden hans søjleflankerede relief. Her sluttede en eventyrlig livsbane. *Foto Elizabeth Moltke-Huitfeldt.*

takker Gud for, at han i mit firsindstyvende år har givet mig styrke og kraft til at stå det hele godt igennem. Jeg har derfor den allerstørste årsag til at udbryde: Herren har maget alting vel! Giv vor Gud æren."

Således forsonet med Gud og mennesker kunne den gamle greve med sindsro se sin død i møde. Hans stadig mere og mere svækkede helbredstilstand og stigende vanskeligheder med at bevæge sig omkring lod ane, at den ikke lå så forfærdelig langt borte. I løbet af sommeren 1792 aftog hans kræfter kendeligt, og han måtte tilbringe det meste af tiden i sengen. Den 25. september 1792 sov han stille ind omgivet af sin talrige familie, og den 9. oktober blev han ved en enkel ceremoni bisat i det gravkapel ved Karise Kirke, som han havde ladet indrette til sig selv og sin familie. En lang livsbane, der tog sin begyndelse i en barselsseng i Mecklenburg og sluttede på dødslejet på Bregentved, var gået til ende.

Med Adam Gottlob Moltke døde den sidste af de gamle excellencer, der havde tegnet den danske enevælde gennem store dele af 1700-tallet og givet den mål og mening. Med ham gik også en hel tidsalder i graven. Den Franske Revolution tre år inden hans død havde givet den klassiske absolutisme, som excellencerne repræsenterede, et grundskud, som den ikke siden forvandt. I den nye borgerlige samfundsorden var der ikke plads til excellencer af Moltkes støbning og knap nok til de monarker, i hvis navn de havde handlet.

Betegnende nok brændte det Christiansborg, der havde været centrum for Moltkes virke gennem mange år, ned til grunden i 1794, blot to år efter hans død. Dermed var også selve det bygningsmæssige symbol på den enevælde, som han repræsenterede, forsvundet. I stedet rykkede den hjemløse konge, der som sin fader kun var konge af navn, ind i Moltkes gamle palæ på Amalienborg, efter at det var blevet overdraget til kongefamilien af Moltkes søn Joachim Godske Moltke, der havde arvet det sammen med grevskabet. Også på denne måde kom tingene trods alle omskiftelser til at gå op i en højere enhed. Skæbnen spandt stadig tråde mellem Moltkeslægten og kongehuset, hvilket også viste sig, da den netop nævnte Joachim Godske Moltke blev optaget i Statsrådet i forbindelse med statsbankerotten i 1813 med særligt ansvar for finanserne, og da dennes søn, Adam Wilhelm Moltke, som premierminister i overgangsministeriet i 1848 løste opgaven med at gennemføre en rolig overgang fra enevælde til demokrati. Begge dele ville have glædet gamle A.G. Moltke såre, idet han deri ville have set en opfyldelse af sin livslange stræben på sine efterkommeres vegne og tolket det som tegn på, at Guds nåde fortsat hvilede over hans slægt.

Hvis den syge Christian VII undertiden kiggede ud over slotspladsen fra sin nye residens på Amalienborg, ville han uundgåeligt få øje på den pragtfulde rytterstatue, som Moltke havde fået rejst til minde om hans fader, Frederik V. Hvis man forestiller sig, at han også gik ud på slotspladsen for nærmere at studere den latinske indskrift på de ovale bronzetavler, der pryder statuens sokkel, ville han der kunne læse sentenser som: Fred under stormagternes krige, styrkelse af flåden og hæren, fremme af handelen, forbedring af landbruget, bygning af Frederiksstaden, anlæggelse af landeveje, grundlæggelse af stiftelser, udvidelse af Kunstakademiet, genoprettelse af Sorø Akademi, oprettelse af gymnasier og udsendelse af lærde mænd til Østerland.

Disse næsten runestensagtige formuleringer var Moltkes værk og var tænkt som en hyldest til Frederik V's tyveårige regering. De var imidlertid i høj grad også Moltkes egen regnskabsaflæggelse for sin virksomhed til eftertiden. Tilsammen tegner de billedet af en livsgerning, hvortil der kun findes få sidestykker i danmarkshistorien.

C. G. Pilo Pict. Reg. et Prof. Acad. delin. O. H. de Lode Chal. Reg. Soc. Dan. sculps. 1753.

ADAM GOTTLOB MOLTKE
Ridder af Elephanten
Greve til Grevskabet Bregentved,
Fri Herre til Fri Herskaberne Lindenborg og Högholm,
Herre til Tryggevelde og Alslev, etc. etc.
Hans Kongelige Majestets
Geheime-Raad og Ober-Hof-Marechal.

GODSEJER
&
REFORMATOR

Af Carsten Porskrog Rasmussen

1771 fæstede bondekarlen Ole Jensen et hus i Pebringe under Turebyholm på Sydsjælland. I de første linjer af det fæstebrev, han modtog, stod, at huset blev bortfæstet på vegne af "Deres Høi Grevelige Excellence Høibaarne Herr Adam Gotlob Greve af Moltke til Grevskabet Bregentved, Herre til Tryggevelde, Alsløv, Nøer, Grøndvold, Gloerup, Anhof, Ryegaard, Gammelgaard, Dronninglund, Dronninggaard og Hals, Ridder af Elephanten, Deres Kongelige Majestæts til Dannemark og Norge pp Høitbetroede Geheimeraad". Sådanne omstændelige titulaturer var blevet almindelige under enevælden og kan måske ses som en imitation af den lige så lange formelle kongetitel. Under alle omstændigheder vidner den om et samfund besat af titler, rang og status. I denne statuskamp var det bestemte ting, der talte. Opremsningerne omfatter navn og titel, embeder og hædersbevisninger fra kongen. Sidst, men ikke mindst omfatter de personens godser og herregårde.

Adam Gottlob Moltke nåede toppen på alle felter. Hans vej dertil gik over kongetjeneste. I 1771 var hans karriere dog for længst forbi. Hans formelle plads i rangen byggede nu på hans titler som greve, gehejmeråd og elefantridder, men det var hans position som godsejer, der stadig gav ham reel betydning i samfundet. Meget få andre – om overhovedet nogen – af kongens undersåtter kunne i 1771 bryste sig af så lang en række godser som den, der opregnes i Ole Jensens fæstebrev. Og så havde Moltke endda hverken arvet eller giftet sig til et eneste af dem, men selv samlet hele imperiet i de tyve år, han var Frederik V's overhofmarskal.

Som selve opremsningen demonstrerer, gav alene det at eje godser position. De gav adelsmanden mulighed for at iscenesætte sig selv gennem byggerier og haveanlæg, og de skulle samtidig danne det langsigtede økonomiske grundlag for det aristokratiske liv. Men godset gav også ejeren en nøglerolle på sin egn. Hvert gods var et helt samfund, hvor godsejeren havde en betydelig indflydelse på beboernes liv. Adam Gottlob Moltke blev herre ikke over ét, men flere lokalsamfund, og på sin højde var han godsejer for noget over én procent af landets befolkning.

Godserne kom til at lægge beslag på en betydelig del af Moltkes store energi og virketrang. Hans byggerier og haveanlæg på godserne skildres andetsteds i bogen. Her handler det om, hvordan Moltke samlede sit godsimperium, og om hvordan han udfoldede sin omfattende rolle som godsejer. Den ligner ikke noget, vi kender i det moderne samfund, for Moltke var ikke bare virksomhedsejer, men også 'herskab' for tusinder af 'undersåtter', hvilket indebar vidtgående magtbeføjelser og store forpligtelser. På mange måder var han som en enevoldskonge i det små. Netop derfor er der også vigtige paralleller mellem det, han søgte at fremme som embedsmand, og det, han arbejdede for som godsejer.

Denne verdensorden af herskab og undersåtter var det selvfølgelige udgangspunkt for Moltkes virke. Inden for denne ramme arbejdede han i en slags oplyst enevælde for, at bondebefolkningen skulle blive mere moralsk, sundere, flittigere og klogere, men uden at sprænge den bestående samfundsorden. Han gik imidlertid også i spidsen for at forandre selve landskabet og indføre nye markbrugssystemer og driftsformer på herregårde og bondegårde. Moltke har dermed en central plads både i fortællingen om det såkaldt 'patriarkalske' eller 'feudale' godssystem og i historien om det, man med stor forsimpling kalder 'landboreformerne'.

TH / Begyndelsen på fæstebrev til Ole Jensen på et hus i Pebringe, 1771. *Bregentved godsarkiv. Foto Elizabeth Moltke-Huitfeldt.*

FORRIGE SIDE / Adam Gottlob Moltke i Elefantordenens dragt, omgivet af symboler på kunst og videnskab og med opremsning af titler og godser. Stik af O.H. de Lode fra 1753 efter maleri af Pilo. *Foto Elizabeth Moltke-Huitfeldt.*

No. 19. Tolv Skilling. 1771.

No 4276

Vii Deres Höi Grevelige Excellence Höibaarne Herr Adam Gotlob Greve af Moltke til Grevskabet Bregentved, Herre til Brüggevelde, Alslöw, Aber, Gröndvold, Glorup, Anhof, Mijegaard, Gammelgaard, Dronninglund, Dronninggaard og Walø, Ridder af Elephanten Deres Kongelige Majestæts til Dannemark og Norge pp Höitbetroede Geheime Raad

Stemmer
E. Jörgensen

Efter höi Naadigste Herres [illegible] og efter höi Naadigst
Resolution af 30te April 1771: samt paa erhvervet höi Naa-
digst Approbation haver jeg Underskrevne Stæd og Fæst,
saasom jeg og hermed stæder og bortfæster til Olle
Jensen forhen Huusmand paa Totterup Overdrev, det Huus i
Pebringe Bye Kariis Sogn paa Turebyeholms Gods under Bregen-
tved Grevskab som Peer Pedersen hidtil har beboed, men
formedelst Armod og Husets Brøstfældighed haver fraslaget
sig; Hvilket Huus med tilliggende Hauge skal forbemeldte
Ole Jensen sin Livs Tiid nyde, bruge og i Fæste beholde, saa
længe hand deraf svarer aarlig Huuspenge efter Forord-
ningen med 2 Rdlr halvparten hver Mar Michaelj og den halve
part til Paaske, [illegible] forretter Ugentlig een
Dags Hov Arbeide, samt forretter Aarlig een gaaende
Kiøbenhavns Reyse [illegible] item
aarlig i Høstens Tiid forretter [illegible] Dage efter Tilsigende
som Egnens Godsets andre Huusmænd, Husets Byg-
ning som ikkun er i slet Stand forbinder hand sig
paa egen Bekostning at istandsætte og samme siden
stedse forsvarlig vedligeholde, det hand deslige med fra-
[illegible] [illegible] uforsvarlig og
[illegible] [illegible] forlanger sig at antage
Gaard da skal hand [illegible] og

Godssamleren

Adam Gottlob Moltke var den person, der samlede sig de største besiddelser på kortest tid i 1700-tallets Danmark. Det var hans embedskarriere, som gjorde det muligt. Det er i sig selv ikke enestående. En række af landets mest markante godsbesiddelser blev grundlagt af enevældens ledende mænd. Høje embeder gav store indtægter, og Moltke var langtfra den eneste, som blev rig af at være i kongens tjeneste, og som investerede sin nye velstand i godser. Ganske vist var godser ikke særlig indbringende i 1740'erne, men at blive jorddrot var alligevel et mål for så godt som enhver adelsmand – af gammel eller ny aftapning – som ikke var det i forvejen. Det var en uadskillelig del af billedet af den sande adelsmand, at han ejede jord, og mange former for magt og prestige var bundet til jordejendom. Jord var desuden stadig den bedste måde at sikre en families position på over lang tid. Formuer blev ganske vist sjældent skabt gennem jordbesiddelse, men omsat til jordejendom blev de fastholdt for eftertiden, især hvis godserne blev båndlagt som grevskaber, baronier eller stamhuse. Godset blev på den måde et monarki i det små, og slægten et dynasti. Det var helt åbenbart Moltkes mål at opnå dette, som det var det for de fleste af enevældens topfolk. Alligevel er Moltkes godssamling i særklasse. Han satte sig nemlig for at efterlade sig ikke blot ét, men en række storgodser og dermed grundlægge flere dynastier Moltke.

Moltkes bedrift bliver ikke mindre af, at han begyndte på næsten bar bund. Endnu som 35-årig, i 1745, var han jordløs og uden udsigt til at erhverve jord i større stil. Ganske vist var han af gammel adel, som havde besiddet godser i århundreder, men hans fader havde både mange børn og økonomiske vanskeligheder og måtte sælge ud af godserne. Her blev der ikke noget til Adam Gottlob. Heller ikke fra anden side arvede han jord. Det hedder sig ganske vist, at han fik herregården Nygaard – det senere Marienborg – på Møn efter sin onkel Caspar Gottlob Moltke. Men set fra A.G. Moltkes synspunkt var arven beklageligvis mindre gylden. Onkelen havde nemlig ikke ejet Nygaard, men kun haft embedsbolig på den. Han havde dog selv bekostet byggeriet af en ny hovedbygning, og det var den, A.G. Moltke arvede. Han solgte den i 1748 for 6.000 rigsdaler plus 1.518 rigsdaler for indbo og besætning til den nye amtmand, Frederik Christian von Møsting. Det svarede til værdien af et meget lille gods.

KONGENS GAVE

Den 20. september 1746, kun halvanden måned efter at være blevet konge, skænkede Frederik V imidlertid A.G. Moltke det sjællandske gods Bregentved. En sådan kongelig godsgave var ikke almindelig, men heller ikke enestående. Christian V havde for eksempel skænket det gamle kongelige gods Abrahamstrup til en af *sine* favoritter, overjægermester Vincents von Hahn, efter hvem godset fik navnet Jægerspris. Under Frederik IV havde hans to svogre Christian Ditlev Reventlow og Ulrich Adolph Holstein fået baronierne Brahetrolleborg og Fuirendal, da den gamle ejerslægt uddøde, og også Christian VI havde skænket enkelte godser til personer, der stod ham nær.

Bregentved var et stort gods, som blev opgjort til ca. 750 tønder hartkorn. Hartkorn var et værdimål for jord, som svarede til meget forskellige arealer fra sted til sted. Af den frugtbare agerjord

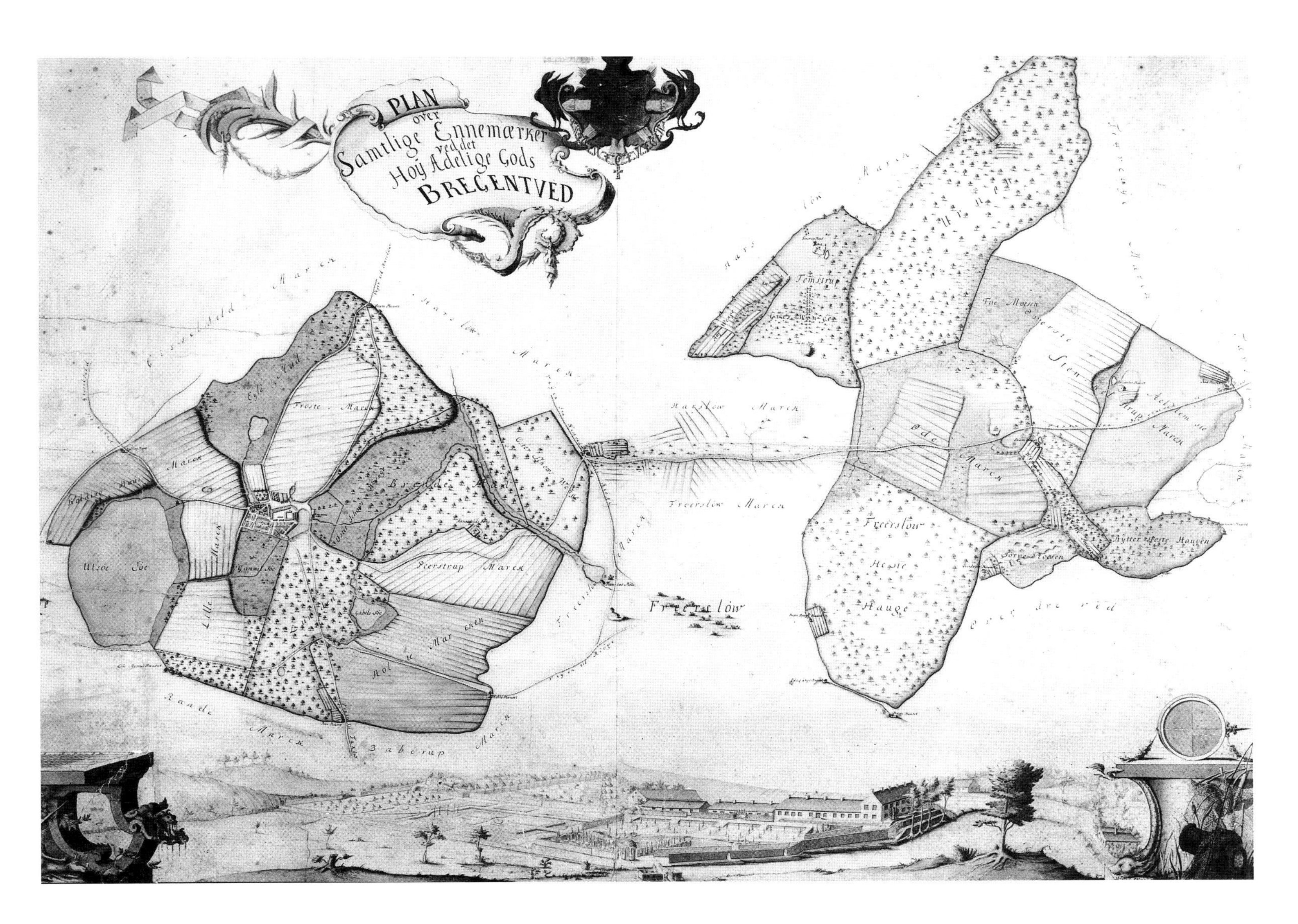

Kort og tegning af Bregentveds enemærker og bygninger af Sibrand 1747, året efter Moltkes overtagelse. Vest opad. Til venstre selve Bregentveds marker og skove, til højre de arealer, hvor Sofiendal senere blev anlagt. Hovedbygning og avlsgård dannede et sluttet gårdanlæg som på de fleste danske herregårde. *Bregentved godsarkiv.*

omkring Bregentved gik der typisk fem tønder land (knap tre hektar) på en tønde hartkorn, og en gennemsnitsgård var på fem-seks tønder hartkorn inklusive udyrkede arealer, som blev regnet meget lavt. 750 tønder hartkorn er således meget. Bregentved omfattede godt hundrede fæstegårde foruden selve herregården. Med ét slag var Moltke blevet godsejer i mellemklassen.

Det stillede han sig dog ikke tilfreds med. Over de næste fem år udbyggede han Bregentved til én af landets største privatejede besiddelser. En lejlighed bød sig allerede året efter. Bregentved havde i en årrække været en del af et større kongeligt godskompleks i Østsjælland, det såkaldte Tryggevælde rytterdistrikt. Flere dele af dette var afhændet før 1746, og 1747 blev resten sat til salg. Moltke benyttede lejligheden til at købe Bregentveds østlige nabogods, Turebyholm, som var af nogenlunde samme størrelse som Bregentved.

Egentlig kunne han have købt mere med det samme, da også de mellemstore godser Tryggevælde og Alslev længere mod øst blev solgt. De blev dog købt af Peter Johansen Neergaard. I stedet købte Moltke samme år det lille gods Eskilstrup vest for Bregentved. Året efter overvejede han at købe Bregentveds sydlige nabogodser Lystrup og Jomfruens Egede, men opgav dog, da han fandt prisen for høj. Først godt firs år senere skulle disse godser komme i slægten Moltkes eje.

I 1750 kunne Moltke i stedet købe det store gods Juellinge øst for Turebyholm af Greve Frederik Danneskiold-Samsøe. Det omfattede i alt over 1.000 tønder hartkorn og var således Moltkes hidtil største erhvervelse. Moltke ejede nu fire sammenhængende sjællandske godser med tilsammen over 2.500 tønder hartkorn. Det følgende år købte han også Tryggevælde og Alslev med godt 700 tønder hartkorn af Peter Neergaard, som til gengæld fik Eskilstrup. Hermed var Moltkes sjællandske godssamling stort set afsluttet. På fem år havde han overtaget et godsområde på ca. 3.300 tønder hartkorn, som oven i købet dannede et stort set sammenhængende hele.

den Femte, af Guds
Naade, Konge til Danmark
og Norge, de Venders og Gothers Hertug
udi Slesvig, Holsteen, Stormarn og Ditmersken, Greve udi Oldenborg og Delmenhorst,
Adam
Gotlob Moltke,

Erektionspatentet for grevskabet Bregentved. Patentet fastlagde grevskabets privilegier, arvefølge mv. *Foto Elizabeth Moltke-Huitfeldt.*

GREVSKABET

Godssamlingen banede vejen for, at Moltke kunne træde ind i den højeste adel. Den 31. marts 1750 ophøjede Frederik V ham i grevestanden, og samme dag oprettedes grevskabet Bregentved af godserne Bregentved, Turebyholm og Juellinge, dvs. Moltkes samlede godsejendom på dette tidspunkt på nær Eskilstrup. Ophøjelsen skete kun godt en måned efter købet af Juellinge – lige så snart Moltke havde jord nok.

Grevernes og friherrernes privilegier fra 1671 forudsatte, at nybagte grever og baroner skulle oprette grev- eller friherreskaber (også kaldet baronier). Det siges direkte, at opretholdelsen af den status, der forventedes af en greve eller baron, krævede store midler, og det kunne bedst sikres gennem båndlæggelse af store godser. Greverne skulle båndlægge 2.500 tønder hartkorn, baronerne 1.000. Kravene var så eksklusive, at mange nye grever havde svært ved at leve op til dem, så de enten slet ikke oprettede et grevskab – det gjaldt f.eks. ministrene Schulin og Berckentin, der blev grever samme dag som Moltke – eller måtte have dispensation til, at det var under 2.500 tønder hartkorn – var "ukomplet", som man sagde. Bregentved var derimod fra begyndelsen 'komplet'.

Da Moltke oprettede Bregentved, var der kun elleve grevskaber i det egentlige Danmark. Nævnt efter rang, det vil sige med det ældste først, var det: Frijsenborg, Langeland (Tranekær), Wedellsborg, Schackenborg, Samsøe (Brattingsborg), Holsteinborg, Knuthenborg, Scheel (Sostrup), Christianssæde, Christiansholm (Ålholm) og Ledreborg.

Hertil kommer Jarlsberg og Laurvig (Larvik) i Norge og Reventlow (Sandbjerg) i hertugdømmet Slesvig. De fleste havde fået et nyt navn, der henviste til stifteren, men Moltke lod med påfaldende beskedenhed blot grevskabet få det navn, hovedsædet havde i forvejen.

Et grevskab var en grundlæggende nyskabelse i forhold til gammel dansk og nordisk ejendomsretsforståelse. Grevskaber og baronier var *feudale* len, hvor privat jordejendom i Danmark ellers siden middelalderen havde været *allodial* (fri). Det betød, at godset principielt ændrede sig fra at være normal privatejendom til at blive et len fra kongen. Det blev symbolsk og reelt udtrykt ved, at grevskabet skulle 'hjemfalde' til kronen, hvis ejerens slægt uddøde, og ved, at der ved hvert besidderskifte skulle præsteres en ydelse til kronen som 'lenspligt'. For Bregentveds vedkommende blev lenspligten fastsat til hundrede rigsdaler, hvilket var under en promille af grevskabets værdi. Det understreger, at der grundlæggende var tale om en symbolsk handling.

Mere reel kunne hjemfaldspligten være, men det afhang af, hvordan arvefølgen for grevskabet var bestemt. Det hænger sammen med, at grevskabet samtidig var et majorat, som skulle gå udelt i arv til én arving. Også på den måde var grevskabet en miniudgave af kongeriget. For Bregentved blev det fastsat, at godset først skulle gå til Moltkes ældste søn og hans mandlige efterkommere, og hvis den gren uddøde da til næste søn og hans efterkommere og så fremdeles. Uddøde Moltkes mandlige efterslægt helt, kunne grevskabet arves af efterkommere i kvindelinjen, og var der heller ikke sådan nogle, så af Moltkes brødres efterkommere. I betragtning af antallet af børn mente Moltke nok at have sikret, at der ville være arvinger i meget lang fremtid. Omvendt betød oprettelsen, at kun én arving ville få andel i det godskompleks, der indgik i grevskabet. Det er utvivlsomt forklaringen på, at Moltke ikke senere indlemmede Tryggevælde og Alslev i grevskabet, skønt de lå godt for det.

Hjemfaldspligten var trods alt en ulempe, men til gengæld var der andre fordele. En del af grevskabets bøndergods blev skattefrit, greven fik patronatsret til grevskabets sogne, og grevskabet blev et birk, dvs. en retskreds for sig. Greven blev også selv amtmand på godset. Alt det var med til yderligere at understrege, at et grevskab var et kongerige i det små.

DE JYSKE GODSER

Med samlingen af det sjællandske godskompleks og oprettelsen af grevskabet havde Moltke gjort det samme som de to forrige kongers favoritter, Ulrich Adolph og Johan Ludvig Holstein, der også var kommet til landet fra Mecklenburg, var blevet grever og havde skabt grevskaberne Holsteinborg og Ledreborg. Blot var Moltkes sjællandske godskompleks endnu større. Han kunne forvente, at i hvert fald én linje af hans efterkommere var sikret en position øverst i samfundet.

Moltke standsede dog ikke dermed, og det sætter ham som godssamler i særklasse blandt 1700-tallets kongetjenere. Forklaringen er utvivlsomt hans usædvanlige børnerigdom. I 1751, da Moltke havde fuldført skabelsen af sit østsjællandske rige, havde han seks sønner. Moltke var livet igennem optaget af at få sønnerne placeret i en karriere i kongens tjeneste, men han ønskede også, at de skulle være godsejere. Anden fase af hans godssamling, 1753-54, kom til at handle om at sikre flere selvstændige storgodser for slægten.

De første afgørende skridt blev taget i 1753. I april købte Moltke det jyske baroni Lindenborg af lensgreve Frederik Christian Danneskiold-Samsøe og i december også baroniet Høegholm på Djursland af samme sælger. Allerede i april året efter solgte Moltke dog Høegholm videre med

Lindenborgs hovedbygning fra 1500-tallet. *Foto Hubertus45*

en pæn fortjeneste. Det kunne pege på, at købet var ren spekulation, men det hænger nok snarere sammen med, at Moltke i stedet havde kastet sine øjne på en anden ejendom. Få dage senere købte han nemlig det store gods Dronninglund i Vendsyssel med avlsgårdene Dronninggaard og Hals Ladegaard, "hvis herligheder, ypperligheder og samlede yndigheder anprises ham fra alle sider", som han skrev. Dette godskompleks omfattede over 1.000 tønder hartkorn.

Lindenborg og Dronninglund var ikke direkte naboer, men lå dog så tæt, at de dannede et nyt tyngdepunkt. Moltke var blevet godsejer på begge sider af Limfjordens udmunding og var nu ikke bare Sjællands næststørste godsejer, men også én af Jyllands største. I areal om ikke i antal gårde voksede besiddelsen i øvrigt markant i 1759, da Kongen forærede Moltke Lille Vildmose.

Det var næppe en bevidst strategi, at det var jyske godser, Moltke kastede sig over i anden fase af sin omfattende godssamling, men i høj grad en følge af, hvad der var på markedet. Derimod var det ikke et tilfælde, at han købte store, samlede ejendomme. Det var gennemgående for næsten hele hans godssamling.

SLESVIG-HOLSTEN, LOLLAND OG FYN

Tredje fase af godssamlingen spredte Moltkes interesser over store dele af kongens riger og lande. I 1759 indsatte Henning von Brömbsen Moltke som arving til godset Niendorf lige uden for Lübeck mod løfte om en årlig livrente på 3.000 rigsdaler. Det er ikke klart, hvad der fik von Brömbsen til at gøre sådan. Godset var gældfrit og profitabelt, og nok var han barnløs, men han havde en broder. For Moltke blev aftalen en overvældende gevinst, da von Brömbsen døde kun en måned senere. Hans broder, Christian, der ikke kendte aftalen, tog godset i besiddelse som nærmeste arving, men da Moltke fremlagde sine papirer, måtte Christian von Brömbsen lade godset gå videre til ham. Moltke ejede blot Niendorf i to år, før han i 1761 solgte godset for den særdeles nette sum af 80.000 rigsdaler. I stedet købte Moltke det noget større holstenske gods Testorf for 122.000 rigsdaler. Det beholdt han dog endnu kortere tid. I 1762 solgte han det videre for 126.000.

Stadig havde han dog ikke mistet appetitten på godser i Hertugdømmerne. I 1763 døde baron Joachim Brockdorff, som havde været bygherre for det ene af palæerne på Amalienborg, og arvingerne satte palæet til salg sammen med godserne Noer og Grönwohld i den sydligste del af hertugdømmet Slesvig og noget marskjord i den såkaldte Meggerkoog, en tørlagt sø lidt nord for Ejderen. Arvingerne tilkendegav, at de regnede med at få 180.000 for ejendommene. Moltke bød i første omgang 165.000. Tilbuddet blev afslået, men da Moltke forhøjede sit bud til 172.500, blev det modtaget. Det var fra begyndelsen planen, at palæet skulle sælges, og 1765 købte Kongen det for 45.000 rigsdaler. Moltke overvejede tilsyneladende også at sælge godserne igen. Storkøbmanden Niels Ryberg bød 135.000, hvilket ville have sikret Moltke en lille fortjeneste, men det var dog ikke nok for Moltke, så han beholdt godserne.

Ud over Hertugdømmerne etablerede Moltke sig i årene 1759-65 også som godsejer på Lolland og Fyn. Moltkes indtog på Lolland havde samme forklaring som hans entré i Hertugdømmerne. I 1747 havde Christian von Støcken indsat Moltke som arving til sit gods Gammelgaard mod at få en fast årlig livrente. Da von Støcken døde i 1762, kunne Moltke overtage også dette gods. Gammel-

Beliggenheden af de hovedgårde, Moltke ejede i løbet af sit liv. Et par mindre hovedgårde under Høegholm er udeladt. Kortet, der bruges som baggrund, er "Generalkort af Danmark 1763, tilegnet Kong Frederik 5.", udarbejdet til Erik Pontoppidans *Den danske Atlas. Fotografisk Atelier, Det Kongelige Bibliotek.*

gaard var noget mere beskedent end de godser, Moltke selv købte – omkring 500 tønder hartkorn – og Moltke mente selv, at der kun havde været ringe gevinst ved at betale livrente til von Støcken i femten år for at få det. Trods Gammelgaards beskedne størrelse og ret fjerne beliggenhed valgte Moltke dog at beholde godset.

I stedet solgte Moltke i 1762 Lindenborg inklusive Lille Vildmose til skatmester Heinrich Carl

Rygaards 1500-tals hovedbygning fik lov til at stå urørt af forandringer i Moltkes tid. *Foto Elizabeth Moltke-Huitfeldt.*

Schimmelmann. Salget er umiddelbart overraskende, fordi Moltke havde investeret megen energi i Lindenborg. Forklaringen er formentlig dels, at prisen var god, dels at Moltke havde svært ved at finansiere tørlægningen af Lille Vildmose, der var indledt et par år før. Til gengæld vendte Moltke sig nu mod Fyn, hvor han samme år købte det store gods Glorup med avlsgården Anhof, og tre år senere det noget mindre nabogods Rygaard. Moltke havde tilsyneladende først tænkt at oprette et baroni af disse godser, men 1769 skrev han til forvalteren på Glorup, at han havde stillet planen i bero, fordi der ikke længere var samme fordele som ved "gamle baronier". Dette udsagn dækker over, at man efter 1766 ikke længere gav grevskaber og baronier øget skattefrihed i forhold til andre godser.Købet af Rygaard skulle blive Moltkes sidste større erhvervelse, og det er symptomatisk, at købet fandt sted i det sidste år af Frederik V's regeringstid. Ved Kongens død ejede Moltke Bregentved med tilhørende godser, i alt ca. 3.300 tønder hartkorn, på Sjælland, Glorup-Rygaard med omkring 1.100 tønder hartkorn på Fyn, Dronninglund med ca. 1.000 tønder i Jylland og Gammelgaard på ca. 500 tønder på Lolland eller næsten 6.000 tønder hartkorn gods i kongeriget. Noget af hartkornet var en værdisætning af tienderettigheder, men ud over det var Moltke ejer af ca. halvanden procent af landets jord regnet i værdi. Dermed var han blevet én af kongerigets tre-fem største jorddrotter. De slesvigske godser Noer-Grönwohld blev ikke opgjort i hartkorn, men man kan hæfte sig ved, at de havde kostet ca. det samme som Glorup-Rygaard. Indregner man også det godskompleks, var Moltke formentlig monarkiets største private jordbesidder i 1766.

PENGENE

Moltkes investeringer i godserne repræsenterede meget store beløb. Bregentved fik Moltke af Kongen, mens de øvrige sjællandske godser kostede 103.000 rigsdaler i alt – en lav pris for ca. 2.600 tønder hartkorn, som afspejler den dybe landbrugskrise i årene omkring 1750. De jyske godser var noget dyrere. Lindenborg kostede 44.000 rigsdaler, Dronninglund 87.355, hvori Moltke så kunne modregne en fortjeneste på ca. 6.000 på sit korte ejerskab af Høegholm, så i alt kostede det Moltke ca. 125.000 rigsdaler at etablere sig som nordjysk godsejer. Alene i årene 1747-54 købte han altså godser for tæt ved en kvart million.

Tredje fase af Moltkes godsopbygning er lidt mere kompliceret. Moltke gav 172.500 rigsdaler for Noer-Grönwohld og palæet i København, men kunne modregne salgssummerne på 45.000 for palæet og 80.000 for Niendorf, som var en ren appelsin i hans turban, og en beskeden fortjeneste for Testorf. I alt måtte han dermed netto investere ca. 45.000 rigsdaler for at ende med at eje Noer-Grönwohld. Glorup kostede 79.000 rigsdaler og Rygaard 48.000, men da Moltke samtidig solgte Lindenborg for 100.000, kostede det 27.000 rigsdaler at bytte godset i Himmerland ud med besiddelserne på Fyn. Netto var den samlede investering i tredje fase altså på 72.000 rigsdaler og dermed noget mindre end i de to første, skønt jord var blevet dyrere. I alt havde Moltke over tre faser investeret ca. 300.000 rigsdaler i godskøb, hvortil kommer livrenten til von Stöcken og værdien af Niendorf og Bregentved, som han var kommet så godt som gratis til.

Godskøb var imidlertid langtfra det eneste, Moltke brugte penge på. Dels krævede godserne yderligere investeringer, som vi skal vende tilbage til. Men dels og især brugte Moltke også meget store beløb på at sikre sin og sin families position på anden måde. Alene palæet på Amalienborg kostede ifølge en opgørelse 102.900 rigsdaler – og det er endda uden de mange materialer mv., som Kongen skænkede ham. Det er lige så meget, som han gav for alle sine sjællandske godser! Dertil kommer byggerierne på Bregentved, Turebyholm, Dronninglund, Glorup og Noer og anskaffelser af kunst og inventar.

Desuden investerede Moltke store summer i sønnernes opdragelse og uddannelse. Ifølge en udateret opgørelse, som også synes at være fra omkring 1766-67, var der brugt ca. 44.000 rigsdaler alene på den ældste søn og 8.000-18.000 på hver af de andre – i alt 156.000. Dvs. at den ældste søns 'uddannelse' kostede lige så meget som Lindenborg, og den samlede udgift til sønnerne svarede til værdien af alle sjællandske godser i 1750'erne. Oven i det beløb blev der ved forskellige lejligheder brugt 36.000 rigsdaler på at købe sønnerne embeder som kompagni- og regimentschefer – en sædvanlig praksis i tiden. En præcis balance lader sig vanskeligt opstille, men det er næppe nogen urimelig antagelse, at Moltke har brugt lige så meget på byggerier, kunst, sønnernes uddannelse mv. som på at købe godser. Det må betyde, at han i de tyve år, Frederik V var konge, i gennemsnit kunne investere mindst 30.000 rigsdaler årligt i godskøb, byggerier, kunst og børnene, snarere mere.

KONGELIG GENERØSITET

Det var en del af enevældens system, at ministre og statens andre spidser blev sikret indkomster, der overstrålede, hvad næsten alle private kunne

Portræt af én af Moltkes sønner i officersuniform, malet af Johan Hörner. Moltke havde købt officerspatenter til flere af sønnerne, da de var meget unge, og det er usikkert, hvem af dem billedet forestiller. *Foto Elizabeth Moltke-Huitfeldt.*

opnå. Også på den måde blev det understreget, at intet andet talte lige så meget som kongetjeneste og kongegunst. Statens højeste embedsmænd var kolossalt højt lønnede, og dertil var det accepteret, at man fik gaver og gebyrer af folk, der ville staten noget. Præstesønnen Johan Sigismund Schulin, som i ca. tyve år var udenrigsminister og minister for Slesvig og Holsten, havde i 1747 indtægter fra sine embeder i form af løn og gebyrer på omkring 11.500 rigsdaler, og han efterlod sig en formue på ca. 160.000 rigsdaler. Moltke fik løn som både hofmarskal og præses (formand) for Vestindisk og Asiatisk Kompagni, hvortil kommer mere 'løse' indtægter. Ingen kunne undre sig over, at han blev endnu rigere end Schulin.

Alligevel var det også for samtiden svært at fatte, at han kunne råde over så store midler, som tilfældet var. Der var rygter om, at han havde beriget sig på Kongens bekostning, især i kraft af sin rolle som bestyrer af Partikulærkassen under den svage Frederik V. En kommission nåede dog senere frem til, at der ikke var noget at komme efter. Kort efter Kongens død forfattede Moltke selv et forsvarsskrift, og han lod samtidig sin mangeårige medarbejder H.C. Esmarch lave en række notater, der skulle vise, at han var kommet til pengene på ærlig vis. Notaterne handler ikke om Moltkes løbende indtægter, men alene særlige engangsgevinster. Pointen er, at Moltke dels havde tjent store summer på investeringer i aktier og ejendomme, dels været umanerligt heldig.

I alt havde Moltke angiveligt fået ca. 40.000 rigsdaler i arv efter sin onkel og som medgift med sine to koner. Det viser, at han trods alt ikke skulle begynde helt på bar bund, men omvendt svarede disse poster ikke en gang til købsprisen for Rygaard. Moltke havde ifølge notaterne investeret 100.000 rigsdaler i bankaktier, men solgt dem med en fortjeneste på omkring 50.000, og han havde tjent omkring 30.000 på aktier i Asiatisk Kompagni. I et vedføjet notat hedder det, at der var tjent noget lignende på "den vestindiske handel", som dækker over, at staten – efter Moltkes forslag – indfriede aktierne i Vestindisk Kompagni til overkurs. Fortjenesten på godser vejede tungt i regnestykket, men langt det meste kom fra salget af Niendorf, som Moltke kom gratis til, og Lindenborg, hvor gevinsten fra Lille Vildmose var en stor post. Hertil kommer så et ekstraordinært salg af træ til Asiatisk Kompagni for 20.000 og honorarer på 24.000 fra udenlandske magter i forbindelse med indgåelse af traktater. Det sidste ligner jo i høj grad korruption, men var accepteret.

Esmarch og Moltke opgjorde de samlede gevinster til 425.000 rigsdaler, men hverken sammentællingen eller alle delberegningerne stemmer. Reelt er der belæg for gevinster på omkring 350.000 rigsdaler. Det er faktisk lidt mere end det beløb, der netto var købt godser for. Det forklarer dog langtfra det hele. Dels dækker det ikke byggerierne, udgifterne til sønnerne og husførelsen i øvrigt. Dels rejser notatet nye spørgsmål. Hvor kom for eksempel de 100.000 rigsdaler fra, som Moltke angiveligt havde købt bankaktier for? Og hvorfra kom de ca. 225.000 rigsdaler, han købte godser for bare i årene 1747-54 – før de fleste af gevinsterne angiveligt var indtruffet?

Lån indgik i finansieringen. Da Moltke købte Lindenborg, optog han straks et lån på 24.000 rigsdaler mod sikkerhed i godset, og til købet af Dronninglund lånte han blandt andet 30.000 rigsdaler i enkekassen. Det sidste beløb betalte han imidlertid tilbage i 1762, og gennemgående synes egentlige lån ikke at have spillet nogen større rolle i hans velmagtsdage. 1766-67 lod Moltke udarbejde to oversigter over sin gæld. Den ene, som tilsyneladende er fra årsskiftet 1766-67, opregner sam-

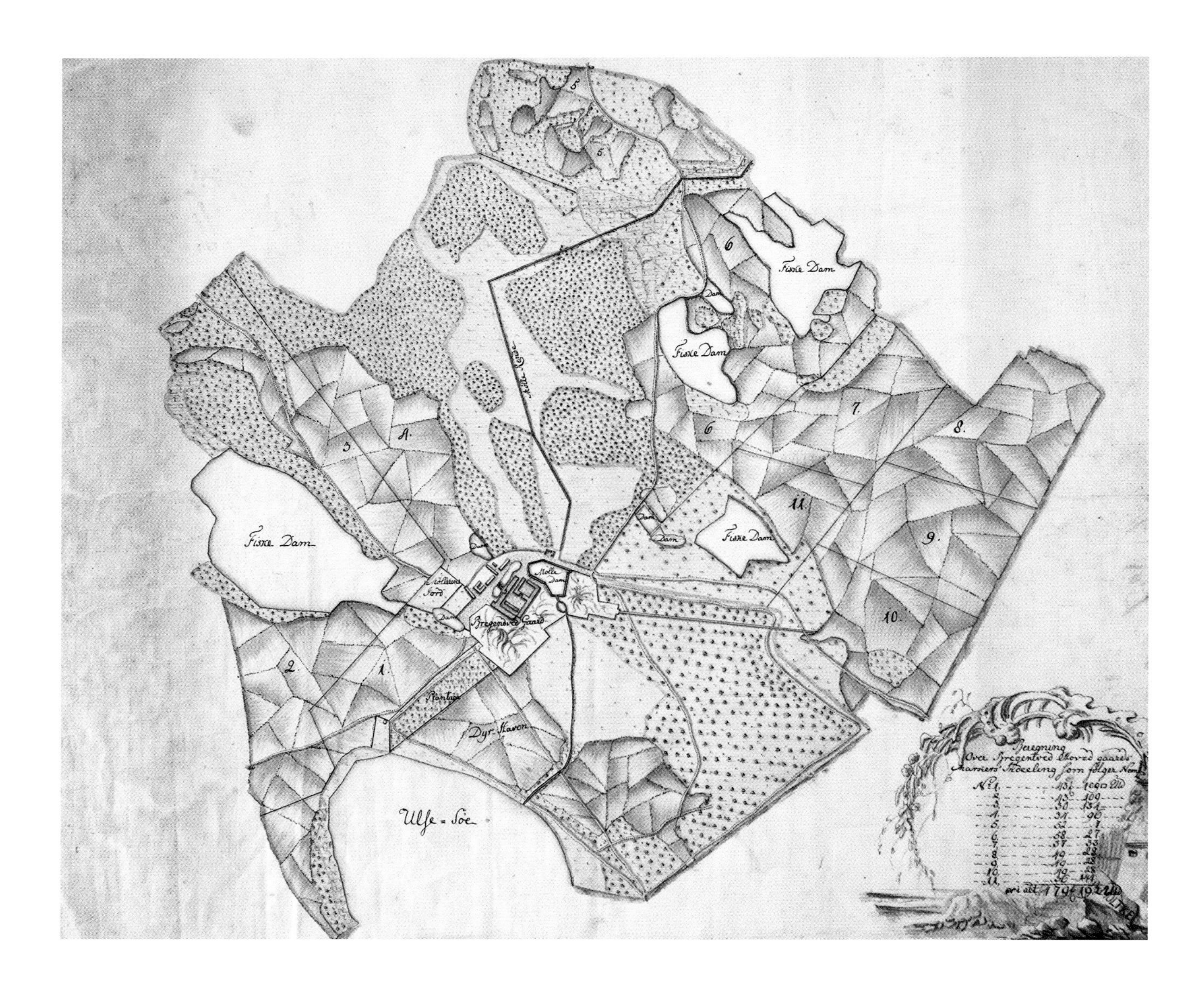

Kort over Bregentved hovedgårds marker. Agerjorden, vist som striber, ligger henholdsvis mod vest og øst, mens den midterste del var skov og græsning. Kortet er udateret, men formentlig lavet kort efter eller som led i omlægningen til kobbelbrug i 1760'erne. *Bregentved godsarkiv. Foto Elizabeth Moltke-Huitfeldt.*

lede gældsposter og forpligtelser på ca. 215.000, den anden, som er fra senere på året 1767, når til ca. 250.000. Beløbet er i begge tilfælde meget højt, men det er bemærkelsesværdigt, at over halvdelen af forpligtelserne var til familiemedlemmer. Heri indgik angiveligt egentlige lån fra den næstældste søn, Caspar, mens resten var løfter og forpligtelser, Moltke havde påtaget sig: børnenes arv efter deres mor, løfter om arv til de ældste sønner, kapital til et legat, han havde stiftet. Disse poster repræsenterer fremtidige udgifter, ikke finansiering af dem, han allerede havde afholdt. Egentlige lån fra fremmede svarer kun til ca. 100.000 rigsdaler, og det modsvares oven i købet ifølge den ene opgørelse af tilgodehavender på over 100.000, som dog ikke specificeres.

Tilbage bliver, at Moltke må have fået en stor del af pengene fra Kongen på den ene eller anden måde. Hans mange embeder gav helt officielt meget store honorarer, og han fik store gaver – Bregentved, Lille Vildmose, kunst og kostbarheder, byggematerialer og aktier – men hertil kommer, at han selv i sit forsvarsskrift nævner, at Kongen gav ham store pengebeløb til opførelsen af palæet. Det var næppe de eneste. Det stærkeste indicium herfor er den grundlæggende forandring i Moltkes økonomi, som Frederik V's død indvarslede.

GENERATIONSSKIFTET

Med Frederik V's død stoppede A.G. Moltkes godserhvervelser lige så brat, som de var begyndt med Kongens tronbestigelse tyve år før. Herefter blev der kun købt enkelte fæstegårde og huse, mest ved Glorup. Med fem godskomplekser, hvoraf Bregentved var ét af landet største, og Dronninglund, Glorup-Rygaard og Noer-Grönwohld også i den tunge ende, havde Moltke dog al mulig grund til at mene, at han havde gjort det godt. Fremtiden burde være sikret. I praksis gik det ikke nær så let.

1766-70 var, som nærmere omtalt i Knud J.V. Jespersens bidrag, et mellemspil i Moltkes liv. I 1769 havde han den personlige sorg at miste to børn, men økonomisk bragte året den sidste store gevinst i hans liv, da hans anden kone vandt hele 65.000 rigsdaler i det store lotteri. Dermed var hans berømte held imidlertid brugt op. Da Struensee kom til magten, faldt ikke alene A.G. Moltke, men også hans tre ældste sønner i unåde og mistede de fleste af deres embeder og de indtægter, der fulgte med. Der blev ganske vist rettet noget op på det efter magtskiftet 1772, men ikke fuldt ud. Skønt Moltke fra 1773 blev tilkendt en særdeles nydelig pension på 4.000 rigsdaler om året, er det dog tydeligt, at den pengestrøm, der flød hans vej, langtfra havde samme styrke som i Frederik V's tid.

Midt under denne krise døde den ældste søn og arving, Christian Friderich Moltke, i 1771. Han efterlod sig en søn, der dermed blev arving til Bregentved, men også en gæld på det svimlende beløb af 160.000 rigsdaler, som faderen hæftede for. Oven i det måtte A.G. Moltke også redde sin fjerde søn ud af en gæld. Her lå efter alt at dømme kernen i de problemer, Moltke sloges med de følgende tyve år: kombinationen af den kolossalt store børneflok og de vaner, de havde fået med hjemmefra. A.G. Moltke havde med betydelig succes sikret sine sønner gode stillinger og udsigt til at blive godsejere. Men han havde også ladet dem vokse op i et hus, der førte an i den aristokratiske konkurrence på statusforbrug. Skønt ingen af sønnerne kunne følge med faderen, synes de fleste børn at være gået længere i hans fodspor, end de havde råd til. Næsten alle børn af første ægteskab kom med årene i stor gæld.

Da krisen ramte A.G. Moltke, valgte han at gennemføre et generationsskifte over for sine to ældste tilbageværende sønner, Caspar og Magnus. De var begge rigt gift og havde en del penge til gode hos deres fader, dels i form af løfter om arv fra hans side, dels fordi konernes medgift var indgået i hans økonomi. Allerede i 1766 havde A.G. Moltke aftalt med sønnen Magnus, dennes kone og hendes onkel Ditlev Reventlow, at de ad åre skulle have Noer-Grönwohld for Magnus' fædrenearv og den rige arv og medgift, hans kone fik fra sin onkel. Det blev realiseret i 1772, hvor sønnen og svigerdatteren på den måde købte godserne af Moltke og gjorde dem til et fideikommis, dvs. et gods, der som grevskabet skulle gå udelt i arv, men ikke fik yderligere privilegier og ikke blev pålagt hjemfaldspligt. Samtidig overtog Caspar Dronninglund for sine tilgodehavender plus 24.000 rigsdaler, som han lånte, og et gældsbrev til faderen på 40.000. I 1779 solgte Moltke også Gammelgaard på Lolland. Køberen var den femte søn, Joachim Godske. På den måde havde han overført tre af sine fem godskomplekser til tre sønner og samtidig afviklet sit økonomiske mellemværende med dem. Det var første fase i generationsskiftet. Den blev en begrænset succes. Caspar solgte snart efter Dronninglund, og Noer-Grönwohld gik ud af slægten ved næste generationsskifte.

VOKSENDE GÆLD

Efter disse overdragelser var kun de sjællandske og fynske godser tilbage – og en betydelig gæld. I 1789 blev A.G. Moltkes gæld og indtægter opgjort i forbindelse med, at der skulle betales indkomst- og formueskat. Den samlede gæld var da vokset til 262.000 rigsdaler. Heraf var kun ca. 40.000 mellemregninger i familien og legater, mens der var egentlig fremmed gæld for ca. 220.000 rigsdaler. Godserne gav ifølge opgørelsen nettoindtægter på ca. 20.000 rigsdaler, hvortil kom beskedne indtægter på godt 1.000 rigsdaler fra aktier og obligationer. Af disse ca. 21.000 slugte renterne og forpligtelser over for familiemedlemmer de 12.000, så gældsbyrden var tung, men ikke ubærlig. Endnu burde der være 9.000 tilbage – plus Moltkes pension.

Virkeligheden var dog værre, og gennem Moltkes sidste år trak mørke skyer sig sammen. Ikke mindst på grund af fortsatte problemer med børnenes gæld måtte der optages nye lån, og ved Moltkes død var godserne og palæet behæftet med en gæld på over 300.000 rigsdaler. I sine sidste leveår overvejede Moltke at sælge først Tryggevælde og Alslev og senere Juellinge for at reducere gælden, men han fik ingen tilfredsstillende bud. Den arv, A.G. Moltke kunne give videre, var derfor langt mere belastet, end han havde håbet i sine velmagtsdage. Han endte med at beslutte sig for at satse på to arvinger: sin anden kone og sin femte søn.

Sophia Hedwig Raben havde under alle omstændigheder store krav på boet – sin medgift på 15.000 rigsdaler, en lotterigevinst på hele 65.000 og 30.000, som Moltke havde lovet hende. I sit testamente fastsatte han, at hun skulle have de fynske godser for 120.000 – en ret lav pris, som næsten kun svarede til det, hun havde krav og løfte på. Kort efter sin mands død gjorde hun de fynske godser til et stamhus for sin og A.G. Moltkes ældste søn. De var dermed båndlagt ligesom grevskabet, men uden at få andre nye rettigheder.

Som arving til grevskabet stod længe Moltkes barnebarn Friderich, søn af den tidligt afdøde søn, Christian Friderich, men han døde i 1785. Ny arving var nu A.G. Moltkes næstældste søn, Caspar, men han havde ingen sønner selv og stor gæld. Også de to næste sønner var forgældede, og Moltke søgte og fik derfor tilladelse til selv at udpege en efterfølger. Han valgte sin femteældste søn, Joachim Godske, som modsat sine ældre brødre havde formået at øge den godsmængde, faderen havde overladt ham, idet han havde solgt Gammelgaard, men til gengæld købt de fynske godser Einsiedelsborg og Kørup. Efter aftale med sin fader og sine brødre overtog han ikke blot grevskabet, men også palæet, Tryggevælde og Alslev – men også en gæld på ca. 300.000 rigsdaler.

De to arvinger, som overtog hovedbesiddelserne i anden fase af generationsskiftet, havde en lykkeligere hånd end de sønner, der tidligere havde fået Dronninglund og Noer. Moltke gav hele fem godskomplekser videre til sine arvinger, men kun Bregentved og Glorup blev mere varigt i slægten. Det var til gengæld de to største, og dem, Moltke alt i alt havde viet mest opmærksomhed. Derved var det lykkedes A.G. Moltke at sikre to linjer af sin efterslægt markante ejendomme og en markant position. Han havde ikke samlet godser forgæves.

Jorddrotten

Moltke fik, købte, solgte og ejede helt overvejende store komplekser af jordejendomme. Når både vi og datiden for nemheds skyld siger, at A.G. Moltke fik foræret "Bregentved", købte "Turebyholm" eller solgte "Lindenborg" , bruger vi herregårdens navn til at betegne meget mere end den selv. Frederik V's gave til Moltke i 1746 var i virkeligheden en blandet pakke af ejendomme og rettigheder, som ifølge gavebrevet omfattede den "adelige hovedgård Bregentved med underliggende bøndergods". "Den adelige hovedgård" var det, man almindeligvis kalder herregården med hovedbygning, stalde og lader, marker, enge og skove, mens bøndergodset omfattede et stort antal bondegårde og huse beliggende i landsbyer rundt om herregården. Tilsammen udgjorde de "Bregentved gods".

Alle Moltkes ejendomme var bygget op som variationer over dette tema – og det gælder i øvrigt langt den største del af landets privatejede jord. I kongeriget Danmark var hver bondegård og hvert hus ganske vist en ejendom for sig, som kunne købes og sælges enkeltvis. Det gjorde Moltke dog kun for at skille sig af med gårde, der lå langt fra hans herregårde, eller købe andre tæt ved. Bondegårde

Kort over Moltkes sjællandske godskompleks ved hans død. Tegnet af Per Jørgensen på grundlag af Videnskabernes Selskabs konceptkort og *Atlas over Danmarks Administrative Inddeling*.

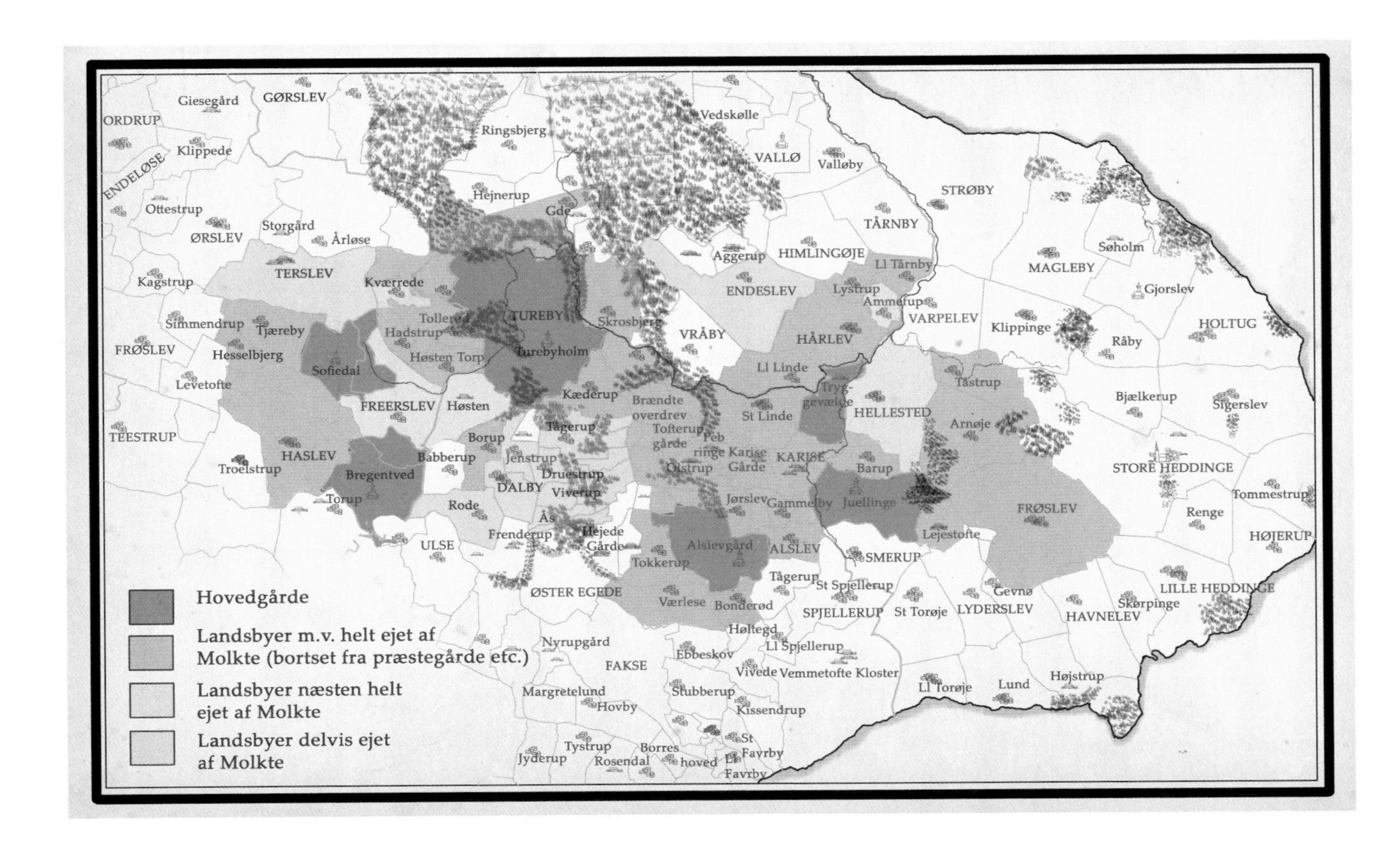

og -huse havde for Moltke som for de fleste af tidens godsejere kun interesse som tilbehør til herregårde, men som sådan var de omvendt uundværlige.

DE SJÆLLANDSKE GODSER

Blandt Moltkes besiddelser var de sjællandske ikke blot de første, men også de største. De omtaltes normalt formelt som "grevskabet Bregentved og allodialgodserne Tryggevælde og Alslev", fordi der juridisk var et skel mellem grevskabet på den ene side og de 'private' godser på den anden. I praksis udgjorde de imidlertid ikke alene en geografisk, men også en forvaltningsmæssig enhed.

Moltkes sjællandske godser omfattede fra 1751 ikke mindre end fem hovedgårde eller herregårde: Bregentved, Turebyholm, Juellinge, Tryggevælde og Alslev, hvortil senere kom Sofiendal, som Moltke selv oprettede på Bregentveds fjerneste jorder. Hovedgårdene var fra gammel tid de gårde, adelen selv drev, og de fleste havde i kortere eller længere tid været bolig for adelige herskaber. Samtidig var de fleste hovedgårde markant større end bondegårde. Det gælder i udpræget grad Moltkes sjællandske hovedgårde. Op gennem 1600-tallet var både Bregentved, Turebyholm og Juellinge udvidet ved nedlæggelse af hele landsbyer – i alt var omkring femten bondegårdes jord hvert sted blevet inddraget under hovedgården. Resultatet var blevet, at Turebyholm med 198 tønder hartkorn hovedgårdsjord var blandt landets ti største gårde målt i hartkorn, Bregentved og Juellinge blandt de 25 største. Deres agerareal var på 200-300 hektar hver. De tre hovedgårde havde lige så meget jord hver som tyve underliggende fæstegårde. Også Tryggevælde var med sine firs tønder hartkorn klart over middel, mens kun Alslev kan betegnes som en mindre hovedgård.

Hovedgårdene udgjorde imidlertid kun den mindste del af den samlede besiddelse. Langt større omfang havde det underliggende fæstegods. Omfanget ændrede sig lidt i Moltkes tid, dels ved afståelse af strøgods og tilkøb af enkelte ejendomme, dels ved nedlæggelse af et antal bondegårde og anlæggelse af flere huse til gengæld. I 1785 omfattede det 347 gårde og ca. 320 huse. Typisk for Sjælland var der et klart skel mellem gårde og huse. De fleste gårde var på over fem tønder hartkorn og kunne forsørge en familie, holde mindst fire heste og havde normalt både karl og pige. Omvendt havde de fleste huse ingen eller ganske lidt tilliggende jord, så husmændene måtte leve af forskellige former for daglejerarbejde eller håndværk. Samlet var fæstegodset vurderet til ca. 2.400 tønder hartkorn eller fire gange så meget som hovedgårdene. At fæstegodset var langt større end herregårdsmarkerne, var helt normalt. Tværtimod ligger en andel af hovedgårdsjord på tyve procent i den høje ende for private godser, hvor femten til sytten procent var det typiske.

Af fæstegodset lå op mod tre fjerdedele i 34 landsbyer, hvor Moltke ejede det hele bortset fra præstegårde og lignende, mens den sidste fjerdedel omfattede ejendomme i femten andre landsbyer, som Moltke delte med andre godsejere. I 1785 dannede hovedgårdene og de landsbyer, Moltke ejede, helt eller delvis, et sammenhængende område, som strakte sig ca. 25 kilometer fra Haslev og Tjæreby i vest til Frøslev ved Store Heddinge i øst, men var væsentligt smallere på den anden led.

I alt var Bregentveds herregårds- og bondejorder vurderet til 3.000 tønder hartkorn. Det kunne kun to andre sammenhængende private godser i kongeriget Danmark måle sig med: grevskabet Frijsenborg og stamhuset Lerchenborg. De dyrkede arealer under godsets hoved- og bondegårde udgjorde ca. 6.000 hektar, men det omfattede under halvdelen af de samlede arealer. Resten var skov og enge, uopdyrkede overdrev og talrige pletter af krat, småsumpe og anden udyrket jord. Et præcist areal for hele godset kan principielt ikke opgøres,

Moltke satte sig forbavsende få spor på de mange kirker, han havde patronatsret til, men på Hellested Kirke ved Juellinge lod han opføre et helt nyt tårn, som bærer hans navnetræk. *Foto Elizabeth Moltke-Huitfeldt.*

da bønderne i de enkelte landsbyer ikke alene var fælles om en række arealer med deres landsbyfæller, men ofte også med folk i nabolandsbyerne. Netop i Moltkes tid blev der dog trukket skel. Derefter rådede hans hovedgårde og de landsbyer, han var eneejer af, over ca. 15.000 hektar, hvortil kom yderligere 2.000-3.000 hektar i de landsbyer, godset delte med andre. Moltkes sjællandske besiddelser var alt i alt noget mindre end Møn, men mere end halvanden gang så store som Samsø.

Godset omfattede samtidig andet end herregårde og fæstegods. Godserne rådede fra begyndelsen over kirketienderne fra syv kirker, og fra 1761 købtes Freerslev kirketiende til fra Gisselfeld. I disse sogne havde greven ret til hvert 30. neg, men til gengæld havde han ansvaret for at vedligeholde kirkerne.

DE FYNSKE OG JYSKE GODSER

Grundlæggende var de fynske godser indrettet på samme måde som de sjællandske. Glorup herregård havde sidst i 1600-tallet været en af Fyns fire største gårde med 110 tønder hartkorn. Siden var en del jord lagt under avlsgården Anhof, men stadig hørte Glorup til øens største landbrug. Til gengæld var Anhof og Rygaard hovedgårde af mere jævn størrelse.

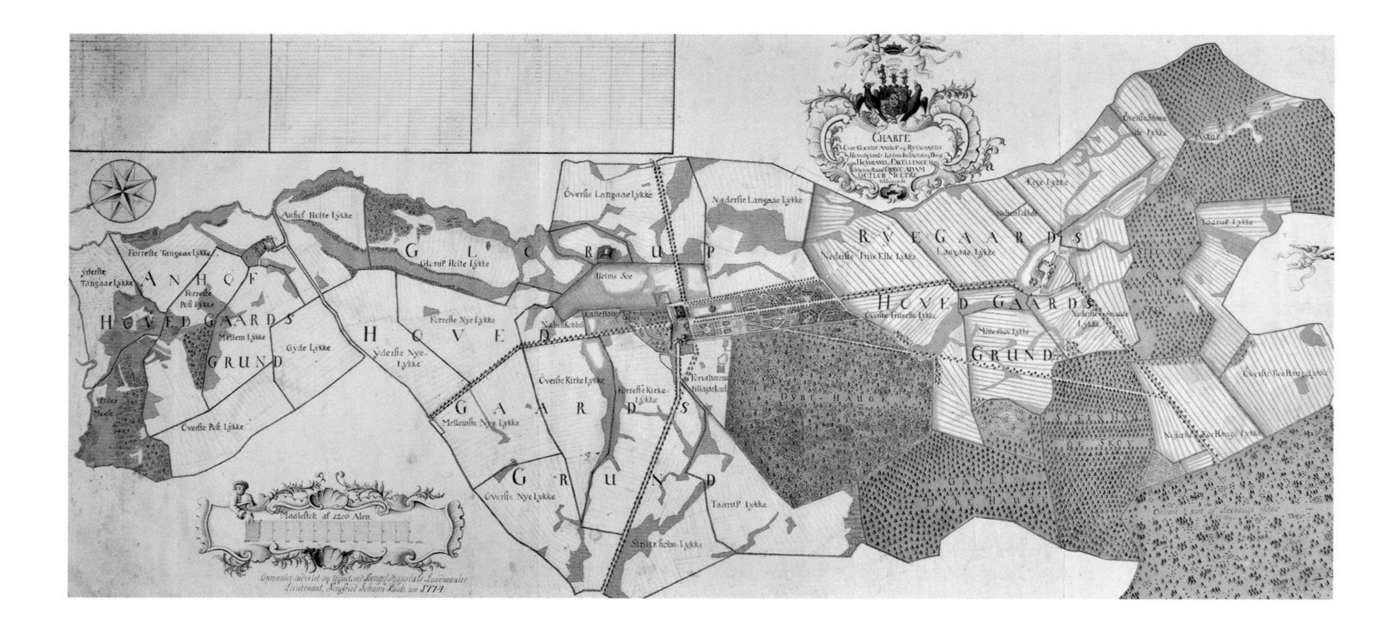

Kort over Moltkes fynske hovedgårdes jorder af Siegfried Paulli 1774. Øst opad. I 1774 var man langt med at omlægge Rygaards marker til de regelmæssige kobler, man ser til højre, mens kortet viser omlægningen af Glorup (i midten) og Anhof (til venstre) på projektstadiet. Her var der endnu våde områder mellem de dyrkede marker. *Foto Elizabeth Moltke-Huitfeldt.*

Samtidig var fæstegodset stort. Da A.G. Moltke overtog de to godser, fulgte der 135 fæstegårde og 61 huse med, som i alt var sat til næsten 900 tønder hartkorn. Fæstegodset var stort set indrettet som på Sjælland med en klar opdeling mellem gårde og huse. I sine første år som ejer købte Moltke yderligere en række gårde i de nærmeste landsbyer og byttede til gengæld strøgodset bort, så enden blev, at Moltkes fynske godser næsten fuldstændig ejede seks landsbyer og to småbebyggelser og havde andel i to store landsbyer mere. I Moltkes senere år nåede det samlede gods op på ca. 1.200 tønder hartkorn plus ca. 45 tønder tiender. Målt i hartkorn blev de fynske godser dermed det næststørste af Moltkes komplekser. I alt var Glorup-Rygaard (næsten) eneejer af et område på godt 4.000 hektar, mens andele i Frørup Sogn svarer til 600-800 hektar mere.

Forholdene på de jyske godser afveg noget mere, uden at der dog var tale om en grundlæggende anderledes model. Lindenborg hovedgård var med 60 tønder hartkorn nok mindre end de fleste af Moltkes sjællandske hovedgårde, men dog pænt over jysk gennemsnit. Fæstegodset var på ca. 500 tønder hartkorn og omfattede 104 gårde og 65 huse. Godset ejede en enkelt landsby nord for Lindenborg Å og ca. 85 procent af fæstegodset i tre sogne, der strakte sig fra hovedgården og ca. ti kilometer mod syd og omfattede ca. 5.000 hektar. De manglende andele af disse sogne mere end modsvares af, at godset ejede godt tredive gårde spredt rundt i en række landsbyer i omegnen. Speciel for Lindenborg var den usædvanligt store mængde tiender – i alt vurderet til 271 tønder hartkorn. Godset havde tienderettigheder i langt flere sogne end dem, hvor det havde hovedparten af fæstegårdene – og dermed også forpligtelser til at vedligeholde mange kirker.

Mest adskilte sig dog Dronninglund fra godserne på øerne. Regnet i hartkorn var godset no-

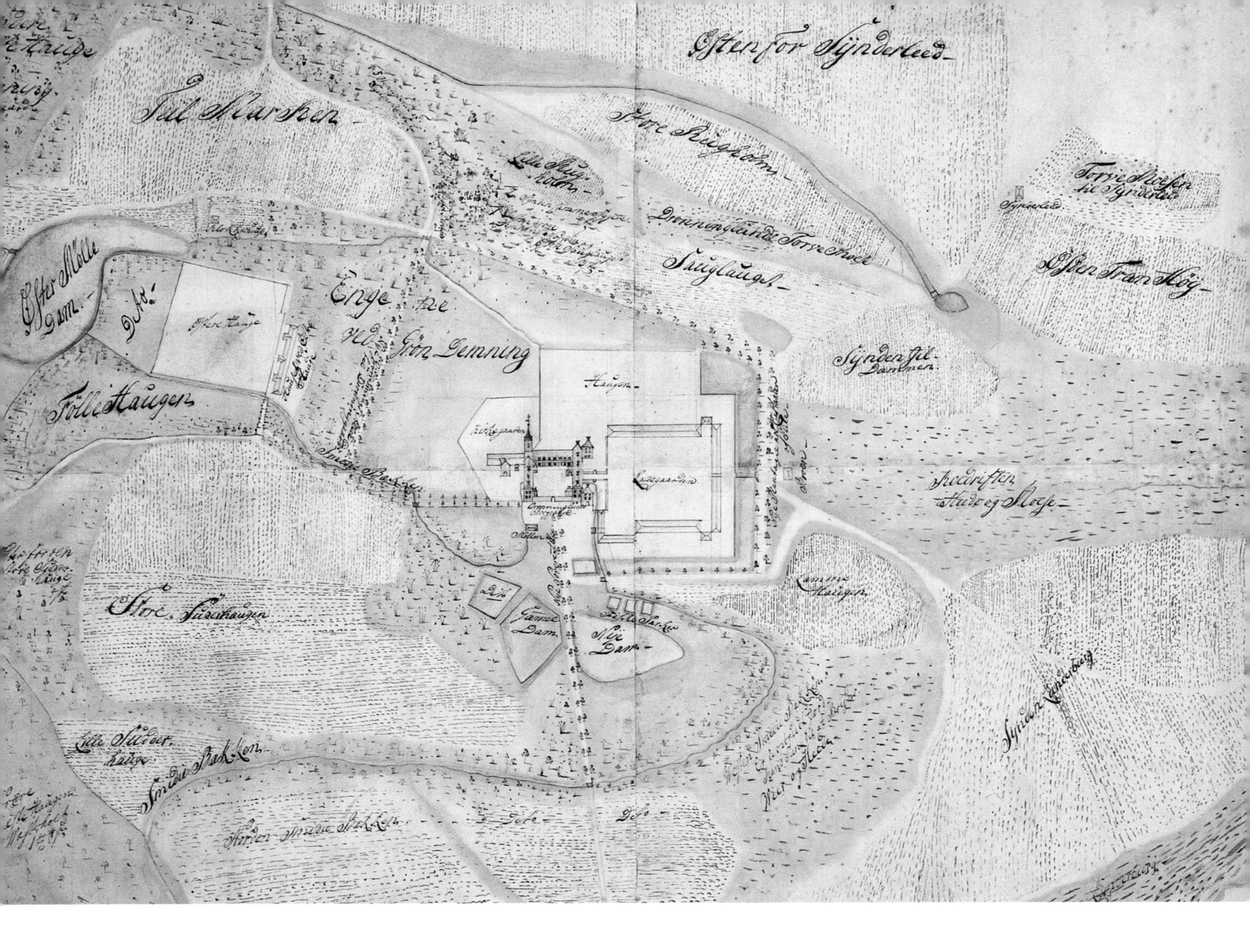

Samtidig tegning af Dronninglund og dele af herregårdsmarken. Syd opad. Man ser hovedbygningen med haven mod syd og den trelængede avlsgård mod vest. Markerne (hvidt med striber) ligger mellem hede- og mosearealer. *Bregentved godsarkiv. Foto Elizabeth Moltke-Huitfeldt.*

get mindre end Glorup-Rygaard, men større end Lindenborg, men målt i areal var det den største af alle besiddelserne. Det kan fastslås ret nøje, da godset omfattede hele det store Dronninglund Sogn og hele Hals Sogn ved Limfjordens munding, i alt ikke mindre end 25.000 hektar eller kun lidt mindre end Langeland. Dertil kom enkelte spredte gårde og huse, men de betød meget lidt. I godsets nordlige del lå Dronninglund Storskov, og der var også store skove i Hals Sogn. Ellers vekslede de dyrkede marker omkring gårde og landsbyer med store heder og moser. Kun en sjettedel af arealet i Dronninglund Sogn var under plov, og i Hals Sogn var andelen endnu lavere.

Dronninglund hovedgård var ingenlunde ubetydelig. Målt i hartkorn var den på omkring 95 tønder og dermed blandt Jyllands ti største. Ud over godt 200 hektar ager omfattede den vidstrakte enge og græsarealer. Også den underliggende hovedgård Dronninggaard var med 55 tønder hartkorn over jysk gennemsnitsstørrelse. I Hals Sogn lå den beskedne Hals Ladegaard på fjorten tønder hartkorn.

Bøndergodset var temmelig anderledes end på øerne. Der var ikke samme klare skel mellem gårde og huse. Mange af gårdene var forholdsvis små, og såkaldte bol, som kan opfattes som små gårde eller store husmandsbrug, var udbredte. Til gengæld omfattede fæstegodset mange ejendomme, i alt næsten 600 gårde og huse, heraf godt 400 i Dronninglund Sogn og ca. 150 i Hals Sogn. Hals by var en lille flække, hvor ganske mange beboere levede som fiskere og søfolk.

FORPAGTNING OG FÆSTE

Moltke blev en af landets største jorddrotter, men aktiv landbruger blev han kun i meget ringe grad. Han kunne være blevet det, hvis han ville. Allerede fra 1751 ejede Moltke fem danske hovedgårde, og mellem 1765 og 1772 havde han ikke mindre end tretten, hvoraf de seks oven i købet var virkelig store. Havde han valgt at drive dem selv, ville han have været landets største landmand.

Det gjorde han imidlertid ikke. Da Moltke overtog Turebyholm, iværksatte han først en undersøgelse af den hidtidige drift, før han tilrettelagde vilkårene for en bortforpagtning for tre år. Det er karakteristisk for hans måde at forvalte hovedgårdene på. De var alle bortforpagtet for perioder på fra tre til tolv år ad gangen. Kun i kortere perioder blev enkelte hovedgårde drevet direkte for Moltkes egen regning, og det var normalt enten tegn på, at der var krise, eller at man var midt i en omstilling. Bortforpagtning af hovedgårde var ganske almindelig i datiden, især på de større godser. Aristokrater som Moltke var nået til den opfattelse, at det var en bedre forretning at bortforpagte driften end at søge at lede den gennem ansatte funktionærer.

Under Moltke blev forpagtningerne normalt udbudt i offentlig licitation for at opnå den bedst mulige pris. Da Moltke overtog Dronninglund, opsagde han den hidtidige forpagter, og 30. januar 1754 var der offentlig auktion i Aalborg over forpagtningen af de tre nordenfjordske hovedgårde for en periode af seks år efter en række nærmere bestemte vilkår. I 1765 valgte Moltke endda at udbyde forpagtningen af de nordjyske hovedgårde i *Den berlingske Avis*.

Bortforpagtningen af hovedgårdene var et valg. Derimod var Moltke ved lov bundet til at bortfæste sine mange fæstegårde og -huse på livstid til en bonde eller husmand, og hans ejendomsret over disse var derfor mere betinget. Bøndernes årlige lejeafgift – landgilden – havde ligget fast i generationer og kunne ikke forhøjes. Når den gamle bonde døde eller af andre årsager opgav gården, kunne godsejeren dog frit vælge efterfølgeren og herunder forlange en éngangsbetaling, indfæstning, som var til fri forhandling. Endelig kunne godsejeren forlange hoveri af sine fæstere. Loven satte ingen grænser for hoveriets højde, og fæstebrevene sagde kun, at bonden skulle "forrette hoveri og rejser villig og upåklagelig". Det havde op gennem 1600-tallet fået godsejerne til at satse på større herregårde gennem inddragelse af bondejord og på mere hoveri. I 1682 var der imidlertid ved lov trukket en klar grænse mellem hovedgårde og fæstegods, så bondejord skulle forblive bondejord. Moltke kunne stadig øge hoveriet, hvis han fandt det nyttigt, men han kunne ikke ændre på, at 80-85 procent af hans danske godsers jord var fæstejord.

Det kunne ellers nok have været fristende, for hovedgårdene var så langt den mest indbringende del af godserne. I 1767 var de tre hovedgårde Juellinge, Tryggevælde og Alslev bortforpagtet for 4.150 rigsdaler, mens de tilhørende ca. 180 gårde og 150 huse var forpligtet til at give en årlig landgilde af penge og korn til en værdi af ca. 1.500

Udsnit af maleri af Turebyholm set fra nord af I.P. Møller fra 1821. Til højre ses Tureby Kirke, i midten avlsgården med de to parallelle lader, som Moltke lod opføre, og som stadig findes. Til venstre hovedbygningen. *Foto Elizabeth Moltke-Huitfeldt.*

rigsdaler. Hertil kom så indtægter fra indfæstning, som dog typisk kun var et par hundrede rigsdaler om året. På Dronninglund var de tre hovedgårde sidst i 1750'erne bortforpagtet for 3.590 rigsdaler i alt om året, mens værdien af bøndernes afgifter lå omkring 1.200-1.400 rigsdaler, hvortil dog kom pæne og stigende indtægter af indfæstning – sidst i 1750'erne 250-400 rigsdaler om året. Forholdet var omtrent det samme på Fyn. Generelt gav hovedgårdene to-tre gange så store indtægter som fæstegodset, skønt fæstegodset var fire-fem gange så stort. Oven i købet kneb det i perioder stærkt med at få bønderne til at betale det, de skulle, særligt på de sjællandske godser. En hektar herregårdsmark gav dermed alt i alt Moltke ti til femten gange så store indtægter som en hektar bondejord.

Et stykke ad vejen var dette ganske vist en illusion. De store indtægter af hovedgårdene dækker over særlige begunstigelser. Hovedgårdene var skattefri, mens fæstebønderne typisk betalte to-tre gange så meget i skat til kongen som i landgilde til godsejeren. Dertil kommer, at bondegårdene gennem hoveriet dækkede de fleste af hovedgårdenes udgifter til arbejds- og trækkraft. Og fordelene stopper ikke her. Godsernes tienderettigheder bestod i retten til at tage hvert 30. neg fra båndernes marker i de sogne, hvor godserne ejede kirketienden – hvert 15., hvis man også ejede den såkaldte kongetiende. Men disse neg tilfaldt normalt også forpagteren på hovedgården, der dermed ikke bare fik tilført korn, som kunne sælges, men også halm, som havde en vis foderværdi. Systemet var altså ikke bare geografisk, men også økonomisk koncentreret om hovedgårdene, som sugede ressourcer til sig fra hele godset. Oven i købet kunne man håbe på at øge indtægterne fra hovedgårdene, mens der var loft over det i forvejen beskedne afkast af bondergodset. Det var og blev derfor hovedgårdene, der skulle sikre Moltke det meste af afkastet.

GODSERNE I HERTUGDØMMERNE

Hovedgårdenes økonomiske betydning var endnu større på de slesvigske og holstenske godser, som i deres hele indretning var grundlæggende ander-

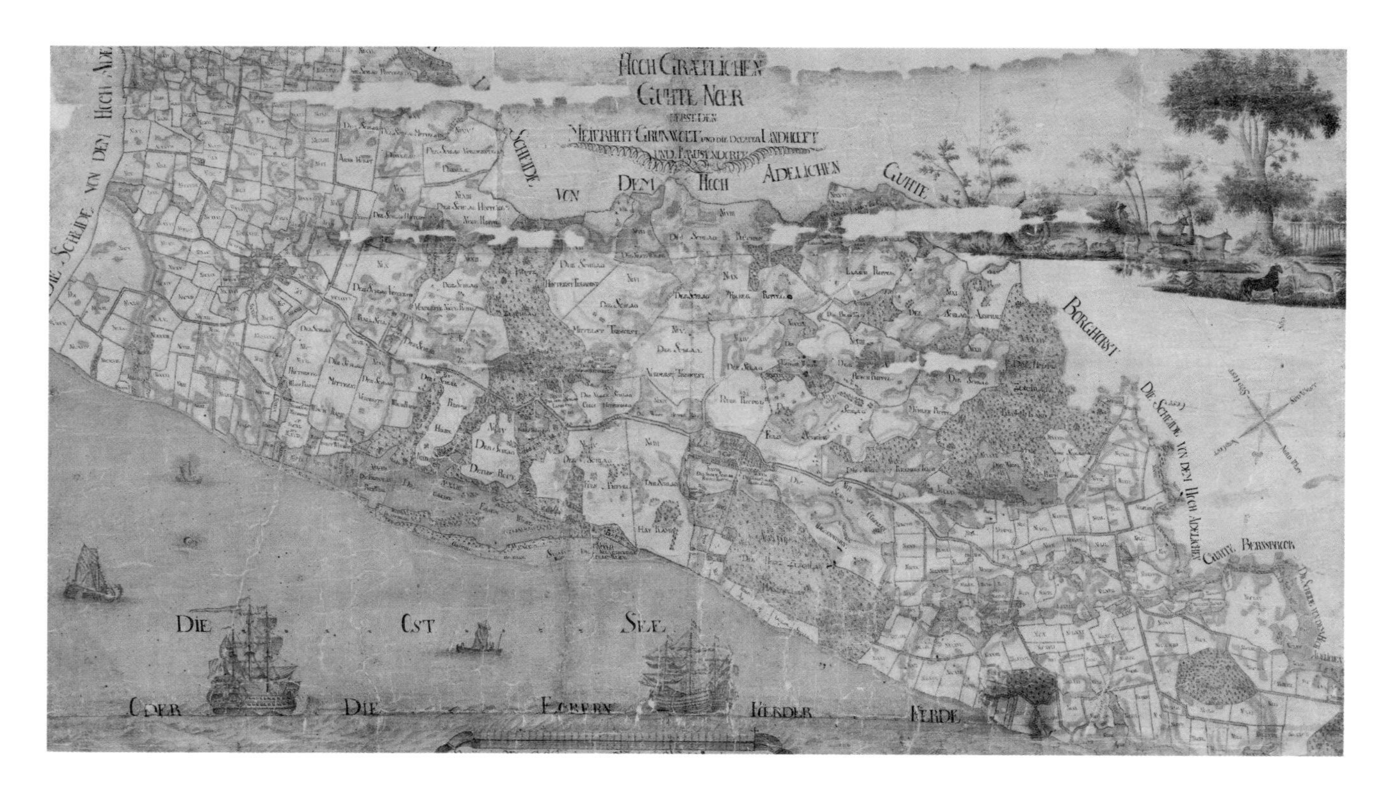

Kort over det samlede tilliggende til godserne Noer og Grönwohld fra 1780'erne, udført af J.A. Thissen. Syd opad, så Eckernförde Bugt ses nederst. I højre og venstre side ses landsbyerne Krusendorf og Lindhöft med deres mange små marker, mens den midterste halvdel optages af hovedgårdene Noer og Grönwohlds store marker og skove. LAS 402 A 40 Nr. 8. *Foto Landesarchiv Schleswig-Holstein.*

ledes end de danske. I Slesvig og Holsten havde godsejeren ubegrænset råderet over hele jorden og kunne indrette den, som han ville. Det havde godsejerne udnyttet til at gøre hovedgårdenes arealer forholdsvis langt større end i kongeriget. Niendorf hovedgård var på ca. 300 hektar ager og eng, mens Noer var på ca. 350 hektar og Grönwohld ca. 200. De var på størrelse med Moltkes store sjællandske hovedgårde. Det tilhørende fæstegods var imidlertid langt mindre. Mens der til hver af Moltkes sjællandske hovedgårde i gennemsnit hørte over tres gårde, var der under Niendorf sølle ti gårde og syv husmandsbrug med jord, til Noer og Grönwohld kun atten bondegårde og fire husmandsbrug plus i begge tilfælde nogle jordløse huse. Hvor der på de sjællandske, fynske og jyske gårde var fire-seks gange så meget bondejord som herregårdsmark, var forholdet kun 1:1 på de slesvig-holstenske godser. I alt var Niendorf kun på omkring 1.000 hektar i alt, Testorf på ca. 1.700 og Noer-Grönwohld på ca. 2.000. Disse godser var store målt på herregårdsmark, men små målt på samlet areal.

Stort set alle indtægterne kom fra hovedgårdene. Niendorf var i Moltkes tid forpagtet ud for ca. 3.000 rigsdaler om året, mens Noer-Grönwohld i 1768 blev bortforpagtet for godt 6.000 rigsdaler. Bønderne gav stort set ingen landgilde, og skatterne skulle i modsætning til i kongeriget udredes af hovedgårdene. Til gengæld måtte de få bønder på de slesvigske og holstenske godser bære et ekstremt hoveri. Hver bondegård på Noer skulle året igennem seks dage om ugen stille et spand heste med vogn eller plov og fire personer – i høsttiden endda fem personer. Hvert husmandsbrug skulle stille én mand hver dag.

Dette system var meget profitabelt for godsejerne. I 1760'erne gav Noer og Grönwohld næsten lige så store bruttoindtægter som Glorup-Rygaard, skønt dette gods var næsten tre gange så stort, og de to godskomplekser kostede også nogenlunde det samme. Hvad Moltke end mente om dette system, forhindrede lovgivningen ham i at øge andelen af herregårdsmark på sine danske godser til samme niveau. Til gengæld skulle han hente anden inspiration fra disse godser.

FORVALTNINGEN

Skønt hovedgårdene var bortforpagtet, var det en uhyre omfattende opgave at forvalte de vidtstrakte besiddelser. Godsernes antal og Moltkes plads ved hoffet gjorde, at han kun i ringe grad kunne udfylde sin godsejerrolle direkte og personligt. På de jyske godser kom han få gange i alt, og selv på de sjællandske var han fraværende i måneder hvert år. Moltke forvaltede derfor sine godser gennem funktionærer. Nøglepersonen var forvalteren eller inspektøren. Dronninglund, Lindenborg og Glorup-Rygaard blev hver forvaltet som én ejendom af én forvalter. De sjællandske godser var så store, at de normalt var delt i to forvalterdistrikter. Herover fandtes en overinspektør for hele grevskabet. I Hertugdømmerne havde han en lidt skiftende praksis, men i reglen enten forvalter eller inspektør.

En række forvaltere var i Moltkes tjeneste i mange år. Et markant eksempel er Christian Friedrich Roosen, som Moltke ansatte som forvalter for Dronninglund, da han havde overtaget de nordenfjordske besiddelser, og beholdt, så længe han ejede Dronninglund. Hans virke og forholdet til Moltke er velbelyst gennem en velbevaret korrespondance. På Lindenborg sad forvalter Laulund, på Glorup i mange år forvalter Bredahl. På Bregentved var der noget mere udskiftning.

Forvalternes mangesidige opgaver var fastlagt ved en omfattende instruks. De var på Moltkes godser temmelig enslydende, men dog med mindre justeringer efter de lokale forhold. Forvalteren skulle generelt varetage grevens interesser og føre tilsyn med alle ejendomme under det enkelte gods.

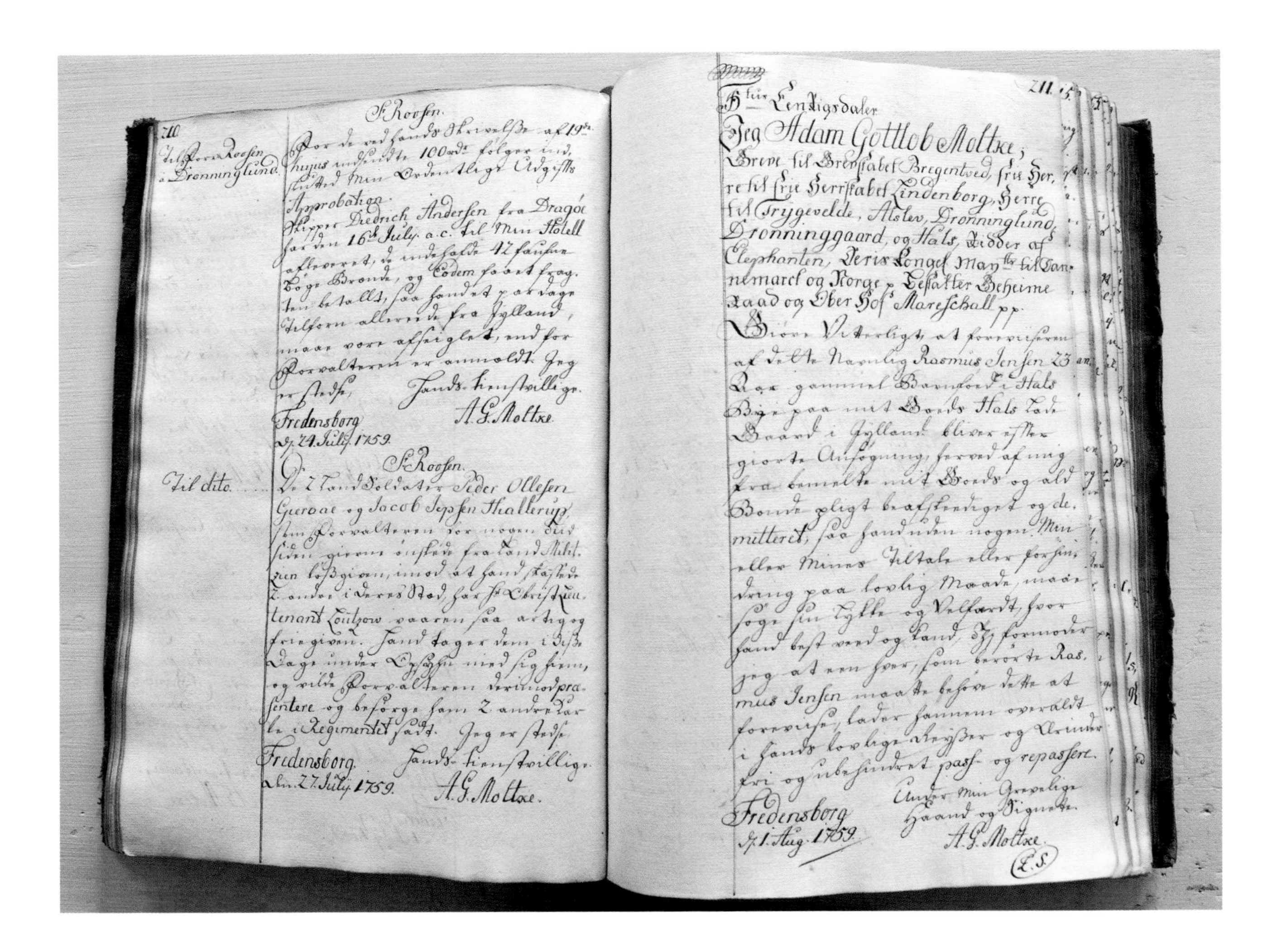

Sider fra kopibog over Moltkes korrespondance med forvalter Roosen, Dronninglund. På disse sider omtales bl.a. levering af brænde fra Dronninglund til palæet, udtagelse af karle til soldat og bortforpagtning af hovedgården. Alle breve er daterede på Fredensborg. *Bregentved godsarkiv. Foto Elizabeth Moltke-Huitfeldt.*

Han skulle holde øje med, at forpagterne af hovedgårdene overholdt kontrakten, og at hovedgårdenes bygninger blev holdt ved lige.

Først og fremmest skulle han dog føre tilsyn med bøndergodset. Han havde ansvar for, at bønderne betalte landgilden til godsejeren til tiden. Han skulle holde øje med, at gårde og huse blev holdt ordentligt ved lige og skorstenene renset, og hvor der ikke var skorsten, skulle han sørge for, at der blev bygget en. Når en gård eller et hus blev ledigt, skulle han sørge for at bortfæste det til "gode, duelige og arbejdsomme personer". Forvalteren skulle også forsvare og "håndhæve" godsets bønder mod alle og enhver, som ville gøre dem uret. Oprindelig havde dette 'forsvar' i høj grad været forstået bogstaveligt, men på Moltkes tid betød det snarere, at forvalteren var de undergivne bønders advokat, hvis de blev anklaget eller antastet af andre.

Dertil kommer de 'offentlige' opgaver. Forvalteren skulle opkræve de kongelige skatter hos bønderne, da staten havde overladt denne besværlige opgave til godsejerne og gjort dem ansvarlige for, at skatten blev betalt. Han skulle også hvert år udarbejde en fortegnelse over det "soldaterpligtige mandskab". Det dækker over, at det også var godsejeren – i praksis forvalteren – der havde afgørende indflydelse på, hvem der skulle være soldat. Dertil var forvalteren på godsejerens vegne politimester på godset, og på Bregentved udøvede inspektøren også amtmandsfunktionen.

Moltkes rolle

Den omfattende delegation af ansvar til forvaltere og inspektører betyder imidlertid ikke, at ejeren selv var uden aktiv rolle i forvaltningen, og da slet ikke, når denne hed A.G. Moltke. Der gik en strøm af breve mellem Moltke og hans forvaltere. Fra Dronninglund modtog Moltke hver måned en oversigt over alle indtægter, afholdte udgifter og forbrugte materialer, en række indstillinger mht. nye fæstemål og en oversigt over vejret dag for dag. Den sidste tjente nok ikke til meget andet end at tilfredsstille Moltkes store videbegærlighed, men de andre blev omhyggelig gennemgået af Moltke og hans sekretær. Helt overvejende var svaret dog blot et "approberet" – godkendt. Meget hyppige var også indstillinger med hensyn til "udvisning" af træ, dvs. tilladelse til, at funktionærer, forpagtere eller bønder måtte fælde bestemte træer til bestemte formål. I alle disse rutinesager sporer man mest Moltkes hånd i selve det forhold, at sagerne så systematisk blev dokumenteret, forelagt til godkendelse og kontrolleret.

I andre sager var Moltke mere aktiv. Når hovedgårde skulle bortforpagtes, gav det anledning til en længere korrespondance om de nærmere vilkår. Da de nordjyske hovedgårde skulle bortforpagtes i 1765, lod Moltke forvalter Roosen vide, at forpagtningen ville blive udbudt i licitation i *Den berlingske Avis*, men hvis den hidtidige forpagter på Dronninggaard, Ingstrup, bød højest, skulle han dog alligevel ikke have forpagtningen, da han var for besværlig og gav Moltke mange ærgelser! Vi ser også Moltke tage mere konkret stilling til konflikter med bønder. Direkte udfarende finder vi Moltke i sager vedrørende hovedbygningernes indretning og modernisering, men også med hensyn til en hel række nye initiativer. På Dronninglund søgte Moltke således at få fremmet både træplantning og fiskeri.

Moltkes deltagelse i forvaltningen af godserne var så omfattende, at han ikke kunne klare den alene. I årene i kongens tjeneste fungerede Moltkes medarbejder i Partikulærkammeret, Esmarch, også som en slags sekretariatschef for Moltke i hans egen godsforvaltning. Esmarch forvaltede endda ligefrem også en 'partikulærkasse' for Moltke! Ellers havde Moltke sekretærer som medarbejdere. De hjalp ham med at gennemgå forvalternes indstillinger og med at skrive Moltkes utallige svarbreve. Men stort og småt passerede ikke desto mindre forbi Moltkes eget skrivebord og årvågne øjne.

Herskab

Som godsejer fik Moltke en betydelig indflydelse på livet for de mange mennesker, der boede i bondegårde og huse under hans godser. For ham var de hans "undersåtter" eller "mine bønder". Udtrykkene siger meget godt, at forholdet var udpræget ulige, men også forpligtende. Moltke havde som godsejer både magt og ansvar.

Den første folketælling i Danmark blev afholdt i 1769, og ifølge den boede der godt 785.000 mennesker i kongeriget. Allerede seksten år før havde A.G. Moltke imidlertid som en anden konge ladet beboerne på sine sjællandske godser skrive i mandtal. Gård for gård og hus for hus registrerede forvalterne mænd, kvinder og børn, og i alt nåede de frem til, at der boede 3.983 mennesker på godserne. Moltke var allerede da herskab for en halv procent af landets befolkning.

Tallet voksede i takt med hans godsimperium. Ifølge et mandtal over Dronninglund fra 1762 var der da ikke færre end 3.311 beboere på de nordenfjordske besiddelser. På gårde og huse under Lindenborg boede der ifølge en beskrivelse fra 1761 i alt 875 personer. Det betyder, at der har boet mere end 8.000 mennesker på Moltkes danske godser omkring 1760. Over de næste år steg det med

På Moltkes godser var der ikke bare mange fæstegårde, men også mange huse, og der kom flere til i hans tid. Det gælder ikke mindst en række huse ved hovedgårdenes skel som dette nord for Turebyholm. *Foto Elizabeth Moltke-Huitfeldt.*

skønsmæssigt 1.500 personer på de fynske godser og 300-500 på Gammelgaard, mens til gengæld de ca. 900 beboere på Lindenborg gled ud. Det betyder, at mere end en procent af de mennesker, der blev talt i 1769, boede på Moltkes godser. Hertil kommer godserne i Hertugdømmerne. Et mandtal fra Testorf opgør antallet af livegne undersåtter til 386. Noer-Grönwohld var lidt større, så godt 400 undersåtter her er et fornuftigt skøn. Det er ikke meget sammenlignet med de danske godser, men det bringer dog det samlede tal op på omkring ti tusinde i årene mellem 1765 og 1772.

TROSKAB OG LYDIGHED

Da Moltke i 1764 overtog godset Noer i Slesvig, fandt et traditionsrigt skuespil sted. Moltkes repræsentant fik overrakt gårdens nøgler, en græstørv fra markerne og en kvist fra skoven som symbol på, at Moltke var den nye ejer. Alle godsets gårdmænd og husmænd var kaldt sammen på Noer, hvor de fik forklaret, at de nu havde ny herre. De blev højtideligt løst fra deres troskabsforpligtelse over for deres hidtidige herskab og pålagt at anerkende Moltke som "godsherre og øvrighed" og at sværge, at de ville være ham "underdanig, tro, huld og lydig" og i det hele taget forholde sig, som det "sømmer og anstår sig for en retskaffen livegen undersåt".

Det er kun ét eksempel på, at man løbende søgte at markere, hvem der var bøndernes herre, og vedligeholde et troskabsforhold gennem rituelle handlinger. Når en karl på Bregentved fæstede en gård, blev der udfærdiget et fæstebrev. Det blev, som vi har set, indledt med at understrege, at gården blev bortfæstet på Moltkes vegne. Videre blev det fastslået, at den nye fæster skulle holde gården ved lige og i god drift og betale landgilde og skatter til tiden. Det blev imidlertid også pointeret, at bonden skulle udføre hoveri på herregården "villigt" og være "det højgrevelige herskab tilbørlig hørig og lydig".

Udsnit af kortet over Noer med en idyllisk fremstilling af en bonde blandt sine husdyr. Det er ikke nogen konkret bonde, men én af de meget få billedlige fremstillinger af Moltkes ti tusinde undersåtter.

At Moltke var "herskab" for alle beboerne på hans mange godser blev også mere løbende markeret. Hver søndag blev der i de mange kirker på godserne, som Moltke havde patronatsret til, bedt ikke alene for kongefamilien, men også for Moltke og hans familie. Da hans første kone døde i 1760, gik der besked til præsterne om, at kirkebønnen skulle ændres, og da Moltke giftede sig igen, blev det meddelt, at der fremover også skulle bedes for Sophia Hedwig Raben.

Troskabsed, fæstebreve og kirkebøn var rammer, Moltke overtog, men han føjede selv nye til, der yderligere skulle befæste forholdet. I 1760 besluttede han at fejre enevældens hundredårsjubilæum med en stor fest på alle sine godser. Moltke eftergav restancerne for de bønder, der skyldte, og han gav alle godsernes fattige et gratis festmåltid. Moltke søgte at vise sig som en god godsejer, som tog sig af de svage og fattige, og viste nåde mod dem, der var i vanskeligheder. Det er imidlertid bemærkelsesværdigt, at lejligheden ikke var privat, men statslig. Moltke søgte således ved denne lejlighed at befæste troskab mod både konge og godsejer på én gang.

De lokale præster spillede en væsentlig rolle i at formidle den herskende orden. De forkyndte eftergivelsen af restancer og bespisningen af de fattige ved gudstjenesten. Ved bespisningen af de fattige i Hals formanede præsten de tilstedeværende: "Kære bordgæster! Lad dette gæstebud i dag den 29. oktober 1760 være Eder en glad og fornøjet opmuntring til med hellig andagt at frygte Gud, med hellig ærefrygt at ære kongen, med underdanige og oprigtige hjerter at lyde og takke det højgrevelige herskab samt inderlig bede, at det højgrevelige herskab med ganske hus og familie må længe leve, nyde og beholde grevelig byrd og ære, indtil de alle skal i de retfærdiges opstandelse få vederlag og sidde til bords med Abraham, Isak og Jakob i Himmeriges rige." Klarere kunne det vanskeligt formidles, at bønderne var undergivet en treenig myndighed af Gud, konge og herremand, og at de skyldte alle tre autoriteter troskab og lydighed. Især er parallellen mellem godsejeren og den enevældige konge sigende. Godsejeren var en enevoldskonge i det små.

LIVEGENSKAB OG STAVNSBÅND

De gentagne bestræbelser på at fremme troskab og lydighed hænger sammen med, at beboernes underordning under Moltke var næsten lige så givet som forholdet til Gud og kongen. De var netop undersåtter, som ikke frit kunne vælge en anden herre. Det gælder ubetinget på de slesvigholstenske godser, hvor der herskede livegenskab, så både mænd og kvinder var bundet til at blive på godsets område på livstid. Det krævede Moltke overholdt. Ganske vist fik bondefogedens søn et fribrev, der udtrykkelig fritog ham for livegenskabet og gav ham ret til at drage, hvorhen han ville, men det var en særlig nåde, som både var en ventil i systemet og samtidig med til at understrege, at hovedreglen var anderledes. Tværtimod gik Moltke så vidt som til at kræve en række personer tilbage, som var født på Noer, men som den forrige ejer havde ladet flytte til sine andre godser. Sælgerne havde nemlig glemt at forbeholde sig disse personer i salgskontrakten, og så kunne Moltke hævde, at de så at sige var en del af godsets inventar.

Helt så ekstremt var forholdet ikke på Moltkes danske godser. Kvinderne kunne i princippet frit rejse, hvorhen de ville, men den mandlige befolkning var stavnsbundne til godset det meste af deres levetid. Også det forlangte Moltke efterlevet. På Dronninglund stod der i instruksen for den såkaldte bojer (en slags opsynsmand), at han skulle holde øje med, at ingen løb bort fra godset. Man var ganske nidkær. I 1775 var Moltke blevet klar over, at en ung mand fra Glorup, som havde været soldat, nu havde fæstet gård i Gentofte under Bernstorff gods. Moltke bad sin forvalter tage stilling til, om de skulle acceptere det – og hvilken økonomisk kompensation, de i givet fald kunne forlange.

Det hændte naturligvis, at folk stak af alligevel, men så søgte Moltkes repræsentanter at opspore dem, og de fik ofte hjælp af andre godsejeres forvaltere. Selv flugt over lange afstande virkede ikke altid. I september 1770 takkede Moltke således baron Knuth på Frederiksdal på Lolland, fordi han havde hjulpet med at fange og tilbagesende en karl, der var stukket af fra Glorup – og Greven overvejede samtidig at rejse sag mod færgemanden, fordi han havde sejlet karlen over bæltet uden lovligt pas! En bondesøn fra Dronninglund valgte ligefrem at flygte over havet i en lille båd. Den blev grebet af stormen, men mirakuløst kom han frelst til den svenske kyst. Selv herfra blev han imidlertid sendt tilbage. I dette tilfælde gjorde hans bedrift og en følelse af, at Gud selv havde holdt hånden over knægten, dog så stort indtryk på Moltke, at han besluttede, at den unge mand skulle have lov til at gå i håndværkerlære. Kanhænde at grevens humør også var påvirket af, at det var juleaften.

Stavnsbåndet gav godsejeren magt til at tvinge folk til at blive ikke bare på egnen, men ved landbruget. På Dronninglund ønskede hjulmand Oluf Knudsen og hans kone, Anne Dorthe Thomasdatter, at deres eneste søn, Gilliam, måtte lære skrædderhåndværket, og Anne Dorthe rejste ligefrem til København for at overrække Moltke et bønskrift herom. Forvalter Roosen var imidlertid imod, for efter hans mening var der på godset rigeligt med skræddere, men for få der ville tjene på gårdene. Han mente, at det skyldtes, at skrædderarbejde var lettere end bondearbejde og dovenskab udbredt i befolkningen. Sagen affødte en lang konflikt, hvor forældrene satte sønnen i skrædderlære alligevel, hvorpå forvalteren lod ham hente med magt og sætte i tjeneste hos en bonde. Forældrene appellerede til Moltke, som imidlertid endte med at bakke sin forvalter op. Det var ikke "nyttigt" med flere skræddere, og så måtte drengen se den vej lukket. Det hører dog med til historien, at Gilliam siden fandt andre udveje og på sine mere modne dage bl.a. levede af at være spillemand. Moltkes og hans forvalters reguleringstrang var omfattende, men i praksis var de trods alt ikke almægtige.

Stavnsbåndet var ikke Moltkes opfindelse, men han levede efter, at det var en realitet. Det var da også vanskeligt for én godsejer alene at gøre anderledes, for det ville let føre til, at de andre godser lokkede de mest driftige karle til sig, mens Moltke ikke tilsvarende kunne tiltrække folk udefra. Heller ikke som politiker gjorde han dog noget for at ændre på stavnsbåndet. Moltkes bestræbelser gik ud på at udfylde sin egen rolle på en god og værdig måde, ikke at ændre den herskende orden.

ØNSKET OM FLITTIGE OG STRÆBSOMME BØNDER

Stavnsbåndet forhindrede folk i at søge lykken uden for godserne, men selv uden det havde godsejeren i princippet magt over det vigtigste erhvervsgrundlag i landet: jorden. Moltke var ganske vist bundet til at bortfæste de mange gårde og huse på sine godser, men det var i princippet hans beslutning, hvem der skulle have dem. I praksis var hans bevægelsesfrihed dog mindre, end man kunne tro.

Alt peger på, at de fleste bønder helst så, at gårdene i praksis var arvelige. På den måde kunne den ældre generation om nødvendigt sikres aftægt, og i det mindste én fra den næste generation sikres adgang til en gård. Noget tyder på, at Moltke også ønskede, at det skulle være sådan. I hvert fald skrev han i 1753 til birkedommeren på Bregentved, at hans mål med at søge at fremme vævning på godset var, at bønderne kunne "ved deres børn tjene rede penge og derved bevare deres gårde for deres børn og afkom". Ikke desto mindre var familiefæste undtagelsen på Bregentved i A.G. Moltkes levetid – som det i øvrigt var tilfældet på de fleste andre sjællandske godser. I årene mellem 1750 og 1769 var det kun ved hvert femte fæsteskifte på den østlige del af Moltkes sjællandske godser (under Juellinge, Tryggevælde og Alslev), at gården med sikkerhed blev i familien. Derefter steg andelen, men den forblev klart under halvdelen frem til 1790.

Det skyldes imidlertid ikke, at Moltke og hans forvaltere konsekvent gav gården til den højestby-

En fæstegård fra landsbyen Pebringe er bevaret på Frilandsmuseet. Dele af bygningerne går tilbage til 1600-tallet, men det meste er fra Moltkes tid. Der er brugt kridtsten mellem bindingsværket nogle steder. *Foto Anker Tiedemann, Frilandsmuseet.*

dende. Kun hver tredje nye fæster betalte overhovedet indfæstning, og det skete snarere, når gården blev i familien, end når en ny mand tog over. Moltke og hans forvaltere kunne altså ikke vælge og vrage mellem attraktive tilbud fra bondekarle med penge på lommen, når en gård skulle overtages. Tværtimod måtte godset i årene 1750-69 hjælpe de fleste nye bønder i gang på én eller anden måde: med tømmer, såsæd eller besætning, og evt. fritagelse for skat og afgifter i en periode – eller det hele på én gang. Da Jens Rasmussen i 1762 fæstede en gård i Værløse, forsynede godset ham med fire plovheste, en ko, seks får, en ny lade og tømmer til reparation af andre bygninger, og han blev lovet skattefrihed det første halve år.

Selv med en sådan starthjælp gik tingene langtfra altid glat. En meget stor del af godsets bønder var i kortere eller længere tid bagud med skatter og afgifter. Moltke var opmærksom på, at der var skabt en ond cirkel. I 1776 skrev han i en indberetning til regeringen om forbedringer på sine godser: "Kvægsygen havde siden 1745 og 49 overmåde forarmet bønderne, betydelige restancer og afgifter betog dem alt håb om en bedre formue ved den største arbejdsomhed". Moltke vurderede altså selv, at byrden af gammel gæld virkede sløvende. Ved fejringen af enevældens hundredårsjubilæum i 1760 valgte Moltke derfor at eftergive de "fattige og gældbundne bønder" deres restancer. Præsterne skulle så opmuntre bønderne til for fremtiden at være "flittige og stræbsomme" og undgå restancer. Moltke håbede, at det ville hjælpe på den måde at give bønderne en frisk start. Han var dog samtidig bekymret for, om dette ville vække misundelse og utilfredsstillelse hos de "gode og duelige" bønder.

En ond cirkel

Forvalter Roosen fra Dronninglund så i 1764 på forholdene på Glorup. Han mente, at bønderne generelt var pålagt for tunge byrder, og han foreslog derfor at lade kornlandgilden afløse af en fast – og ret lav – pengetakst, da "almuen opmuntres derved og får lyst, [hvor]imod de taber modet, når de ser sig overvunden med at betale eller levere en alt for stor landgilde". Han skrev også, at det "er bedre at have velhavende bønder end nogle forarmede stakler," og i det lange løb ville pengene komme ind igen i form af højere indfæstning ved generationsskifte. Her talte Roosen af erfaring. På Dronninglund, hvor den samlede byrde af skat, landgilde og hoveri utvivlsomt var lavere end på de sjællandske godser, var bønderne sjældent i restance, og der blev normalt betalt pæne indfæstninger ved fæsterskifte. På Glorup blev der faktisk bevilget nogle landgildenedsættelser, og her blev tingene også bedre efter 1770.

Landgilden var dog den mindste byrde. Af de to andre og tungere kunne godsejeren ikke gøre noget ved skatterne, og at røre ved hoveriet kom aldrig reelt på tale i Moltkes tid. Situationen forblev utilfredsstillende på de sjællandske godser. Restancerne forblev ganske vist små gennem 1760'erne, men derpå steg de atter dramatisk i 1770'erne. Det var ganske normalt for sjællandske godser, hvor der var skabt en ond cirkel, formentlig på grund af et højt skatte- og hoveritryk. Den cirkel fik Moltke ikke afgørende brudt.

Bønder, der ikke betalte det, de skulle, kunne sættes ud fra gårdene, men det var altid en afvejning. Da Moltke overtog Noer, fik han forvalte-

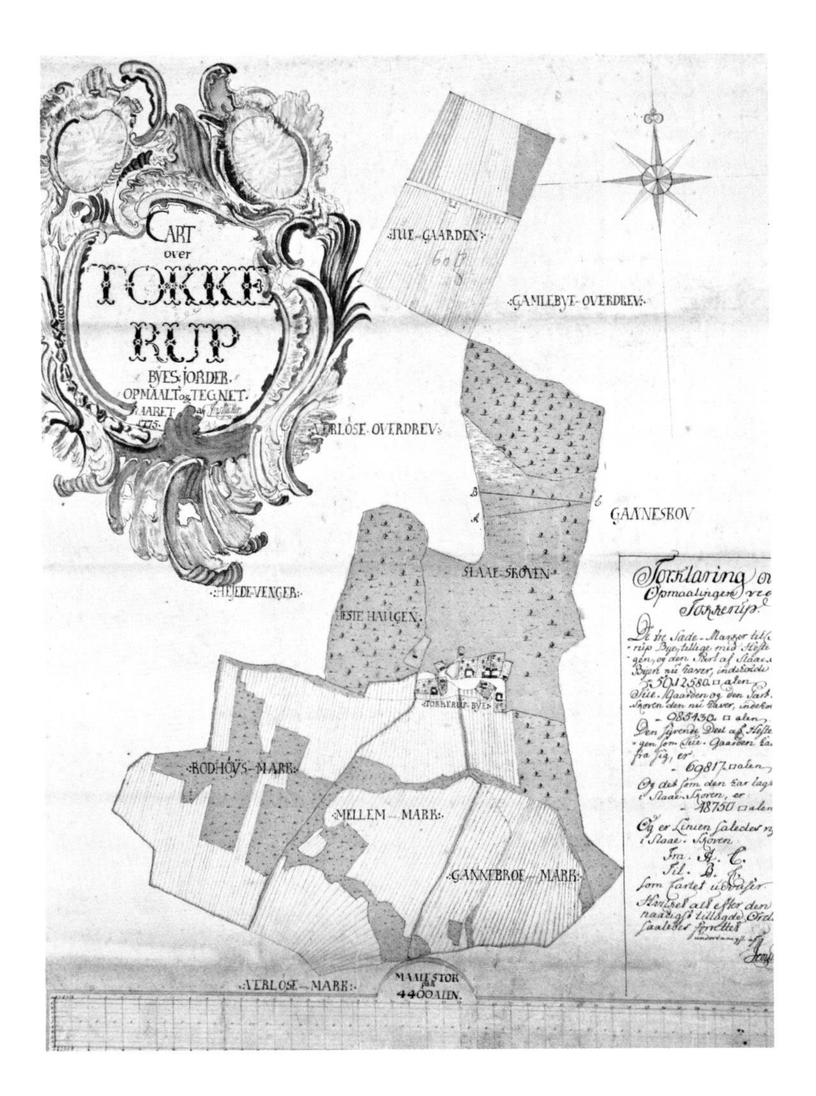

Kort over landsbyen Tokkerup under Alslev gods, udført af J. Müller 1775. Gårdene ligger tæt sammen, og markerne er delt i de klassiske tre vange med spredte eng- og græsarealer. Mod nord er der åben græsningsskov. Sådan var landskabet før Moltkes reformer. *Bregentved godsarkiv. Foto Elizabeth Moltke-Huitfeldt.*

ren til at lave en uddybende beskrivelse af godsets tilstand. Han noterede om to gårdmænd i Krusendorf, at de havde brug for bistand fra herskabet, mens to i Lindhöft var i så "ringe tilstand", at Moltke måtte beslutte, om de skulle blive på gårdene eller andre indsættes. Resultatet kendes ikke. Derimod ved vi, at hvert tredje fæsteforhold på

Juellinge, Tryggevælde og Alslev i årene 1750-69 blev afsluttet med, at bonden blev sat fra gården på grund af restancer og lignende. Tallet faldt til 20-25 procent i Moltkes senere år, men er stadig en høj andel – typisk for Sjælland, men langt over jysk og fynsk niveau. Omvendt viser restancernes fortsatte vækst, at man ikke satte enhver bonde ud, som skyldte. Tværtimod var det ganske normalt for godset at låne bønderne sædekorn, som dog skulle betales tilbage med rente efter høst. Til gengæld fik forvalterne besked på at besøge de "uformuende" bønder og holde øje med, at de ikke "forødte" noget.

Når Moltke ikke uden videre satte forgældede bønder ud, hænger det sammen med, at det var svært at få fat på andre, som drev gårdene bedre. Da forvalter Roosen inspicerede Glorup i 1764, bemærkede han, at den første forudsætning for at få godserne i bedre drift var "gode beboere og med dem god omgang, såfremt godset kan tilvejebringe mandskabet". Kort sagt burde en del bønder egentlig skiftes ud, men det var ikke sikkert, at man kunne finde mere driftige karle på godsets område. Praksis bekræftede ofte denne tvivl. I 1752 overtog Niels Jacobsen sin fars gård i Frøslev under Juellinge, men allerede to år senere måtte han gå fra den. Da var gården kørt så meget ned, at godset måtte hjælpe den nye bonde med heste, tømmer mv. Han klarede sig tolv år, men måtte så afstå gården på grund af "fattigdom". Igen måtte godset hjælpe en ny bonde i gang med korn og heste. Han holdt fjorten år – og så gentog historien sig.

SOCIALT ANSVAR OG SOCIAL STYRING

Moltkes langmodighed over for bønder, der ikke betalte afgift til tiden, var dog også påvirket af, at godsejeren blev anset for at have et vist socialt ansvar for sine "undersåtter". Ligesom bønderne var bundet til deres godsejer, var han bundet til dem. Han kunne godt afsætte en gårdmand i restance, men manden forblev hans undersåt og beboer på hans godser.

I Hertugdømmerne var godsejeren ansvarlig for undersåtternes "conservation", og det dækker bl.a. over, at godset trådte til, når folk var i nød. Regnskaberne fra Noer vidner om, at der jævnligt blev uddelt korn og penge til et antal beboere på godset. Moltkes befuldmægtigede, Detlev Reventlow, mente dog i 1768, at godsinspektør og opsynsmand var gået for vidt og derved kun opmuntrede bønderne til dovenskab. Det synes Moltke i nogen grad at have tilsluttet sig, for i en instruks til regnskabsføreren på Noer hedder det: "Så meget conservationen af godsets undersåtter end ligger mig på sinde, er det nødvendigt, at der handles efter den i hertugdømmerne Slesvig-Holsten sædvanlige måde, og det påhviler ham at holde flittigt øje med hver undersåts økonomi".

Derimod havde Moltke forståelse for, at gamle mennesker skulle sikres forsørgelse. Traditionelt skete det ved, at de kom på aftægt hos den nye fæster. I årene 1750-69 var det dog kun ved hvert femte fæsteskifte på Juellinge, Tryggevælde og Alslev, at der blev aftalt aftægt til den gamle fæster eller hans enke – og det gjaldt aldrig, når fæsteren blev sat ud på grund af restancer. I årene derefter blev der bevilget aftægt i op mod hvert tredje tilfælde, men det er stadig langt ringere end på fynske Glorup, hvor andelen af fæsteskifter med aftægt steg fra knap halvdelen til over to tredjedele. Moltke påtog sig til gengæld et ansvar på en anden måde. I 1762 fejrede han afværgelsen af krigen mod Rusland ved at stifte et legat til fordel for beboerne på de sjællandske godser. Igen ser vi den tro kongetjener Moltke benytte en statslig begivenhed til en større markering af sig selv som omsorgsfuldt godsherskab og kongens forlængede arm. Legatet var på 600 rigsdaler om året svarende til en kapital på 15.000 eller ca. en femtedel

Hovedbygningen på det tidligere baroni Juellinge var opført i slutningen af 1600-tallet af baron Jens Juel. Juellinge var udset til enkesæde, men blev i Moltkes tid bl.a. brugt som bolig for sønnen Magnus. *Foto Elizabeth Moltke-Huitfeldt.*

af værdien af godser som Glorup eller Niendorf, så det var ikke nogen tom markering. Det havde mange formål, men blandt andet skulle tolv portioner a femten rigsdaler – et ganske pænt beløb – tildeles "særdeles stræbsomme, flittige og skikkelige " gamle gårdmænd, som i 25 år havde drevet deres gårde og holdt deres "avling i god stand", ikke havde pådraget sig restancer og i øvrigt levet et "fredeligt, ædrueligt og kristeligt" levned, men nu på grund af alder og skrøbelighed havde måttet afstå gårdene til fremmede og ikke kunne klare sig uden fremmed hjælp. Hertil kom portioner til seks enker. Hermed indførte Moltke en slags pensionsordning for et antal veltjente bønder. Nøgternt set var der dog ikke mange, som kunne leve op til alle krav. Hvor meget Moltke i de kommende år også lod legatet dryppe på folk, hvis økonomi og levned havde været knap så mønstergyldigt, er uklart, men det ville ikke være unormalt for tiden – og Moltke – at være mere lemfældig i praksis end i teorien.

Derimod gik Moltke imod én af bondesamfundets traditionelle former for social sikring. Hvis en bondekone blev enke, før hendes børn var gamle nok til at tage over, var det almindeligt, at hun giftede sig med en yngre mand, som samtidig fik lov til at overtage fæstet efter den afdøde. I

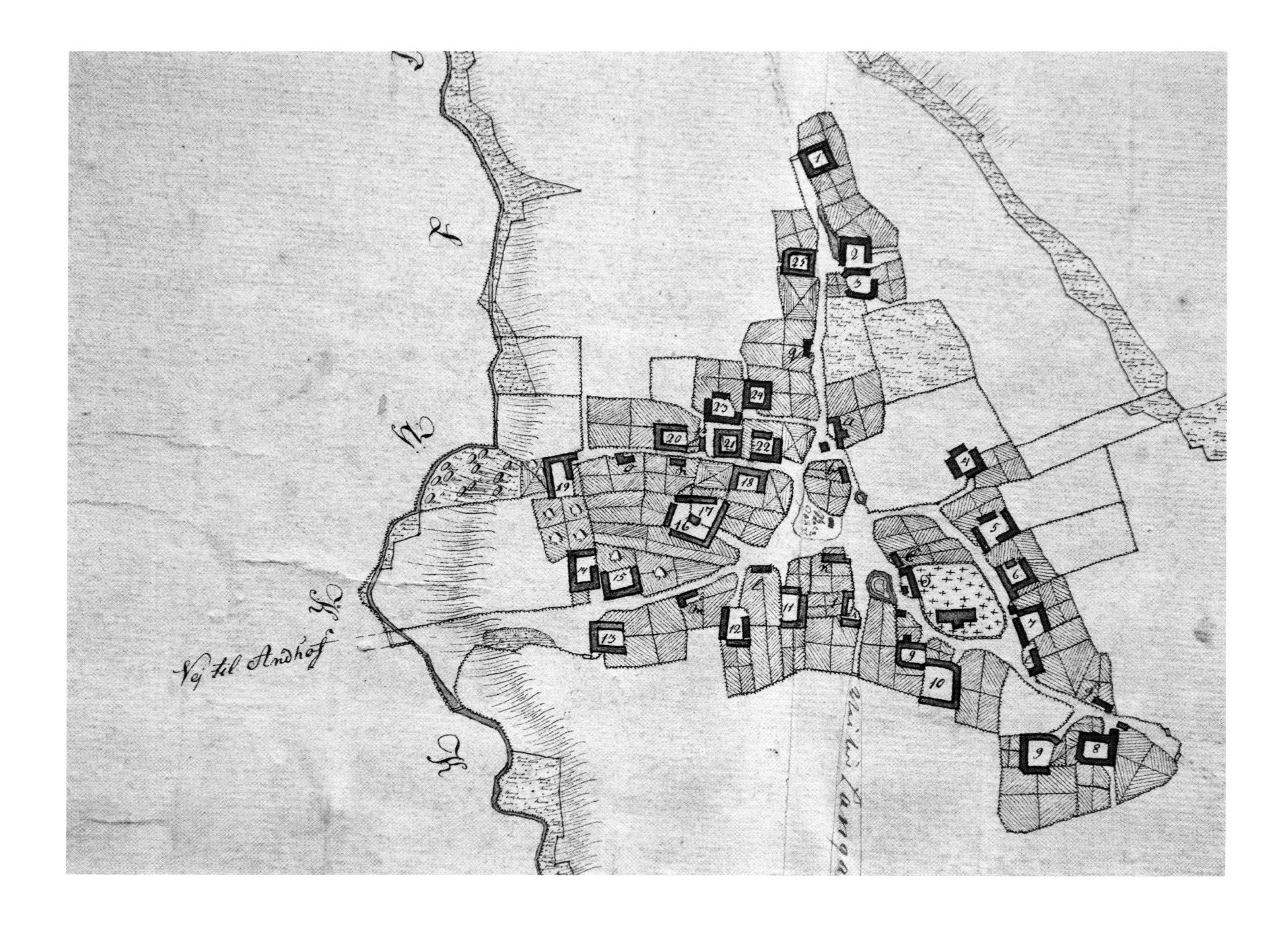

Udsnit af kort over landsbyen Øksendrup ved Glorup. Man ser de mange firelængede gårde og mindre huse samlet i en stor landsby. *Foto Elizabeth Moltke-Huitfeldt.*

1755 skrev Moltke til sine forvaltere, at når enken var over fyrre år, betød det almindeligvis, at "den af Gud selv intenderede ægteskabs hovedhensigt, nemlig børnenes forplantelse, ynkelig og uforsvarlig tabes", og han søgte derfor at sætte en stopper for denne praksis, også fordi ægteskaber mellem jævnaldrende efter hans mening var de lykkeligste. Han gentog princippet flere gange og fremhævede det ligefrem i 1776 i en indberetning til regeringen som en af de forbedringer, han havde indført på Bregentved.

Indgrebet udsprang af en i tiden almindelig udbredt forestilling om, at det af hensyn til den økonomiske vækst gjaldt om at øge folkemængden, men er også et markant eksempel på Moltkes følelse af, at han havde ret til at regulere snart sagt hvad som helst. Det var dog meget svært at gennemføre i praksis. Uanset Moltkes principielle betragtninger om ægteskabets hellige formål og fordelene ved, at en karl fik en jævnaldrende kone, ønskede disse enker den tryghed og position, der lå i at have både gård og mand, og der var stadig karle, der var villige til at gifte sig med en noget ældre kone, hvis hun sad på en god og gældfri gård. På Juellinge, Tryggevælde og Alslev bestod en tredjedel af de kendte familieovertagelser i, at enkens nye mand tog over. Nu var ikke alle disse enker over fyrre, men selv når de var, måtte Moltke ofte bøje sig. I 1760 måtte han lade en 52-årig enke på Bregentved få lov til at gifte sig med en yngre karl, da hun ikke havde børn af første ægteskab og ikke skyldte godset noget. På Dronninglund ville en 44-årig enke giftes med en 36-årig mand. Forvalter Roosen havde pligtskyldigst sat sig imod det, men omvendt kunne han ikke sætte enken fra gården, da hun ikke skyldte noget, så han bad Moltke overveje sagen igen. Moltke befalede da, at forvalteren skulle bede præsten få sin kone til at søge at overtale enken – men hvis heller ikke det lykkedes, måtte hun få lov til at gifte sig, når hun nu absolut ville.

MORAL- OG SUNDHEDSPOLITIK

Blandingen af omsorg og regulering går igen i mange andre sider af Moltkes godsejervirke. Et centralt mål for ham var at fremme et moralsk levned på sine godser. Det fremgår af indledningen til de instrukser, han gav sin forvaltere. Det hedder der:

> "Men da al velsignelse kommer af Gud og erholdes ved Guds-frygt, så må han for alting selv føre et kristeligt levned og foregå gamle og unge på godserne med et godt eksempel, formane såvel mine ved godserne værende betjente, som bønder og menige almue, at de flittigt søger kirken og Guds hus og ungdommen, at de uden forsømmelse søger de fra godserne indrettede skoler."

Samme holdning fremgår af det legat, han stiftede i 1762 som tak for, at den truende krig med Rusland var afværget. Moltke motiverede legatet med, at Guds velgerninger havde fået ham til at søge at gøre vel mod sin næste og "af alle slags velgerninger udsøge de allerbedste og bestandigste, at deres virkning endog i følgende tid kan strække sig til manges gavn og velfærd, allernæst iblandt bondestanden på mit lensgrevskab Bregentved såvel som mine allodialgodser Tryggevælde og Alslev". Legatet skulle forbedre bøndernes "sind og samvittighed". Derfor skulle der gives en præmie til den skoleholder, der underviste ungdommen med størst flid og troskab, og der skulle uddeles "gudelige bøger," dels som "lærevilligheds opmuntring" til nogle unge, dels som en "kærlighedsgave" til gamle, der elskede Guds ord. En større del af legatet var dog afsat til ansættelse af en kirurg og en jordemoder af hensyn til bøndernes "legemlige sundhed", og der var også midler til fri medicin til de dårligst stillede. Kirurg og jordemoder skulle begge leve et gudfrygtigt liv og på den måde være et godt eksempel.

Fremhævelse af gudfrygtighed og legemlig sundhed var den positive side af opdragelsen af befolkningen. Forvalterne blev imidlertid også pålagt at bekæmpe "drik og fylderi," som Moltke så som roden til meget ondt i bondesamfundet. Og det var i hvert fald nogle af forvalterne enige i. I en lang indberetning om, hvordan de fynske godser kunne forbedres, skrev forvalter Roosen fra Dronninglund bl.a, at: "... det var en fornøden sag, at alle kipperkroer (smugkroer) blev afskaffet".

Det kan derfor ikke undre, at Moltke i 1753 afviste en ansøgning om tilladelse til at holde kro ved Bregentved, da det kunne føre til, at folk tværtimod blev forført til "drik, dobbel (hasardspil) og vidtløftighed". Han skiftede dog mening i 1767, men søgte at sikre, at værtshuset kun måtte være for hovedgårdens ansatte og for tilrejsende, men ikke de lokale bønder. Det lykkedes nu ikke i praksis. I 1777 skrev han: "Jeg havde forestillet mig, at på det sted, hvor jeg opholder mig, skulle enhver følge og beflitte sig på gode sæder og en sand gudsfrygt og ej give anledning til udyd og liderlighed. Heraf kan sluttes, hvor nær det går mig, at mange dage og nætter tilbringes i det nær ved gården værende værtshus med spil og fylderi." Kromanden fik en formaning – men lukket blev værtshuset ikke.

Helt i Moltkes ånd fik hans forvaltere rutinemæssigt besked på at sikre, at bønderne ikke drak deres "græsgæld og pantepenge" op, men i stedet købte nyttige ting til landsbyens behov, f.eks. brandsprøjter. Hermed søgte greven at gøre op med intet mindre end landsbyfællesskabets dybt rodfæstede tradition for, at alle overtrædelser af fælles regler blev betalt med en tønde øl, som man så delte ved de lokale gilder. Det var ganske vist forbudt ved lov for længst, men Moltkes behov for at udstede nye påbud viser, at det ikke havde virket. Det gjorde Moltkes påbud næppe heller. Så var det mere i overensstemmelse med traditionen, at Moltke videreudbyggede landsbyfællesskabets gamle regler om nabohjælp til dem, der blev ramt af brand, ved at oprette en egentlig brandforsikring, et "brand-gilde" for godsets bønder.

"STRENGHED GØR DET IKKE ALLE TIDER ..."

Noget åbent oprør mod Moltkes position finder vi ikke, men konflikter var der, og når Moltkes regler blev overtrådt, havde han et større repertoire af magtmidler til sin rådighed. Ikke mindst gav hoveriet anledning til konflikter, når bønder ikke uden videre gjorde, som forpagtere eller fogeder befalede. Moltke fastsatte i forpagtningskontrakterne, at forpagterne ikke selv måtte straffe, men skulle henvende sig til forvalterne, som så ville gøre det. På den måde søgte Moltke at bevare hånd i hanke med, hvordan bønderne blev behandlet. Som en slags ledetråd skrev han ved en lejlighed: "Strenghed gør det ikke alle tider, men middelvejen vinder bedst kærligheden".

Voldelige sammenstød mellem bønder og karle på den ene side og fogeder og forvaltere på den anden forekom ikke sjældent. De udsprang ofte af, at bønder og karle nægtede at udføre ordrer, og at fogeder og forvaltere så greb til fysisk magt. I et vist omfang var det en del af samfundets orden, at den overordnede slog på den underordnede, men nogle gange endte sådanne sager for retten eller på Moltkes skrivebord.

Moltke var generelt meget lidt begejstret for voldsanvendelse. På Dronninglund havde både den såkaldte udrider og forvalter Roosen selv slået bonden Anders Rasmussen, der nægtede at udføre et hovarbejde med henvisning til, at det ikke var hans tur. Anders Rasmussen og hans kone klagede til Moltke og påstod, at han var udsat for voldsom og urimelig mishandling, mens Roosen hævdede, at volden havde været moderat og skyldtes, at bonden var opsætsig og med magt havde modsat sig, at udrideren havde villet pante ham. Moltke bakkede godt nok sin forvalter op, men skrev også til ham: "Da jeg holder mig forsikret om, at han for sin egen sikkerheds og roligheds skyld ej overiler sig med hug og slag på enten dovne eller liderlige karle, men som jeg på mine sjællandske godser har indført straks lade de modvillige for ulydighed tiltale, dømme og straffe ved retten til hårdere følelser, end noget rap gør godt for."

Moltke var heller ikke tilfreds med, at forvalter Selchov på Turebyholm havde givet to bondekarle nogle rap med pisken for opsætsighed. I stedet skulle Selchov meddele den ene, Lars Andersen, at han enten skulle straffes efter loven, overtage den gård, forvalteren ville have ham til, eller blive udtaget til soldat i seks til tolv år. Moltke var nok mod vold, men han havde til gengæld ikke noget imod at spille på hele det klaviatur af magtbeføjelser, en godsejer i øvrigt rådede over. Han repræsenterer således ikke ligefrem en moderne regelstyret opfattelse af, hvordan folk skal behandles.

Moltkes modstand mod vold var heller ikke helt ubetinget. Det er andet end kunstnerisk frihed, at en blandt meget få samtidige afbildninger af en træhest er fra Dronninglund i Moltkes tid. Der var faktisk træheste på hans godser. På Bregentved fastslog Moltke, at hoveriforsømmelse både første og anden gang skulle straffes med bøder, som var det middel, han generelt foretrak, men tredje gang skulle det straffes med træhesten. Det var dog mest ment som en trussel, og da hans forvalter i 1751 ville tage den i anvendelse, gik Moltke imod, da "det er et middel, som gør mere ondt end godt". Mindst én gang kom træhesten dog i brug. I 1764 fik forvalter Roosen tilladelse til at lade en

Stik af "Dronninglund at se fra den nordre side" af Johan Jacob Bruun fra Frederik V's Atlas, 1754. Bemærk træhesten, som kigger frem bag bygningen i forgrunden. *Foto Det Kongelige Bibliotek.*

krybskytte ride træhesten på Dronninglund, da han intet ejede og derfor ikke kunne straffes med bøder. Måske spiller det også en rolle, at krybskytten ikke var en af Moltkes egne undersåtter, men en fremmed.

Over for skovtyveri og lejermål (sex uden for ægteskab) havde Moltke direkte ret til at nedsætte de bøder, loven fastsatte. Typisk foretrak Moltke at sætte overtrædere til nyttigt arbejde, så piger, som var skyldige i lejermål, blev sat til at arbejde i hans manufakturfabrik, eller bønder, der blev dømt for skovtyveri, kom til at grave grøfter.

"JEG ELSKER MINE BØNDER"

I 1753 gik der rygter blandt bønderne på Bregentved om, at Moltke ville sende nogle drenge fra de sjællandske godser til Grønland, og Moltke skrev da indigneret til sin birkedommer: "Jeg elsker mine bønder, deres børn og underhavende alt for meget til, at jeg skulle falde til så urimelige principia". Episoden er sigende for Moltkes forhold til bønderne. For ham var beboerne på hans utallige godser "mine bønder", som han både havde magt over og ansvar for. Han forvaltede sin magt og sit ansvar med stor ildhu og et stærkt ønske om at regulere, men efter egen opfattelse var han styret af kærlighed til sine bønder. Han så på dem som en fader på sine børn eller en enevoldskonge på sine undersåtter. Langt hen ad vejen synes bønderne at have accepteret denne orden. De appellerede til Moltke, når de var i nød eller følte sig dårligt behandlet, og de accepterede stort set de rituelle markeringer af forholdet. Det betyder imidlertid ikke, at Moltke var almægtig. Bondestanden rummede mange opfattelser og interesser, som gik på tværs af Moltkes bestræbelser, og de levede langtfra altid op til hans fromme ønsker. Det kunne han imidlertid også bære over med. For de var og blev jo "mine bønder".

Reformatoren

Både de gentagne problemer med restancer og bondegårde i dårlig drift og det generelt lave afkast af dansk landbrug gjorde det naturligt at prøve at gøre tingene bedre. I 1757 opfordrede A.G. Moltke Kongen til at nedsætte en kommission til at komme med forslag til forbedringer i "landvæsenet". Forslaget blev fulgt, og Greven indtrådte selv i kommissionen. Det opfattes normalt som startskuddet til det, man samlet kalder "landboreformerne", og som medførte en omfattende omformning i det danske landbosamfund, delvis styret gennem lovgivning, delvis i form af forandringer, godsejere og bønder foretog ude i landet. Moltke var med begge steder.

Mens statsmanden Moltke gav startskuddet til den politiske proces, satte godsejeren Moltke gang i en praktisk omlægning på sine sjællandske godser. Det mindede han selv sam- og eftertiden om. I april 1776 overrakte han den daværende formelle leder af landets regering, Arveprins Frederik, en beretning, han havde forfattet "… angående adskillige indretninger til agerdyrkningens forbedrelse på grevskabet Bregentved og på allodial-godserne Tryggevælde og Alslev". Hvis han håbede af denne grund atter at blive inddraget i magtens og hoffets indercirkler, blev han skuffet. Derimod har skriftet været med til at sikre, at hans indsats for omstillingen af dansk landbrug i anden halvdel af 1700-tallet er blevet husket.

VÆVESKOLE

Moltkes reforminitiativer var led i en større bestræbelse på at skabe økonomisk vækst i samfundet, som ikke begrænsede sig til landbruget, ja, tværtimod fokuserede den først på stort set alle andre erhverv. Mest succes havde man med kompagnier og handel på Asien og Vestindien, som Moltke engagerede sig i både privatøkonomisk og politisk, men de oversøiske engagementer var uden forbindelse til hans godser.

Mange steder på landet i Europa var tekstilfremstilling et meget vigtigt erhverv. Danmark klarede sig ikke særlig godt, men strømperne fra Hammerum Herred og kniplingerne fra det vestlige Sønderjylland var dog succesrige produktioner. Nogle steder blev der også vævet lærred i ret stor stil – blandt andet på Dronninglund, hvor der ifølge en indberetning til Moltke var over 300 væve i gang. Moltke havde et godt øje til de driftige jyder. Da han i 1758 tilrettelagde en dannelsesrejse for sønnen Friderich Ludwig og hans mentor, dr. Peder Holm, skulle de rejse over Dronninglund, Herning og Schackenborg og undervejs opleve både strømpestrikning og knipleri. Sønnen forfattede en afhandling om "Det fordelagtige manufaktur af strømper, vanter og nattrøjer i Hammerum Herred."

Interessen hænger sammen med, at Moltke var midt i en indsats for at fremme tekstilfremstilling også på Sjælland. Allerede i 1753 havde han sendt skemaer til forvalterne på de sjællandske godser, som gård for gård og hus for hus skulle undersøge, hvad der var af beboere, og hvor mange som kunne spinde, binde (dvs. strikke) bondevanter og uldstrømper eller væve vadmel og lærred. Man nåede frem til, at næsten 1.200 personer kunne spinde og strikke, mens kun godt firs personer angiveligt kunne væve. Det at spinde og strikke hørte med til en normal bondekvindes kunnen, men et egentligt tekstilerhverv var langt mindre udviklet end på de nordjyske godser.

Spindeskolen i Haslev fra 1782. *Foto Elizabeth Moltke-Huitfeldt.*

Dette ikke særligt imponerende resultat blev for Moltke kun en grund mere til at gøre noget. I 1753 indgik han en aftale med madam Dannenberg, som havde drevet en manufakturfabrik på Frederiksberg. Hun fik bolig på Arnøjegård i grevskabets østligste del, hvor hun skulle lede en 'fabrik', hvor man vævede klæde. Samtidig købte Moltke Tryggevælde Mølle, for at den kunne indrettes til valkemølle, der videreforarbejdede uldstofferne.

Seks drenge fra godset blev sendt til fru Dannenberg for at blive oplært, men blandt bønderne bredte sig det rygte, at drengene skulle til udlandet. Moltke bad sin birkedommer "fratage bønderne disse urimeligheder, der er indprentet dem af vanartede og ugudelige mennesker". Han understregede videre, at formålet alene var at opnå, at bønderne "ved deres flid og stræbsomhed kan komme på fode, ved deres børn tjene rede penge og derved bevare deres gårde for deres børn og afkom".

Der er grund til at tage denne erklærede idealisme alvorligt. Moltkes egen udsigt til at tjene på projektet var begrænset bortset fra den indirekte effekt af, at mere velstående bønder ville kunne svare enhver – og især greven – sit.

De seks drenge var kun en begyndelse. Som det næste lod Moltke syv piger sende til Arnøje for at lære at væve, og han indførte, at de bondepiger, der blev dømt for lejermål – dvs. sex uden for ægteskab – skulle have den sædvanlige bødestraf erstattet med arbejde på fabrikken. I maj 1753 var der i hvert fald på papiret hele 71 personer i gang på fabrikken og valkemøllen. Madam Dannenberg forlod dog Arnøje allerede i 1756. Da var i alt 22 unge mennesker udlært. En ny 'fabrikant' trådte til, som efter jysk forbillede slog sig på huer. Trods Moltkes faderlige blanding af opmuntring og tvang blev projektet dog ikke nogen stor succes i længden. Moltke overvandt tilsyneladende ikke rigtigt bondebefolkningens modvilje, og fabrikken havde som andre i Danmark svært ved at klare sig i den internationale konkurrence. Initiativet endte i 1777, da valkemøllen indstillede sin virksomhed.

Endda havde Moltke ikke givet op. I 1770'erne havde føromtalte Niels Ryberg med et vist held indrettet spindeskole og tekstilfabrik på sit gods Øbjerggård nord for Vordingborg, og Moltke mente nu, at dette måtte kunne kopieres på Bregentved. I 1782 bevilgede han 400 rigsdaler til opførelse af en spindeskole i Haslev. I november skrev Moltke: "Det er mig meget kært, at både de unge og de gamle i Haslev by nu allerede indser nytten af denne indretning, da de dog først derom havde vrange begreb og anså skolen næsten for et tugthus". Igen synes der at have været modstrid mellem Grevens og bondebefolkningens opfattelse af, hvad der var til folks nytte. Moltke bevarede ikke desto mindre sin tro på sagen. I 1789 fremhævede han i et tillæg til sin indberetning til Arveprinsen spindeskolen som ét af de initiativer, han havde gjort til bondestandens fremme. Alt tyder dog på, at Moltke var overoptimistisk. Da Joachim Godske Moltke overtog godset, lukkede han skolen med henvisning til, at målet med den aldrig var nået.

MINEDRIFT

Moltke så også med slet skjult misundelse, hvilken gevinst andre lande havde af minedrift, og han bad ved flere lejligheder sine forvaltere undersøge, om ikke der kunne gemme sig noget værdifuldt i godsjorden. På et tidspunkt mente han, at der kunne være kul i jorden under de jyske godser, da de lå på samme breddegrad som de skotske kulfelter, og da Friderich Ludwig blev sendt på sin danske dannelsesrejse, skulle han og hans mentor undersøge alt om mineraler og undergrund, særligt på Dronninglund. Det konkrete udbytte begrænsede sig dog til, at Moltke fik indrettet et teglværk på sine nordenfjordske godser.

A.G. Moltke lod to nye lader opføre på Turebyholm, i hvert fald den ene angiveligt efter tegning af Eigtved. Som byggemateriale blev delvis brugt kalksten. *Foto Elizabeth Moltke-Huitfeldt.*

Lidt større resultater gav udnyttelsen af kalk fra de sjællandske godser. Kridtbruddene ved Fakse var kendt i forvejen, og i 1755 iværksatte Moltke en række boringer efter kridt i den sydøstlige del af sine godser under ledelse af hofstenhugger Jacob Fortling. Man fandt lovende forekomster ved Værløse, godsets sydøstligste landsby. Her byggede man en kalkovn, og samtidig blev sten brudt på stedet anvendt direkte som byggemateriale på flere af Moltkes hovedgårde. Værløsebruddets forekomster var dog begrænsede, og i 1759 og 1761 købte Moltke i stedet arealer ved Fakse lidt længere mod syd. Kvadersten fra Fakse blev brugt til Moltkes gravkapel i Karise og mere uregelmæssige sten til stenmure på hovedgårdene. Senere blev kalksten også anvendt som fyld i bindingsværk på bondegårde under godset. Ene af Moltkes initiativer for at udvide erhvervsgrundlaget på godserne overlevede udnyttelsen af kalken fra Fakse ham selv.

HEDE- OG MOSEOPDYRKNING

Moltke måtte som andre indstille sig på, at den virkelige skat i Danmarks jord var jorden selv. Også set på den måde mente han imidlertid, at der var mere at hente. Endnu midt i 1700-tallet var langt under halvdelen af Danmarks jord under plov, mens meget store arealer kun blev udnyttet til ekstensiv græsning. Her faldt de jyske heder særligt i øjnene. I 1754 lod regeringen et forsøgslandbrug etablere på Alheden ved Karup. Allerede i 1756 sendte Moltke forvalter Roosen fra Dronninglund ned for at inspicere det og komme med forslag til, hvordan man kunne gå videre med at kolonisere hederne. Roosen mente, at man skulle få fat i lokale, som frivilligt ville påtage sig den vanskelige opgave, "thi med fremmede udlændinge bliver næppe meget at udrette. De ved ej landets brug og nytte". Ikke desto mindre blev enden på sagen, at man i 1759 indbød 265 tyske familier med løfter om jord og skattefrihed. Det er begyndelsen til kartoffeltyskernes historie.

Da var Moltke og Roosen imidlertid allerede gået i gang på Stagsted Hede sydvest for Dronninglund, og her satsede Roosen på de lokale kræfter. I november 1756 fik den første nybygger, Niels Kjeldsen, fæstebrev på et kolonisted. Ud over jorden blev han tildelt bygningstømmer og lovet to års afgiftsfrihed. Gennem de følgende år voksede en lille nybyggerkoloni frem. År for år indberettede Roosen omhyggeligt til sin grevelige arbejdsgiver, hvordan det gik. I 1760 var der ti kolonister, i 1762 tolv, og i 1765 var man nået op på seksten. Samme år gav Greven den lille bebyggelse navnet Rosenby – som én af de meget få bebyggelser i landet, der er blevet opkaldt efter en forvalter! Rosenby forblev dog en beskeden koloni. I 1762 indberettede Roosen, at de tolv kolonister hver havde sået mellem ½ og 1 ¼ tønde rug – i alt 13 ¼ tønde. Hverken nationaløkonomisk eller for Dronninglund gods' økonomi betød disse småbrug og deres beskedne avl og afgifter ret meget.

Hedeopdyrkningen ved Dronninglund blegnede dog helt ved siden af Moltkes mest ambitiøse forsøg på at bringe udyrket jord under plov. I 1759 skænkede Kongen ham Lille Vildmose. Ved den anledning blev det anslået, at mosens ca. 5.500 hektar ville kunne forvandles til over 1.000 tønder hartkorn agerjord, men som begunstigelse skulle Moltke være skattefri i ti år og derefter betale skat af 290 tønder hartkorn. Tallene var udtryk for en utrolig optimisme, som ville have krævet, at stort set hele mosen lod sig forvandle til frugtbar agerjord og eng. Moltke lod i 1760 en sagkyndig undersøge mulighederne. Han nåede frem til, at man kunne tørlægge søerne i mosen. En lille gruppe mænd gik i gang med at grave en kanal, og i løbet af 1761 blev to søer faktisk tørlagt. Længere var man ikke kommet, da Moltke i 1762 sammen med Lindenborg afhændede mo-

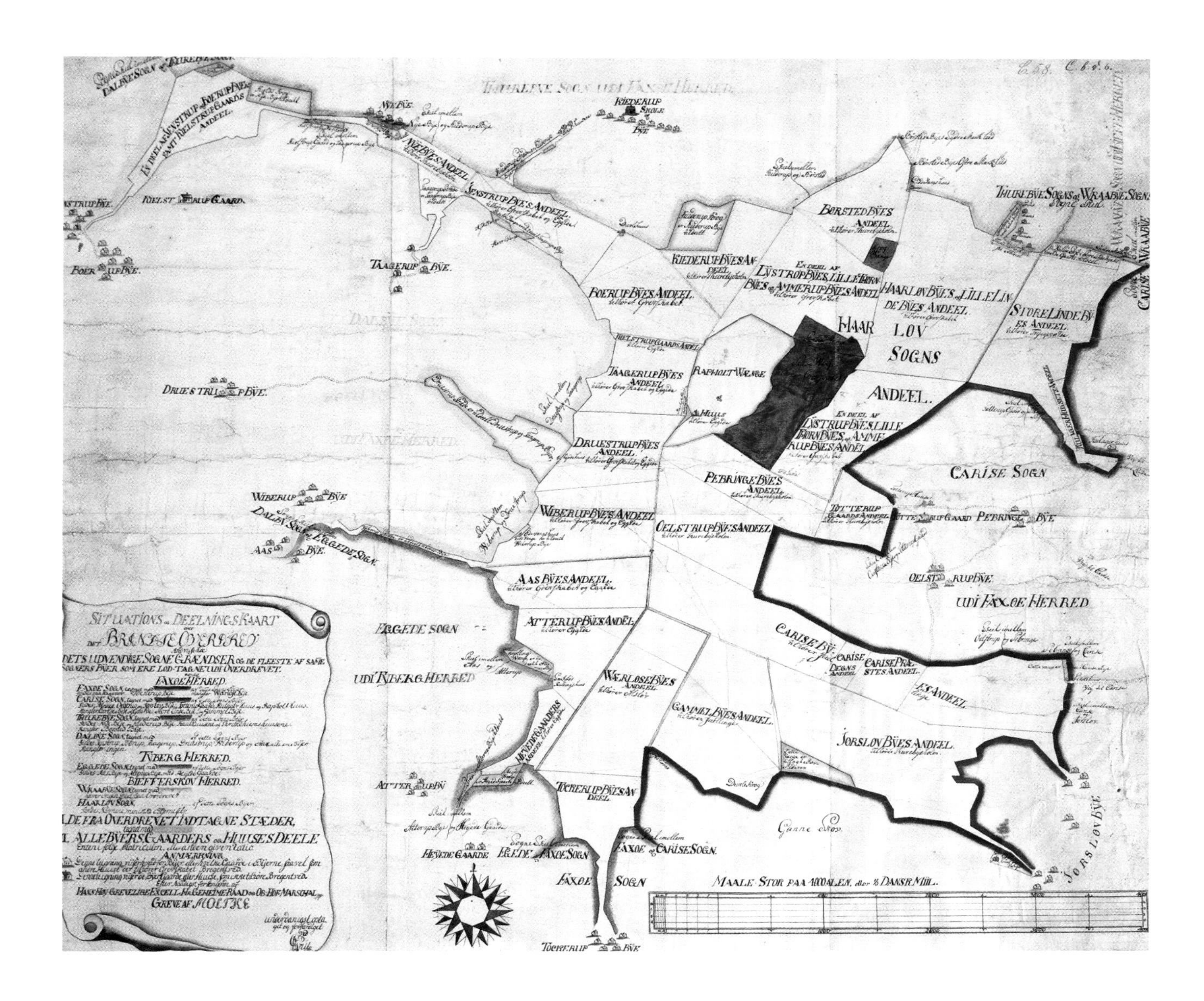

Kort over opdelingen af Det Brændte Overdrev, udført af V. Grue. Hvert af de markerede arealer er tildelt én landsby. *Bregentved godsarkiv. Foto Elizabeth Moltke-Huitfeldt.*

sen til H.C. Schimmelmann. Det skulle vise sig at være én af Moltkes klogeste dispositioner, da de store forventninger slet ikke holdt stik.

OPDYRKNING AF OVERDREV

Moltke opnåede større resultater med mindre projekter. Ved Bregentved var der ingen heder, men flere steder fandtes overdrev, som blev udnyttet til græsning af flere landsbyer i fællesskab. Moltke skrev i sin indberetning til Arveprinsen, at overdrevene "vare udørkener lige". Denne gang gik statsmanden Moltke og godsejeren Moltke meget tydeligt hånd i hånd. Arbejdet i den kommission, Moltke selv havde fået nedsat og var indtrådt i 1757, førte til udstedelsen af en kongelig forordning i december 1758 om udskiftning af overdrev mv. på Sjælland, Møn og Amager, senere fulgt af lignende bestemmelser for de øvrige landsdele.

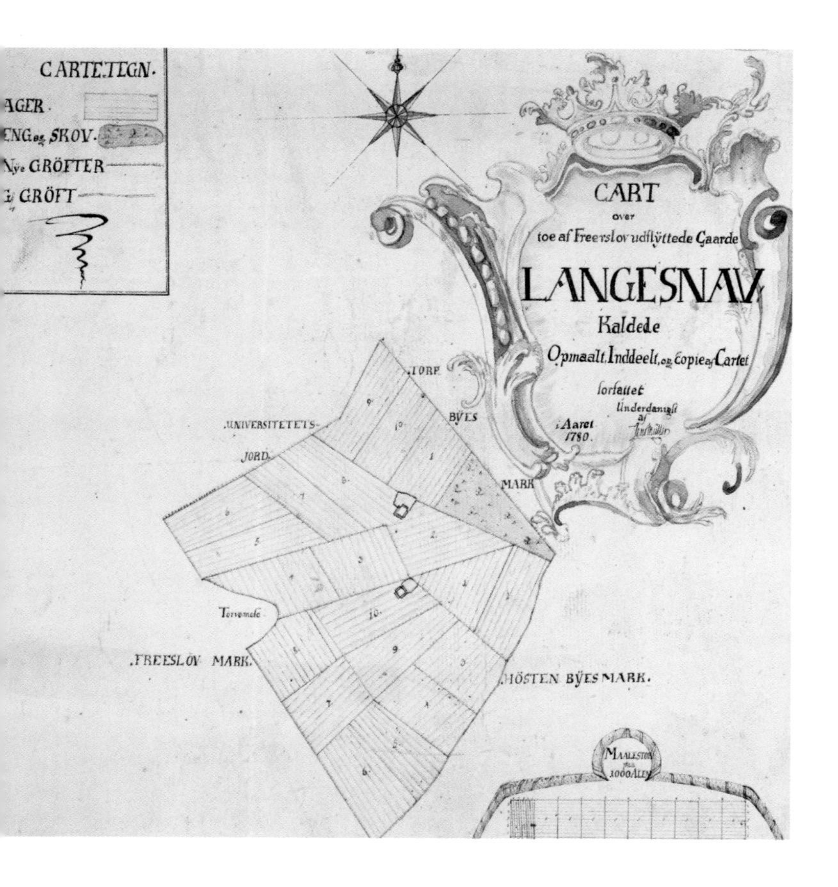

Kort fra 1780 af J. Müller over de to gårde, som var udflyttet fra Freerslev, kaldet Langesnav. De havde hver for sig fået jorden inddelt i kobler, delt med grøfter. *Bregentved godsarkiv. Foto Elizabeth Moltke-Huitfeldt.*

Forordningen fastsatte, at overdrev skulle deles op og fordeles mellem de landsbyer, der havde lod i dem, hvis blot ejeren af én landsby krævede det. Forordningen var ikke gammel, før Moltke tog fat. Mellem 1759 og 1762 blev fem mindre overdrev opmålt og delt mellem de byer og hovedgårde, der havde rettigheder i dem, og ved samme lejlighed fik en række landsbyer også deres marker fuldt adskilt. 1765 tog man fat på det såkaldte Brændte Overdrev på grænsen mellem Tureby og Karise Sogne, som blev opdelt mellem lodsejere fra mindst 25 landsbyer. En enkelt gård blev flyttet ud på Det Brændte Overdrev, og ved Freerslev blev først to og siden endnu to gårde flyttet ud på Bøjenakke Overdrev.

Gradvis tog bønderne meget af de tidligere overdrev under plov. Ifølge et bilag til Moltkes indberetning til Arveprinsen fra 1776 havde bønderne i alt nyopdyrket ca. 790 tønder land (ca. 440 hektar). Det svarer til knap tredive gårdes jord og ville betyde en forøgelse af det samlede dyrkede areal for godsernes bønder på seks til otte procent. Tallene skal formentlig tages med et gran salt, men det er en kendsgerning, at Moltke var gået i spidsen for en gradvis forandring af det østsjællandske landskab, som på langt sigt medførte klarere skel og øget opdyrkning. Det blev endnu tydeligere, da Moltke for alvor gav sig til at ændre indretningen af sine hovedgårde. Det var han begyndt på tidligt, men de afgørende skridt blev taget, samtidig med at han var i gang med opdyrke overdrev.

TIDLIGE FORBEDRINGER PÅ HERREGÅRDENE

Hovedgårdene var så langt den del af godserne, der gav godsejeren de største direkte indtægter, og uanset at det hang sammen med skattebegunstigelser, 'gratis' arbejdskraft i form af hoveri og tilførslen af tiendekorn, er det let at forstå, at Moltke tidligt begyndte at tænke på, hvordan driften af dem kunne forbedres. Da han overtog sine sjællandske godser, blev hovedgårdene drevet med både kornavl og mejeribrug. Mejeribruget var i krise, fordi en voldsom kvægsyge havde hærget i 1740'erne. Den vendte tilbage flere gange i Moltkes tid og dræbte hver gang størstedelen af besætningerne, så Moltke måtte bruge store midler på at købe nye køer. Han søgte på alle måder efter midler mod kvægsygen, men fandt knap nok andet end at søge at isolere sine gårde bedst muligt fra smitte.

I stedet tog han fat på markernes indretning. Her var det herskende driftssystem på både hovedgårde og bondegårde det traditionsrige trevangsbrug. Det indebar, at agerjorden var inddelt i tre store marker, hvoraf man hvert år drev en med byg, en med rug og lod den tredje ligge hen til 'fælled', dvs. afgræsning af den vækst af græs og urter, som kom af sig selv. Helt så enkelt var systemet dog sjældent. Dele af markerne blev drevet med havre, og der var ofte mindre vange ved siden af de tre hovedvange, som blev drevet på en anden måde. I sit skrift fra 1776 fældede Moltke en hård dom over dette system. Markerne var for store til at kunne blive ordentligt bearbejdet, og de var for få til at sikre jorden ordentlig hvile og "den efter erfarenhed stadfæstede nyttige omveksling med sædekornet", dvs. et ordentligt sædskifte. De mange store sten, enkelte træer og småkrat på markerne "forhindrede pløjningen og gjorde store strækninger af land ubrugelige."

Ifølge skriftet gik Moltke i gang med at ændre på alt dette i 1761. I virkeligheden var han begyndt længe før. I 1749 gav forpagteren på Turebyholm op på grund af kvægsyge, og da ingen ville give en acceptabel pris, overtog Moltke driften for egen regning. Der blev ryddet sten og krat forskellige steder. Samtidig blev markdriftssystemet på Turebyholm lagt betydeligt om fra trevangsbrug til et system med seks marker, der hver blev drevet med korn tre år i træk og derpå lå til græsning i tre. I 1750-51 blev én af markerne, Hæsemarken, samtidig omgivet af ikke mindre end 3.000 favne (ca.

Mellem Turebyholm og Turebylille findes endnu i dag et område, der minder meget om samme landskab omkring 1760 med fritstående træer og græs. *Foto Elizabeth Moltke-Huitfeldt.*

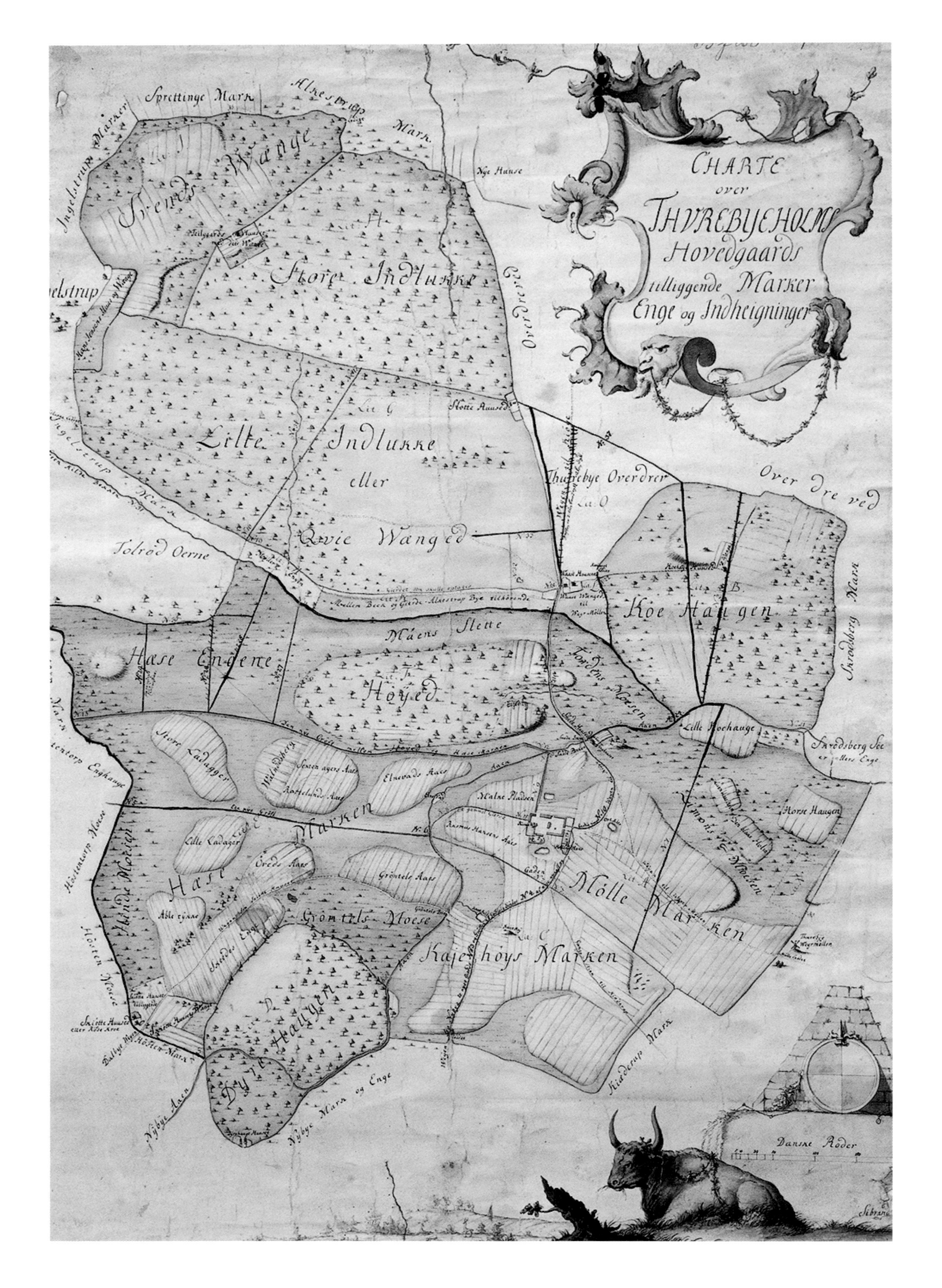

CHARTE
over
THVREBYEHOLMS
Hovedgaards
tilliggende Marker
Enge og Indheigninger
Sprettinge Mark
Alkestrup Mark
Nye Huuse
Ingelstrup Marker
Svends Wange
Store Indlukke
Overdrevet
Lille Indlukke
eller
Qvie Wanged
Thurebye Overdrer
Over dre ved
Tolrod Oerne
Koe Haugen
Maens Slette
Hase Engene
Høyed
Skrødsberg Mark
Lille Koehauge
Store Ladagger
Sexten agers Aas
Rottelunds Aas
Elnevads Aas
Malne Pladsen
Horse Haugen
Hase Marken
Lille Ladager
Grøntels Aas
Grøntels Moese
Mølle Marken
Able tynne
Kajerhøys Marken
Dyrt Haugen
Høsten Mark
Nybye Aaen
Nybye Mark og Enge
Kidderup Mark
Danske Røder

Kort over Turebyholm og Tureby overdrev, udført af Sibrand i tiden omkring Moltkes overtagelse. Agerjorden er inddelt i tre vange, men de dyrkede marker (stribet) ligger delvis som øer mellem eng, græsning og skove. Arealerne mod nord er en åben skov, som også kunne bruges til græsning. *Bregentved godsarkiv. Foto Elizabeth Moltke-Huitfeldt.*

5,5 kilometer) levende hegn. Moltkes omlægning af Turebyholm 1749-51 foregreb den mere radikale omlægning godt et årti senere, som han roste sig af i 1776. En ubetinget succes var den dog ikke. Den næste forpagter var ikke tilfreds, og det blev overvejet at vende tilbage til det traditionelle trevangsbrug. I stedet gik Moltke videre, nu med direkte inspiration fra Hertugdømmerne.

SOFIENDAL OG KOBBELBRUGET

Det berømte slesvig-holstenske kobbelbrug var indført på godserne i den østlige del af Hertugdømmerne i slutningen af 1600-tallet og herskede også på de godser, Moltke blev ejer af i årene omkring 1760. Grundlæggende var de ligesom Moltkes sjællandske godser indrettet på en kombination af kornavl og malkekvæg. Det særlige var imidlertid den måde, markerne var inddelt på. En god beskrivelse af den findes i et notat om den holstenske driftsmåde, som den tidligere forpagter på Niendorf, Johann Mathias Völckers, udarbejdede til Moltke i foråret 1764. På holstenske godser var jorden inddelt i et større antal marker, kaldet kobler, som alle var omgivet med levende hegn og afvandingsgrøfter. Man havde en lang omdriftsperiode, hvor man først drev jorden med korn i fire eller fem år i træk og derpå lod den ligge hen til græs i mindst fem år i træk. Nogle steder blev jorden efter græsperioden brakket et år, før den skulle dyrkes, dvs. den blev pløjet flere gange i sommerens løb og så vidt muligt holdt fri for vækst. Det anbefalede Völckers meget.

En fordel ved systemet var, at man fik inddraget mere jord i korndyrkningen end normalt i Danmark, men til gengæld gav jorden en længere sammenhængende "hvile", hvor den genvandt meget af sit næringsindhold. Til gengæld var det så mindre ideelt, at man dyrkede korn fem år i træk, men man mente, at det fungerede, når man vekslede mellem forskellige kornsorter.

Derudover var styrken i 'den holstenske indretning', at man kunne udnytte græsset langt bedre end ved normal dansk drift. Dels betød den lange sammenhængende græsperiode, at der udviklede sig en stærkere og bedre græsvækst, dels medførte den individuelle indhegning af markerne, at man om forsommeren, hvor græsset groede bedst, kunne tage et høslæt på en eller flere græsmarker, mens kvæget græssede på de andre.

Moltke havde tidligt set forholdene i Holsten som et forbillede. Allerede i 1746 skrev han i et notat med anbefalinger for Frederik V's regering, at Danmarks jord kunne bære dobbelt udbytte, hvis den blev drevet, som "det er sædvanligt i andre lande, men særligt i Holsten". Moltke lærte systemet nærmere at kende, da han selv blev godsejer i Hertugdømmerne, og i 1761 begyndte han at overføre det til Sjælland.

Nord for Bregentved havde man i 1689 nedlagt landsbyen Stenkelstrup og i 1716 yderligere den lille landsby Øed. Deres jorder var siden drevet som en del af Bregentveds hovedgårdsmarker, skønt de var geografisk adskilt derfra. Her lod Moltke i 1758 opføre en lade og stald til heste og køer, og de næste tre år blev Stenkelstrup bortforpagtet som selvstændig avlsgård. I 1761 besluttede Moltke imidlertid at få ændret den efter holstensk forbillede, og han overtog selv driften. En mand fra Mecklenburg blev ansat til at forestå omlægningen. Han tog dog hjem i maj året efter. I stedet kom Moltkes tidligere forpag-

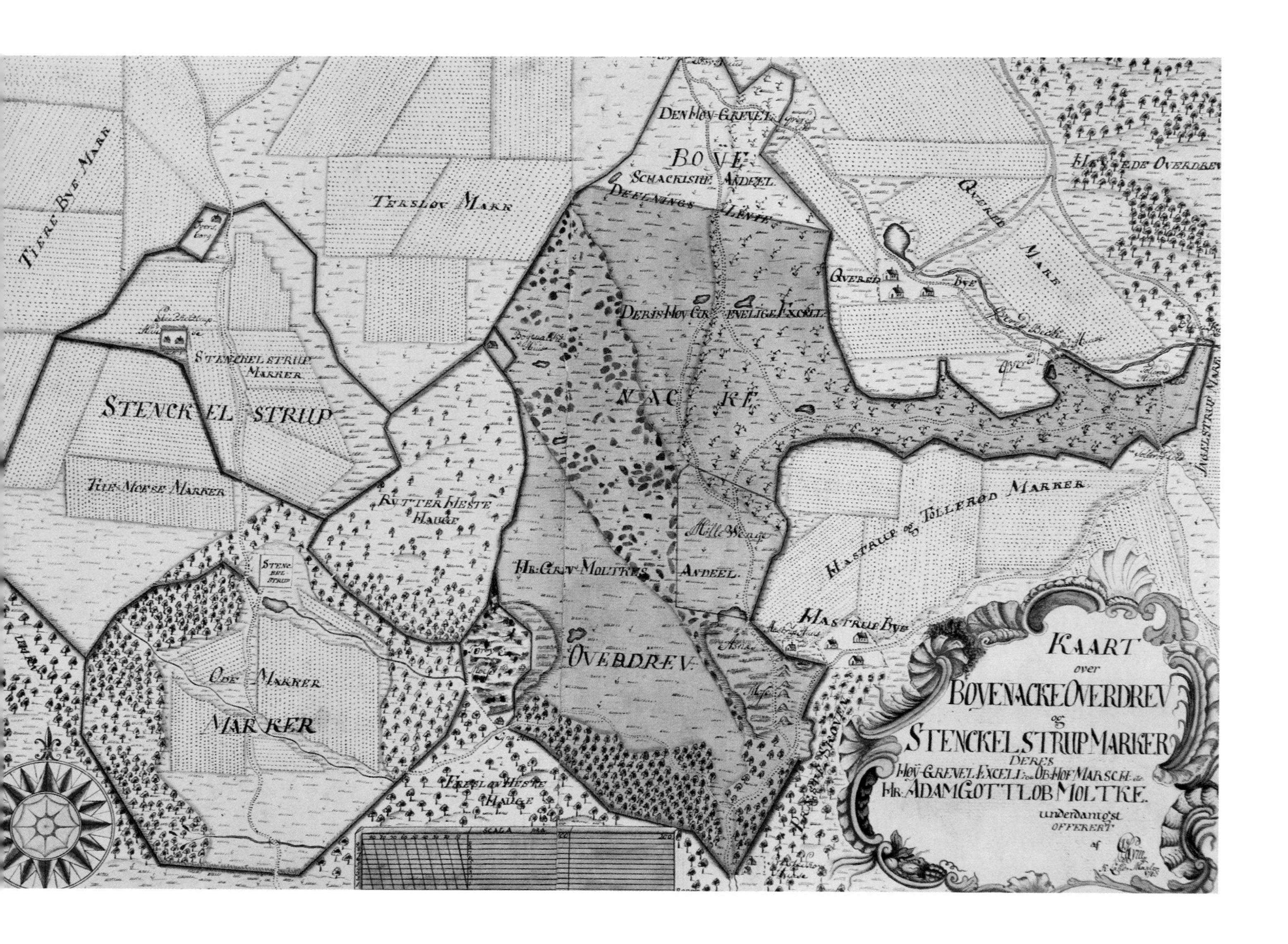

Kort over Stenkelstrup og Øed Marker og Bøjenakke Overdrev, tegnet 1763 af V. Grue. Overdrevet lå som et græsareal med en del træer mellem landsbyernes dyrkede marker. *Bregentved godsarkiv. Foto Elizabeth Moltke-Huitfeldt.*

ter fra Niendorf, Völckers, til Stenkelstrup i maj 1762. Han blev derefter knyttet til godset, blev overinspektør fra 1768 og forpagter af Stenkelstrup fra 1766. Det blev ham, der på Moltkes vegne ledede omlægningen af godset.

Den afgørende ændring på Stenkelstrup skete i årene 1762-63. Der blev opført en ny staldlænge og en forpagterbolig. Først og fremmest blev markerne dog omlagt. Man ryddede sten og krat og fældede de fritstående træer, så man fik ensartede agermarker, hvor plovspandet kunne køre lige igennem, og mere jord kom under plov. Agerjorden blev opdelt i ti ens marker, som blev omgivet med grøfter og levende hegn, der kunne holde kvæget inde på den enkelte mark og samtidig i et vist omfang dræne jorden.

Da projektet var fuldført, omdøbte Moltke gården til Sofiendal efter sin nye hustru, og ni af gårdens ti marker fik navne efter Moltkes sønner, mens den tiende blev kaldt "Kongens kobbel". To mindre vænger fik navn efter to døtre. Hermed

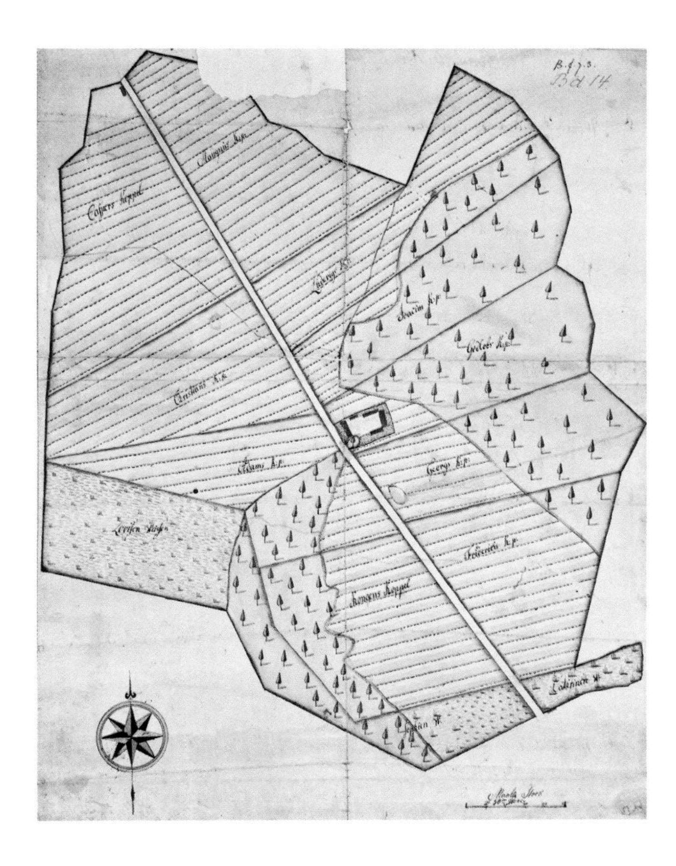

Kort over Sofiendal, formentlig fra 1761-62. Usigneret. Kortet viser, hvordan den nye gård skulle indrettes i ti kobler. De blandede græs- og skovarealer i sydvest og øst skulle ryddes og under plov. Koblet i sydvest er "Kongens kobbel", de andre opkaldt efter sønnerne. *Bregentved godsarkiv. Foto Elizabeth Moltke-Huitfeldt.*

understregende Moltke, hvor nært knyttet han følte sig til denne gård, der nu i sin indretning var landets mest moderne. Ikke alene var han så at sige gift med gården, men hver enkelt mark var som et barn af ham.

SYSTEMET BREDES UD

Allerede inden omlægningen var færdig på Sofiendal, tog man også fat på Alslev. Hovedgården lå inde i landsbyen af samme navn, og dens og landsbyens marker var flettet sammen. Moltke valgte her at anlægge en helt ny gård ude på den fjerneste del af markerne. Samtidig overtog landsbyen de jorder, der lå tæt på den, mens hovedgården fik de fjerneste og dele af overdrevet. I sit skrift betonede Moltke, at han dermed overlod bønderne "velgødede" marker og selv overtog "forsømte jorder". Derpå gik man med imponerende hast videre med de andre sjællandske hovedgårde. 1764-67 blev omlægningen igangsat både på Turebyholm, Bregentved og Tryggevælde. Juellinge blev 1771 bortforpagtet for elleve år på det vilkår, at en fuld omlægning til kobbelbrug skulle gennemføres i forpagtningsperiodens løb. Forpagteren var ingen anden end godsinspektør Völckers selv. Han havde tydeligvis tillid til sit eget projekt.

Kobbelbruget nåede også de fynske hovedgårde, men senere end de sjællandske. I 1769 meddelte Moltke forvalter Bredahl, at han havde besluttet at få Glorups marker omlagt. Forpagteren havde foreslået ni kobler, "men da jeg af erfarenhed ved, at den fordelagtigste indretning er 11 Marker", skulle det være modellen. Ikke længe efter blev en opmåling iværksat. I 1772 var man i fuld gang med at omlægge Rygaards marker. Forvalterens overslag over udgifterne forskrækkede dog Moltke, så han foreslog, at man i første omgang lod en del af stubbene fra de fældede træer rådne på marken. I efteråret 1775 fik Moltke et overslag over, at en samlet omlægning af Glorup og Anhof ville koste ca. 4.000 rigsdaler, som især skulle gå til rydning af stubbe og sten, gravning af grøfter og anlæggelse af hegn. Moltke udbad sig en forklaring på, at udgiften nu var dobbelt så høj, som forvalteren tidligere havde skønnet, men endte også her med at acceptere den – idet han dog samtidig pålagde forvalteren at udvise stor sparsommelighed og lade bønderne gøre noget af arbejde som hoveri.

Både på Rygaard og Glorup-Anhof blev omlægningen gennemført løbende, så kun ét kobbel blev ryddet og forsynet med grøfter og hegn pr. år. Forpagterne overtog ansvaret for arbejdet fra

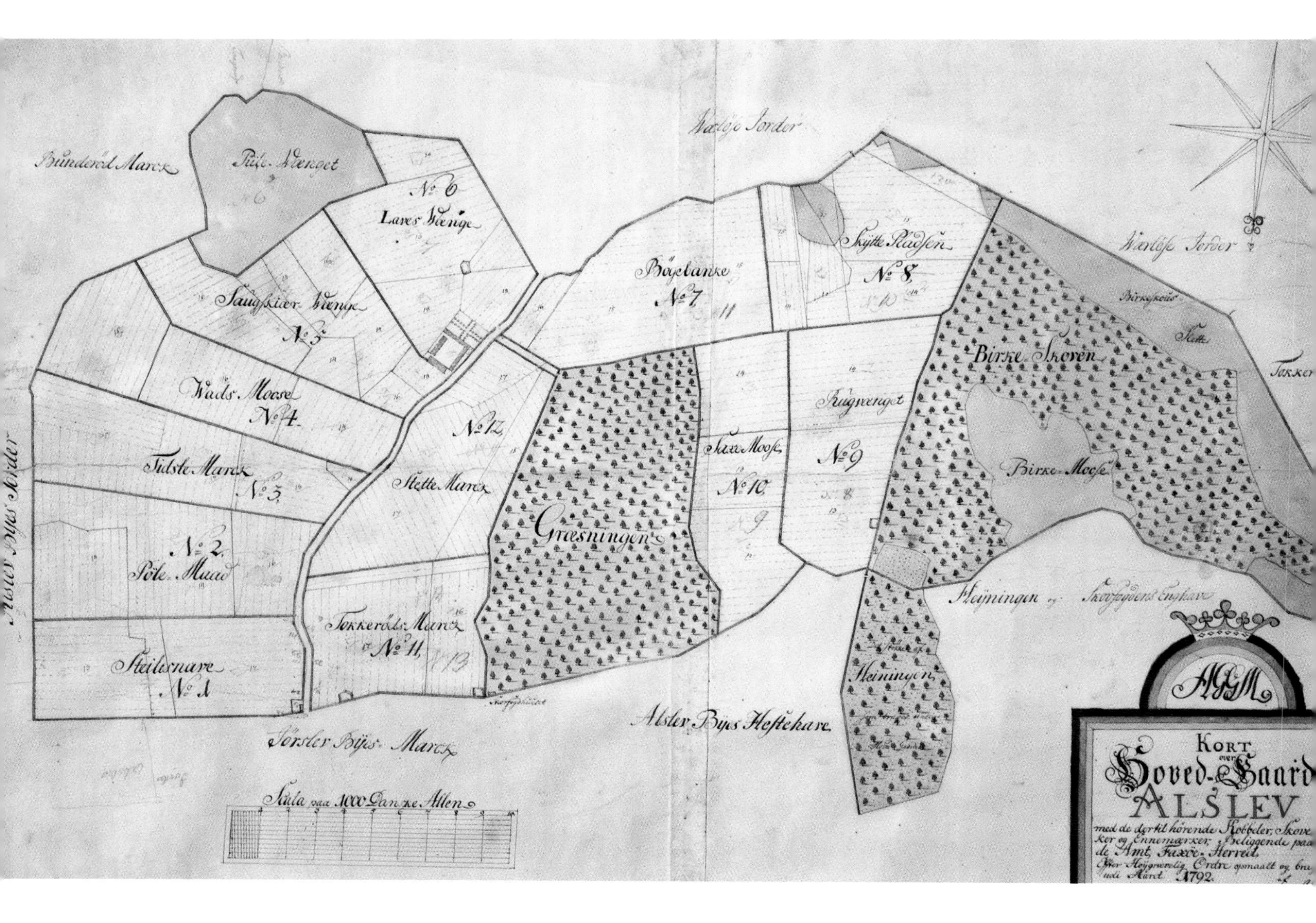

henholdsvis 1774 og 1776 mod løbende at få udbetalt de beløb, omlægningen var vurderet til at koste. Moltke holdt dog selv øje med udviklingen, og på sit sommerophold i 1776 fandt han adskilligt, som ikke tilfredsstillede ham. Han bevilgede ganske vist pengene til at fortsætte arbejdet, men lod samtidig forpagteren vide, at arbejdet skulle fremskyndes og hegnene holdes bedre.

Moltke nøjedes ikke med at få selve jorderne indrettet på en ny måde. Han indførte også den nyeste drift. Ganske vist drev han ikke gårdene for egen regning, men forpagterne fik nøje foreskrevet, hvordan gårdene skulle dyrkes. På Turebyholm skulle fem kobler hvert år ligge i græs. Et sjette kobbel skulle ligge i brak, dvs. pløjes flere gange i årets løb. Forpagteren måtte dog dyrke boghvede eller ærter i noget af jorden. Dernæst

Kort af J.C. Mathiesen over hovedgården Alslevs marker og skove, 1792. Syd opad. Kortet viser tilstanden, efter at gården var flyttet ud af landsbyen og omlagt med tolv regulære kobler og to skovarealer. De klare grænser, der her var trukket mellem ager og skov, kan genfindes på stedet den dag i dag. *Bregentved godsarkiv. Foto Elizabeth Moltke-Huitfeldt.*

skulle koblerne så dyrkes fem år med korn: først hvede, så byg, så "vinterkorn" (dvs. hvede eller rug) og ærter og til sidst to år med havre. I beretningen til Arveprinsen fremhævede Moltke, at dette sædskifte nu var det almindelige på hans sjællandske hovedgårde. Moltkes sædskifte var netop det, Völckers havde anbefalet, og repræsenterede den mest moderne og intensive udgave af det holstenske system med både helbrak og hvede. Selv i Slesvig og Holsten dyrkede man kun hvede på den bedste jord, og i Danmark var det hidtil kun i beskedent omfang lykkedes at dyrke denne kornsort. Indførelsen af kobbelbruget betød en stærkere adskillelse af ager og eng, idet de små engpletter, der ofte var i agrene i det gamle system, forsvandt. De større enge blev til gengæld omgivet med grøfter, og der blev anlagt afvandingsgrøfter. Derved undgik man ifølge Moltke, at jorden blev sur og frembragte "hårdt, groft og surt græs".

RESULTATER AF OMLÆGNINGEN

I 1776 søgte Moltke som omtalt at opgøre resultatet af omlægningen på sine sjællandske hovedgårde i et notat, han vedlagde sit skrift til Arveprinsen. Den årlige udsæd var angiveligt forøget fra 1.250 tønder korn til 1.449. Da markerne nu kun blev drevet med korn i under halvdelen af tiden mod før to tredjedele, var det samlede agerareal vokset endnu mere. Endnu større var imidlertid stigningen i høstudbyttet. I alt var avlen angivelig steget fra ca. 6.400 tønder til ca. 10.400, heraf godt 2.000 tønder hvede. Engene gav ifølge Moltke nu 4.100 læs hø mod før 2.900. Dette sikrede vinterfoder, og desuden var "græsningen om sommeren på de fem hvilende kobler, hvorpå kreaturerne fra det ene til det andet stedse finde skifte-græs, så meget rigere og bedre, at der kan underholdes et langt større antal af køer end førhen".

Det er umuligt at kontrollere Moltkes angivelser af høst og høslæt, da hovedgårdene var bortforpagtede. De opgivne foldtal er meget flotte for tiden, og man må nok regne med, at Moltke i hvert fald ikke underdriver fremgangen. Mere konkret er udviklingen i forpagtningssummerne, som viser, hvad Moltke kontant fik ud af omlægningen. Turebyholm var før omlægningen bortforpagtet for 2.500-2.700 rigsdaler årligt. 1767 blev hovedgården bortforpagtet på det vilkår, at forpagtningen glidende skulle øges fra 2.705 rigsdaler til 3.700, efterhånden som omlægningen var fuldt gennemført.

Da Moltke havde iværksat omlægningen på Glorup og Anhof, forventede han også stigende forpagtningsafgift herfra. Han var derfor skuffet, da der ikke blev budt mere end før. Efter forhandling med forpagteren fik Moltke dog til sidst denne til at gå med til, at afgiften skulle stige år for år, som omlægningen skred frem – men kun mod at acceptere en lavere forpagtningsafgift de første par år! Her var resultaterne altså ikke umiddelbart overbevisende.

Et notat i Moltkes arkiv, dateret 1787, anfører, at den samlede forpagtningsafgift af de sjællandske hovedgårde var steget fra 6.695 rigsdaler, "førend hovedgårdenes marker blev indrettede i sæde-kobler" til 21.300 derefter, mens afgiften af de tre fynske hovedgårde var steget mere moderat fra 4.140 til 6.600 rigsdaler. For de sjællandske godsers vedkommende synes Moltkes sekretær at have valgt de lavest mulige 'før'-tal, men en stigning på over hundrede procent på de sjællandske godser og omkring tres procent på de fynske synes sikker nok. Kornpriserne steg ganske vist også i samme periode, men ikke lige så meget. Omlægningen var en succes. Den blev da også kopieret af andre. Severin Løvenskiold indledte i 1767 omlægningen på Løvenborg i Nordvestsjælland – under ledelse af Völckers. Året efter fulgte Bregentveds nabogods Gisselfeld efter, og inden længe skete det på gods efter gods. Derimod blev erfaringerne ikke over-

Endnu findes nogle af de levende hegn, der blev anlagt mellem Sofiendals kobler i 1760'erne. *Foto Elizabeth Moltke-Huitfeldt.*

ført til Moltkes nordjyske godser. Forklaringen er nok, at man i Nordjylland i forvejen havde en lang omdriftstid og mere rigelig græsning. Der var her ikke lige så store gevinster at hente.

OMLÆGNINGERNE OG HOVERIET

Rydning af sten, buske og træer fra markerne krævede en stor arbejdsindsats. Allermest krævende var anlæggelse af de grøfter og hegn, der skulle skille de enkelte kobler. Meter for meter skulle de graves med håndkraft. I 1778 var der alene ved Turebyholm ca. 10.300 favne (18,5 kilometer) grøfter og levende hegn. "Alt det arbejde, som disse indretninger har medført, er ikke forrettet af bønder i hoveri, men ganske og alene ved daglønnere," skrev Moltke i 1776. Moltke forklarede, at man i begyndelsen måtte hente nogle holstenske karle for at vise de lokale, hvordan arbejdet skulle gøres, men efterhånden fik lokale husmænd tag på det. I 1763 var halvtreds husmænd i gang med omlægningen på Alslev. Åbenbart slog den lokale arbejdskraft alligevel ikke til, for Moltke brugte i flere omgange også soldater. På de fynske godser viser overslagene dog, at hovbøndernes tjenestefolk også blev indsat, men også her betalte Moltke sig fra det meste af arbejdet. Til vedligeholdelse af hegn og grøfter blev der ansat særlige hegns- og grøftemænd, som fik fri bolig i huse, som delvis blev bygget til formålet. På Turebyholm skulle bønderne kun holde de grøfter og hegn, som skilte gården fra nabolandsbyerne, mens forpagterens lønnede folk skulle holde grøfter og hegn mellem de enkelte kobler. Moltke havde overtaget et teknologisk kompleks fra Hertugdømmerne, men ikke samtidig kopieret det blytunge hoveri på Noer, selv om det var juridisk muligt. Hoveriet var kun begrænset af godsejerens interesse i ikke at bebyrde bønderne så meget, at de ikke kunne drive deres egne gårde ordentligt, og i at undgå alt for voldsomme konflikter.

Det sidste lykkedes nu ikke helt. På hvert enkelt gods var der udviklet sædvaner, og store afvigelser mødte modstand. Omlægningen på de sjællandske godser gav hurtigt anledning til uro. I 1765 klagede bønderne under Sofiendal og Alslev over for meget hoveri. Moltke gav inspektørerne besked på at regulere hoveriet, så den nye indretning "kan trække bøndernes opkomst, lyst og stræbsomhed efter sig". I 1768 klagede bønderne på flere af de sjællandske godser ikke desto mindre over, at hoveriet var steget. Bønderne under Turebyholm hævdede, at de snart daglig måtte være på hoveri med heste og vogne og tre-fire personer.

Forvalter Bøgvad mente ikke, at bønderne havde grund til klage. Forpagterne havde overtaget harvningen, og man tilrettelagde arbejdet bedre, så det blandt andet krævede færre folk at binde korn. Desuden, hævdede Bøgvad, var det blevet mindre slidsomt at køre hø hjem og møg ud, fordi man havde fået drænet engene, så man bedre kunne komme frem, og kørte møget ud på et tidspunkt, hvor vejene var bedre. Han udarbejdede en oversigt over hoveriet på Turebyholm. Den viser, at bønderne faktisk skulle stille tre-fire mand og to vogne hver adskillige dage i løbet af måneden, hvilket er ganske meget, men da vi ikke kender hoveriets omfang før omlægningen, kan det ikke afgøres, om det var steget. Det er dog sandsynligt, at det var tilfældet. Det krævede ekstra kræfter at bringe jord, der hidtil havde været udyrket, under plov. Selv når omlægningen var fuldført, krævede den nye drift formentlig mere arbejde end den gamle. Nogle af markerne skulle pløjes flere gange, så man regnede med i alt ni pløjninger i løbet af de fem år, markerne blev drevet med korn. I øvrigt var der set fra bøndernes side den hage ved projektet, at det i sig selv gav mere arbejde, hvis der blev mere korn og hø at høste.

I 1790'erne kom der lov for, at hoveriet skulle bestemmes nærmere. I princippet var det op til parterne på hvert enkelt gods at nå frem til en frivillig aftale, men hvis de ikke kunne, fastsatte myndighederne niveauet ud fra egnens sædvane. På Moltkes sjællandske godser blev der indgået hoveriforeninger allerede i 1792-94. Hoveriet pr. gård blev årligt fastsat til otte-ti pløjedage, hvor bondegården stillede med et spand heste, en plov og normalt to mand, 36-52 spanddage, hvor man stillede med en mand, et spand heste og en vogn, og 142-188 gangdage, hvor man sendte en karl eller en pige. Muligvis var det faktiske hoveri noget lavere, men det forekommer usandsynligt, at bønderne gik med til noget, der lå langt over hidtidig praksis. Det fastsatte niveau ligger i den høje ende blandt danske godser. Hvis ikke Moltkes holstenske indretning gjorde dette værre, gjorde den det heller ikke bedre.

Ganske vist henviste Moltke flere gange til, at hoveriet slet ikke behøvede at tage så megen tid for hver gård. I 1785 noterede han, at karle og piger lavede mindre, når de var på hoveri, end når de var hjemme under deres husbonds opsyn. Det havde han uden tvivl ret i. For disse karle og piger var der ikke nogen grund til at skynde sig, for det ville bare føre til, at de blev sat til mere arbejde. Som andre godsejere i samtiden søgte Moltke at øge effektiviteten ved at tildele hver gård bestemte striber på herregårdsmarken, som den skulle pløje, så, høste osv. i håb om, at det ville tilskynde bønderne til at få deres folk til at arbejde bedre. Afgørende løste det dog ikke problemet.

Den radikale løsning var at erstatte hoveriet med lønnede folk og til gengæld kræve større pengeafgifter fra bønderne, men i næsten hele Moltkes levetid blev det anset for urealistisk. I 1791 gjorde man imidlertid netop sådan på det holstenske gods Rixdorf, og over få år bredte modellen sig til flere og flere slesvig-holstenske godser, inklusive Noer. Der skulle imidlertid gå et halvt århundrede, før ændringen slog igennem på de større godser i Østjylland og på Øerne, herunder Bregentved.

REFORMER AF BONDEBRUGENE

Det højere hoveriniveau er et tegn på, at afkastet af hovedgårdene blev prioriteret højere end en forbedring af bøndergodsets forhold, skønt landgilderestancer og de lave indfæstningsbeløb ellers var udtryk for, at det direkte afkast af bøndergodset også burde kunne forbedres. I indberetningen til Arveprinsen fremhævede Moltke først omlægningen på hovedgårdene, men fortsatte: "Men den jordegods-ejer i Danmark, som dertil ville indskrænke alle sine foretagender, havde endnu kun udrettet lidet til sin sande fordel formedelst den nøje forbindelse, hvorudi han er sat med sine underhavende bønder, og mindre havde han gjort for landet og menneskeligheden." Konkret gav restancerne og de gentagne problemer med at holde bondegårdene i god drift også al mulig grund til at gøre noget.

"Det første, som syntes fornødent, var da, så vidt det var gørligt, at ligne bøndergårdene i hartkorn," skrev Moltke. Det vil sige, at alle bønder i samme landsby fik lige meget jord og dermed samme rettigheder og pligter i form af både landgilde, skat og hoveri. Det var et typisk godsejerinitiativ for tiden, og set fra godsets synspunkt gjorde det bøndergodset lettere at administrere. Det afspejler imidlertid også synet på bønderne. Hvis ikke de var en ensartet masse i forvejen, var godsejerne med til at gøre dem til det. I forhold til de gentagne ønsker om at fremme flittige og stræbsomme bønder er det langtfra givet, at initiativet hjalp.

Moltke havde imidlertid også den ambition, at bønderne skulle overtage nogle af de nyttige erfaringer fra hovedgårdene. I 1763 skrev han til forvalter Roosen på Dronninglund: "På det nu, at nogle af ungdommen kunne daglig se og lære de større deraf under Guds velsignelse ventende fordele, har jeg resolveret at sætte nogle jyske, fynske, lollandske samt holstenske unge karle blandt de fornemste, bedste og vittigste bønder, som til påske 1764 for kost og løn skulle tjene dem på nogle år og til deres egen gavn og fordel se og lære denne økonomi og omgang". Han bad derfor forvalteren udpege to bønderkarle på 20-22 år, som skulle til Sjælland for at lære den nye metode. Denne blanding af kommando og pædagogik er typisk for Moltkes forhold til bønderne.

I hvert fald én bonde tog hurtigt ved lære. Fæsteren Niels Larsen på Sprettingegården nord for Turebyholm bad ifølge Moltke om tilladelse til at omlægge sin gård på samme måde, som det var sket på Sofiendal, og allerede i 1763 blev Sprettingegård omlagt til elleve kobler. Som belønning fik Niels Larsen gården til arv og ejendom, dog stadig med pligt til at betale afgift til godset. Ifølge Moltke kunne denne mønsterbonde nu årligt opnå et overskud på hele 200 rigsdaler. Niels Larsen arbejdede sig efterhånden helt ud af bøndernes rækker. Fra 1767 overtog han sammen med kromand Jens Tanning forpagtningen af Turebyholm.

Niels Larsen var en usædvanligt "stræbsom" bonde, men havde også fra begyndelsen en særlig fordel i forhold til næsten alle godsets andre bønder: hans gård lå for sig. At Moltke erkendte, at det var en fordel, ses af, at han i forbindelse med opdyrkningen af overdrevene flyttede tre gårde ud på dem og gav dem deres jord for sig. Det var dog kun som en dråbe i havet. 98 procent af Bregentveds fæstegårde lå stadig i landsbyer, hvor deres marker var flettet sammen med de andre bønders. De bønder kunne ikke selv lægge driften om, hvis de ville. Her måtte hele landsbyen reformeres.

LANDSBYKOBBELBRUGET

I 1766 tog Moltke fat på at omlægge en hel landsby. Forsigtigt begyndte han med én af de mindste: Hadstrup, som var direkte nabo til Sofiendal og kun omfattede tre gårde. Dens jorder blev nu ryddet for krat, indgrøftet og opdelt i tolv kobler helt som herregårdsmarkerne. Hver af landsbyens gårde fik så en eller to strimler i hver af de tolv kobler. Hermed fik Moltke på den ene side omlagt landsbyens marker til kobbelbrug efter modellen fra hovedgårdene, men på den anden side opretholdt han fællesskabet, så landsbyens bønder stadig skulle dyrke det samme i samme kobbel på samme tid og græsse deres kvæg og heste sammen. Hermed opstod landsbykobbelbruget som et alternativ til den fuldstændige udskiftning af hver gårds marker for sig.

Da myndighederne i 1778 bad godsejere og embedsmænd indsende indberetninger om, hvad der kunne gøres til kornavlens fremme, svarede Moltke: “At udflytte de fleste bøndergårde til de for hver gård efter foregående opmåling bestemte jorder er og bliver uimodsigelig den bedste og nyttigste indretning, men dertil udfordres stort arbejde, lang tid og store omkostninger, som overstiger proprietærens evne”. I stedet fremhævede han landsbykobbelbruget som et godt alternativ, som ganske vist også kostede penge, men dog var klart billigere.

Moltkes tro på projektet fremgår af, at han kort efter omlægningen af Hadstrup vendte blikket mod en af godsets mellemstore byer: Høsten.

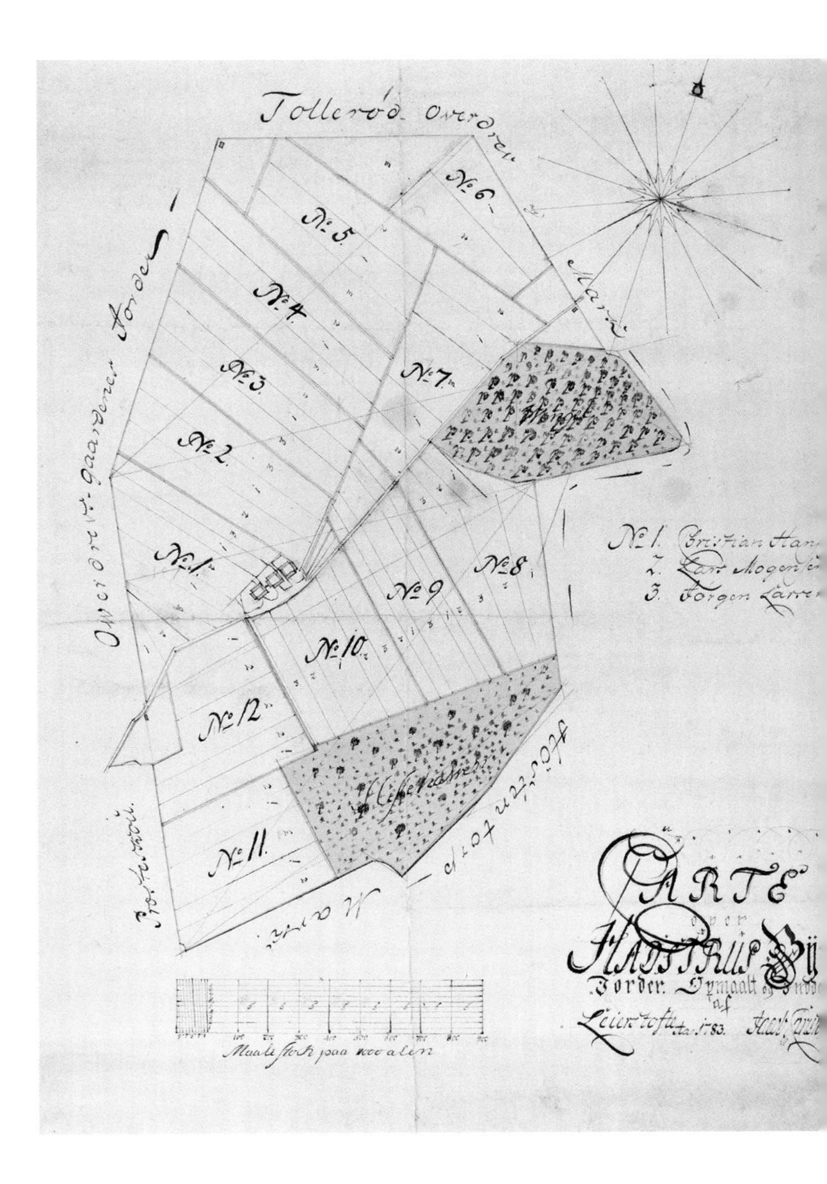

Kort over Hadstrups marker af Jacob Christensen, 1783. Byens marker var inddelt i tolv regelmæssige kobler, som igen hver typisk var inddelt i en-to strimler for hver af byens tre gårde. *Bregentved godsarkiv. Foto Elizabeth Moltke-Huitfeldt.*

Her havde Moltke tolv gårde, mens en enkelt lille gård hørte under Jomfruens Egede. I 1768 meddelte Moltke sin nabogodsejer, at han ønskede at omlægge byens marker på “holstensk måde”. Godsejer Holmskjold på Jomfruens Egede gav sit tilsagn, og man begyndte en omlægning, der skul-

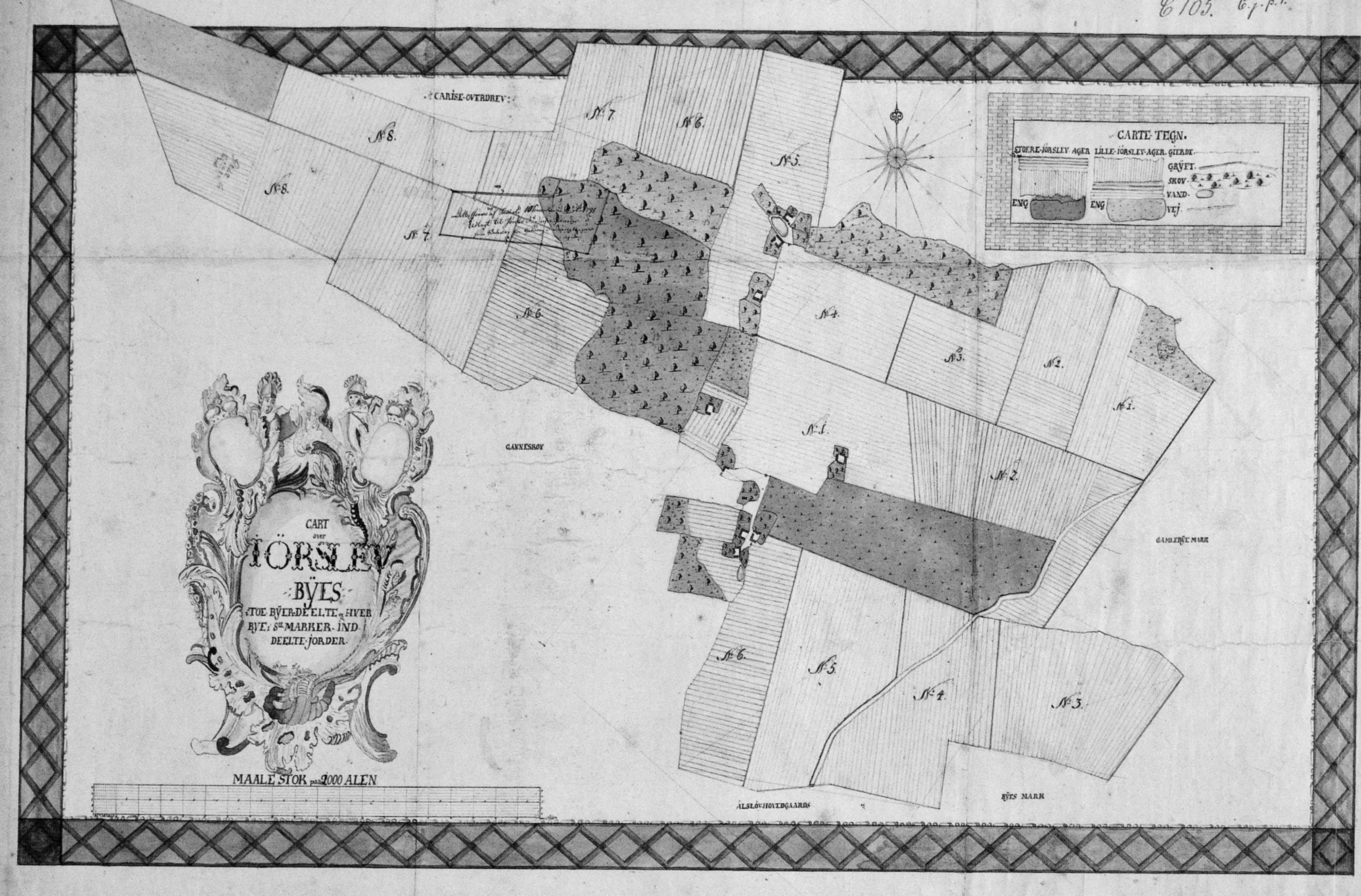

Kort over byen Jørslevs marker, udført af J. Müller 1777. Kortet viser en opdeling af byen i to dele, en nordlig og en sydlig, med hver sit landsbykobbelbrug med otte kobler. *Bregentved godsarkiv. Foto Elizabeth Moltke-Huitfeldt.*

le vare ni år, så bønderne hvert år anlagde et nyt kobbel og fik det omgivet med grøfter og hegn. Helt glat gik det ikke. I 1772 havde bønderne ikke fået gravet grøfter om årets kobbel. For at komme videre besluttede Moltke, at de bønder på godset, som blev taget i skovtyveri, herefter skulle afsone straffen ved at grave grøfter ved Høsten! I 1777 var omlægningen fuldført. 1774 kom turen til Algestrup ved Turebyholm og derefter til Jørslev i Karise Sogn.

Videre var Moltke ikke kommet, da han indberettede sine fremskridt til Arveprinsen. Den nye orden var kun gennemført i disse fire landsbyer og på en håndfuld enkeltgårde, i alt knap en tiendedel af godsets gårde. Det er et markant langsommere tempo i omlægningen, end da det gjaldt hovedgårdene. Forklaringen er formentlig, at omlægningen af bøndergodset ikke på samme måde gav umiddelbart kontant afkast.

En forklaring kunne dog også være, at bønderne var temmelig skeptiske over for forandringerne. I 1778 hævdede Moltke ganske vist, at han gradvis havde fået vundet bønderne for ideen:

"Når man i begyndelsen ligesom måtte nøde bonden til at behandle sin jord anderledes, så er han nu ganske villig dertil, siden han af erfarenhed ser, at han behøver mindre udsæd, men derimod har større og bedre indavling end tilforn, og får sine kornvarer bedre betalte. Dette har således opmuntret andre byer, at den ene by efter den anden beder om at måtte få deres jorder inddelte i kobler". I 1789 skrev han i en fortsættelse af sin indberetning til Arveprinsen, at "… den af fordomme indtagne bonde" gennem hoveriet "har set, lært og er blevet overbevist om", at det nye system gav en større høst efter mindre udsæd. Moltke argumenterede her i lighed med mange andre godsejere for, at hoveriet også kunne være et sted, hvor bønderne lærte nye metoder. Han skrev dog også, at bønderne blev endnu mere overbeviste, da de så, at den nye driftsmåde også var indført i nogle landsbyer og gav gode resultater der. Begge gange hævdede Moltke altså, at han havde vundet bønderne for sagen, men indrømmede tillige, at det ikke var gået af sig selv.

I 1785 var i alt 29 gårde under Moltkes sjællandske godser helt udskiftede, mens 109 havde fået landsbykobbelbrug, men endnu havde 222 gårde ikke alene fællesskab, men også traditionelt trevangsbrug. I Moltkes sidste år steg tempoet i omlægningen dog. Ved Moltkes død omfattede landsbykobbelbrug 231 af godsets gårde – to tredjedele af alle – mens 37 gårde var helt udskiftede. Men endnu manglede man at omlægge jorden for en fjerdedel af bønderne.

I 1789 skrev Moltke: "Beboerne i de indrettede byer … have meget og øjensynlig forbedret deres tilstand. De vedligeholde ikke alene, men de forbedre endda deres gårdes bygninger … betale deres skatter og landgilde rigtig og får sjælden restancer." Dette var dog efter alt at dømme noget overdrevet. De sjællandske godser var også i Moltkes senere år plaget af betydelige – og voksende – restancer. Noget af dette skyldtes, at udgifter ved omlægningen var pålagt bønderne til gradvis afdragning, men alt i alt vidner tallene om, at bøndergodsets økonomi stadig lod meget tilbage at ønske.

Landsbykobbelbruget blev kopieret af en del af Moltkes nabogodsejere og af godser andre steder på Sjælland. Andre steder var man imidlertid gået over til fuld udskiftning af hver gård for sig. I Jylland tog sådanne udskiftninger virkelig fart i 1780'erne, og på Fyn var mere end hver tredje landsby fuldt udskiftet før 1790. Fra at være pioner var Moltke ved sin død ikke langt fra at repræsentere en stædig fastholden ved en model, andre anså for overhalet af tiden.

På Fyn havde han i øvrigt selv valgt en anden model. I årene 1767-70 blev markerne til de to store landsbyer Svindinge og Langå og den mellemstore by Galdbjerg omlagt fra trevangsbrug til fem marker, hvor hver bonde fik jord to steder på hver mark. På den måde blev jorden samlet i lige så få stykker som på sjællandske landsbyer, men driftssystemet var et andet. Moltke dekreterede, at de fem marker skulle drives to år med korn og hvile i tre år. Det ville sikre længere hvile, men unægtelig også give meget mindre kornarealer. Under sit sommerophold på Glorup i 1776 konstaterede Moltke dog, at bønderne i Svindinge og Langå drev tre marker med korn. Moltke gav så tilladelse til, at de måtte dyrke 2 ½ mark – mod at så kløver i den anden halvdel af kobbel nr. tre. De fleste af de øvrige byer på de fynske godser bevarede trevangsbruget, så længe Moltke levede. Ironisk nok forbedredes bøndernes økonomi hurtigere her end på Sjælland, og det gælder både de landsbyer, der blev omlagt, og dem, der ikke blev.

MOLTKE OG LANDBOREFORMERNE

Da Adam Gottlob Moltke lukkede sine øjne for sidste gang, kunne han nok være bekymret for

Godsejeren og reformatoren A.G. Moltke, malet af Johan Hörner før 1763. Dette portræt af Moltke – for en gangs skyld med et bestemt drag om den vanligvis let smilende mund – kendes i flere gentagelser eller kopier. *Foto Elizabeth Moltke-Huitfeldt.*

sine efterkommeres evne til at videreføre godserne, men han var uden tvivl overbevist om, at han havde gjort en vigtig indsats for at forbedre tilstanden for sine godser, sine bønder og det Danmark, der var blevet hans adopterede 'fædreland'. Moltkes reformer var indledt, mens han var på magtens tinde, og især forsøgene på hede- og moseopdyrkning knytter sig stort set kun hertil. Derimod blev omlægningen af hovedgårdene, som for alvor blev indledt i 1761, systematisk fortsat, også efter at han politisk var ude i kulden, til man var i mål i begyndelsen af 1780'erne. Det hænger naturligt nok sammen med, at Moltke her havde mere reelle forventninger om at få afkast af de investerede kræfter. Men han standsede ikke med det. Moltkes omlægning af bondebyerne blev indledt netop i det år, Frederik V døde, og den fortsatte resten af Moltkes liv, skønt det gik langsommere fremad, end tilfældet havde været med hovedgårdene. Netop disse landsbyomlægninger er måske det vigtigste aftryk, Moltke satte på Danmark i årene efter 1770.

Moltke spillede en afgørende rolle i at forandre det danske landskab i retning af det moderne. I stedet for, at dyrkede marker vekslede med udyrkede pletter og småkrat, var markerne på vej til at blive de regelmæssige arealer, vi kender i dag, ligesom skellet mellem ager, eng og skov blev væsentligt tydeligere. Disse omlægninger var med til at øge produktionen og dermed både føde den stigende befolkning og endda langsigtet bane vejen for en velstandsstigning også pr. person. Om det ændrede landskab er forarmet eller beriget er delvis en smagssag, men det nye system var mindst lige så økologisk bæredygtigt som det gamle. Man havde erstattet et system med en meget intensivt dyrket ager og meget ekstensivt udnyttede græsarealer med en mere generel udnyttelse af næsten hele arealet, der nok samlet var mere intensiv, men mindre udpinende end det gamle system.

Moltke ændrede landets udseende, men ikke den sociale orden. Han arbejdede inden for de gamle rammer: fæstevæsenet, hoveriet og landsbyfællesskabet. Måske har det lange, seje træk med at få bønderne med på de nye ideer kun bestyrket ham i, at det var bedst, at den grundlæggende orden forblev, som den var. Hans reformer stod ikke i modsætning til hans dybt feudalt-patriarkalske samfundssyn, men var tværtimod en del af det.

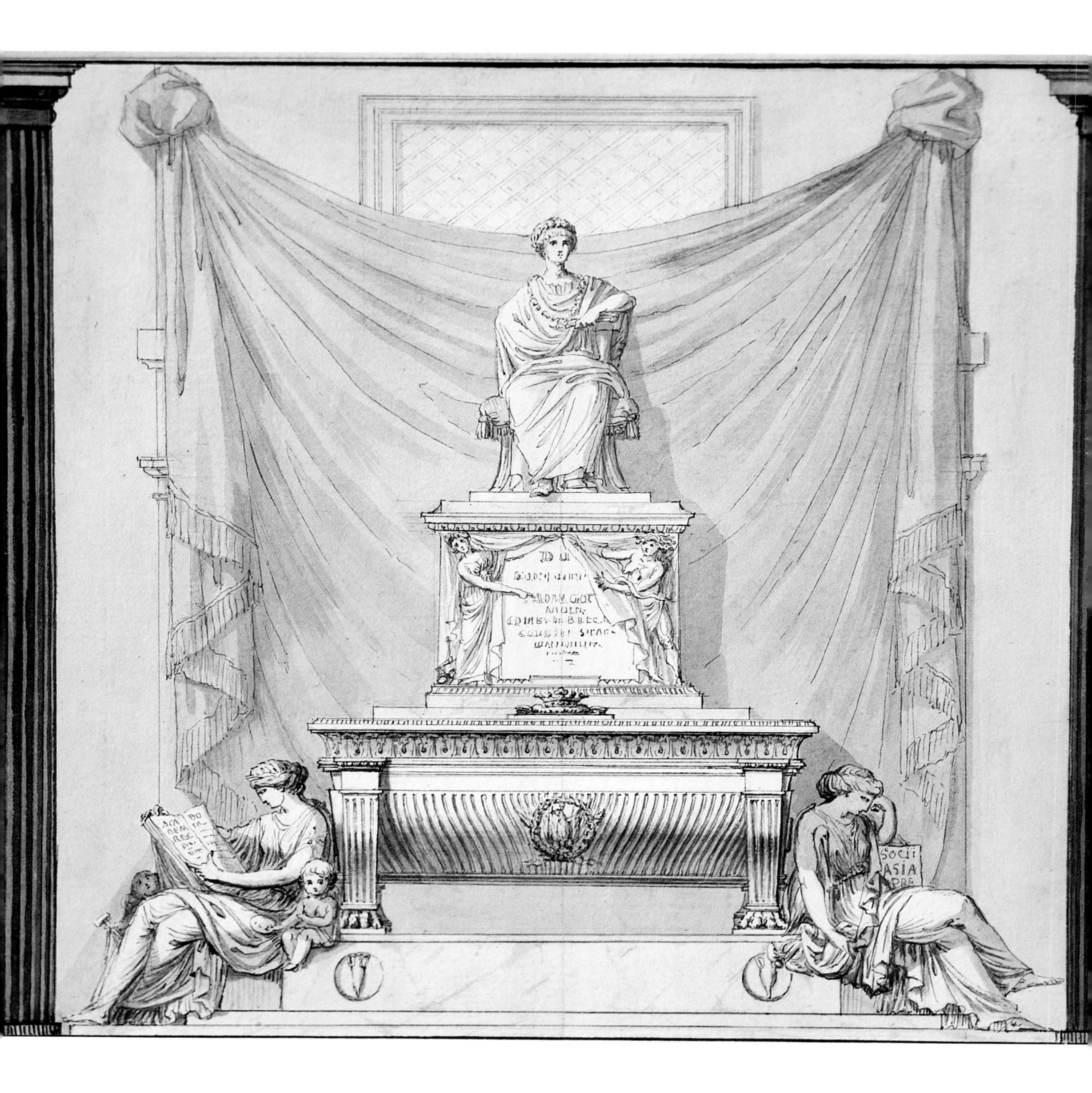
ACA
DEM
REG
SOCII
ASIA
PRE

DEN DANSKE MAECENAS

Af Hanne Raabyemagle

Sjældent har nogen i danmarkshistorien med større ret kunnet smykke sig med titlen 'mæcen' end Adam Gottlob Moltke. Parallellerne til antikkens virkelige person er mange og slående: Gajus Cilnius Maecenas (ca. 70-ca. 8 f.Kr.) var af *etrurisk* fyrsteslægt men blev *romersk* ridder. Moltke var født af *mecklenburgsk* uradel og blev *dansk* lensgreve. Maecenas var en af kejser Augustus' nære venner og mest betydningsfulde støtter i det politiske spil omkring etableringen af kejserdømmet. Moltke var den enevældige danske Kong Frederik V's livslange trofaste ven og rådgiver. Maecenas beklædte aldrig en officiel politisk stilling. Moltke var, skønt officielt medlem af Konseilet 1750-66, kun aktiv i dette styrende politiske organ i en ganske kort periode. Alligevel spillede både Maecenas og Moltke med stor diplomatisk og taktisk kløgt i mange år væsentlige politiske roller som fyrstens favorit. Begge havde deres herres fulde fortrolighed og vovede endda at sige herskeren sandheder, selv de ilde hørte. Ligesom Maecenas ofte overtog styret i Rom, når Augustus var fraværende, var Moltke monarkiets mægtigste mand og helstatens faktiske førsteminister i de tyve år, Frederik V sad på tronen.

En vigtig del af begges virke ville i dag svare til en magtfuld kulturministers. Samtidig var Maecenas umådeligt rig og førte et luksuøst liv i sit palads på Esquilinerhøjen i Rom. Moltke havde ry for at være mangemillionær og skabte sig med Amalienborg-palæet Københavns fornemste privatbolig. Maecenas havde tillige en stor villa og landejendom i romernes foretrukne opholdssted om sommeren, Tivoli, ligesom Moltke indrettede prægtige landboliger på sine herregårde, først og fremmest Bregentved på Sjælland og Glorup på Fyn. Begge omgav sig med rige kunstsamlinger og promoverede ved deres protektion og opmuntring de udøvende kunstnere. For Maecenas gjaldt det mest poesiens koryfæer i den augustæiske guldalder, hvor han var ven og beskytter af især Virgil og Horats. Moltkes store betydning på kunstens område kom mest til at gælde arkitekturens og billedkunstens udøvere. Begge indså, at man ved at gelejde også fyrsten til at støtte kunstarterne, til at lade opføre monumentale bygninger, til at opstille og udstille pragtfulde kunstværker tillige styrkede den herskende regeringsform både i riget og udadtil.

At samtiden og Moltke selv dyrkede parallellen, ses bl.a. af de mange gange, Kunstakademiet benævnte ham sin store Maecenas, blandt andet på de to medaljer, som institutionen skænkede ham. Det samme ses, når planerne for hans eget gravmonument i familiemausoleet ved Karise Kirke på et tidspunkt omfattede en legemsstor statue af ham selv siddende togaklædt netop som Maecenas.

FORRIGE SIDE / Moltke blev i sin samtid af kunstens verden nærmest betragtet som en reinkarnation af oldtidens Maecenas. Således tænkte billedhuggeren Carl Frederik Stanley sig Greven skildret i sit projekt fra o. 1767 til gravmælet i familiemausoleet ved Karise Kirke. *Bregentved godsarkiv. Foto Elizabeth Moltke-Huitfeldt.*

TH / På den guldmedalje, som Kunstakademiet skænkede Moltke i 1767, ser man på bagsiden en hyldestallegori, hvor Maecenas (Moltke) ved siden af en søjlebåret Augustus-buste (Frederik V) bedømmer et kunstværk frembåret af en ung vinget genius (Kunstakademiet). Ideen kom fra direktøren, Saly, fortegningen var af professor Wiedewelt, og medaljøren var D. Adzer. Foto af sølvversionen. *Nationalmuseet, Den Kongelige Mønt- og Medaillesamling*

AD MAECENATEM MEMORI SIC MENTE RECURRIT
ACADEMIA REGIA
PICT. SCULPT. ET ARCHIT.
MDCCLXV.

Moltke vækkes for kunsten

Hvilken baggrund havde Moltke for at værdsætte kunst og arkitektur og for sin optræden som protektor og mæcen, især i magtperioden 1746-66? Moltkes tidlige barndomsår har næppe kunnet give ham særligt blik for kunstarternes rige verden. Familiegodset Walkendorf nær Schwerin og farbroderens amtmandsbolig, lystgården Nygaard på Møn, hvortil han kom som dreng, har været beskedne landadelige gårde. Ej heller den gamle fynske herregård Ulriksholm, hvor unge Moltke hentede sin første hustru, Christiana Friderica von Brüggemann, har kunnet byde på hverken prangende bygninger eller rige kunstsamlinger. Allerede da han kun elleve år gammel i 1722 optoges i pagekorpset ved Frederik IV's hof, åbnede der sig derimod en helt ny, i ordets bogstaveligste forstand pragtfuld verden for den modtagelige dreng. I de næste godt to årtier, hvor han steg i hofgraderne, først hos Kronprins Christian (VI) og senere hos Kronprins Frederik (V), kom Moltke til på allernærmeste hold at følge det byggeboom i residens- og lystslotte, som kongerne med entusiasme kastede sig ud i.

Det mest ambitiøse byggeri, som kongehuset iværksatte, var det grandiose nye residensslot Christiansborg på Slotsholmen midt i København, der blev påbegyndt af Christian VI i 1730 og taget i besiddelse i 1740, hvor det dog langtfra var færdigt. Her skulle den enevældige monark, hans gemalinde, kronprinsen, prinsesserne og andre nære slægtninge bo i hver deres pragt- og paradesuite. Her fandtes der vældige festgemakker, slotskirke, højesteretssal, ridebaneanlæg. Og her boede så godt som hele den enorme hofstab.

Men allerede i Moltkes tidligste år i hoffets tjeneste var der gang i de kongelige byggerier. Netop i 1722 indviede Frederik IV den kuppelklædte centralbygning på sit lystslot Fredensborg, og i de følgende år kom Ottekant, slotskirke, orangeri, marskalhus og kavalerbygninger til på stedet. Storslåede haveanlæg blev skabt både ved Fredensborg og ved Frederiksborg Slot. I 1724 påbegyndte Frederik IV den sidste store barokiserende ombygning af det gamle og håbløst umoderne Københavns Slot, og samtidig lod han en stor gammel købmandsgård ved Frederiksholms Kanal over for Slotsholmen ombygge til bolig for kronprinsparret og deres nyfødte, Prins Frederik. Frederik IV's Frederiksberg Slot fik sine sidefløje 1733-38 for at kunne huse kongefamilie og hof under byggeriet af Christiansborg, og samtidig gennemgik Frederiksborg Slot en stor og kostbar restaurering. I 1733 lod Kongens søster, Prinsesse Charlotte Amalie, en ny hovedbygning opføre på Charlottenlund Slot. Eremitagen i Jægersborg Dyrehave opførtes 1734 som en pragtfuld lille barok *hunting box*. Først Christian VI som kronprins og senere hans dronning, Sophie Magdalene, byggede på lystslottet Hirschholm, der stod færdigt i sin endelige imponerende og alt for store skikkelse i 1744 omgivet af sø og park, hvori der snart også blev opført store lystbygninger. Samtidig byggedes for Dronningen det nærliggende lille udflugtsslot Sophienberg som *belvedere*, dvs. et smukt udsyn på kystskrænten over Øresund. 1743-46 ombyggedes ovennævnte palæ ved Frederiksholms Kanal til Prinsens Palæ som bolig for det nygifte kronprinspar, Frederik og Louise, med hofstab, som under byggeriet tog midlertidigt ophold på Charlottenborg. Samtidig moderniseredes fra 1744 både Jægerspris Slot og Sorgenfri Slot som sommerresidenser for kronprinsparret.

Moltke havde embedsbolig på slottene i hele perioden fra ansættelsen i 1722, til han som nyudnævnt overhofmarskal ved Frederik V's tronbestigelse i 1746 flyttede ind i den rummelige lejlighed i Christiansborg Slots stueetages sydvestre hjørne. Da Kronprins Frederik i 1743 blev formælet med Prinsesse Louise, måtte de nygifte og deres hofstab etableres selvstændigt uden for residensslottet, og deres nyudnævte hofmarskal, Moltke, forestod såvel den midlertidige indretning på Charlottenborg som den efterfølgende ombygning og indflytning i Prinsens Palæ. Overalt, hvor den unge hofmand færdedes, har han således været konfronteret – om ikke direkte med byggerod og håndværkere – så dog med nyopførte eller nyindrettede fyrstelige boliger, hvor facader, interiører og parker har udgjort et rigt samspil af kunstens mange genrer: arkitekternes maleriske kompositioner af bygningskroppe; de mange arkitekturdetaljer i barokkens og rokokoens frodige versioner af det klassiske formsprog; billedhuggernes statuer og relieffer, der pointerede arkitekturen og samtidig præsenterede den kongelige bygherres dyder, eller som åbenbarede allegoriske og mytologiske fortællinger; loftmaleriernes storslåede rumlige virkninger og festlige detaljer; portrætternes forherligende fyrsteskildringer; stuklofternes myriader af symboler og de indlagte gulves

På prospektet fra slotspladsen fornemmes Christiansborg Slots vældige størrelse. *Den Danske Vitruvius, I, Tab. XXIII.*

intrikate mønstre i ædeltræ. Dertil kom de overdådige indretninger med gobeliner, gyldenlæder, silkedamask, sølvmøbler, krystallysekroner, spejle og fontæner.

Som fortalt andetsteds i denne bog kom unge Moltke kun to gange via sin hoftjeneste uden for dobbeltmonarkiets grænser og da ikke til kunstens klassiske metropoler. Man må således konkludere, at Moltkes usædvanlige evne til at forstå og værdsætte kunstens og arkitekturens verden først og fremmest blev opbygget gennem hans ophold og virke ved hoffet. Den modnedes dog i en uadskillelig symbiose med hans voksende politiske indsigt og hans visioner for enevældens styreform. Han har med åbne sanser kunnet se, hvad hofbygmestrene og hofkunstnerne præsterede, og høre, hvorledes man ved hoffet vurderede og diskuterede omgivelserne. På vigtigere og vigtigere pladser har han deltaget i hele hoflivets nøje fastlagte ceremoniel og lært betydningen, også rent politisk, af de ældgamle ritualer. Samtidig er hans indsigt i kunstneriske spørgsmål vokset, efterhånden som han fik ansvar for indretningen af Kronprinsens boliger. Han har forhandlet med arkitekter, kunstnere og kunstindustrielle leverandører. Med det voksende ansvar har ordensmennesket Moltke samtidig lært økonomisk overblik og skærpet sin evne til at gribe sikkert, men diplomatisk ind også i kunstneriske anliggender, såvel statens som private.

Moltke er således i 1746 ved tronskiftet vel rustet også til dette aspekt af sit fremtidige virke og sandsynligvis fuldt ud klar over den vigtige rolle, som kunsten i bredeste forstand ville kunne spille i enevældens store drama. Dette fremgår dog ikke tydeligt af de berømte forslag til regeringsregler, som han forfattede og overrakte sin unge konge den 26. september 1746. Her leder man næsten forgæves efter emnet. Først til slut efter mange siders grundig behandling af administration, indenrigs- og udenrigspolitik står, at Moltke ved anden lejlighed beder om nådig tilladelse til at fremføre sine meninger om forskellige andre, ikke mindre vigtige sager. Hvorpå han straks nævner, at pleje af fattige og syge samt fremme af videnskaberne "og kunsterne" stadig kræver megen forbedring. Sidstnævnte fandt i sandhed sted i Frederik V's tyveårige regeringstid, og Moltke blev den hovedansvarlige bagmand.

DEN EGENTLIGE IVÆRKSÆTTER

Kort efter Frederik V's tronbestigelse i 1746, da Moltke som en naturlig følge af sit hidtidige virke straks var blevet udnævnt til overhofmarskal, påtog han sig yderligere to vigtige nye embeder, der blev af største betydning for landets kunstneriske liv. Han blev formand, kaldet præses, for Kunstakademiet og han blev chef, kaldet direktør, for Partikulærkammeret. I Frederik V's tyveårige regeringstid fik Moltke igennem disse embeder hovedansvaret for planlægning og realisering af tre uhyre betydningsfulde kunstneriske manifestationer – opbygningen af et kunstakademi på internationalt niveau, opførelsen af en moderne ideal bydel, Frederiksstaden, og realiseringen af et storslået monument, Frederik V's rytterstatue på Amalienborg Plads. Disse tre store emner vil i det følgende få hver sit kapitel. En nærmere skildring af projekterne bliver også en beretning om Moltkes brug af sin magtfulde position som Kongens kloge favorit til at realisere, hvad han først og fremmest betragtede som kunst i enevældens tjeneste. Det bliver også en illustration af en personlighed, der nok lod sig vejlede af økonomiske og kunstfaglige eksperter, men aldrig tabte det overordnede politiske formål med manifestationerne af syne. Tilmed bliver det beretningen om kunstneriske visioner, der trods alt ikke kunne realiseres fuldt ud, og om skuffelser og nederlag, også for Moltke, da den politiske magtbalance i landet ændredes ved Frederik V's død og Christian VII's tronbestigelse.

Med den til ham nyskabte titel af direktør for Partikulærkammeret bestyrede han Kongens egen kasse, hvori indtægterne primært kom fra Øresundstolden og told fra Bergen, Trondhjem og Altona. De daglige forretninger i dette administrationsorgan for Kongens penge og deres forvaltning blev ført af kasserer, bogholder og revisor, mens Moltke refererede for Kongen, videregav Kongens mundtlige befalinger til embedsmændene og underskrev samtlige hundredevis af ordrer, beslutninger, forestillinger og breve. Den nydannede direktørstilling var således i Moltkes person en indskudt direkte og ekstraordinært tæt forbindelse mellem kongen og kongens egen kasse, hvilket selvfølgelig blev en magtposition uden lige.

Moltke var nu indehaver af tre ledende officielle embeder – overhofmarskal, præses for Kunstakademiet og direktør for Partikulærkammeret. Som overhofmarskal havde han en fremtrædende position, i alt hvad der angik de kongelige slotte og deres indretning. Desuden styrede han alle de ceremonielle begivenheder i forbindelse med fødsler, bryllupper og dødsfald i kongehuset, som selvfølgelig også i høj grad krævede beslutninger på de kunstneriske områder. Som Kunstakademiets præses spillede han en overordentlig vigtig rolle i dettes etablering og tidlige drift. Han sørgede for indkaldelse af en udsøgt række af talentfulde udenlandske kunstnere som lærerkræfter og som udøvende. Han stod i spidsen for Akademiets rolle som kontrollant og rådgiver i kunstneriske anliggender. I alt, hvad der vedkom kongelige bygningssager, spillede Partikulærkammeret en central rolle, og med uovertruffen flid indgik Moltke som sikker 'bestyrelsesformand' i nogle af tidens største byplans- og byggesager som bygherrens, kongens, repræsentant og kassemester. Som direktør for Partikulærkammeret udpegede han kunstnere, kunsthåndværkere og leverandører til lukrative og prestigegivende hofansættelser. Også uden om Kunstakademiet promoverede han de mest talentfulde unge kunstnere med kongelige rejselegater og sørgede for, at de fik opgaver ved hjemkomsten. Han støttede etableringen af kunstindustrielle foretagender, også ved indkaldelse af udenlandske eksperter. Således blev Moltke i Frederik V's tyveårige regeringstid langt den betydeligste støtte for kunstnerisk virksomhed i landet. Han ledede på sin vis kongehus og hof som de største bestillere og aftagere, og som smagsdommer og trendsætter gik han selv i spidsen på alle felter. Hoffets udgifter, styret og formuleret af *overhofmarskal* A.G. Moltke blev således betalt af Partikulærkassen ved *direktør* A.G. Moltke og godkendt af Kunstakademiets *præses* A.G. Moltke!

KUNSTENS STORE OPGAVER

Kunstakademiet

Den største og mest langtrækkende indsats for Danmarks kunst- og kulturliv ydede Moltke gennem sin betydelige medvirken ved oprettelsen og de første årtiers drift af Kunstakademiet – eller *Kongelig Danske Skildre-, Bildhugger- og Bygnings-Academi i Kiøbenhavn*, som det blev benævnt fra 1754. Tankerne om at oprette et kunstakademi kom til Christian VI, Frederik V og deres nærmeste politiske rådgivere, Schulin og Moltke, fra udlandet. Lige siden senrenæssancens første kunstakademier i Firenze havde institutionstypen bredt sig i Europa. Det mest berømte og det, der som forbillede kom til at præge den danske søsterinstitution mest, var Louis XIV's reorganiserede franske akademi (1663-64).

En kunstnersammenslutning, et "regulært societet", til fremme af kunstinteressen var allerede stiftet under Frederik IV i 1701 af seks ansete kunstnere. Man ansøgte monarken om hans protektion samt økonomisk støtte, idet man "med visse [dvs. faste] ugentlige sammenkomster og foretagne kunstøvelser" ville stimulere hinanden og den almene kunstinteresse. Vi ved ikke, om de hørte fra Kongen, men knap to uger senere beskrev avisen dette "kunstakademis" Sankt Lucas-fest i Ahlefeldts Palæ på Kongens Nytorv. Desværre hører man derefter intet, så dette første kunstakademi er nok lige så stille gået i sig selv.

GRUNDLÆGGELSEN AF KUNSTAKADEMIET 1738

Den ene af deltagerne, historiemaleren Hendrik Krock, vendte imidlertid længe efter tilbage til tanken. Han var da en gammel mand, velmeriteret hofkunstner med vældige udsmykningsopgaver, som siden 1712 og med en stor hjælperskare var blevet løst i hans atelier i en højloftet orangerisal bagest i sidehuset på en kongelig ejendom "bag Børsen". Denne gård, der stadig eksisterer som Slotsholmsgade 8, var tidligere ejet af Christian VI's ildesete stedmoder, Anna Sophie Reventlow, men blev konfiskeret af Kongen i 1730 og indrettet til blandt andet postkontorer, det nyoprettede Kommercekollegium, Københavns første bank og nogle militære institutioner. Et par værelser kunne dog afses til Krocks projekt, der blev igangsat i oktober 1738, et *maler- og tegneakademi*, som Kongen støttede økonomisk. Nu var Kunstakademiet grundlagt. Man gik i gang med at indrette lokalerne, og Krocks medprofessor blev billedhuggeren Louis-Augustin le Clerc, virksom i Danmark siden 1735.

At Christian VI støttede projektet, kan meget vel skyldes, at man på højeste sted i forbindelse med Christiansborg-byggeriet havde følt savnet af kompetente hjemlige kunstnere og oplevet, hvor dyrt og besværligt det var at indkalde og underholde udlændinge og indkøbe fremmed kunst. Kongens 'mand' fra centraladministrationen i denne sag var hans meget betroede ven, oversekretær i Tyske Kancelli (udenrigsminister), lensgreve Johan Sigismund Schulin, der nævnes som 1738-Akademiets overdirektør. Da Schulin også var Moltkes politiske mentor i disse år, kan den yngre hofmand meget vel fra starten have fulgt overvejelserne 'i kulissen'.

Den gratis undervisning for fjorten til seksten elever, som begyndte 1. februar 1740, bestod i frihåndstegning og tegning efter (mandlig) model, og i avisen annonceredes med flere "habile kunstnere" som undervisere. Efter et par måneder beærede Christian VI denne beskedne skole med sit besøg, hvorefter det årlige tilskud blev sat i vejret, og næste år fik man tildelt yderligere to værelser. I en periode fra 1744 flyttedes i hvert fald en del af undervisningen over i lejede privatlokaler hos madam Lyders, Gammel Strand 40 – nok fordi militæret i de år gjorde krav på flere lokaler i postbygningen. Stagnationen var tydelig: Den kongelige bevilling blev ikke indløst af le Clerc, som havde efterfulgt Krock i lederstolen; den anden professor, maleren Hieronimo Miani, havde forladt landet uden at få en efterfølger, og elevtallet faldt til bare ti-tolv stykker. Det så sort ud for fremtiden, da Christian VI døde i 1746.

MOLTKE OG 1748-AKADEMIET PÅ CHRISTIANSBORG

Moltke påtog sig allerede fra 1746 dette akademis ledelse om end først provisorisk, idet Schulin på grund af sygdom fra den 4. september 1746 indtil 12. februar 1748 overlod ham præses-stillingen. I sine egne optegnelser nævner Moltke både 1746 og 1747 som sit startår. Moltke og Schulin inddrog den dygtige administrator, hofbygmester Niels Eigtved i planerne om at puste nyt liv i den hensygnende institution. Eigtveds forslag til reorganisering, til "en bedre opkomst", blev forelagt majestæten i december 1747 og approberet 12. februar 1748.

Fra nu af var det Moltke og Eigtved, som tog teten. Nye professorer blev udnævnt, men den væsentligste nyordning var, at *arkitekturen* som den tredje hovedkunstart blev inddraget i undervisningen. Mens de underordnede undervisere, såkaldte informatorer, og administrativt personale lønnedes af en årlig kongelig bevilling, modtog professorerne, som jo allerede var lønnede hofkunstnere, ingen gage. Schulin indtrådte igen som præses og blev først – helt officielt – afløst af Moltke ved sin død i april 1750. Væsentligt bedre lokaler kunne Eigtved også pege på – et stort lokale lige ved siden af hans egen tegnestue på overetagen i Kronprinsens Stald, der sammen med slotskirke, vogngård og gardestald lå mellem Christiansborg Slots hovedanlæg og kanalen ved Gammel Strand

Den nye ledelse, de mere ordnede forhold og de bedre lokaler medførte hurtigt, at institutionen under Moltke "kom i flor" med ca. tres elever i 1751 og hele hundrede i 1752. Denne hurtige vækst medførte, at nye lokaler blev lagt til den oprindelige "akademisal". I 1751, efter denne udvidelse, nævnes Eigtved som direktør, maleren C.G. Pilo, billedhuggerne le Clerc, Simon Carl Stanley og Johan Christoph Petzold samt kobberstikkeren Johan Martin Preisler som professorer, arkitekten G.D. Anthon, malerne M. Cardes, G.W. Wahl, Ernst Heinrich Løffler og Hans Clio som *informatorer*, Norup som regnskabsfører og Anthon tillige som sekretær. Undervisningen genåbnede 26. april 1751, og dagen efter var det præses, Moltke, "i egen høje nærværelse", der som en ære for Akademiet "stillede modellen". Den gratis undervisning foregik et par timer alle hverdage først på aftenen fra 18 til 20, hvilket tillod eleverne at passe eventuelt andet arbejde, måske som assistenter i et kunstneratelier. Moltke var stolt af forbedringerne og lod ved flere lejligheder prominente diplomater og hoffolk bese lokalerne fyldt med studerende ungdom. Men da Frederik V for første gang besøgte Akademiet på Christiansborg i juni 1751, undskyldte professor Pilo alligevel i sin tale, at man endnu ikke rigtigt havde noget at

På L.A. le Clercs store idealprospekt 1747 af Christiansborg Slot er rækken af bygninger i forgrunden Slotskirken, Vogngården, Kronprinsens Stald og Garderstalden. Kunstakademiet holdt fra 1748 til 1753 til i overetagen på Kronprinsens Stald lige midt i billedet. *Statens Museum for Kunst.*

Det kongelige slot Charlottenborg med facade mod Kongens Nytorv blev på Moltkes initiativ Kunstakademiets fornemme domicil fra 1753. *Foto Elizabeth Moltke-Huitfeldt.*

Charlottenborgs østfløj mod den store have rummede den festlige Kuppelsal fra 1682-83, der blev rammen om akademiets møder. En del af de oprindelige armstole betrukket med rødt fløjl ses stadig i salen, mens Kongens og Moltkes særligt fornemme stole desværre ikke er bevaret. *Foto Elizabeth Moltke-Huitfeldt.*

vise Kongen, "efterdi dette akademi endnu er i sin første fødsel og begyndelse". Alle drømte åbenbart om en mere glorværdig fremtid.

OVERFLYTNING TIL CHARLOTTENBORG

Pladsmangel må have været en tungtvejende årsag til, at man igen søgte nye lokaler. Men især må Moltkes ambitioner om at hæve dette kunstakademi op på et internationalt niveau have spillet ind. Indlogeret på sit eget kongelige slot, og ikke blot placeret i yderkanten af residensslottets vældige kompleks, ville man opnå et væsentligt statusløft. Moltke og Eigtved, der jo i mange samtidige byggesager havde det allertætteste samarbejde, kendte begge et glimrende sted – Københavns ældste barokpalæ, Charlottenborg, opført mellem 1672 og 1683 på Kongens Nytorvs østside og opkaldt efter en senere ejer, Enkedronning Charlotte Amalie, som boede der fra 1700 til 1714.

Her havde de to i fællesskab indrettet bolig for det nygifte kronprinspar, som tog ophold dér 1743-45, mens Eigtved færdiggjorde sin ombygning af Prinsens Palæ ved Frederiksholms Kanal. Og her havde Moltke selv i de år boet som chef for parrets hofstab. Siden 1746, da en ny, festlig atmosfære indtrådte samtidig med Frederik V's tronbestigelse, havde beletagens (fr. det skønne stokværk, dvs. første sal) store festsal og tilstødende gemakker været ude for en ret hårdhændet behandling – som koncertsal og siden ved besøgende teaterfolk, først en italiensk operatrup, så franske skuespillere.

Ved Moltkes fremstilling vedrørende "Akademiets bekvemmeligere og rummeligere anlæggelse" viste Kongen sig velvillig, og nu kunne størstedelen af Charlottenborgs lokaler overdrages til Akademiet, selv om nogle sale og mezzaninen (øverste, lavloftede etage) stadig benyttedes af andre institutioner og som embedsboliger. Forberedelserne til overflytningen begyndte allerede i foråret 1753 med de nødvendige ombygninger og istandsættelser, og i løbet af efteråret kom man på plads, mens undervisningen kunne begynde tidligt i 1754. Der var nu professorboliger i stueetagen og i beletagens sydvest-hjørne, de fleste undervisningslokaler lå i beletagens nordfløj, mens salen mod Kongens Nytorv blev den store gips- eller figursal, og Kuppelsalen mod haven blev Kunstakademiets forsamlingsstue.

DEN NYE FUNDATS

Først og fremmest ville Moltke imidlertid nu for alvor skabe en institution af europæisk format ved at indføre en ny, forbedret og udbygget struktur efter forbillede i de store udenlandske akademier. Han ville fremelske, for ikke snarere at sige fremtvinge, et frodigt hjemligt kunstliv til gavn for riget og til pryd for det enevældige monarki. Fremover skulle Akademiet både være kunstnerskole og rigets øverste styrende, smagsdannende og kontrollerende instans på kunstens mange områder. Hertil krævedes egentlige statutter, der kunne styre institutionens virke helt ned i detaljen. Igen var det Eigtved, som kom med udkastet, der dog nu var udarbejdet sammen med professorerne.

Åbenbart var det gået lidt for stærkt, for *efter* at udkastet var godkendt af Moltke, af kancelli og Gehejmekonseil og sidst af Kongen samt derefter sendt til trykning i 400 eksemplarer, stillede professorerne og Eigtved pludselig med nogle ikke særlig væsentlige ændringsforslag! For en gangs skyld gav den ellers så venlige og diplomatiske Moltke sin irritation til kende. En 'næse' blev uddelt, og Eigtved forsøgte forskrækket at trække i land. Alligevel føjede Moltke sig – de ønskede rettelser blev indført, men de allerede trykte statutter måtte kasseres – "skal forbrændes", dekreterede Moltke logisk nok.

En ny trykt fundats kunne man imidlertid ikke nå at have klar til den planlagte stiftelsesfest i forbindelse med Frederik V's 31-års fødselsdag den 31. marts. Fundatsen forelå først trykt tre måneder senere, dog tilbagedateret til den højtidelige underskriftsdato, men nu også sprogligt forbedret og fornemt illustreret med nye kobberstik. En af indvendingerne havde været, at arkitekturen stadig var udeladt i akademiets officielle navn, men rettet hed institutionen fremover *Det Kongelig Danske Skildre-, Bildhugger- og Bygnings-Academie i Kiøbenhavn.* Eigtved selv var syg og stresset i de hektiske forårsmåneder 1754 og døde af et slagtilfælde 7. juni. Og fundatsaffæren har givetvis skabt en vis misstemning mellem præses og direktør, som må have været medvirkende til, at Moltke nu søgte efter en mere rutineret, kyndig og magtfuld efterfølger til den ledige direktørstilling.

SALY

Den mand, som Moltke med usvigeligt sikker kvalitetssans valgte, var den franske billedhugger Jacques-François-Joseph Saly, indkaldt af Frederik V for at udføre dennes ryttermonument til Amalienborg Plads, som omtalt andetsteds i denne bog. Saly var ankommet til København i oktober 1753 og straks af Moltke installeret med fribolig og atelier på Charlottenborg. Moltke har utvivlsomt iagttaget ham nøje i det næste halve år for ved selvsyn at vurdere franskmandens personlighed og umiddelbare dygtighed som administrator. Betrygget, indsatte han da personligt Saly som akademimedlem og professor ved et møde i Akademiet dagen før stiftelsesfesten, og 25. juli samme år overbragte Moltke ved et ekstraordinært møde i

Jens Juel: J.-F.-J. Saly. Det imposante portræt af Kunstakademiets direktør er først udført i 1772. I baggrunden ses modellen til Frederik V's rytterstatue, Salys absolutte hovedværk. *Statens Museum for Kunst.*

akademiforsamlingen Frederik V's udnævnelse af Saly – den yngste og sidst tilkomne blandt professorerne – til direktør. Dermed var et frugtbart samarbejde indledt, der skulle vare lige til 1770 og må beskrives som det nærmeste, man kommer et venskab mellem en så ophøjet person som Moltke og en kunstner. Moltke forblev som præses, indtil Christian VII fratog ham stillingen i december 1770, og Saly genvalgtes som direktør for tre år ad gangen, helt frem til han tog sin afsked i juli 1771.

STIFTELSESFESTEN 30. APRIL 1754

I 1754 faldt Kongens fødselsdag på en søndag, hvorfor stiftelseshøjtideligheden måtte henlægges til dagen før – lørdag den 30. marts, "la veille de la feste de Sa Majesté". Moltke har haft ualmindelig travlt den dag. Først havde han Frederik V og en udsøgt kreds af fornemme gæster til indvielsesfest for sit eget palæ på Amalienborg, hvor han gav "en prægtig diné". Da Kongen med sit følge forlod palæet, må også Moltke have taget tilbørlig afsked og derefter være styrtet i forvejen til Kongens Nytorv og Charlottenborg for kort efter at kunne modtage majestæten dér. Da den kongelige karet rullede ind i gården klokken 19, stod Moltke, Eigtved og samtlige professorer i al fald opstillet ved sydfløjens trappe, hvorefter man førte Frederik V rundt i beletagens lokaler – havefløjens Kuppelsal eller forsamlingssal, de seks undervisningslokaler i Nyhavnsfløjen, hvor eleverne sad bøjede over tegnebrætterne under ledelse af lærerne, og salen mod Kongens Nytorv. Her i "den store figursal" med de antikke gipsfigurer samt Pilos helfigursportræt af monarken i kroningsdragt, som var ophængt i dagens anledning, gjorde samme Pilo på kollegernes vegne Kongen sine "komplimenter". Frederik V kunne så næste dag underskrive fundatsen, og denne dag blev fremover regnet som institutionens officielle stiftelsesdag. Med Frederik V som protektor og Moltke som forbindelsesled mellem majestæten og det retablerede kunstakademi var dette endelig kommet i smult vande – for en årrække i hvert fald.

En forfatterkollega har tidligere betegnet denne stiftelsesdag som et stykke historieforfalskning, iværksat af Moltke for endnu en gang at kaste glans over sin kære Frederik V og over sig selv, idet Christian VI's egentlige stiftelse i 1738 dermed blev 'glemt'. Der kan være noget om påstanden.

I Akademiets dagbog kan man læse et referat af det første møde afholdt i forsamlingsstuen ni dage efter stiftelsesdagen, hvor Moltke selv var til stede. Her opremses Moltkes direktiver for institutionens arbejdsgang, hvoraf nogle skal nævnes: Der skulle afholdes forsamling to gange om måneden, hvor sekretærens referat af forrige møde skulle læses op og godkendes. Formalia skulle overholdes ved møderne: Først satte præses sig, så direktøren, så den såkaldte månedshavende professor, hvorefter sekretæren ringede med en klokke, der gav signal til, at alle andre måtte tage plads. At vi er midt i 1700-tallet, ses, når det fremhæves, at eleverne ikke måtte bære kårde ved siden! Det var en skole, der skulle tages alvorligt, så elever kunne forvises et stykke tid for hvisken eller anden utilbørlig opførsel. Men Moltke præciserer også med psykologisk indsigt, at professorerne skulle være helt retfærdige i deres præmiebedømmelser, "så meget mere, på det et ungt menneske ved uretfærdig fornærmelse ej skal tabe lyst, flid og håb"! Selv ville han overrække præmien af egen hånd til den heldige, ønske tillykke og *encouragere* "ham til at fortsætte" med at stræbe mod den største præmie, guldmedaljen. I referatet af næste møde læses, at Moltke fremover forlanger, at ingen beslutninger må protokolleres, før han har godkendt dem. Det giver også et godt billede af situationen, når referaterne forlangtes skrevet både på dansk og fransk af hensyn til le Clerc og Saly, som ikke forstod dansk.

EN ÆNDRET FUNDATS 1758

Saly gik straks i gang med at forbedre 1754-statutterne med forbillede i det franske akademi, hvor han også var medlem. Først var det guldmedaljekonkurrencen, som i februar 1755 fik faste regler, og kort efter kunne Kongen og Moltke vælge mellem Salys to udkast til selve guldmedaljen. Året efter præsenterede Saly præses for forslag til nye statutter, som Moltke fulgte op med en lang skriftlig udredning apropos Salys ideer. Han var dog *meget* tilfreds, og rettet til efter præses' kommentarer og ændringsforslag kunne denne nye fundats, eller snarere *Forbedring og Tillæg* ... derefter approberes på majestætens fødselsdag i 1758. I forsamlingen nævnte Saly udtrykkeligt, at mange af ændringerne var sket på Moltkes forlangende.

Vigtigst ved nyordningen var, at Akademiet fremover selv – ved simpelt stemmeflertal – udnævnte direktør, rektor, professorer, æresmedlemmer og almindelige medlemmer. Den eneste, som Kongen udpegede, var præses. Hermed var institutionen på sin vis autonom og ledelsen lagt i hænderne på de mænd, som havde ansvaret for undervisningen, en garanti for kvaliteten. Antallet af professorer var øget til mellem ti og sytten, og afgåede professorer fik en slags retræteposter med bevarelse af deres titel og en vis undervisningspligt. Både undervisningen og proceduren for medlemsoptagelse blev lagt i fastere rammer. Oprykning i næste klasse skete efter konkurrence hvert kvartal, hvor tre store og tre små sølvmedaljer uddeltes. Konkurrencen om guldmedaljer fandt sted én gang om året, og fremover skulle det dobbelte antal medaljer uddeles – fire store og fire små, fordelt med to i hver kunstart. Blandt vinderne af den store guldmedalje kunne Akademiet anbefale de bedste til Kongen, som udnævnte fire "kongelige pensionærer" til modtagere af studierejsestipendier a seks år i udlandet.

Et punkt af stor betydning, "*assez essentiel*", var, at en akademikunstner med guldmedalje kunne slå sig ned som privilegeret frimester overalt i landet uden at gøre mesterstykke. Moltke mente, at dette ville opmuntre til større flid hos de unge kunstnere. Det understregede også uddannelsens betydning for en praktisk håndværksmæssig karriere, idet ikke alle elever kunne blive store kunstnere. Denne bestemmelse var tydeligvis også et led i Moltkes kampagne mod håndværkerlavenes traditionelle magt. Samtidig bestemtes, at ingen kunstner måtte slå sig ned i København uden at være medlem af Akademiet.

Et andet punkt, hvor Moltke gjorde sin position gældende, var i den såkaldte historiemalersag. Allerede i 1755 havde eleven Vigilius Erichsen dristigt henvendt sig direkte til Moltke i et forbavsende skarpt formuleret brev, fordi han af professorerne var blevet afvist optagelse i forsamlingen med den begrundelse, at han var portrætmaler: "Deres Excellence begriber selv, at en portrætmaler er lige så fornøden ved et hof som en historiemaler," skrev han, og tilføjede, at de ikke sjældent sås ved fremmede akademier som både medlemmer og professorer. Brevet fik den tilsigtede virkning – ifølge den nye fundats kunne medlemmer fremover være malere af alle slags emner – portrætter, bataljer, dyr, landskaber, søstykker, blomster, frugter, bygninger, miniaturer – samt kobberstikkere, medaljører og gravører i ædelstene. Dog skulle professorerne vælges blandt historiemalere, billedhuggere, portræt- og bataljemalere og kobberstikkere. Denne ændring blev af største betydning for den kommende kunstnergeneration.

MOLTKE SOM PRÆSES

Omkring stiftelsesdatoen beærede Kongen næsten årligt Akademiet med sit besøg, hvor Moltke sammen med Saly og de andre professorer ledsagede ham og hoffølget rundt. I den store Figursal kunne årets guldmedaljearbejder beundres, og i Kuppelsalen holdt Saly panegyrisk elegante taler på fransk til majestæten, som sad i den fornemste, reserverede stol. Kongens venlige og lakoniske svar lød altid: "Jeg ser med tilfredshed mit Akademis fremskridt, og det vil altid kunne regne med min protektion!"

Man kunne godt tro, at Moltke nu ville betragte præses-stillingen som blot én af sine mange officielle chefstillinger, der nok kunne passes med et minimum af indsats. Akademiets dagbog fortæller en ganske anden historie. Moltke var personligt til stede ved gennemsnitlig en fjerdedel af årets 25-28 møder, altså ikke kun ved ekstraordinært indkaldte møder med vigtige dagsordener, men også meget hyppigt ved de almindelige møder, især i de første år. Nogle gange bad han ligefrem om at få en mødedato flyttet for at kunne deltage. Hans stemme var i tilfælde af lige votering udslagsgivende, og han deltog derfor både i kvartalsbedømmelserne om sølvmedaljerne, ved bedømmelsen af først skitserne, senere selve værkerne til guldmedaljen og uddelte selvfølgelig også personligt medaljerne ved stiftelsesfesterne. Her sluttede han talen til hver enkelt med opfordringen til "at gøre sig mere og mere meriteret, såvel til Kongens nåde som landets tjeneste".

Akademiets nye rolle som landets øverste smagsdommere inden for kunsten kom også til udtryk, når Moltke ret ofte bad forsamlingen udtale sig om kvaliteten af et kunstværk, hyppigt et, som Kongen påtænkte at købe gennem Partikulærkammeret. Ved vigtige kunstneriske opgaver for Kongen, som for eksempel Johannes Wiedewelts projekt til Christian VI's sarkofag i 1759, insisterede Moltke på, at tegningerne skulle godkendes af Akademiet. Forsamlingen erklærede sig i Moltkes påhør "yderst tilfreds" med den unge billedhuggers forslag. Især "den antikke smag" beviste nytten af stipendieopholdet i Rom, hvor Moltke flere gange havde anbefalet Wiedewelts ønsker om forlængelse. Ofte anbefalede Saly en ung kunstner til Moltke, som derefter gav denne hans første vigtige bestilling. Andre gange skaffede Moltke personligt unge kunstnere rejsestipendier uden om Akademiet, således i 1761 medaljørerne Daniel Jensen Adzer og Johan Henrik Wolff og 1764 miniaturemaleren Cornelius Høyer.

Ved indsætningen af æresmedlemmer var det ofte Moltke selv, der præsenterede vedkommende i forsamlingen. Det må især have glædet ham, da hans ældste søn, greve Christian Friderich Moltke i april 1758 blev enstemmigt optaget. Ligeledes var det Moltke, der i forsamlingen præsenterede en *agréeret* (godkendt) kunstner til optagelse som medlem af Akademiet, hvilket blev besluttet på samme møde efter eksamination af kunstnerens indleverede 'svendeprøve', receptionsstykket, og efterfølgende afstemning. Moltke optrådte i øvrigt meget smidigt og salomonisk, da forsamlingen i 1755 skændtes om den første guldmedaljestipendiat, Peder Als', rejserute – i Paris oplevede man ganske vist den herskende smag, men i Rom fandtes de ypperste mesterværker. Moltke fandt det slet ikke nødvendigt at give Als instruks for rejsen. Han kunne stå frit, idet det måtte "være en æressag at gebærde sig bedst muligt og perfektionere sig i sin kunst".

Allerede ved det første årsskifte, 1754/55, indførtes på forslag af Saly den smukke skik i samlet flok at møde op hos Moltke på Amalienborg med nytårsgratulationer. Da man i december 1759 erfarede, at præses var syg, besluttedes det alligevel at gå derhen for at vise sin bekymring, og samtidig vedtoges, at to akademimedlemmer skulle besøge Moltke hver dag, så længe han var syg. Man får indtryk af virkelig agtelse og ægte hengivenhed hos Akademiet for dets høje præses.

GULDMEDALJEN TIL MOLTKE, 1757

Ved en ekstraordinær forsamling sidst på året 1756 meddelte Saly, at medaljøren M.G. Arbien var i gang med at modellere et portrætrelief af den kære præses, Moltke, til en medalje, som denne åbenbart selv har bestilt. Som forbillede havde Moltke udlånt et portræt af Als. Saly fortsatte, at "Akademiet

Kunstakademiet skænkede i 1757 deres kære præses Moltke en guldmedalje som erkendtlighed for hans indsats. Forsidens portrætrelief var skåret af medaljøren M.G. Arbien efter et maleri af Peder Als og gjaldt som hans receptionsstykke til Akademiet. *Nationalmuseet, Den Kongelige Mønt- og Medaillesamling.*

ej nogen tid kunne træffe en lykkeligere lejlighed til at vise deres underdanige erkendtlighed, end når de offererte [tilbød] højstbemeldte Hans Højhed Grevelige Excellence samme sit portræt udi en medalje". Medlemmerne skulle således selv bekoste medaljen til Moltke. Forslaget blev enstemmigt vedtaget, og en deputation forelagde straks planen for Moltke, som takkede "med en særdeles *tendresse*" for opmærksomheden. Han ville dog kun tage imod gaven, såfremt man også lod slå en medalje i anledning af selve Akademiets stiftelse. Herved kunne akademisterne jo smukt "have lejlighed til at give *Fondateuren* [dvs. Frederik V] deres allerunderdanigste taknemmelighed til kende". Man ser igen typisk Moltke sætte sin herre foran sig selv.

Selvfølgelig gik forsamlingen ind på dette krav, og Arbien blev sat i gang med de to medaljer. Ved forsamlingen 7. februar næste år måtte Moltke således forlade Kuppelsalen, mens man stemte om bagsiden af hans medalje. En latinsk inskription i laurbærkrans blev besluttet, som æresmedlemmet, historieprofessor Bernhard Møllmann, på stående fod udkastede og fik godkendt: "Sin mæcen tilegnet, givet og skænket af det kgl. maler-, billedhugger- og bygnings-akademi 1757". Arbiens fine portrætstempel gjaldt som dennes receptionsstykke, da Moltke kort efter foreslog ham til medlem af Akademiet. Medaljeoverrækkelsen blev den festligst tænkelige. Ved stiftelsesforsamlingen den 1. april 1757 var præses og medlemmer til stede, da døren til Kuppelsalen blev åbnet, og alle eleverne myldrede ind, "så mange som der var plads til". Saly trådte frem for Moltke og overrakte medaljen, som var slået i guld, hvorpå direktøren holdt en lang og rosende tale, selvfølgelig på fransk, og citaterne gengives derfor her i Akademiets sekretær, Christian Æmilius Biehls lidt knudrede oversættelse til dansk. Saly begynder med at fremhæve det som det bedste bevis på Kongens indsigt og kærlighed til Akademiet, at han valgte Moltke som præses, "… derved er hans hensigter opfyldte, og kunsterne går lykkeligt frem". Saly priste dernæst tidsepoken, sammenlignede den med kejser Augustus' og fremhævede, hvorledes netop Akademiet var den herlige frugt af Kongens store kærlighed og understøttelse. "Mange unge vover sig ud på denne møjsommelige bane, flere, der har vundet præmier, vækker allerede opsigt i udlandet", ligesom Akademiet selv, der kan regnes blandt de bedst stiftede. "Des mere er vi taknemmelige for, hvad dette skyldes Deres Excellences beskyttelse". Mange steder er pragtfulde projekter kuldsejlet i afmagt. "Her er vi heldigere, idet Kongen selv tænker på den fremgang, han attrår, dens udfører er fundet, og vi er lyksalige!" Dette er mere end nok grund til at gøre klart for eftertiden, "om hvad kunsterne er Deres Mæcenati skyldige, tillige skal underrette Ham om vort ømme hjertelag, iver og erkendtlighed."

Moltke var taknemmelig og rørt: "I skylder mig intet, men Kongen alt, den bedste og klogeste blandt konger … Jeg har alene fuldbyrdet hans befalinger. Intet er mig kærere end det bevis, I giver mig på, at dette er lykkedes. Jeg er oplyst af Deres lys, vejledt af Deres råd, mine herrer. De vil se mig fremover som hidtil gøre mit yderste for at arbejde sammen med Dem på Akademiets tilvækst, fremgang og fuldkommenhed såvel som at vedligholde og forevige dets herlige stifters høje ære."

Få dage senere gik en '*officiales*'-deputation til Moltke med selve stemplet til medaljen og ønsket om selv at få lov til at lade slå nogle flere medaljer, hvad Moltke straks tillod. En uge senere kom så den modsvarende handling i forsamlingen, hvor Saly på Moltkes forlangende uddelte eksemplarer af den *anden* medalje, den kongelige stiftelsesmedalje, til alle medlemmer.

PORTRÆTSAMLINGEN

Det var optagelsen 10. november 1758 af det første udenlandske medlem, der gav stødet til den fornemme samling af portrætter, som i dag kan ses i Kuppelsalen. Den berømte franske portrætmaler Louis Tocqué var i København på gennemrejse for at gøre forstudier til de to vældige majestætsportrætter, som Frederik V ville skænke Moltke til den store sal i dennes nye palæ. Moltke og akademiforsamlingen benyttede lejligheden til at gøre Tocqué til medlem, hvorefter han lovede som sit receptionsstykke at sende et portræt af sin svigerfar, portrætmaleren Jean-Marc Nattier. Moltke besluttede på samme møde, at *officiales*' og andre medlemmers portrætter måtte ophænges i salen lige syd for Kuppelsalen, der hvor den nye bogsamling også skulle placeres – i dag Søndre Forsal. Året efter blev Nattier selv medlem – og skulle kvittere med *sit* portræt af svigersønnen.

Man besluttede nu at opfordre medlemmerne til at skænke portrætter af sig selv. En begyndelse var allerede gjort i 1754, da æresmedlemmet Joachim Wasserschlebe skænkede det nystartede Akademi sit fornemme portræt, malet af Tocqué i Paris 1745. Lignende gaver var rigsgreve Waldemar Schmettaus portræt, malet af Peder Als i 1766 og skænket året efter, samt Als' 1766-portræt af Johannes Wiedewelt. En anden vej blev banet i 1763, da det bestemtes, at en portrætmalers receptionsstykke fremover skulle være portrætter af to af Akademiets medlemmer, og den netop agreerede Peder Als fik til opgave at male arkitekten N.-H. Jardin og kobberstikker Johan Martin Preisler. Mens Saly modellerede Pilo, var denne allerede i gang med malede portrætter af Saly, le Clerc, sig selv og af selveste præses, Moltke. I jubilæumsåret 1764 bestiltes en fornem serie ens guldrammer med navneskilte i et format afledt af Tocqué-portrætterne. Samlingen voksede støt, men det kneb åbenbart for Pilo at få præses' portræt som 'centerpiece' færdigt, selv om en særligt fornem ramme stod og ventede. Man rykkede gang på gang og med stigende utålmodighed. Pilo undskyldte sig i februar 1767 med, at en lovet sidste seance mellem kunstner og model syntes umulig at få arrangeret. Dette er ganske forståeligt, når man husker Moltkes prekære politiske position i disse år, hvor han holdt sig væk fra København i lang tid. Hvad enten det blev fuldført eller ej, kendes dette vigtige portræt desværre ikke i dag. Anderledes er det med Salys pragtfulde buste af Moltke, modelleret i 1757 og indgået i Akademiets samling senest 1759. Den fremstår i bronzeret gips, idet busten først blev støbt i nogle bronzeeksemplarer i 1770.

KRISEÅRENE EFTER TRONSKIFTET 1766

I hele Frederik V's regeringstid personificeredes den intime tilknytning mellem konge og Kunstakademi i Moltkes, Kongens højtbetroede favorits skikkelse. Det var en absolut succeshistorie, han her havde været hovedforfatter til: En kongelig institution, der kørte på skinner; med rummelige og prestigiøse lokaleforhold i et kongeligt slot; en lærerstab, der bl.a. talte fremragende udenlandske kræfter – franskmændene Saly, le Clerc og brødrene Jardin, tyskerne Petzold og Preisler, svenskerne Pilo og Johan Edvard Mandelberg og dansk-englænderen S.C. Stanley – et elevtal i stærk vækst, kunstnerspirer, der nød opmuntring og protektion fra præses og professorerne; nyklækkede danske kunstnere, som allerede vakte beundring ude og hjemme, og som stod parate både til at påtage sig de hjemlige kunstneriske opgaver og som professoremner ved Akademiet.

Med den ganske unge Christian VII på tronen bevægede Moltke og Akademiet sig ind på *terra incognita*. Hvorledes Moltke hurtigt og forudsigeligt faldt i unåde hos den nye konge, berettes mere udførligt andetsteds i dette værk. Men hvorledes denne udvikling også kom til at påvirke Akademiets stilling, skal behandles her. Moltke var så at sige blevet tvunget til at søge sin afsked fra Gehejmekonseilet i sommeren 1766 og opholdt sig derefter afventende på Bregentved, uønsket ved hoffet. Hverken til Dronning Caroline Mathildes indtog i København eller til bryllupsfestlighederne i november 1766 var han inviteret. Den sidste forsamling på Charlottenborg, som Moltke deltog i, var 9. april 1766. Da akademideputationen i 1767 ikke som sædvanlig kunne møde op hos Moltke i København med nytårsgratulationer, sørgede Saly for en brevhilsen, der blev bragt til Bregentved "med hånd", og referater af alle forsamlingerne blev ligeledes sendt ned til Moltke på landet. Da Dronning Caroline Mathilde aflagde sit første besøg hos Akademiet 30. marts 1767, var det uden Moltke, og da man en uge senere holdt ekstraordinær forsamling, havde Saly indhentet Moltkes skriftlige tilladelse til, at et helt års kvartalsbedømmelser samt guldmedaljebedømmelserne denne gang kunne finde sted *uden* præses. Men selve uddelingen af medaljerne, mente Saly bestemt, måtte vente, til Moltke var i byen eller gav anden ordre. For ikke at sinke elevernes oprykning i højere klasse meddelte Moltke kort efter, at kvartalsbedømmelserne fremover skulle finde sted ifølge planen, hvad enten han selv var i byen eller ej.

IGEN EN MEDALJE TIL MOLTKE

Ved Christian VII's salving i maj 1767 kunne Moltke igen sole sig i den kongelige nåde, idet han blev bedt om at deltage i festprocessionen – endda som en af de fire bærere af baldakinen over Kongen. Efter en sommer på landet var Moltke igen i byen i september, hvor Christian VII bad ham fortsætte i sine offentlige embeder. Saly og Akademiet har nu følt, at tiden var inde til atter at give Moltke et konkret bevis på hengivenhed og taknemmelighed. Medaljøren Adzer var siden februar 1765 i gang med at udføre sit receptionsstykke – en medalje med Moltkes portræt på den ene side og en Maecenas-fremstilling på den anden. Wiedewelt havde udført fortegningerne, men ideen om en ny hyldest til Moltke skyldtes Saly. Adzer blev agreeret i april 1766 på grundlag af voksmodellerne, men med selve stemplerne trak det ud, og først ved forsamlingen i august 1767 kunne han endelig fremvise aftryk i bly – et sædvanligt mellemtrin i medaljefremstilling. Maecenas-motivet var på denne medalje endnu mere explicit: Den kunstbedømmende Maecenas/Moltke står foran en buste af sin herre, Augustus, der i udpræget grad ligner Frederik V. Teksten lød oversat til dansk: "Således vender det kgl. maler-, billedhugger- og bygningsakademi i taknemmelig erindring tilbage til sin mæcen" (se ill. side 215).

Saly foreslog straks, at man på Akademiets bekostning skulle lade slå et eksemplar i guld, hvil-

I kriseårene for både Moltke og Kunstakademiet efter Frederik V's død ville akademisterne igen hædre deres præses med en guldmedalje, der blev overrakt Moltke i september 1767. Forsiderelieffet var skåret af D. Adzer efter tegning af Wiedewelt, mens bagsiden med tydelig reference til Moltke og Frederik V viste Maecenas ved en buste af Augustus. *Nationalmuseet, Den Kongelige Mønt- og Medaillesamling.*

ket blev enstemmigt vedtaget og derefter i al hast iværksat. Nu var Moltke jo endelig i byen igen. Kun tre dage senere, den 3. september, begav man sig alle mand af sted mod Amalienborg med den helt nyslåede guldmedalje og blev straks vist ind i Moltkes kabinet. Saly sagde bl.a.: "... dette skal være et holdbart tegn på den ømme kærlighed og ærefrygt, som hvert medlem aldrig vil ophøre med at føle for Deres Excellences dyder og person!" Den tydeligt rørte og overraskede Moltke takkede derefter alle samlet og enkeltvis. I sin selvbiografi beskrev han Akademiets gestus som en tak for hans indsats som præses i ti år – altså enten en lidt forsinket tak eller også udtryk for hans egen beskedenhed i erindringen. Han havde jo faktisk ledet Akademiet i hvert fald siden 1748!

REDNINGSPLANEN

Saly har haft sine gode grunde til dette taknemmelighedsbevis, idet han og Moltke længe – også i de halvandet år, hvor Moltke holdt sig væk fra Akademiet – havde arbejdet på en ny plan, der kunne sikre Akademiets og de bedste kunstneres økonomiske overleven. Saly havde allerede i 1763 skrevet til Moltke og givet en ganske nøgtern vurdering af kunstnernes stilling i landet: Det var et problem for de unge kunstnere, når de kom hjem fra studierejsen, at finde arbejde nok til at kunne leve af. Ganske vist var adelen begyndt at bygge, men de anvendte kun middelmådige eller uvidende kunstnere. Sand kunstsmag kom kun lidt efter lidt, og de eneste eksempler på mæcener var Kongen, Moltke selv og nogle få andre. I stedet for Kongens hidtil ret tilfældigt tildelte kunstnerpensioner foreslog Saly derfor fremover femten kongelige kunstnerpensioner på i alt højst 6.000 rigsdaler, hvorved man ville kunne holde sine gode kunstnere i landet, uden at de skulle leve ydmyge og fattige.

Kort efter Christian VII's tronbestigelse lurede en ny fare, idet Moltkes gamle politiske fjende, admiral Danneskiold-Samsøe foreslog Kongen at smide Kunstakademiet ud af Charlottenborg til fordel for Søkadetakademiet, hvilket dog heldigvis blev afslået. Saly havde straks foreslået, at Moltke gik til den unge konge for at få dennes bekræftelse på Akademiets fundats af 1754/58, men forinden kom unådeperioden i vejen. Efterhånden blev redningsplanen dog finpudset af Moltke og Saly, og da Moltke igen var kommet ind i varmen, har tiden været moden til at få Christian VII med på ideen, hvilket åbenbart lykkedes – i første omgang!

Efter at have fået gjort majestæten opmærksom på institutionens eksistens ved at overrække ham et eksemplar i guld af Akademiets tiårs-jubilæumsmedalje præsenterede Moltke ham for sit og Salys forslag. For første gang i halvandet år kunne en glad Moltke derefter møde op i Kuppelsalen til en ekstraordinær forsamling den 9. september 1767. Her meddelte han de mange fremmødte, at Kongen ikke alene ville bekræfte fundatsen, men også "for at gøre [Akademiet] endnu anseeligere og bestandigere" havde godkendt hans og Salys nye plan, der gav Akademiet en væsentligt øget årlig økonomisk understøttelse fra Partikulærkassen. Til driften bevilgedes nu 5.000 rigsdaler eller mere end en fordobling af 1758-fundatsens 2.400 rigsdaler. Dertil kom 6.000 rigsdaler til femten ærespensioner til kunstnerne – seks a 600 rigsdaler til Akademiets dygtigste embedsmænd, *officiales*, seks a 300 rigsdaler til de dygtigste blandt de ordinære medlemmer og tre a 200 rigsdaler til *officiales*' enker.

Fire dage senere var der igen ekstraordinær forsamling, hvor Saly næppe kunne finde lovord nok over for deres "kloge og dydige præses", som havde fået gennemført nyordningen. Akademiet var jo dannet under denne Maecenas' auspicier og anførelse: "Han, der som ven af kunsterne ikke har forsømt nogen lejlighed til at promovere os. Han har skaffet os alt! På trods af *le tourbillon d'affaires* i hvilken han konstant befandt sig, … og uagtet alle de forfærdelige forretninger, som han idelig var omringet af … alle de store embeder, har han aldrig tabt Akademiet og dets fremgang af syne, aldrig ladet sig to gange bede om det, som han kunne kontribuere [bidrage med] til dets fordel". Han har samtidig, som det også hedder, udvist … "en mildhed over for hver prøvelse og en uforanderlig karakterens sindsligevægt!" En ægte agtelse og taknemmelighed skinner klart igennem retorikken. Han måtte takkes igen, og dagbogsreferatet slutter med oplysninger om turen i samlet flok til Amalienborg, om Moltkes elegante og beskedne svar: at han da var charmeret over at kunne give Akademiet dette bevis på sin nidkærhed og hengivenhed. De turbulente uger sluttede med forsamlingen 18. september 1767, hvor alle eleverne overværede Moltkes uddeling af medaljerne, og 25. september underskrev Christian VII fundatsbekræftelsen med den nye økonomiske ordning.

Livet på Akademiet fortsatte derefter uden nævneværdigt drama, og Moltke var til stede ved de sædvanlige møder om bedømmelser. Den årlige præmieuddeling blev flyttet fra Kuppelsal til Antiksal, hvor der var plads til mange flere – også udefra kommende tilskuere, som man mente var god PR for institutionen. I januar 1768 bekræftede Christian VII Moltkes fortsatte position som præses, og da Kongen for første gang var på besøg 6. april 1768, fremhævede Saly i sin tale atter Moltke som "den kloge og nidkære Maecenas". Ugen efter ledsagede Moltke sin gamle 'fjende' Enkedronning Juliane Marie og dennes søn, Arveprins Frederik, rundt ved deres grundige besøg på stedet, og Akademiet glemte ikke at komme med gratulationer til Moltke både på hans fødselsdag og ved nytåret.

MOLTKES AFSKED

Glæden ved den fine nye ordning blev imidlertid kort. Kongen havde lovet mere, end Partikulærkassen kunne holde, og de 6.000 rigsdaler til pensionerne kom aldrig til udbetaling. Det havde heller ikke den ønskede positive virkning, da man markerede Christian VII's hjemkomst fra Europa-rejsen i 1768 ved for første gang at afholde en udstilling, en *salon*, af medlemsarbejder. Saly kom desuden i sommeren 1770 i konflikt med et flertal af sine medakademister, da han forsøgte at få en ung landsmand agreeret uden om den sædvanlige procedure – et tegn på stemningsskiftet væk fra den udenlandske dominans i forhold til de yngre hjemlige kræfter, men især på modsætningsforholdet mellem to kunstopfattelser, den franske rokoko-klassicisme på vej ud og den fremrykkende tyske antikdyrkelse.

Nye forhold ved hoffet gjorde sig også gældende, idet Struensee reelt overtog landets ledelse i løbet af 1770 og indledte en kort, men overvældende epoke med mange forbavsende og radikale tiltag. Moltke måtte atter se sin kun delvist genvundne position gå tabt, da Gehejmekonseilet 8. december 1770 blev afskaffet og samtlige ministre afskediget! Moltke måtte samtidig fratræde sin stilling som præses og tog afsked med Akademiet i et brev skrevet 10. december: "Eftersom det har behaget Hans Majestæt at fritage mig for stillingen som Akademiets præses, kan jeg ikke skilles fra Dem uden at bevidne mine ømmeste beklagelser og uden at takke for alt, hvad man har gjort for (Kongens) ære. Jeg mindes med glæde den hjælp, jeg har modtaget gennem Deres råd, Deres talenter, Deres oplysthed. Denne institutions succes skyldes i høj grad Dem, mine herrer. Elsk Akademiet, elsk mindet om dets stifter, gør Dem fortjent til Kongens protektion og glem aldrig hans velgerninger. Og husk fra tid til anden Deres ven, som til stadighed vil interessere sig for kunsternes fremgang og lykken hos dem, der dyrker dem". Da Akademiets medlemmer som sædvanlig ved årets slutning bad Moltke om lov til at aflægge visit med nytårsgratulation, svarede han, at han gerne modtog dem som sine venner, men som præses var det ham umuligt, idet Christian VII havde frataget ham alle hans embeder. En uge senere begav Moltke sig med sin familie til Bregentved.

Det præses-løse Akademi holdt derefter krisemøde først i januar 1771, hvor rygterne om institutionens nedlæggelse blev drøftet, og senere på måneden indledte Struensee en undersøgelse af dets økonomiske forhold. Resultatet var en afskaffelse af de endnu aldrig udbetalte kunstnerpensioner. Fra højeste sted kom derpå ordre om en ny fundats' udarbejdelse, og med dette nye *reglement* blev Moltkes og Salys store indsats gennem årene alvorligt beskåret: præses-stillingen blev afskaffet, driftsbeløbet blev nedskrevet med tyve procent og lagt over fra Partikulærkassen til Zahlkassen, professorantallet blev reduceret, andre *officiales*-stillinger blev afskaffet, guldmedaljekonkurrencen skulle kun finde sted hvert andet år, den lille guldmedalje blev afskaffet, kun to guldmedaljevindere måtte være udenlands samtidig, og en portrætmalers rejselegat blev kun på tre år.

Struensees måske mest byrdefulde nybestemmelse for Akademiet var imidlertid – angiveligt "for at befordre den gode smag" – den, at alle lærlinge i de håndværk, som krævede tegnekundskab, skulle følge undervisningen i Akademiets nederste klasse, Ornamentskolen, samt at Akademiet skulle godkende samme håndværksfags mesterstykker, både tegningerne og de færdige stykker. Resultatet blev overfyldte undervisningslokaler med temmelig livlige elever, ikke alle lige motiverede for undervisning, samt en vældig ny censurbyrde hos *officiales*. Da man også havde afskaffet 1758-fundatsens 'senior'ordning med bl.a. aflønnet plads for afgåede direktører, meddelte Saly, som i forvejen befandt sig i modvind fra Akademiets yngre kræfter, at han nu var "fuldstændig unyttig" for det og tog i konsekvens heraf sin afsked. Petzold var rejst allerede 1757, Stanley var død 1761, Jardin havde søgt sin afsked i 1770, le Clerc døde i 1771 og Pilo tog sin afsked i 1772. Den store epoke var definitivt slut.

Moltke havde således i hele 24 år viet en stor og vigtig del af sit liv til skabelsen af bæredygtige forhold for det danske Kunstakademi. Vi har set ham diplomatisk formidle kontakten til den enevældige monark – med stort held i hans magtfulde dage under Frederik V, med vekslende succes under den lunefulde Christian VII. Vi har overværet hans frugtbare samarbejde først med Eigtved, siden med Saly ved skabelsen af fundatser for Akademiets struktur og økonomiske grundlag. Vi har overværet hans dygtige valg af udenlandske kapaciteter til lærerstaben og til æresmedlemmer. Vi har deltaget med ham i de mange møder, hvor han med stor takt og diplomati styrede sagernes drøftelse og afgørelse. Vi har fulgt ham ved fremvisningen af institutionens frembringelser og professorernes hovedværker for besøgende kongelige gæster. Vi har hørt ham personligt opmuntre og rose eleverne samt opfordre lærerkræfterne til retfærdige bedømmelser og effektiv undervisning. Vi har gang på gang overværet hans modtagelse af Akademiets ærligt mente hyldest og taknemmelighed. En forfatterkollega har smukt og rammende om Moltke set fra en akademielevs standpunkt sagt, at han "som en guddom svævede højt over lærernes og kammeraternes kreds, men … med sin venlige interesse og sin redebonne hjælpsomhed dog næsten fik menneskelige proportioner … hans magt kunne åbne alle porte."

Frederiksstaden

Midt i 1700-tallet nød København de fredelige opgangstider med ekspansion af handel og søfart, anlæggelse af nye fabrikker og manufakturer og den deraf følgende store indvandring til hovedstaden. Befolkningstallet, som også omfattede de store militære forlægninger, voksede, og pladsen inden for voldene var ved at blive trang. Dette var baggrunden for en henvendelse, som en kreds af storkøbmænd og skibsredere i sensommeren 1749 fremsendte til Kongen gennem Danske Kancelli. Man ønskede Kongens gamle, ret ubenyttede Amalienborg Have samt en del af den tilstødende eksercerplads overladt til byens borgere som byggegrunde, og andragendet var ledsaget af et uambitiøst, traditionelt forslag til byplan på arealet.

Imidlertid havde man længe på højeste sted lagt planer for fejringen i oktober samme år af det oldenborgske kongehus' beståen i 300 år – med illuminationer, festarkitektur, kanonsalutter, gudstjenester og lærde taler. Da man fik nys om den borgerlige plan, må Moltke, som selvfølgelig var en betydningsfuld deltager i jubilæumsdrøftelserne, have indset, at en kobling af plan og fest frembød en enestående chance for en rent fysisk og permanent hyldest til det enevældige forfatningssystem. Med sin sædvanlige kvalitetssans begreb han samtidig, at den forelagte plan måtte løftes op på et højere ambitionsniveau. På et møde 5. september 1749, som Gehejmekonseilet holdt hos Frederik V på Jægerspris, besluttede man at realisere planen. Kongens gavebrev til Københavns Magistrat, som Moltke utvivlsomt havde været med til at formulere, blev overdraget 12. september og offentliggjort på rådstueplakater tre dage senere. Danske Kancelli og dets chef, oversekretær J.L. Holstein, hos hvem sagen egentlig hørte hjemme og da også var startet,

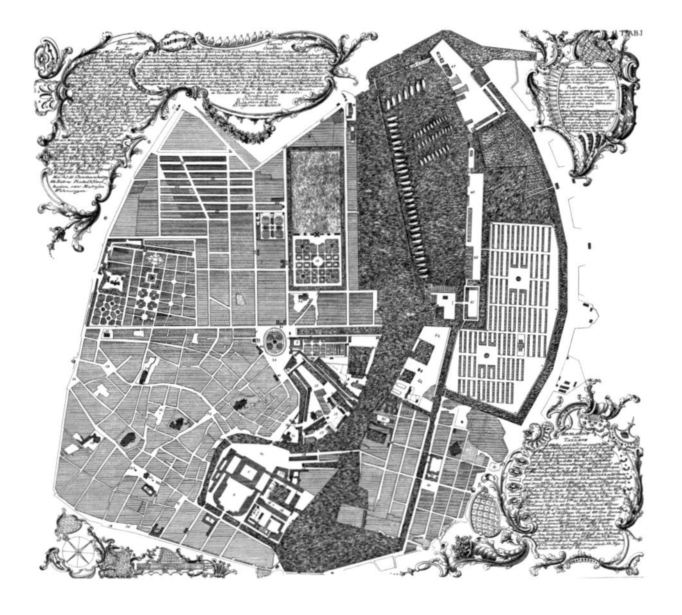

På kortet over København fra 1746 fremstår byen tydeligt tværdelt ved linjen Gothersgade-Nyhavn i middelalderbyen med Slotsholmen mod syd og Ny-København mod nord. Her ses det regulære kanalomkransede Amalienborg-område, som skulle blive til Frederiksstaden, og den lille tilstødende kvadratiske prinsessehave, som skulle blive Frederikskirkens byggeplads. *Den Danske Vitruvius, bd. I, Tab. 1.*

trådte nu helt i baggrunden. Den 3. oktober meddelte Kongen, at Moltke ville besørge skødet til byen, og at majestæten forbeholdt sig dispositionsret over de fire palæer, som skulle danne den centrale plads.

EN IDEALBY

Moltke, som herefter var øverste instans og *primus motor* i Frederiksstadens administration og planlægning, må således allerede fra begyndelsen af sep-

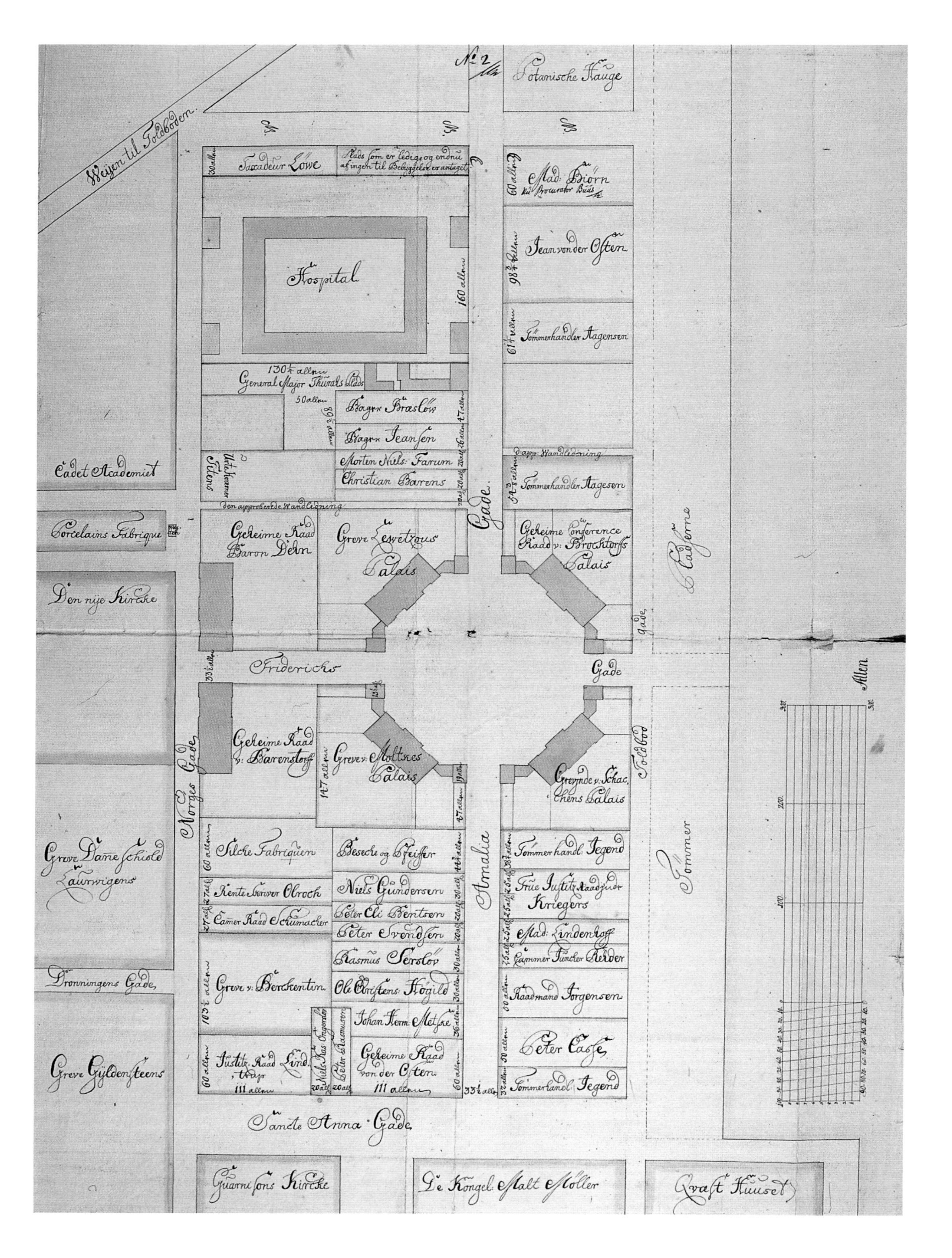

No 2
Botanische Hauge
Weijen til Toldboden
Taxadeur Löwe
Hospital
160 allen
Mad: Biörn
Jean von der Osten
Tömmerhandler Hagensen
130¼ allen
General Major Thurats Plads
Bager Braslöw
Bager Jeansen
Morten Niels: Farum
Christian Barrens
Tömmerhandler Hagesen
Cadet Academiet
Porcelains Fabrique
Den nije Kirche
Geheime Raad Baron Dehn
Greve Lewetzous Palais
Geheime Conference Raad v: Brochtorffs Palais
Gade
Friderichs
Gade
Geheime Raad v: Barenstorff
Greve v: Moltkes Palais
Greyinde v: Schac, chens Palais
Toldbod
Norges Gade
Amalia
Silcke Fabriquen
Besecke og Pfeiffer
Tömmer handl: Tegend
Rente Skriver Olroch
Niels Gundersen
Frue Justitz Raadinde Kriegers
Camer Raad Schumacher
Peter Ali Bentsen
Peter Svendsen
Mad: Lindenhoff
Rasmus Serslöv
Cammer Juncker Rolder
Greve v: Berckentin
Ole Christens: Högild
Raadmand Jorgensen
Johan Herm: Metzre
Peter Case
Justitz Raad Lind
111 allen
Geheime Raad von der Osten
111 allen
Tömmerhandl: Tegend
Greve Danneschiold Laurwigens
Dronningens Gade
Greve Gyldensteens
Sancte Anna Gade
Guarnisons Kircke
De Kongel: Malt Möller
Qvast Huuset
Tömmer
Allen
100
200
300

På denne plan over Frederiksstaden fra 1756, der stammer fra hofbygmester Thurahs tegnestue, fås et godt indtryk af Eigtveds ikke bevarede generalplan. Ejernavne er påskrevet de tre lange rækker dybe byggegrunde langs Bredgade og Amaliegade, mens Frederiksgade forbinder Amalienborg Plads med den nye kirkeplads. Øverst til venstre ses Frederiks Hospitals store karré. *Rigsarkivet.*

tember have inddraget sin yndlingsarkitekt Eigtved, idet en generalplan fra dennes hånd hurtigt var blevet udarbejdet. Egentlig hørte opsynet med nybyggeri til hofbygmesterkollegaen Lauritz de Thurahs ressort ifølge instruksen for Bygningskommissionen af 1742, men Moltke foretrak altså at fortsætte sit gode samarbejde med Eigtved. Den store, gode og ledige byggegrund havde Eigtved allerede i 1743 udpeget for ham som byens bedste, da man drøftede kronprinsparrets fremtidige bolig. Området i Ny-København blev i gavebrevet udvidet til det dobbelte af den borgerlige plan. Nu strakte grænserne sig langs ydersiderne af den kanal, som omgav både have og eksercerplads. Da gavebrevet også lovede den nye bydels beboere en kirke, var en mindre, tilstødende, kongelig have mellem Store Kongensgade og Bredgade blevet inddraget i gaven til dette formål. Det kongelige donationsskøde tilhæftet stadskonduktørens målebrev forelå 6. december, og Eigtved havde med hektisk flid finpudset sin generalplan samt udstukket retningslinjer for det borgerlige byggeri, som ville sikre ensartethed og kvalitet.

Moltkes og Eigtveds ambition var at skabe et nyt ideelt bykvarter, der ved sin plan og disposition klart forherligede den enevældige monark. De to nye gader Amaliegade og Frederiksgade, byens hidtil bredeste, skulle krydse en stor, ottekantet centralplads omgivet af eksklusivt palæbyggeri som en ægte *place royale*, idet midten allerede fra starten tænktes prydet med Kongens symbolladede ryttermonument. Samtidig skulle denne plads via den korte Frederiksgade sættes i forbindelse med en lige så stor og monumental plads, hvor den nye kirke skulle opføres "til erindring om den nåde, der i 300 år har opholdet og velsignet den oldenborgske stamme". Det er værd at bemærke, at først ved nedlæggelsen af kirkens grundsten 30. oktober på tredjedagen af jubilæumsfestlighederne knyttes planerne om en ny bydel officielt til dynastiets fest. Både byområdet og kirken kom til at bære Kongens navn – Frederiksstaden og Frederiks Kirke, ligesom det hospital, som Moltke og Eigtved få år senere placerede i bydelen blev Frederiks Hospital. Med til Eigtveds bærende disposition i den oprindelige plan hørte yderligere tre pladsagtige byrum – en plads i Frederiksgade-aksen ud mod havneløbet i øst samt smalle træbeplantede pladser i nord og syd. Af disse tre blev kun den sydlige realiseret som Sankt Annæ Plads. Havnefrontspladsens kuldsejling skyldtes først og fremmest, at nogle ubehageligt dyre ekspropriationer ville blive nødvendige. Hos Moltke vejede økonomi og fornuft for en gangs skyld åbenbart tungere end Eigtveds æstetiske idealer.

Moltke var åbenbart, om end ikke ved selvsyn, velorienteret i tidens mange både ældre og nyskabte kongepladser ude i Europa, hvor især det toneangivende Frankrig førte an. Han var fuldkommen klar over, at arkitekturens symbolske hovedidé med sammenknytning af Gud og konge, af kirke og ryttermonument, krævede prægtige omgivelser, som næppe kunne skabes ved almindelige borgeres individuelle byggerier. Så var adelspalæer langt mere passende, og Eigtved slog til i planlægningen med firlinge-palæer på centralpladsen omkring rytterstatuen, tvillingpalæer ud mod kirkepladsen, tvillingpalæer på gadehjørnerne ved Sankt Annæ Plads og et sidste palæ som *point de vue* ud for Dronningens Tværgade. Eigtved kom ikke selv til at tegne alle ni palæer, men hovedideen samt sandsynligvis kontrollen med det arkitektoniske udtryk var hans. Med disse ni palæers uhyre strategiske placering i byplanen og i den mere beskedne og anonyme nye borgerlige bebyggelse skabte Eigtved en enestående og æstetisk tilfredsstillende helhed. Tilmed lykkedes det for ham i sit koncept ved det gennemgående forfinede formsprog og de styrende, men aldrig snærende retningslinjer at skabe både en afvekslende livlighed og en overordnet homogenitet af disse så forskellige komponenter – pladser, gader, kirke, palæer, borgerhuse, hospital, botanisk have og havemure.

AMALIENBORG PLADS – PALÆER OG BYGHERRER

Eigtveds helt unikke disposition af de fire ens palæer omkring ryttermonumentet var at gøre pladsen ottekantet og at placere hovedbygningerne i diagonalerne, knyttet til lavere pavilloner ved gademundingerne via endnu lavere portmellembygninger. De fire ensdannede palæers rundkreds og dobbeltsymmetri modvirkede stærkt og bevidst den aksialitet, som gaderne trods alt dannede, især ved bevægelsen øst-vest fra kongemonument til kirke. Samtidig var der slet ikke tale om lukkede pladsfacader, men om klart opfattelige bygningsvoluminer, hvis indbyrdes forhold var i ustandselig og spændende vekslen for den betragter, som bevægede sig i området. Farveholdningen var distingveret – de oliemalede facaders og alle skulpturdeles lyse grå stenkulør, døres og portes okkergule, vinduernes perlegrå, smedejernets sortgrå og tagfladernes blåsorte tegl.

Fra ideens fødsel stod det klart for Moltke, at prestigebyggeri i denne klasse var en uhyre bekostelig affære. Adelige og formuende bygherrer måtte findes til de gratis byggegrunde og lokkes med særlige lempelser og privilegier. Det var oplagt, at Moltke selv ville påtage sig at opføre det ene palæ (i dag Christian VII's Palæ), hvilket omtales nærmere andetsteds i denne bog. Men Moltke skulle også finde tre andre, som magtede at modtage Kongens forpligtende gave. I begyndelsen synes Moltke og Eigtved at have underspillet opgavens sande omfang for ikke at bortskræmme eventuelle liebhavere. Somme tider mistænker man også Moltke for gennem Frederik V at skaffe folk både stillinger, adelspatenter og ordener, der kunne opmuntre dem som mulige bygherrer. De tre, som meldte sig, fik imidlertid ikke samme mangeårige glæde af deres byggeri som overhofmarskallen.

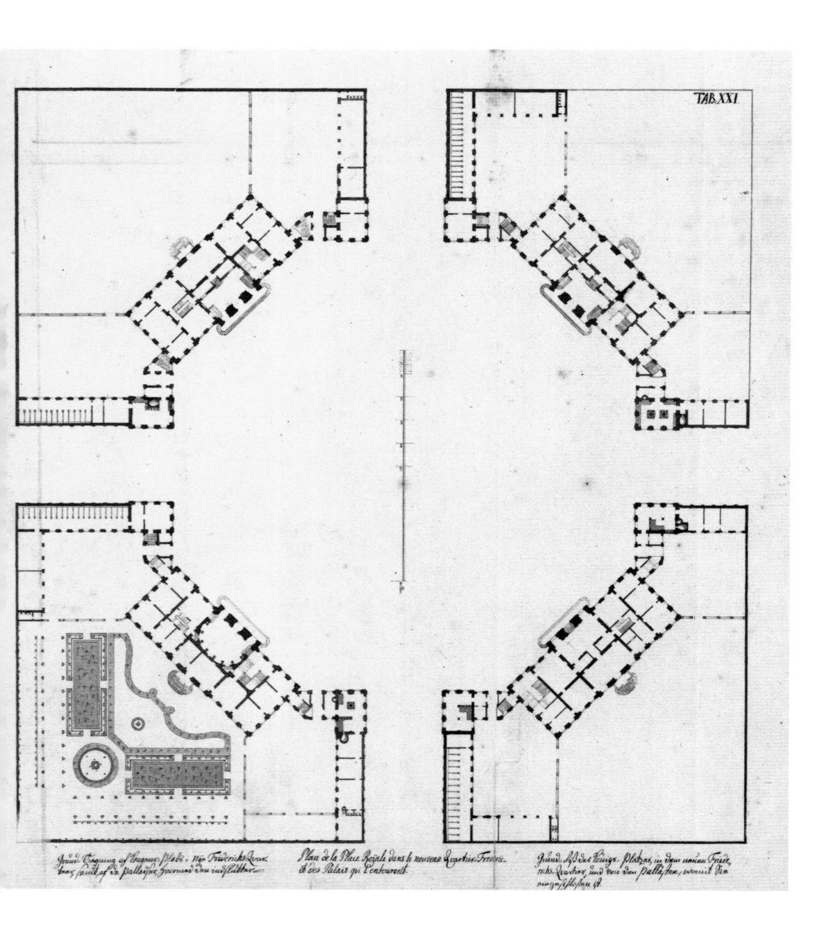

Situationsplan af Amalienborg Plads med stueplanerne af de fire adelspalæer. Øverst tv. Levetzaus Palæ (i dag Christian VIII's Palæ), øverst th. Brockdorffs Palæ (i dag Frederik VIII's Palæ), nederst tv. Moltkes Palæ (i dag Christian VII's Palæ) og nederst th. Schacks Palæ (i dag Christian IX's Palæ). *Tab. XXI i det utrykte bd. III af Den Danske Vitruvius. Det Kongelige Bibliotek.*

J.M. Preislers kobberstik 1766 af Amalienborg Plads efter tegning af le Clerc er en blanding af projekt og virkelighed, idet hverken rytterstatue eller kirke blev fuldført i disse former. Alligevel giver prospektet et glimrende indtryk af palæarkitekturens livlige silhuet og kulminationen i den vældige kuppelkirke med sidetårne.

Den jyske storgodsejer generalløjtnant Christian Frederik von Levetzau, Moltkes nabo på venstre hånd (i dag Christian VIII's Palæ), blev i 1750 udnævnt til deputeret i Kommercekollegiet, hvilket krævede en standsmæssig bolig i hovedstaden en del af året. Han døde imidlertid allerede i 1756, før palæet var færdigindrettet. Bygherren i palæet over for Moltkes (i dag Frederik VIII's Palæ, kronprinsparrets nye residens) blev den holstenske storgodsejer baron Joachim Brockdorff, som nærede høje ambitioner efter sit giftermål ind i holsteinernes og reventlowernes prominente familiekreds. På Kongens fødselsdag i 1751 udnævntes han sammen med sin nabo Levetzau til ridder af Elefanten – som nævnt, smigrende og opmuntrende kongelige æresbevisninger, der uden tvivl var sat i scene af Moltke. Indtil sin død i 1763 opholdt Brockdorff sig imidlertid mest i Holsten, hvorfor Moltke allerede i 1756 på Kongens vegne kunne leje det endnu ikke helt færdigindrettede Amalienborg-palæ til bolig for tre unge prinser, slægtninge af det danske kongehus. Vilhelm, Carl og Friedrich af Hessen-Kassel skulle opdrages i Danmark efter faderens konvertering til katolicismen og forældrenes skilsmisse, og de to førstnævnte blev siden gift med døtre af Frederik V. Det var således Moltke, som for Kongens regning bestilte og styrede indretningen af palæet før prinsernes indflytning i januar 1757. Da Brockdorff og hans hustru begge døde i 1763, købte Moltke i øvrigt såvel deres holstenske godser Noer og Grönwohld som palæet af arvingerne, hvorefter han allerede i februar 1765 solgte sidstnævnte videre til Frederik V. Hermed var kongehuset igen rykket ind som ejere på Amalienborg.

På et mere personligt plan blev Moltke også stærkt involveret i opførelsen af det fjerde Amalienborg-palæ, hans nabo på højre hånd (i dag Christian IX's Palæ, H.M. Dronningens residens). Da han i foråret 1750 henvendte sig til den unge norskfødte Severin Løvenskiold, var denne nygift med en velhavende svigerfader og med udsigt til selv at arve gods og jernværker i Norge. Sit frejdige ja til Moltke nåede Løvenskiold hurtigt at fortryde, da faderen før sin død i maj 1750 skar klækkeligt i arven. Det trak derfor ud med at få begyndt på byggeriet, og efter rykkere fra Moltke måtte han optage store lån for at komme i gang, hvor kronen dog ved Moltkes mellemkomst refunderede halvdelen af renterne. Byggeriet skred alligevel såre langsomt frem, og to dage før Moltke kunne indvie *sit* palæ i marts 1754, måtte den uheldige nabo give fortabt og sælge sit ufærdige palæ. Moltke må have haft en finger med i dette spil, thi køberen var den rige enkegrevinde Anna Sophie Schack, veninde af Moltke-familien, med hvem hun delte loge i Komediehuset. Hun købte imidlertid ikke til sig selv, men til sin sted-sønnesøn, den 21-årige lensgreve Hans Schack til Schackenborg, der stod for at gifte sig med Moltkes fjortenårige datter Ulrica, hans trolovede siden barndommen. Den ivrige bygningsadministrator Moltke tilbød enkegrevinden at styre palæets færdiggørelse, som trak yderligere ud på grund af en brand i december samme år, der ødelagde interiør, tagværk og en del af ydermurene. Det unge par blev viet med gæstebud og bal i Moltkes Palæ i januar 1757 og kunne flytte ind på Amalienborg i sensommeren. Efter seje økonomiske forhandlinger med sin bedstemoder og svigerfaderen stod Hans Schack endelig selv som ejer i 1759. Ulrica fødte fire børn i palæet før sin død i 1763, men familien opholdt sig mest på Schackenborg efter ægtefællens udnævnelse til stiftamtmand over Ribe Amt.

Moltke holdt åbenbart af at have sin store familie tæt omkring sig. Palæets naboer mod syd i Amaliegade, tvillinghusene nr. 15-17, var opført af Eigtved til stenhuggermestrene Bæsecke og Pfeiffer 1754-57 som bydelens ædleste borgerhuse. Man plejer at tilskrive deres fornemme sandstensbeklædte facader ejernes profession, men mon ikke den almægtige overhofmarskal på en eller anden måde har tilskyndet til naboernes kvalitetsbyggeri. I hvert fald ser vi ham i 1761 købe nr. 15 og videresælge huset til sin søn Joachim Godske Moltke i 1780, mens hans yndlingsdatter, Catharine Wedell, boede i nr. 17 og selv købte denne ejendom i 1780. Endelig vides sønnen Caspar Moltke i en periode at have lejet beletagen i Amaliegade 25, arkitekten Lauritz de Thurahs eget palæagtige hus.

FREDERIKS KIRKE

Opførelsen af den monumentale kirke skulle være kronen på værket i anlæggelsen af Frederiksstaden, så symbolladet og pragtfuld, at den kunne måle sig med de mange berømte kuppelkirker i Europas hovedstæder. Her skulle fremvises det ypperste, som rigerne formåede. Det var Frederik V's private ejendom, Kongen betalte gennem Partikulærkassen og Chatolkassen, og skønt han ikke nåede at se den færdig, blev den regnet for så vigtig blandt hans fortjenester, at kirkens facade prydede den ene side af hans mindemedalje.

På Eigtveds facadeopstalt fra 1752 af den monumentale Frederikskirke fornemmes projektets hovedelementer: en rotunde med ekstremt høj tambur og slank lanternekronet kuppel samt næsten fritliggende sidetårne. Slægtskabet med Amalienborg-palæernes formsprog er tydelig. *Rigsarkivet.*

Allerunterthänigstes Dessein zur neu erbauenden Kirche und zwar die Facade gegen der Friedericks Strasse so in etwas gegen
der Allergnädigst Approbirten Zeichnung verändert und wovon die Eingangs Thür und die Öffnung darüber erweitert und grösser sind, wie auch

Man havde travlt! Grundstensnedlæggelsen var planlagt til sidstedagen af den officielle fejring af kongehusjubilæet 28.-30. oktober 1749, mens biskoppen først modtog brev fra Moltke om planerne den 27. oktober, samme dag, som nyheden stod i aviserne. Der må have hersket febrilsk aktivitet og en nærmest elektrisk ladet atmosfære på Eigtveds lille tegnestue, hvor man jo samtidig arbejdede med generalplan, borgerhustype og palæer. For Eigtveds tegninger til kirken blev godkendt allerede 21. oktober og derpå udstillet i en gammel havepavillon på byggegrunden samme dag, som Frederik V personligt og under stor festivitas nedlagde marmorskrinet i fundamentgraven, nøjagtig hvor alteret skulle stå. Om aftenen var der gallataffel på Christiansborg med nedkastning af jubelmønter fra balkonen, mens Eigtved på festens førstedag blev forfremmet til oberst.

Derpå indtrådte hverdagens alvor, hvor et realistisk overslag over udgifterne skulle udarbejdes. Her fik Moltke nok den største og sværeste opgave i sit liv som administrator. Hans allerførste skridt var straks i 1749 at blive udnævnt som *overdirektør*, der skulle forestå kirkens opførelse assisteret af landets øverste myndighed på området, Bygningskommissionen af 1742, hvor både Eigtved og Thurah var beskikkede medlemmer. Men efterhånden som byggeriet gik i gang, og vigtige beslutninger skulle træffes, indså Moltke det problematiske i denne ledelseskonstruktion, der betød gnidninger i forhold til en efterhånden stresset og sygdomssvækket Eigtved. Derfor nedsatte han på Kongens fødselsdag 1753 en særlig Kirkebygningskommission, der skulle have overopsynet med byggeriet, materialeleverancerne, økonomien og den kunstneriske udsmykning. Heri sad foruden Moltke de erfarne topembedsmænd J.H.E. Bernstorff, overceremonimester V.C. von Plessen, C.A. von Berckentin og J. Barchmann foruden Moltkes højre hånd i såvel offentlige som private økonomiske sager, kabinetssekretær H.C. Esmarch. Fremover skulle den almindelige Bygningskommission med Eigtved og Thurah intet have at gøre med kirkebyggeriet. Esmarch havde allerede siden april 1750 forvaltet Partikulærkassens årlige udbetalinger til byggeriet, som var fastlagt til 40.000 rigsdaler p.a. Derudover kom tilskud fra Chatolkassen, i alt 51.000 rigsdaler, frem til 1756.

Eigtved var byggeriets arkitekt i fem år frem til sin død. Fra første færd synes han at have skabt hovedkonceptet i kirkens arkitektur, og de mindst fire projekter, som man véd fulgte fra Eigtveds hånd, kan betragtes som justeringer eller let ændrede varianter af hans oprindelige idé. Kirkerummets indvendige højde, harmonisk svarende til rotundens diameter, var ca. 43 m, mens bygningen udvendigt målte godt 100 m. Denne store forskel har senere tider kritiseret Eigtved for uden at fatte hans forståelse for bygningens to væsentligste funktioner – at rumme et stort harmonisk kirkerum for menigheden med god akustik og at skabe et samlende monument i Frederiksstadens, ja, hele hovedstadens skyline. Hans endelige projekt blev approberet 6. maj 1754 – få uger før hans død.

ØKONOMIEN

Men økonomien! Eigtved kunne i første omgang kun indlevere overslag vedrørende fundamentering i februar 1750. Bygningskommissionens økonomisk kyndige henvendte sig kort efter til Kongen med deres velbegrundede bekymring: En kirke med kuppel, der var 10 m højere end Nikolajs spir! Udgiften blev vel på mindst to tønder guld, så et generaloverslag fra arkitekten var yderst påkrævet. Men majestæten og Moltke var ivrige, og man igangsatte ufortrødent fundamentsarbejderne i marts med en foreløbig godkendelse. Sidst i april kunne Eigtved omsider præsentere sit "omtrentlige" generaloverslag, som lød på godt en kvart million rigsdaler. Men udgifterne til en eventuel beklædning af bygningen ude og inde var så ikke medregnet. Hvis man valgte at beklæde med marmor, betød det en merudgift på fra 466.000 rigsdaler til i alt knap trekvart million rigsdaler! Det var slemt nok, men skulle blive meget værre. Arbejdet lå nødvendigvis stille i vintermånederne, så i sensommeren 1752 var murene kun nået godt en meter over terræn. Fra 1753 gik byggeriet mærkbart langsommere. De mange forskellige materialer strømmede ind, flere begunstiget af fritagelse for told og andre afgifter samt i større mængder end kontraktligt aftalt. Derfor kunne Moltke 'låne' 330.000 lidt billigere mursten fra kirken til sit eget palæbyggeri. Han tilbød korrekt at erstatte murstenene, men som så ofte valgte Frederik V at skænke dem til sin favorit "af Vor synderlig nåde", mens beløbet blev tilbagebetalt Kirkebygningskassen af Partikulærkassen.

Efter mange og langvarige overvejelser, ekspertudtalelser og undersøgelser besluttede man på Kongens fødselsdag 31. marts 1753, at kirken ind- og udvendigt ville blive "beklædt" med norsk marmor. Det skulle leveres fra Eigtveds og stenhuggermester Fortlings fælles stenbrud ved Gjellebæk, ordren delt ligeligt mellem de to. Det var ved denne lejlighed, Moltke sørgede for oprettelsen af Kirkebygningskommissionen. Siden måtte Moltke søge at mægle mellem Eigtved og Fortling, der kom i bitter strid om leverancens betingelser. Den endelige kontrakt kunne underskrives i maj 1754 efter Fortlings ønsker, hvilket utvivlsomt ikke har været befordrende for hverken helbred eller sindsstemning hos Eigtved, der kun havde en måned tilbage af sit liv. Det har heller ikke hjulpet, at man især med henblik på kirkens ydre udformning sendte hans projekter til sagkyndig vurdering i Paris både i 1749 og igen i 1753. Moltke havde egentlig haft til hensigt at sende Eigtved ned på studierejse til den moderne kunsts hovedstad, som arkitekten aldrig havde besøgt, men det blev ikke til noget. I sommeren 1753 var kopier af Eigtveds nyeste projektrevision blevet forevist Louis XV's hofarkitekt, Ange-Jacques Gabriel, men dennes svar i form af hans egne to modprojekter ankom dog først i København efter Eigtveds sidste godkendte projekt og hans død.

JARDIN

Da Eigtved døde, standsede Moltke arbejdet. Det var indlysende for ham og den øvrige Kirkebygningskommmission, at man måtte henlægge hans projekt og søge en ny arkitekt til kirkens fuldførelse. Alt opført blev revet ned til terrænniveau. Man havde Gabriels to forslag. Den nyudnævnte generalbygmester Thurah, som var byggeriets officielle arkitekt i den første tid, indleverede i sensommeren 1754 to helt nye projekter, og også Eigtveds mangeårige tro medhjælper, nu hofbygmester G.D. Anthon kom i 1756/57 med egne to forslag. Men alle lagdes til side, idet man ønskede friske moderne kræfter udefra. Kirkens nye arkitekt blev franskmanden Nicolas-Henri Jardin.

Den kunstkyndige og altid velunderrettede legationssekretær Wasserschlebe havde allerede bragt Jardins navn på bane som et glimrende professoremne til Kunstakademiet. Dette kunne støttes af Saly, som var gammel ven med Jardin fra deres år ved det franske akademi i Rom og fra Paris. Nu kunne Frederikskirke-opgaven bruges til yderligere at friste franskmanden til at tage ophold i Danmark. En seksårig kontrakt som kirkens arkitekt blev sluttet og fik Kongens underskrift 3. januar 1755, en halv snes dage før Jardins ankomst i København.

Jardins to første, provokerende originale projekter blev præsenteret i juni 1755 for en ganske uforberedt og chokeret Kirkebygningskommission. Mest af alt mindede de i deres radikalitet om en Piranesis arkitekturfantasier. Moltke bad Anthon om at vurdere projekterne i forhold til Eigtveds med hensyn til både udformning og pris. Han kom frem til godt 1,7 millioner rigsdaler eller tre gange så meget som Eigtveds, og projekterne blev forståeligt nok sendt til udtalelse i både Paris og Rom. De bevarede svarskrivelser var noget divergerende og ikke til megen nytte.

Imens blev Gabriels projekter igen undersøgt, og her lå prisen på 1,1 millioner, men med kupler i massiv marmor. Moltke bad om en ny pris med muret inderkuppel og de ydre i let kobbertækket tømmerkonstruktion, og man kom ned på 1 million. Anthon kritiserede desuden over for Moltke

Jardins første to forslag fra 1755 til Frederikskirken, som her ses sammentegnede på en facadeopstalt, chokerede Moltke og Kirkebygningskommissionen ved deres radikale formsprog, nærmest groteske proportioner og mængden af kostbare detaljer. Desuden overskred de langt Eigtveds fundamenter og frembød næsten labyrintiske planløsninger. *Rigsarkivet.*

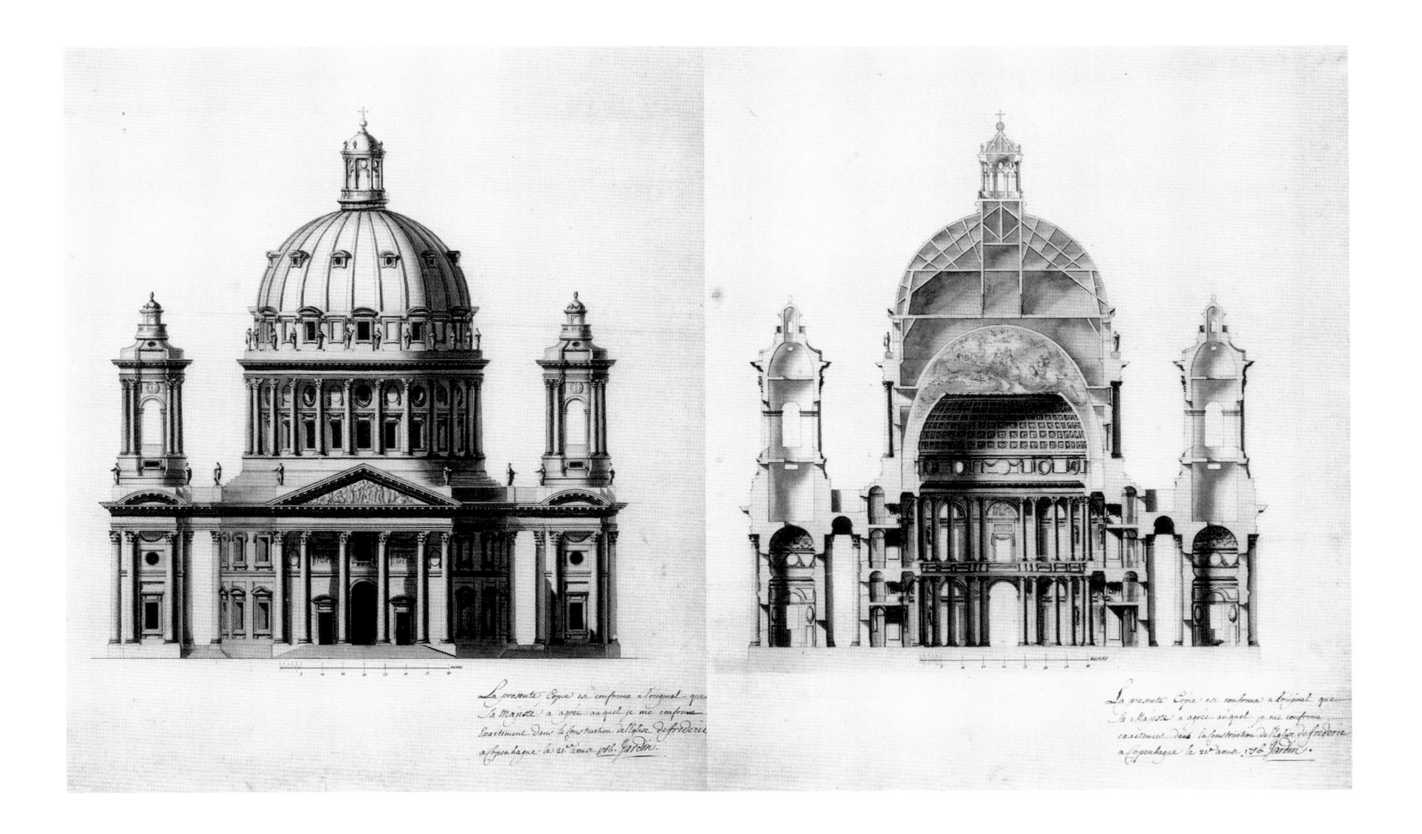

Jardins approberede kirkeprojekt fra 1756 var præget af den tidlige franske nyklassicisme med udstrakt brug af søjleordener og antikinspireret dekoration. I interiøret åbnede en indre kuppel sig mod et illusionistisk himmelmaleri på den mellemste kuppel, mens den halvkugleformede yderkuppel i let konstruktion hævede sig et godt stykke højere. *Fra "Plans, coupes et élévations …",* 1769.

og kommissionen Gabriels proportioner og formgivning i forhold til byggegrunden. Jardin blev derefter sendt tilbage til tegnebordet, og et væsentligt mere traditionelt og afdæmpet projekt behagede åbenbart Kongen og de høje herrer. Eigtveds fundamenter var nu stort set respekteret, ligesom en kapacitet på 3.000 tilhørere og gode lysforhold var tilgodeset. Moltke satte så atter arbejdet i gang i maj 1756. Forespurgt lød der denne gang kun ros fra smagsdommere og kolleger i Frankrig. Nu mente man, monumentet kunne sidestilles med det smukkeste, man kendte fra oldtiden! Men Anthon havde stadig en del indvendinger og kritikpunkter illustreret ved egne modprojekter, som Jardin polemisk skarpt søgte at underkende.

En vis arbejdsro indtraf dog omsider, da Jardins projekt blev godkendt i juni. Han var officielt kirkens bygmester og udnævntes tilmed ved Thurahs død i 1759 til landets førende arkitekt, *intendant des bâtiments du Roy*, mens hans kontrakt i 1760 blev forlænget med endnu seks år. Han var ansvarlig over for Moltke som Kirkebygningskommissionens chef og måtte ikke foretage den mindste ændring uden forelæggelse. Moltke indførte og praktiserede en effektiv ledelse ved ugentlige møder mellem kommission, bygmester og de involverede håndværksmestre, og Jardin fik tegnestue i et ældre væksthus på selve byggepladsen.

Kort efter Eigtveds død var man så småt begyndt atter at drøfte kirkens endelige byggematerialer. Fortling plæderede af forståelige grunde for så stort et forbrug af marmor som muligt, mens

Thurah i 1755 af hensyn til soliditet og holdbarhed begyndte at foreslå marmorbeklædt, massiv sandsten. Moltke var selv direktør for det nyoprettede kongelige sandstensbrud ved Neksø på Bornholm, hvis drift ligefrem blev lagt ind under Kirkebygningskassen. I 1755 kunne han meddele, at Kongen stadig overvejede løsningen med marmorbeklædt sandsten, som jo nu i ren merkantilistisk ånd kunne klares med indenlandske sten fra Danmark-Norge. Det er vanskeligt at placere ansvaret for den katastrofale afgørelse, som senere samme år blev truffet på højeste sted, men Moltke har lyttet til fageksperterne og må have spillet en vigtig rolle. Frederik V besluttede nemlig samtidig med godkendelsen af Jardins projekt, at hele kirkebygningen skulle opføres af norsk marmor, altså ikke kun beklædes med marmor. Man vidste godt, at det ville forøge byggeudgifterne væsentligt, men ud over den øgede soliditet blev beslutningen retfærdiggjort ved kirkens helt exceptionelle status som Oldenborg-dynastiets tak til Gud.

BYGGERIET STANDSES I 1770

I en opgørelse over de hidtidige udgifter ved årsskiftet 1756/57 figurerede det norske marmor allerede som største post – 70.000 af de i alt godt 160.000 rigsdaler. Imens hobede de vældige mængder marmorblokke sig op på byggepladsen og nede ved havnefronten. Arbejdet skred sikkert, men langsomt frem, og i december 1765 kunne Jardin melde, at man på den vigtige skueside mod Amalienborg Plads var nået knap fire meter fra hovedgesimsen, og at de seks vældige frisøjler dér var i arbejde.

Marmorkirkens ruin set fra sydøst. Fotografi af Vilhelm Tillge fra o. 1870. *Nationalmuseet.*

Da Frederik V døde i januar kort efter, indså Moltke klart byggeriets udsatte position under den nye unge monark, som allerede to måneder senere beskar det årlige bidrag med halvdelen – til nu kun 20.000 rigsdaler. Moltke nåede at bede Jardin udarbejde en nødplan med begrænsninger på alle fronter, og trods arkitektens indsigelser arbejdede man videre for markant nedsat kraft. I slutningen af 1766 viste en ny status over udgifterne, at man havde brugt næsten 600.000 rigsdaler, skønt byggeriet endnu ikke var nået op til hovedgesimsen. Baseret på den nye bevilling kunne man så regne ud, at det ville tage 27 år at bygge kirken færdig, og endda hundrede år, hvis den planlagte udsmykning skulle fuldendes. Slutsummen skønnedes at blive gigantisk: ca. 2.8 millioner rigsdaler!

Inden da var Moltke blevet tvunget til at søge sin afsked, og en ny kongelig favorit, generalløjtnant Wilhelm von Huth, blev kort efter udnævnt både til generaldirektør over bygningsvæsenet med sæde i Bygningskommissionen af 1742 *og* som overdirektør for kirkebyggeriet. Von Huth faldt imidlertid hurtigt selv i unåde, og allerede i marts 1767 genindsattes Moltke som chef for kirkebyggeriet. Således oplevede han også på denne front de radikale tiltag for at forbedre statsfinanserne, som generelt fulgte i kølvandet på Struensees voksende magtposition. Første alvorlige tegn var afskedigelsen i september 1770 af udenrigsminister Bernstorff, der også havde været en hovedkraft i Moltkes Kirkebygningskommission. Allerede 26. oktober meddelte Christian VII, læs Struensee, Moltke, at man havde til hensigt at standse det alt for kostbare kirkebyggeri. Bevæbnet med Jardins mange gode påpegninger af det uhensigtsmæssige i en sådan brat standsning forsøgte Moltke at få beslutningen ændret, men forgæves. 9. november forelå den officielle resolution. Ved samme lejlighed opløstes den nu overflødige Kirkebygningskommission, og Jardin, som allerede 1. november havde måttet overlade sin stilling som *intendant des bâtiments* til C.F. Harsdorff, blev afskediget som kirkens arkitekt og forlod et halvt år senere landet. Moltkes mest prestigiøse og vanskeligste administrative sag havde lidt endeligt skibbrud. Som bekendt henlå Jardins kirketorso som en malerisk klassisk ruin midt i København, indtil finansmanden C.F. Tietgen og arkitekten Ferdinand Meldahl fuldførte kirkebyggeriet i slutningen af 1800-tallet i ny skikkelse, men med genbrug af store dele af Jardins bygning. Frederikskirken, eller Marmorkirken, som den allerede i 1770 forståeligt nok blev kaldt, kunne således først indvies i 1894 – 145 år efter grundstensnedlæggelsen.

FREDERIKS HOSPITAL

Moltke fik større succes med sit andet store offentlige projekt i den nye idealbydel – Frederiks Hospital. Hvornår og hvorledes hvem fik ideen, vides ikke, idet de første sonderinger må have været mundtlige. Sandsynligheden peger dog på Moltke, som allerede i sin regeringsplan i 1746 havde anbefalet forbedringer i omsorgen for de syge. Moltke var da også selvskreven som præsident for den Hospitalsbygningskommission, der først blev nedsat i 1755, og senere udnævntes han til overdirektør for Frederiks Hospital. Tidligere var hospitaler en slags fattigstiftelser, mens kun militæret havde kvæsthuse og lazaretter. Frederiks Hospital blev som egentligt sygehus Danmarks første civile behandlings- og undervisningshospital. Ideen med et hospital i Frederiksstaden kan også have fået et skub, fordi det ikke gik så hurtigt som forventet med den borgerlige byggelyst, hvor den nordlige ende mellem Bredgade og Amaliegade åbenbart var den mindst attraktive.

Den store byggegrund, der spændte ud mellem de to gader, må være valgt af Moltke i samråd med Eigtved, og første officielle tegn på en plan var det projekt, som arkitekten i maj 1751 indleverede. Der skulle åbenbart være sengepladser til 300 patienter – en symbolsk henvisning til 300-års jubilæet. Byggeprogrammets opremsning af nødvendige rum og funktioner fremviste imidlertid så store mangler, at lægeligt sagkyndige næppe kan have været konsulteret grundigt nok. Denne mangel klarede Eigtved nu selv ved diskussioner med kirurgen Simon Crüger, således at et endeligt projekt kunne approberes af Kongen 10. marts 1752. Hovedprincippet i dispositionen var en stor

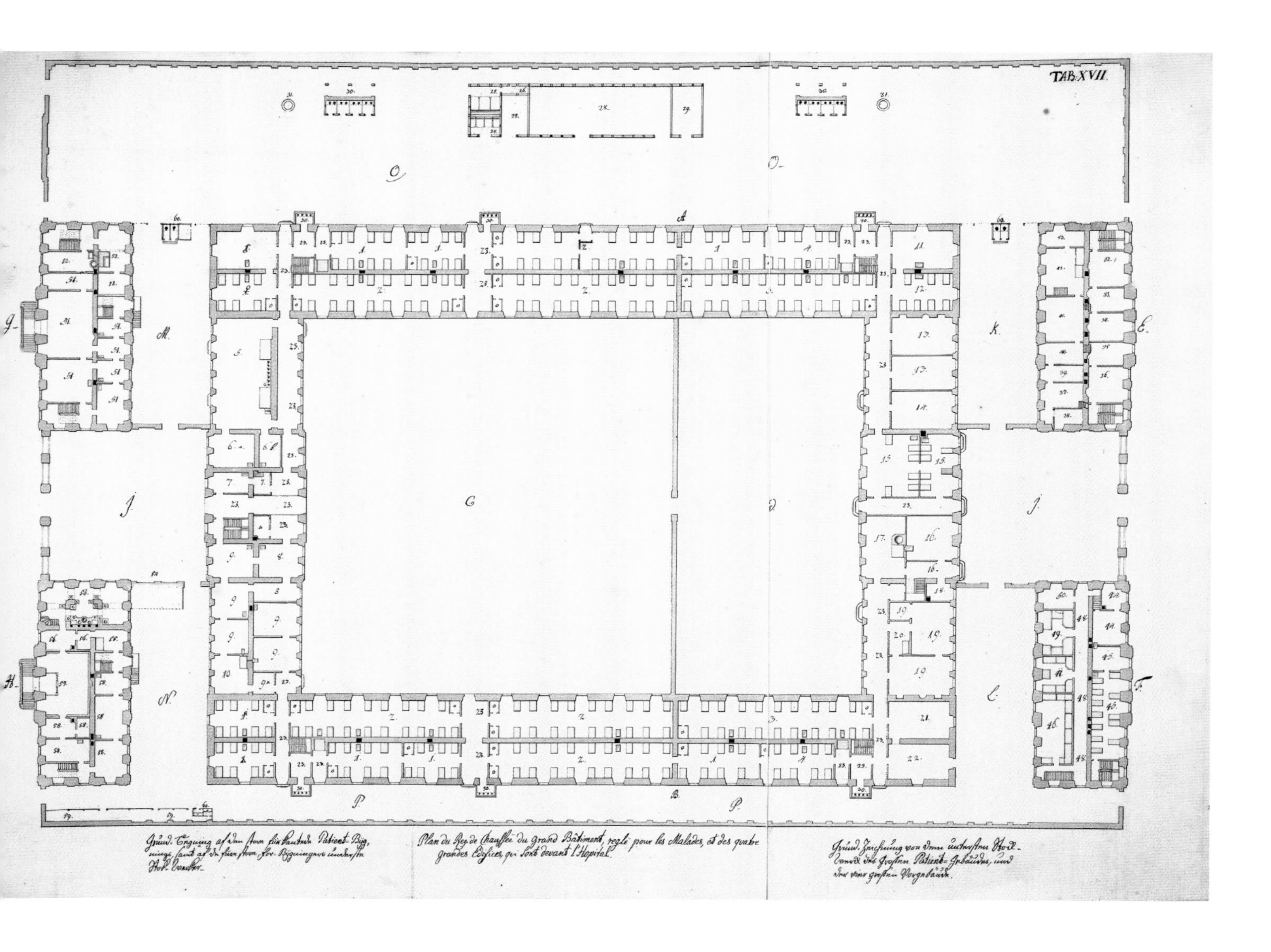

Plan af stueetagen i Frederiks Hospital o. 1758 viser Eigtveds store midtkarré med langsidernes sengeafsnit og Thurahs fire pavilloner ved henholdsvis Bredgade og Amaliegade. Tab. XVII i det utrykte bd. III af Den Danske Vitruvius, *Rigsarkivet.*

lav patientkarré omkring en indre gård, den nu så elskede Grønnegård, midt på grunden, hvis forpladser mod Amaliegade og Bredgade i gadelinjen flankeredes af store pavilloner med særlige funktioner. Formsproget var Eigtveds velkendte, hvor diskrete variationer i detaljeringen satte liv i de rolige og harmoniske bygningskroppe. Endnu en gang bevægede Frederik V sig med Moltke og et festligt følge til Frederiksstaden, hvor han 29. juli 1752 nedlagde hospitalets grundsten.

Med vanlig effektivitet organiserede Moltke byggeriet, som blev igangsat straks efter den kongelige godkendelse. Han oprettede en særlig hospitalsbygningskasse bestyret af Esmarch, og pengene flød planmæssigt fra Partikulærkassen. Alt gik problemfrit indtil nytår 1754, hvor lægerne over for Moltke begyndte at kritisere flere af Eigtveds dispositioner, som man derpå måtte tage stilling til. Endnu en gang blev en arkitekt stillet til

Fornemt tilbagetrukket ligger midterfløjen i Frederiks Hospital bag sit gitter ved Bredgade og flankeret af de højere pavilloner. Samme arkitektoniske billede fremviser det dobbeltsymmetriske anlæg mod Amaliegade. *Foto Elizabeth Moltke-Huitfeldt.*

regnskab, fordi bygherren og dennes sagkyndige rådgivere havde forsømt et gennemtænkt byggeprogram. Og nye ændringskrav kom til. Først da arkitekten beregnede ekstraomkostningerne derved, skiftede de høje herrer sind. Moltke gav ikke ordrerne om ændringer, og lægernes krav døde samtidig med hofbygmesteren, der således på en måde fik det sidste ord.

Hofbygmesterkollegaen Thurah, som i sommeren 1754 trådte til i Eigtveds uafsluttede sager, var åbenbart en mere smidig og pragmatisk forhandler. Han overtalte lægerne til at acceptere et billigere indgreb i de allerede opførte patientlænger og imødekom ligeledes ønsker om mere plads ved at gøre Eigtveds pavilloner i gadelinjerne væsentligt større. Hermed indførtes Thurahs mere pompøse barokformsprog i Eigtveds diskrete rokokoarkitektur. På samtlige bygninger stod facaderne oliemalede i grå stenfarve, træværket var perlegråt, og tagene havde de fornemme blåglaserede tegl. Trods anlæggets praktiske funktion var der tale om storslået kongeligt byggeri og, som ønsket af Moltke, var gaven til borgerne et vægtigt symbol på enevoldsstyrets lyksaligheder. Hospitalet, om hvilket Thurah selv skrev, at bygningerne "snarere har anseelse af et fyrsteligt slot end af et hospital", kunne indvies på Frederik V's fødselsdag 31. marts 1757 – igen et eksempel på Moltkes prioriterende valg af datoer til festlige begivenheder. Den enevældige Frederik V skulle altid stå midt på scenen badet i projektørlyset.

Rytterstatuen

Den tredje af de store administrative opgaver, som Moltke påtog sig, var ryttermonumentet for Frederik V på Amalienborg Plads, der således var nært knyttet til de to andre – Kunstakademiet og Frederiksstaden. Da Moltke drøftede denne byplan med dens brillante arkitekt, Eigtved, har han først og fremmest øjnet muligheden for en storslået politisk manifestation. Her kunne endelig skabes et rent fysisk og symbolmættet billede af den Gud-givne enevældes politiske ideologi. Dertil en bydel, som overbevisende kunne måle sig efter europæisk målestok og med sin *place royale* som midtpunkt hævde sig i disse monumentalpladsers fornemme selskab. I centrum og omgivet af harmoniske bygningsfacader skulle der være det fornemste symbol på kongemagten – en rytterstatue af den regerende monark, der regnedes for den ypperste af alle skulpturkategorier. Moltke kastede sig hermed ud i sit livs største kunstneriske opgave som administrator og protektor.

Anerne til en sådan kunstnerisk og ideologisk kraftpræstation var mange og berømte. Fra antikkens Marcus Aurelius, placeret på Capitol i Rom af Michelangelo i renæssancen, og frem til de mange franske kongepladser, hvoraf den prægtigste, Place Louis XV i Paris (nu Place de la Concorde) med Edme Bouchardons rytterstatue af den re-

Amalienborg Slotsplads og ryttermonumentet for Frederik V set fra balkonen i Moltkes Palæ. Hesten traver i nøjagtig samme niveau, som herskabet går i palæets beletage. *Foto Elizabeth Moltke-Huitfeldt.*

gerende monark netop var i arbejde, da planerne i Danmark blev lagt. I København havde allerede Christian V i 1670'erne skabt en slags reguleret *place royale* med Kongens Nytorv, hvor Abraham-César Lamoureux' rytterstatue af Kongen, støbt i bly og forgyldt, rejstes 1687-88.

Den herboende tyske arkitekt og maler Marcus Tuscher, der som både hofmaler og professor ved det ældre kunstakademi var velkendt af Moltke, må af denne være blevet indblandet i den tidlige projektering af både Frederiksstadens centralplads og ryttermonumentet som en slags sparringpartner til Eigtved. Han døde imidlertid allerede i januar 1751, men efter at have givet et tegnet udkast, dateret 1750, til dette monument.

M. Tuschers projekt af 1750 til rytterstatuen af Frederik V. Den harniskklædte bronzerytters postament er anbragt højt på en vildt formet klippefontæne med allegoriske figurer af Danmark, Norge, Neptun og Herkules – en tydelig parafrase over Berninis berømte fontæne på Piazza Navona i Rom. *Statens Museum for Kunst.*

FORHANDLINGER I PARIS

Hverken Moltke eller Eigtved ønskede at gå videre med Tuschers overdådige, men særdeles uharmoniske barokprojekt. En ny billedhugger måt-

te findes, og det var nu evident, at en kunstner kvalificeret til en så vældig, vanskelig og ansvarsfuld opgave ikke fandtes blandt de hjemlige billedhuggere. Moltkes blik rettede sig naturligt mod Frankrig, og han iværksatte via sin bedste 'franske' forbindelse – udenrigsminister J.H.E. Bernstorff og dennes 'mand i Paris', den kunstkyndige legationssekretær Joachim Wasserschlebe – eftersøgningen af en sådan kunstner.

Selveste Bouchardon blev spurgt, men afslog, idet han både følte alderen trykke og kontraktligt var bundet til at fuldføre modelleringen af 'sit' monument, rytterstatuen af Louis XV, før han kunne påtage sig andre opgaver. Han anbefalede imidlertid en yngre kollega, den 34-årige J.-F.-J. Saly. Forhandlingerne med Saly indledtes straks, og allerede ved udgangen af februar 1752 bemyndigede Moltke Wasserschlebe til på Frederik V's vegne at slutte kontrakten, selv om man i København fandt den franske kunstners krav "en smule voldsomme". Moltke og hans konge ville i gang.

Ifølge kontrakten skulle Saly, der først måtte afslutte igangværende arbejder i Paris, senest i april 1753 indfinde sig i København, hvor han ifølge instrukser enten direkte fra Frederik V eller "fra dennes ministre efter kongelig ordre og ingen andre" skulle udføre modeller til selve rytterstatuen samt til soklen og dennes attributter og ornamenter. De nævnte 'ministre' kan kun dreje sig om Moltke selv, som på Kongens vegne styrede hele processen. Salys honorar fastsattes til 150.000 franske *livres* (ca. 34.000 rigsdaler), der skulle falde i rater og være fuldt udbetalt ved udgangen af 1759. Af honoraret skulle Saly selv lønne sine medarbejdere ved modellernes udførelse, mens Kongen forpligtede sig til at levere alle materialer og at sørge for passende friboliger til Saly og hans hjælpere samt et stort atelier. Kongen skulle skaffe Saly levende modeller, såvel mænd som heste, samt ansætte og lønne de nødvendige gipsere, bronzestøbere og ciselører, mens Saly havde inspektionen ved afformning, støbning, transport, stilladser, opstilling og færdiggørelse. Således skulle han kontraktligt forblive i Danmark, indtil alt var færdigt. Fra 1753 til 1759 – syv år, kalkulerede man åbenbart med, at det ville tage. Men her forregnede Moltke og Saly sig alvorligt.

Salys afrejse blev forsinket af ingen ringere end madame de Pompadour, for hvem han nødvendigvis måtte færdiggøre den sidste af en bestilling på to statuer til hendes lystslotte, og for en så celeber kunde gik det slet ikke an at sjuske. Først i august 1753 kom meldingen fra Paris, at Saly nu snart var rejseklar. Med fem måneders forsinkelse ankom ungkarlen Saly i følgeskab med sine forældre og to ugifte søstre den 6. oktober 1753 til København. Moltke kunne straks anvise ham og familien den lovede fribolig, en stor lejlighed med tilstødende atelier på Charlottenborg, der netop i efteråret var ved at blive gjort klar til Kunstakademiets overflytning fra lokalerne på Christiansborg. At friboligen blev professorbolig ved Salys udnævnelse, og at han tillige som Kunstakademiets direktør spillede den allervigtigste rolle i samarbejde med Moltke, er allerede omtalt.

ASIATISK KOMPAGNI

Ifølge en udateret *memoire* anslog Moltke tidligt i forløbet, at statue, sokkel, gitter og borner (stenpæle til afgrænsning) ville koste lidt under 200.000 rigsdaler, men påpegede desuden, at de fire bygherrer på Amalienborg Plads, deriblandt Moltke selv, jo havde så kostbart byggeri i gang, at de ikke kunne betale monumentet. Man kan ikke sige med bestemthed, hvor tidligt tanken om at involvere det rige handelsselskab Asiatisk Kompagni i rytterstatuens finansiering opstod, men at det var hos Moltke, må man betragte som givet. Her holdt overhofmarskallen som så ofte flere tøjler sikkert i hånden: han var præses både for Kunstakademiet og siden 1750 for Asiatisk Kompagni, samtidig med at han som direktør for Partikulærkassen overvågede Kongens økonomi og tillige fra øverste instans styrede hele anlæggelsen af Frederiksstaden. I 1751 havde Moltke, som omtalt i Knud J.V. Jespersens afsnit, udvirket, at Frederik V støttede Kompagniet. Tilmed havde Kongen i 1752 og 1753 skænket Kompagniet to skibe på meget favorable vilkår.

Som præses foreslog Moltke derfor aktionærerne på den ordinære generalforsamling 3. april 1754, at Kompagniet nu kunne vise sin "underdanigste erkendtlighed" ved at påtage sig udgifterne til monumentets udførelse og opsætning. Alle de tilstedeværende tilsluttede sig derefter en resolution "med allerstørste glæde og fornøjelse for at vise en liden erkendtlighed" med en startsum af 12½ rigsdaler pr. aktie "og den følgende tid efter omstændighederne". Glæden havde næppe været så stor, hvis man havde kendt disse omstændigheder. Kompagniets årlige overskud i disse gunstige handelsår var på gennemsnitligt 100.000 rigsdaler, og de samlede omkostninger til rytterstatuen endte med at blive på godt 526.000 rigsdaler, hvilket efter datidens omregningsforhold svarede til et ton guld! Skønt Kongen ved Partikulærkassen stadig påtog sig en del af de kunstneriske udgifter, endte fordelingen af den astronomiske slutsum nærmest i forholdet 1:9, idet Kongen bidrog godt 55.000 rigsdaler og Kompagniet næsten 471.000 rigsdaler Gigantiske overskridelser ved store projekter er ikke et nymodens fænomen!

RYTTERSTATUENS UDFORMNING

Saly, som havde lovet Moltke at indhente den forsømte tid, gik ufortrødent i gang. Først må han gennem selvsyn have gjort sig bekendt med Amalienborg Plads, hvor former og proportioner kunne aflæses, skønt kun Moltkes eget palæ nærmede sig fuldførelse. Han lagde også ud med at modellere Frederik V's buste, som han kunne præsentere for majestæten og Moltke i august 1754. Derefter modellerede han først en *form* af rytterstatuen og en voksskitse af hele monumentet med omgivelser. Voksskitsen kunne Kongen godkende i august 1755, da han sammen med præses, Moltke, aflagde besøg på Charlottenborg.

Saly fortsatte, som den franske tradition bød, i et helt år med intense studier af proportioner og

Salys portrætbuste af Frederik V, modelleret i 1754, skulle garantere, at den endelige kongefigur på hesten blev vellignende. Privateje. *Foto Elizabeth Moltke-Huitfeldt.*

Salys oprindelige projekt til rytterstatuens omgivelser kan udledes af samtidige kobberstik, her detalje fra Preislers stik efter le Clerc 1766. Fremspringende plateauer på piedestalens langsider skulle bære liggende kvindeskikkelser i bronze, Danmark og Norge, mens kortsiderne uden for gitteret havde fontæner prydet med Østersøen og Vesterhavet.

Salys model af rytter og hest i mål 1:6 af den færdige statue. I alt tolv bevarede afstøbninger kendes i dag, og her ses Moltkes bronzerede gipseksemplar dateret 1758, idet han som en selvfølge må have været blandt de første modtagere. Privateje. *Foto Elizabeth Moltke-Huitfeldt.*

bevægelsesmønster hos Kongens tolv hingste af den europæisk berømte Frederiksborg-race. Hermed skabtes nærmest statistisk-matematisk formen på en dansk idealhest, hvorefter Saly i eftersommeren 1757 kunne påbegynde den lille lermodel i 1:6 mål af den færdige statue. Halvandet år gik, før den kunne overlades gipserne til afstøbning. I november 1758 har Kongen ved et besøg på Charlottenborg i selskab med Moltke kunnet beundre selve den lille færdige lermodel hos Saly.

Saly har selv skriftligt gjort rede for sine mange overvejelser om udformningen, hvor især hestens stilling blev overvejet. Først tænkte han sig, for at komme med noget nyt i forhold til alle de seneste rytterstatuer, han havde set, at hans hest skulle vises løftende begge forben enten i galop eller stående på bagbenene i en stilling fra de vedtagne regler for høj skoleridning. Også Moltke har måske i begyndelsen af projekteringen øjnet det spektakulære i en stejlende eller courbetterende hest. I hvert fald købte han i 1752 til sig selv en fornem rytterstatuette af Frederik III. To år senere erhvervede Partikulærkassen, dvs. Moltke for Frederik V, en større statuette i bronze, nu forestillende Louis XIV på en courbetterende hest.

Men Salys studier af de levende Frederiksborgere under rytter overbeviste ham om, at ældre statuer ikke var naturtro, hvilket han ifølge sine kunstneriske idealer fandt var et ufravigeligt krav. Galop duede slet ikke at vise uden en støttende figur, og i en ægte *courbette* bøjede den stejlende hest for at holde balancen sine forben lidt uskønt ind under bugen, mens dens hævede forkrop og

Rytterstatuette af Frederik III på stejlende hest. Det fine arbejde i delvis forgyldt sølv, hvor hesten er en kamufleret skænkekande, er udført i København 1654 og blev købt af Moltke i 1752 til Amalienborg-palæets naturaliekabinet. *Privateje. Foto Elizabeth Moltke-Huitfeldt.*

Den franske billedhugger Goberts store bronzestatuette af Louis XIV på en courbetterende hest er skabt i 1689. Moltke foranledigede den købt i 1754 og givet til Kunstakademiet, hvor den kan have spillet en rolle i Salys overvejelser om rytterstatuens udformning. Det Kgl. Danske Kunstakademi. *Foto Elizabeth Moltke-Huitfeldt.*

hoved i flere synsvinkler ville spærre for kongefiguren. Saly valgte derfor den mere traditionelle stilling som hos Bouchardon, hvor hestens gangart er et samlet langsomt trav, den høje skoleridnings *passage*, idet den veltrænede hest her er i fuldkommen balance og kan styres udelukkende ved rytterens sæde og ben, hvorfor tøjlerne kan

J.M. Preislers kobberstik af Frederik V's rytterstatue, 1771. Den idealiserede konge optræder som fredsfyrste og landsfader med kommandostaven støttet til låret. Han bærer antik imperatordragt og rider som i antikken uden sadel. Selv kongens frisure er antikiseret med laurbærkrans om de korte løst flagrende lokker.

være ganske slappe. Sådan havde billedhuggeren netop set Kongen ride i byen. Og denne stilling tillod rent teknisk den tunge bronzefigurs afbalancerede opstilling med tre store jernbæringer.

GRUNDSTENS-NEDLÆGGELSE

Mens Saly således arbejdede på Charlottenborg, var Moltke for første gang ved et offentligt skue hovedperson i føljetonen om Frederik V's rytter-monument. Der var tale om grundstensnedlæggelsen midt på pladsen foran Moltkes egne vinduer i palæet. Mon ikke det er ham selv, der har valgt den meget passende dag (den 18. oktober 1760), nemlig hundredårsdagen for arvehyldningen af Frederik III på Københavns Slotsplads, der blev fejret som startskuddet til enevældens indførelse. I hvert fald understregedes herved stærkt monumentets politiske budskab. Moltke selv foretog den højtidelige handling i fundamentsgruben midt på torvet. Først havde han nedlagt seks eksemplarer af en nystøbt medalje, to i guld, to i sølv og to i kobber, sammen med de sædvanlige gangbare mønter og forgyldte kobberplader med inskriptioner på dansk og latin i grundstenen, formentlig et marmor- eller sandstensskrin. Medaljerne, som Asiatisk Kompagni selvfølgelig havde betalt, skulle på forsiden have vist selve rytterstatuen gengivet efter den lille model, men tidsnød betød, at man benyttede et stempel med Frederik V's portræt. Herefter kunne arbejdet på pladsen fortsætte. Asiatisk Kompagni indkøbte store mængder bornholmsk sandsten til fundament og piedestal-kerne samt hvid, kraftigt året italiensk marmor til piedestalens beklædning. Dog måtte Saly ændre projektet, da det i sommeren 1765 besluttedes at forenkle monumentet og udelade fremspringene med "Danmark" og "Norge".

DEN STORE MODEL

Saly var i juli 1761 parat til at påbegynde den store model, som skulle afformes til selve bronzestatuen. Men først måtte der opføres et rummeligt atelier i haven øst for Charlottenborg, som med anseelige vinduespartier tillod billedhuggeren at betragte værket også på afstand. Han arbejdede nu fra et flytbart stillads direkte med gips uden på et jernarmatur og en kerne samt oven på en 1:1 model i træ af piedestalen. Arbejdet med den nu 5,5 m høje figur, gik forbavsende hurtigt, selv om Saly i de fleste vintermåneders frost og kulde var forhindret i at modellere i det isnende atelier. Moltke fulgte fremskridtene nøje. Han var jo meget hyppigt til stede på Charlottenborg som Akademiets præses ved forsamlingsmøderne, og som præses for Asiatisk Kompagni tog han den samlede direktion derhen i januar 1762, hvor man udtrykte tilfredshed med "arbejdets hastige fremgang". 5. januar 1764 meldte kunstneren den store gipsmodel færdig efter atten måneders reelt arbejde, og fem dage senere stillede Moltke igen med Kompagniets direktører, som "gav deres høje og inderlige fornøjelse til kende". I februar kom turen til alle Akademiets professorer og medlemmer. Den 3. april 1764 var det selveste Frederik V, som Moltke ledsagede til Pilos haveatelier – det nærmeste Kongen kom til at se sit færdige monument. Dagen efter fulgte Kronprinsen og Arveprinsen, hvorefter offentligheden havde adgang i fjorten dage.

STØBNINGEN

Ifølge kontrakten var det Frederik V's opgave at finde en kompetent bronzestøber til den komplicerede og dramatiske tekniske fase af det vældige monuments tilblivelse. Moltke, Bernstorff og Wasserschlebe indledte derfor allerede 1754 jag-

Til højre i prospektet fra Kongens Nytorv ses det kongelige kanonstøberi, Gjethuset, hvor Frederik V's rytterstatue blev støbt. Midt i billedet ses Kunstakademiets domicil, Charlottenborg. Kobberstik efter forlæg af J.J. Bruun, 1761. *Københavns Museum.*

ten rundt om i Europa for at overtale en sådan til at påtage sig opgaven for gode ord og penge. Bouchardon ville forståeligt nok ikke slippe sin kompetente støber; en støber i Berlin var tydeligvis ikke dygtig nok, og kongen af Polens bronzestøber i Dresden var for gammel. Til sidst hældede man mest til Gerhard Meyer i Stockholm, men efter årelange forhandlinger og uantagelige krav fra Meyers side, måtte også han opgives – især da hans prøvestøbning 1764 efter Salys Frederik V-buste faldt dårligt ud med manglende detaljering og grim patinering. Straks herefter bragte Moltke over for Asiatisk Kompagni et nyt navn på bane, og således blev det alligevel en franskmand, man entrerede med. Pierre Gor fra Paris havde senest 1758 støbt Bouchardons "Louis XV" og havde god erfaring med store bronzeopgaver. Kontrakten blev hurtigt sluttet, men først i oktober 1764 ankom Gor for Kompagniets regning til København sammen med fem hjælpere. De blev installeret på Charlottenborg og på nabobygningen mod syd på Kongens Nytorv, flådens gamle kanonstøberi Gjethuset. Her skulle støbningen finde sted efter en nødvendig, næsten total ombygning og nyindretning udført efter Gors anvisninger. Også Saly kunne nu fortsætte sit modelleringsarbejde efter en lang påtvungen pause, hvor han havde afventet at kunne konferere med den ansvarlige støber.

De mange trin i den vanskelige *cire perdue* (tabt voks) forberedelsesproces, som kom til at tage tre år, kunne omsider begynde efter Gors første vinter i København. Først afformedes den store gipsmodel i Salys atelier i nøje beregnede enkeltdele, som overførtes til Gjethuset og derpå beklædtes med et vokslag svarende til bronzens endelige godstykkelse. I støbegruben på Gjethuset var det indre jernarmatur opstillet, og nu samledes formdelene med vokset indeni omkring skelettet lag for lag, hvorefter hulrummet fyldtes med en støbekerne af gips og knuste mursten, som størknede. Herefter kunne gipsformdelene fjernes, så figuren fremstod i voks, som Saly derefter efterbearbejdede. Den færdige voksmodel blev derpå forsynet med et netværk af omhyggeligt anbragte støbekanaler, *les jets*, hvor bronzen skulle løbe til, og *les évents*, hvor luften samtidig skulle slippe ud fra hulrummene. Det hele blev indkapslet i nye støbeforme samt varmebestandigt støbeler, hvorpå den forsigtige og langsomme opvarmning til udsmeltning af vokset fandt sted. Mængden af udsmeltet voks gav mængden af nødvendig bronze. Efter at gruben var udfyldt med stabiliserende murværk og jord for at kunne modstå det vældige tryk, var man parat til selve støbningen.

Den 2. marts 1768 oprandt den store dag. Moltke havde samlet et celebert selskab, som skulle overvære begivenheden – foruden de glade givere, Asiatisk Kompagnis direktion, var en del udenlandske gesandter, Gehejmerådets medlemmer og kollegiecheferne blevet inviteret. Desuden var i dagene før uddelt 300 entrébilletter til folk fra "alle stænder". Man samledes klokken 11 om formiddagen, og klokken 13 begyndte den glohede bronze, en legering af kobber, messing og tin, at strømme. Bare tre minutter og nogle få sekunder tog det – efter godt seksten års forberedelser! Tilsyneladende var alt forløbet godt – den beregnede mængde bronze havde fordelt sig. Efter at have gratuleret Gor og Saly begav man sig til Amalienborg, hvor en lettet Moltke beværtede de fremmødte honoratiores ved en middag i sit palæ.

Endnu var intet at se i støbegruben, der kun langsomt blev afkølet. Lidt efter lidt kunne man fjerne jord, mursten og støbeler, hvorved statuen med alle sine støbekanaler kom til syne, og den første borttagning af kanaler og støbeskorpe kunne påbegyndes sammen med fjernelsen af støbekerne og sekundære jern fra statuens indre. 6. april 1768, da Christian VII for første gang gæstede Kunstakademiet, kunne Moltke og akademimedlemmerne afslutte majestætens besøg ved at ledsage ham over til Gjethuset, hvor den unge konge endda vovede sig ned i gruben for at beundre bronzen. 25. maj overlod Gor statuen til Moltke og Asiatisk Kompagni, men den stod fortsat i gruben i to måneder. Her kunne publikum bese underet mod entré til Kompagniets kasse.

TIL AMALIENBORG

Nu skulle den vanskelige flytning af den mere end 22 tons tunge statue til den ventende piedestal finde sted, og man rådførte sig med mange sagkyndige. Hoftømrermester Zubers projekt blev valgt, og trin for trin gennemførtes det tunge, besværlige arbejde. Først via en hejsemaskine og 48 mand op fra gruben, så ud på en slæde på Kongens Nytorv gennem et stort hul brudt i Gjethusets facademur. Videre ad en skinnebane af svært tømmer, trukket af spil bemandet med 200 matroser af Holmens faste stok. Det var en sand københavnerbegivenhed, som selvfølgelig blev overværet og overvåget af Moltke. 27-skuds kongesalutter affyredes af opstillede kanoner, både da hesten ved daggry om morgenen den 15.

august 1768 sattes i bevægelse, og da den en time senere ved Charlottenborgs port var nået ud for rytterstatuen af Christian V, Frederik V's kongelige oldefader. Klokken 16 var man nået ned ad Bredgade til Frederiksgade, hvorefter slæden drejedes 90 grader, så hesten stod parat til at bakke det sidste stykke. En ny salut markerede arbejdsdagens slutning.

Næste dag var en ny stor festdag. Pladsen omkring piedestalen vrimlede med mennesker og køretøjer, og hvert et vindue, hver en terrasse og hver en tagrende var tæt besat med tilskuere. Christian VII selv var med et talrigt følge ude på sin store europarejse, men de hjemmeværende kongelige, Dronning Caroline Mathilde, Enkedronning Juliane Marie og Arveprins Frederik, var af Moltke inviteret til sammen med ham og mange andre indbudte at overvære festlighederne fra den fornemste 'kongeloge' – altanen i hans palæ. Deres ankomst klokken 13 blev markeret med kanonsalut fra Kompagniets flagsmykkede kinafarer i havneløbet lige ud for Frederiksgade. På pladsen var både garden til hest og til fods opmarcheret med front mod de kongelige, mens to musikkorps spillede. Imens den sidste bugsering af statuen fandt sted, gik man til bords inden døre hos Moltke, som bød på en tredive kuverters diner til de fornemste, en otteogtyve kuverters til de medfølgende hofdamer og kavalerer og en tyve kuverters for Asiatisk Kompagnis direktører m.fl. Med sædvanlig diskretion siger Moltke selv derom: "Jeg gav en temmelig stor diné."

Klokken 17 har det været tid at gå til vinduerne eller ud på altanen. Det store hejseværk havde nu ved en parallelforskydning placeret statuen lige over piedestalen, således at de tre kraftige bærende jern fikseredes lige over de forberedte huller. På givet signal firede matroserne samtidig på alle de opstillede taljer og spil, og statuen kunne lige så sagte glide ned på plads. Man kan forestille sig den glæde og lettelse, som må have gennemstrømmet Moltke, da han kort efter til nye kanonsalutter tog afsked med de kongelige, som først på aftenen vendte tilbage til deres sommerresidenser. Nede på pladsen var der udskænkning i en stor barak, og tømmersvendene, som Gor havde bekostet kranset med "kinesiske blomster", drog til fest i lavshuset beværtet af deres mester. Der festedes mange andre steder i byen, og på Charlottenborgs facade kunne man se en illumination bekostet af Asiatisk Kompagni, som også betalte den næsten 6.000 rigsdaler dyre fremstilling af 31 guldmedaljer og 500 sølvmedaljer prydet med monumentet. Disse blev dog først færdige til indvielsen tre år senere.

FÆRDIGGØRELSEN

Glæden ved det stolte syn var kort, for hurtigt blev der opbygget et bræddeskur omkring statuen til læ for Saly, Gor og deres hjælpere, som nu gik i gang med de sidste småreparationer og den endelige finciselering. Saly var senere meget stolt af selv personligt at have udført de vigtigste dele af denne slutproces. I november 1770 holdt Moltke igen middag for højfornemme gæster, den svenske Kronprins Gustav og hans broder Frederik Adolf, efter at de sammen med ham havde lagt "den sidste hånd" på statuen ved at deltage i lukningen af mandehullet på hestens kryds – det mandehul, som først blev åbnet igen mere end 200 år senere, nemlig ved tilstandsundersøgelsen i juni 1979!

Monumentets endelige afsløring blev yderligere besværliggjort af den spændte politiske situation, der var opstået i landet med den ganske unge Christian VII's tronbestigelse. Som det fortælles andetsteds i denne bog, blev Moltke et af de første ofre for den usikre, men magtbegærlige konges handlinger – naturligt nok, men ganske uretfærdigt, tør man sige. De tidligere magt-

Thomas Bruun (tilskr.): Rytterstatuen anbringes på soklen 16. august 1768. På denne store tegning er begivenheden på Amalienborg Plads foran Moltkes vinduer uforglemmeligt skildret med et utroligt menneskemylder. *Det Kongelige Bibliotek.*

havere, især udlændingene, blev lagt for had, og dette gjaldt også Saly. Endvidere bevægede man sig hurtigt ind i den korte dramatiske Struenseeepoke. Når disse politiske stemninger ses i sammenhæng med situationen i Asiatisk Kompagni, forstår man det sørgelige antiklimaks, som afsluttede sagaen om kongemonumentets tilblivelse.

Selv om Moltke og direktionen for Asiatisk Kompagni gennem hele forløbet bakkede op omkring Salys dispositioner, var det svært for den enkelte aktionær i Kompagniet at forstå og acceptere forsinkelserne og de stadig stigende udgifter. Blandt andet fik den selvbevidste Gor alle sine dyre krav til materialer, gager og en kapitaliseret pension dækket uden et kny fra Kompagniet. Gang på gang måtte murren i geledderne pacificeres af ledelsen, Saly skrev forklarende redegø-

relser og mødte i 1763 selv op ved et aktionærmøde for at berolige. Efter at Kongens salær til Saly var slutudbetalt i 1759, havde Kompagniet oven i købet påtaget sig at lønne ham med 1.000 rigsdaler hvert resterende år af hans ophold. Saly fandt imidlertid rimeligt nok denne kompensation for de mange år udenlands for lille, og i de sidste år i landet arbejdede han intenst for at få en stor slutgratifikation. Havde forholdene i Danmark været som i Frankrig, mente Saly, at han kunne have overholdt kun at anvende de syv-otte år, som han havde tilbudt. Nu havde han lagt 21 af sine bedste manddomsår i Danmark og kunne ikke forvente nogen glorværdig eller lang karriere, når han vendte hjem til sit fædreland. I stedet for hans ønskede 50.000 *livres* blev det til 'sølle' 8.000 rigsdaler i gave samt en årlig kongelig pension på 1.000 rigsdaler på livstid – og det var, selv om der gik omkring tre livres på hver rigsdaler, trods alt en mærkbar nedsættelse.

Utvivlsomt træt af ansvaret og de mange anklagende bebrejdelser trak Moltke sig i 1771 efter tyve år som præses for Kompagniet "formedelst indløbne omstændigheder" og uden at modtage tak for sin store og lange indsats. En revisionsrapport i 1774 af Asiatisk Kompagnis regnskaber for de senere år godtgjorde både en stor kassemangel og en vis slendrian, samt at mange håndværkere og leverandører syntes at have taget temmelig ublu priser undervejs, men Saly kunne man intet bebrejde. Også Moltke blev mistænkeliggjort, men kunne klart modbevise anklagerne. Han fik endda en vis oprejsning, da man på generalforsamlingen i 1774 alligevel takkede ham for sin "stedsevarende bevågenhed for Kompagniet" og vedtog, at man i en eventuel retssag om kassemanglen ville frafalde alle krav om erstatning fra Moltke.

Saly måtte endvidere affinde sig med Moltkes og Kompagniets beslutninger undervejs om at reducere det oprindelige projekt, utvivlsomt vedtaget for at vinde tid og spare penge. Først gav man, som nævnt, i 1765 afkald på de fire store friskulpturer og bassinerne, efter at Moltke for god ordens skyld havde fremskaffet Frederik V's godkendelse. Dernæst afskaffede man i 1766 de fire ovale bronzerelieffer forbundne med guirlander, som skulle have prydet piedestalens langsider. Saly beklagede disse forringelser, men kunne dog billige, at man blot satte enkle ovale indskriftstavler i stedet. Han mente, at disse tavler i ord kunne sige langt mere om Kongens forbavsende mange velgerninger end de tidligere planlagte allegoriske relieffer, som snarere var til kunstnerens end til Kongens ære. Mange var drøftelserne blandt de involverede om indskrifternes formulering. Saly fremlagde for Moltke flere berømte antikke inskriptioner som forslag til mulige forlæg, idet han tilføjede: "De er den bedst egnede til endeligt at beslutte [inskriptionerne], fordi De har deltaget i disse store begivenheder!" Derefter var der en livlig korrespondance mellem de to store statsmænd i unåde, Moltke og J.H.E. Bernstorff, fra deres respektive opholdssteder på landet. Struensee prøvede at sabotere udførelsen i sommeren 1771, men efter hans fald kom tilladelsen straks fra Enkedronning Juliane Marie.

INDVIELSEN

Saly havde ellers længe drømt om en højtidelig og nærmest koreograferet indvielsesceremoni, som han meddelte Moltke i december 1770: Pladsen skulle selvfølgelig være ryddelig, orkestre opstillet på Moltkes Palæs to terrasser og statuen dækket af et stort klæde. Kongen og den kongelige familie skulle ankomme og, som ved overflytningen, overvære alt fra Moltkes Palæ. Direktørerne i procession med Moltke i spidsen ud af palæet. Saly trækker tæppet væk til fanfarer, processionen vandrer to gange rundt om monumentet, afbrudt af salutter fra soldater på pladsen, krigsskibe i havneløbet og Kastellets kanoner. Igen ind i palæet, hvor Moltke skulle uddele Kompagniets mindemedaljer samt Preislers store stik af monumentet. Voila! Saly mente desuden, at de ovale indskriftstavler, hvis sprog skulle tale til hjertet med en aura af naivitet, først skulle ophænges *efter* selve indvielsen ved en særskilt ceremoni. Ved denne forestillede Saly sig noget urealistisk, men med skøn symbolik, at tavlerne fra rådhuset skulle frembæres af Magistraten foran et optog af borgere ledsaget af trommer og trompetfanfarer og derpå ophænges. Således, tænkte han, skænker Kompagniet selve statuen, mens magistrat og borgere – *senat og folk* – med indskrifterne hylder deres kære afdøde konge. Saly forsikrede Moltke, at lignende ceremonier i udlandet endda var langt mere spektakulære.

Men sådan gik det ikke. Først indskrænkede Kompagniets direktion Salys program, og hoffet stillede sig positivt til ændringen. Men kort efter fik direktionen et direkte brev fra Struensee på Hirschholm, dateret 1. juli 1771, om at Kongen (læs Struensee) ikke mente, situationen krævede stor ceremoni og derfor afslog kongefamiliens og hoffets deltagelse. Et detachement af garnisonen kunne det dog blive til – blot for at opretholde ro og orden. To dage senere skrev en desillusioneret Moltke fra Bregentved til direktionen: Kongen har tydeligvis mishag ved ceremoni, og det må vi rette os efter: "Når statuen bliver blottet uden al ceremoni, så tror jeg ikke, at det er nødig at nogen af direktionen eller jeg er nærværende!" Preislers kobberstik kunne man altid uddele, når medaljerne var færdige. Den fortvivlede Saly klamrede sig dog stadig til håbet. Han skrev straks til Moltke, at han ikke kunne udholde tanken om en afsløring uden dennes tilstedeværelse: "Blot én dag i København er nok". Til Kompagniet skrev Saly samtidig, at hoffets *découragement* af noget, der blot var tænkt som en handling udsprunget af kærlighed og veneration, ikke skulle tolkes som et forbud men snarere som et ønske om, at alt skulle foregå så simpelt som muligt. Direktionen gav alligevel op: Der bliver ingen offentlig akt, giv os en dato, hvor vi så mødes på pladsen, overværer afsløringen og takker kunstneren. En lille diner vil vi dog give.

Saly havde så alt klar på kort tid, og 1. august 1771 afsløredes monumentet. Helt stille forløb festen dog ikke, selv om hoffet glimrede ved sit fravær. Moltke havde besindet sig og var alligevel til stede sammen med Kompagniets direktion og fornemste aktionærer. Saly foretog selve afsløringen, soldaterne præsenterede gevær, og trommehvirvler lød akkompagneret af hurraråb fra den trods alt fremmødte folkemængde. Efter udveksling af komplimenter foran værket gav Moltke et festmåltid i palæet, hvor kobberstik og medaljer blev uddelt. Saly fik overrakt selve den store trykkeplade til Preislers stik og kort efter et eksemplar i guld af den store indvielsesmedalje. Over de næste tre år og helt uden ceremoni opsattes piedestalens bronzetavler, mens flisebelægning, brolægning, marmorborner med kæder og smedejernsgitter kom på plads. Først godt tre måneder efter Salys afrejse fra København kunne jerngitteret, som var skænket af dets fabrikant, generalkrigskommissær J.F. Classen, ved en lille festlighed afsløres på Arveprins Frederiks bryllupsdag, den 21. oktober 1774.

Som et bedrøveligt antiklimaks kan der i den bevarede korrespondance fra sommeren 1772 læses om Asiatisk Kompagnis afvikling af Salys store atelier bag Charlottenborg. Her stod jo den store originalmodel samt dennes støbeform. Modellen blev tilbudt Enkedronning Juliane Marie, som imidlertid afslog, hvorefter alt simpelthen blev slået i stykker!

Salys rytterstatue er med sin fuldendt harmoniske udformning og skønne enkle opstilling en af verdens smukkeste – ikke mindst, fordi den på så fornem vis harmonerer med pladsen og den omgivende arkitektur. Det ligner således en bevidst tanke hos kunstneren, når hesten betræder sin plint i nøjagtig samme niveau, som Moltke og de andre aristokratiske beboere betræder deres fornemme beletage. Som repræsentant for fransk billedhuggerkunst i det 18. århundrede har den fået yderligere værdi, da man under revolutionen ødelagde samtlige kongemonumenter i Frankrigs byer. Samtidig gjorde kunstneren en dyd af nødvendigheden, da han måtte renoncere på meget af den planlagte udsmykning og derved skabte et mærkeligt tidløst storværk, der kombinerer lavmælt tale med ophøjet idealitet. Nok er Salys rytter ikke så spektakulær som Falconets stejlende "Peter den Store" på det gigantiske klippefundament foran Neva-floden i Sankt Petersborg, men i sit hele udtryk så meget desto mere i harmoni med sine omgivelser og uden den anden statues højtråbende retorik.

DEN PRIVATE BYGHERRE

Palæet

Der kan næppe være tvivl om, at Moltke i 1749 allerede fra starten af forhandlingerne om Frederik V's overdragelse af Frederiksstad-området til Magistraten i København har gjort sig tanker om her at skaffe sig eget palæ i hovedstaden. Disse tanker er så blevet konkretiseret i diskussionerne med byplanens arkitekt, Eigtved, da denne projekterede den centrale, ottekantede plads omgivet af fire ens palæer. Moltke tog ansvaret for disse palæer ud af hænderne på Magistraten ved at indføre i Kongens gavebrev, at Frederik V selv forbeholdt sig dispositionsretten over disse fire *hôtels*, som skulle danne den centrale plads.

Gennem hele sin hidtidige karriere ved hoffet havde Moltke haft embedsboliger på slottene. Men med den overordentlig vigtige position øverst i magtens egentlige hierarki siden Frederik V's tronbestigelse i 1746 måtte det synes et stort savn for ham ikke at have en virkelig repræsentativ privatbolig i residensstaden til sig selv og sin store familie. Samtidig var han jo dybt involveret i det hjemlige kunstlivs nervecentral, det unge Kunstakademi, hvor han i kraft af sin stilling som præses var omgivet af netop de kunstnere, der skulle virke for ham i Frederiksstaden. Og sidst, men ikke mindst nød han i den grad sin konges gunst, at han kunne regne med økonomisk og materiel støtte fra denne til det overordentligt kostbare projekt, som et palæbyggeri under de givne omstændigheder var.

DE KONGELIGE GAVER

Uden tvivl var Moltke fra første færd rasende ambitiøs og ivrig med sit palæbyggeri. Men uden kongelig hjælp kunne han, som på dette tidspunkt var ret uformuende, ikke realisere sine planer. Ganske vist var der givet lettelser til palæernes fire bygherrer ud over de generelt for Frederiksstaden gældende, blandt andet ti års ekstra indkvarteringsfrihed, men Moltke ønskede mere. Efter Eigtveds forslag fik han således lov til at benytte både statens materialgård og transportvogne. Han kunne også 'låne' arbejdssjak og redskaber fra Frederikskirkens byggeplads tæt ved Amalienborg mod en beskeden akkordløn, mens hans snedkere arbejdede på Christiansborgs snedkerstue.

Af væsentlig større økonomisk betydning var omfattende kongelige gaver af byggematerialer. Da Frederik V de første par gange i 1750 havde godkendt sådanne gaver, foreslog Moltke "for ikke alt for ofte … at falde Deres Kongelige Majestæt besværlig", at Eigtved uden videre kunne få udleveret brugbare materialer undervejs i byggeriet, og at Kongen blot skulle bekræfte gaverne samlet til slut! Dette gik den godmodige Frederik V selvfølgelig med til som en nem måde at støtte sin kære overhofmarskal på. Der var tale både om gamle bygningsdele og om ubrugte materialer på lager – sandsten, marmor, bly, tagsten samt en stor mængde tørt tømmer. Moltke sikrede sig pinlig orden med bilagene og benyttelsen, og ved byggeriets afslutning blev "al den Højkongelige assistance", både de gratis ydelser og de egentlige materialelån specificeret, hvorefter Frederik V generøst stadfæstede, at alt var skænket som gave til Moltke. Endelig 'lånte' han over 2 millioner mursten fra kirkepladsens lager, eller fire femtedele af alle sten til palæet! Moltke tilbød dog senere enten at erstatte eller betale stenene, men endnu en gang eftergav Kongen den store gæld, der hér var på hele 14.000 rigsdaler

Tilsyneladende har Frederik V's støtte været langt større end her skitseret, idet det kunne se ud, som om Kongen også skænkede Moltke betydelige pengebeløb. I Moltkes arkiv ligger et egenhændigt, udateret udkast til en art forsvarsskrift som svar på den heftige kritik, han åbenbart havde mødt af den pragt og bekostning, hvormed han havde ladet palæet opføre og indrette. Her nævnes, at Kongen ud over visse friheder og lettelser til bygherrerne på Amalienborg Plads "ville lade en pengehjælp tilflyde", og først derefter meldte Moltke sig som fortrøstningsfuld bygherre. Efter godkendelsen af Eigtveds palætegning fik hver af de fire bygherrer: "… udbetalt en anseelig understøttelse fra Partikulærkassen, og da Kongen vel vidste, at mine midler på det tidspunkt kun tillod mig at anvende en beskeden sum på dette byggeri, så tilkendegav Højstselvsamme mig, hvorledes han hvert år, så længe byggeriet stod på, ville give og skænke mig det fornødne pengebeløb."

Moltke fortsatte: Kongen havde samtidig ytret, at det ville være ham behageligt, hvis Moltkes hus blev godt og vel indrettet og ikke kom til at give de andre palæer noget efter. "Jeg har heri forsøgt at efterleve Kongens befaling og vilje, og eftersom Højstselvsamme har ladet den nødvendige pengesum tilflyde mig …", så håber han ikke at modtage bebrejdelser, men snarere forståelse for husets størrelse og skønhed. Idet folk måske vil fremføre deres indvendinger imod Kongens gavmildhed og nåde over for Moltke, understregede denne, at intet misbrug havde fundet sted. De fire palæers ydre og pryd var jo besluttet af Kongen selv, ligesom denne også ønskede, at interiørerne skulle svare til det ydre. Moltke nævnte, at en stor del af hans møblement var gaver fra Frederik V og andre kongelige herskaber eller var skænket ham af Frankrigs konge, men tilføjede: "Jeg nægter dog langtfra, at jeg altid har elsket skønheden og kunsternes gode smag og har ladet mig lede ved påvirkning af kunstnerne til mit palæs forskønnelse." Moltke sluttede sit forsvar ved at bede sine kritikere gribe i egen barm. Hvem blandt dem kunne berømme sig af ikke at have gjort ting, som var Kongen behagelige, og som derved kunne tiltrække dennes høje gunst og nåde? Kunne de ikke indrømme dette, burde "de vel heller ikke kaste den første sten?"

Af dette vigtige dokument kan udledes, at Moltke modtog endog meget store pengegaver af Frederik V til palæet. Ja, at Kongen måske i virkeligheden gennem både penge, værdipapirer, materialegaver og andre privilegier bekostede næsten hele herligheden. Helt konkret kan man finde flere vidnesbyrd om kongelige pengegaver i Moltkes privatarkiv, således da han den 28. april 1750 modtog tolv 'nye' aktier i Asiatisk Kompagni, hvis værdi ansattes til hele 27.000 rigsdaler! Det vides, at Frederik V i 1750'erne stadig var konge af gavn, med egen vilje og dømmekraft, hvorfor der ingen grund er til at mistro den basale sandhed i Moltkes forklaring. Kongens fader og bedstefader havde været endog meget store bygherrer, og nu var turen kommet til Frederik selv. Han ønskede virkelig hurtigst muligt realiseret en *place royale* af europæisk format, og Moltkes Palæ skulle åbenbart være et forbillede for den nye bydels andre palæer.

BYGGERIET GÅR I GANG

I kraft af sin position i spidsen for hele Frederiksstad-projektet stod Moltke selvfølgelig som førstevælger, da bygherrer til de fire palægrunde skulle besluttes. Sandsynligvis efter rådslagning med Eigtved udvalgte han den bedste byggegrund: én af de to største grunde mod vest, således også nærmest byen, på relativt stabilt og tørt terræn, uberørt af den omgivende kanal, som skulle opfyldes, ikke ud mod havneløbets isnende vinde, men med en vinterlun orientering, som tillod beboelsesrummene lagt mod haven i sydvest.

Således fortrøstningsfuld kunne Moltke i sommeren 1750 iværksætte byggeriet af det palæ, som efter forbløffende kort tid kunne indvies 30. marts 1754 og derefter blev familiens vinterbolig i hovedstaden i de næste 38 år helt frem til Moltkes død i 1792. Stadskonduktøren havde allerede i slutningen af april 1750 udfærdiget det nødvendige målebrev, der siden blev tilhæftet det kongelige donationsskøde, officielt overrakt den 9. maj. I eksteriøret skulle man på alle fire palæer følge Eigtveds facadeprojekt, mens det stod hver bygherre frit for at indrette sig efter forgodtbefindende indendørs. Kun Moltke havde ambition, magt og midler til fortsat at benytte sig af Eigtved, der som overhofmarskallens interiørarkitekt skabte det homogene kunstværk, som bygherren stolt kunne vise frem for majestæten og de høje gæster ved indvielsen.

Moltke og Eigtved arrangerede palæbyggeriets forløb praktisk og effektivt. Byggekassen blev bestyret af Moltkes betroede højre hånd både ved Partikulærkassen og i grevens privatøkonomi, H.C. Esmarch, og den nydelige kassebog blev pertentligt ført af Esmarchs datter, Henriette. Bygningsforvalter på stedet blev den person, som Moltke samtidig havde givet en lignende stilling ved Frederikskirke-byggeriet og bolig på kirkens byggeplads. Moltke og Eigtved valgte de bedste håndværkere og leverandører. Langt de fleste havde allerede bevist deres duelighed ved kongelige arbejder, og nu blev kontrakter indgået under den nidkære Eigtveds nøje kontrol.

EIGTVEDS PROJEKT

Moltke var straks interesseret i at høre fra Eigtved, hvad byggeriet mon ville koste. Denne leverede i august 1750 en noget forblommet vurdering på knap 67.000 rigsdaler. Heri regnede Eigtved stadig med, at Moltke skulle betale alle materialeudgifterne selv, men til gengæld var palæets kostbare indretning slet ikke medregnet. Når det faktiske bygningsregnskab ifølge den lille bevarede kassebog udviser en samlet udgiftssum på 102.126 rigsdaler, skyldes overskridelsen både en udvidet bygningsmasse i forhold til projektet i 1750 og især de stadigt stigende ambitioner og muligheder under indretningen. Arkitekten kan ikke klandres for inkompetence i sine økonomiske vurderinger.

Med projektet til Amalienborg Plads og de fire ens Amalienborg-palæer nåede Eigtved højdepunktet i sin kunstneriske karriere. Formsproget er det velkendte repertoire fra hans ungdoms læreår i Warszawa og Dresden, hvor især overlandbygmester Zacharias Longuelunes åndfulde

Eigtveds elegante disposition af palæfacaden sikrer sammenhæng og ekvilibrium. Den 'bærende' underfacades vandrette fuger i rustica udstråler passende styrke. Overfacaden opdeles af en jonisk søjleorden, der med sine frisøjler betoner midtpartiet omkring balkoner og høje vinduer. *Foto Elizabeth Moltke-Huitfeldt.*

og underspillede kompositioner, der næsten altid blev på papiret, genkendes. Med en sjælden musikalsk fornemmelse for proportionernes samspil, et arkitektonisk 'absolut gehør', formåede Eigtved her at skabe et enestående arkitekturkompleks med fuld respekt for stedets ånd, *genius loci.* Ved Moltkes Palæ blev hele Frederiksstadens arkitektoniske tema slået an.

På grundlag af det desværre så mangelfulde kildemateriale fra projekteringsfasen har der tidligere været fremsat den teori, at ikke Eigtved, men en anden kunstner, den herboende Marcus Tuscher fra Nürnberg, skulle være ophavsmanden til ideen med de fire palæers disposition omkring den ottekantede plads. Imidlertid har næranalyse af disse få skriftlige kilder sandsynliggjort, at Tuschers bevarede kommentarer og kobberstukne situationsplan er opstået i gængs projekteringspraksis, hvor bygherren – i dette tilfælde Moltke – og den godkendende myndighed – hér Frederik V – udbeder sig alternative forslag for bedre at kunne vurdere det allerede indsendte – hér Eigtveds ottekantede plads og palæer med pavilloner ved gademundingerne. Det samme gør sig gældende i en bevaret facadetegning af Eigtved til Moltkes Palæ med alternative løsninger – ét som opført og ét med en meget mere lukket opstalt, hvor alle facadeafsnit var i fuld højde.

En nærlæsning af kilderne i Moltkes arkiv godtgør, at hovedbygningen i Eigtveds oprindelige projekt kun var fireogtyve alen dyb, og at man *efter* pilotering og udgravning til kælder ændrede planen, så palæet blev seks alen dybere – nu tredive alen. Det noteredes omhyggeligt, at ændringen

O.H. de Lode: "Det Høy-Grevelige Moltkiske Palads", kobberstik 1756. Når hovedbygningen forbindes med lavere hjørnepavilloner via endnu lavere terrassekronede portbygninger opstår en enestående livlig bygningssilhuet tilpasset tre af plads-ottekantens sider. Man kunne sige, at hvert palæ tager imod med venligt favnende, åbne arme. *Bregentved godsarkiv.*

skete efter høj befaling fra Moltke og er blot et af mange beviser på ændringer og forbedringer undervejs, som skyldtes krav fra den kræsne og kyndige bygherre. Med den større husdybde og det væsentligt forøgede areal blev der skabt mulighed for en bedre og mere moderne planløsning i interiøret – og selvfølgelig måtte bygherrerne ved de tre andre palæer følge trop.

Hele pladsfacaden og pavillonerne i deres fulde omkreds blev hos Moltke kostbart beklædt med gotlandsk sandsten, som også blev anvendt til de skulpturelle dekorationer. Og alle facader stod oliemalede i lys grå sandstensfarve både af konserveringshensyn og for at opnå den rolige ensartethed, som bedst klædte Eigtveds rige og subtile formsprog. Vinduer stod perlegrå – mellemgrå, mens midtpartiets indgangsdør, de flankerende glasdøre og de store porte var malet okkergule "som egetræ". På de stejle valmtage lå blåsorte, glaserede tagsten, og terrasserne over portbygningerne havde fornem marmorbelægning.

GRUNDSTEN OG REJSEGILDE

Efter et par sommermåneders arbejde med udgravning og den nødvendige pælenedramning og fundamentering var man nået frem til det første højtidelige intermezzo i det hektisk fremdrevne byggeri – nedlæggelsen af palæets grundsten. 7. august 1750 mellem kl. 10 og 11 formiddag mødte Moltke op på byggepladsen ledsaget af et fornemt selskab, bl.a. Konseilets øvrige medlemmer, J.L. Holstein, C.A. Berckentin, F.L. Dehn og J.H.E. Bernstorff. De tre sidstnævnte tegnede sig i øvrigt alle kort efter for store grunde andetsteds i Frederiksstaden og lod palæer opføre. Nede i fundamentsgrøften halvanden meter under terræn på hovedfacadens gruslag over piloteringen nedsatte Moltke egenhændigt et fornemt lille skrin af norsk marmor. På låget sås Moltkes grevekronede monogram i relief, og på fronten stod årstal og dato indhugget. Indeni lå ifølge skik og brug en række lykkemønter i guld, sølv og kobber samt en forgyldt kobberplade graveret med en lang inskription på dansk: endnu en gang fremhæver Moltke sin og efterkommernes "udødelige taknemmelighed" over Frederik V's beviste "store nåde og velgerninger". At vi kan beskrive begivenhed, skrin og indhold så nøje, hænger ikke kun sammen med omtalen i datidens aviser, men skyldes også, at selve skrinet dukkede frem ved fundamentsforstærkninger på palæet i 1977.

Det kan undre, at Frederik V ikke selv beærede Moltke med sin tilstedeværelse ved grundstensnedlæggelsen. Det skyldes sikkert, at både Kongen og Moltke med nød og næppe var sluppet med livet i behold ved en eksplosionsulykke netop dagen forinden. En ny, hurtigskydende kanon skulle af opfinderen demonstreres for de høje herrer ude på Amager, men uforsigtighed med lunten affødte en eksplosion, hvorved tre af de unge tjenestegørende landkadetter blev dræbt, mens konge, overhofmarskal og overkrigssekretær slap med skrækken, forbrændte ansigter og svedent tøj og parykker. Lynchstemningen, der udbredte sig hos de forsamlede borgere uden for indelukket, blev manet i jorden af den chokerede konge, men alligevel har han holdt sig inden døre på Christiansborg de næste dage. Moltke havde imidlertid nerver til ikke at aflyse sin planlagte festlighed på Amalienborg Plads næste dag. Senere blev Kongens guldgalonerede kjortel og hvide silkevest med de brændte huller afleveret på Rosenborg som et kongeligt klenodie og bevis på Guds nåde – i lighed med Christian IV's berømte blodige dragt fra søslaget ved Kolberger Heide.

Arbejdet på råhuset skred hurtigt og planmæssigt frem. Inden året var omme havde tømrerne opsat det vældige tagværk, og Moltke kunne året efter holde det traditionelle rejsegilde, denne gang beæret "med Hans Kongelige Majestæts egen Allerhøjeste nærværelse". På sine djærve barok-versefødder siger C.F. Wadskiær i et langt glorificerende lejlighedsdigt i dagens anledning bl.a.:

> "Fire Gaarde med hinanden/Rundt omkring i Opvext staae/Og certere, hvo med Panden/Først kand Melke-Veyen naae. Liige hastig alle fire/Skyde sig dog ikke op,/Bygge-Krandsen seer man zire/Alt den eenes unge Top. Nemlig Toppen af det unge/Grævlig MOLTKISKE Hôtel,/Hvorom alt var nok at siunge,/Hvo der kunde synge vel. Men vil siden blive meere,/Naar dets Jomfru-Krands er lagt/Og det lader copulere/Sig engang med Pomp og Pragt."

At Moltkes Palæ i sandhed med tiden lod sig *copulere*, dvs. forene, med prægtigt udstyr og pompøs festlighed, kan ikke nægtes. Wadskiærs forudsigelser gik til fulde i opfyldelse!

PALÆETS INTERIØRER

Det kan ikke forbavse, når Moltke som den eneste af pladsens fire bygherrer benyttede Eigtved som arkitekt til sit palæs interiører. Lige fra hoveddispositionen og ned til forskriftstegninger for de forskellige kunstnere og håndværkere var Eigtved rummenes kunstneriske ophavsmand – så længe det lod sig gøre. Først da han få måneder efter indvielsen afgik ved døden, måtte andre arkitekter til for at løse den kræsne og krævende bygherres stadige forbedrings- og forandringsplaner – med suveræn foragt for omkostningerne.

Ved projekteringen af de fire palæer havde Eigtved uden tvivl fastslået en basal og logisk planløsning, som da også blev fulgt temmelig konsekvent i de tre af palæerne. Men hos Moltke indtog dispositionen en absolut særstilling, hvor særlige rumformer og -fordelinger opstod. Straks inden for hoveddøren trådte man ind i den højloftede marmorvestibule med søjler, buet bagvæg og Simon Carl Stanleys yndefulde marmorstatue af "Andromeda". Ved at skabe dette dybe pragtrum

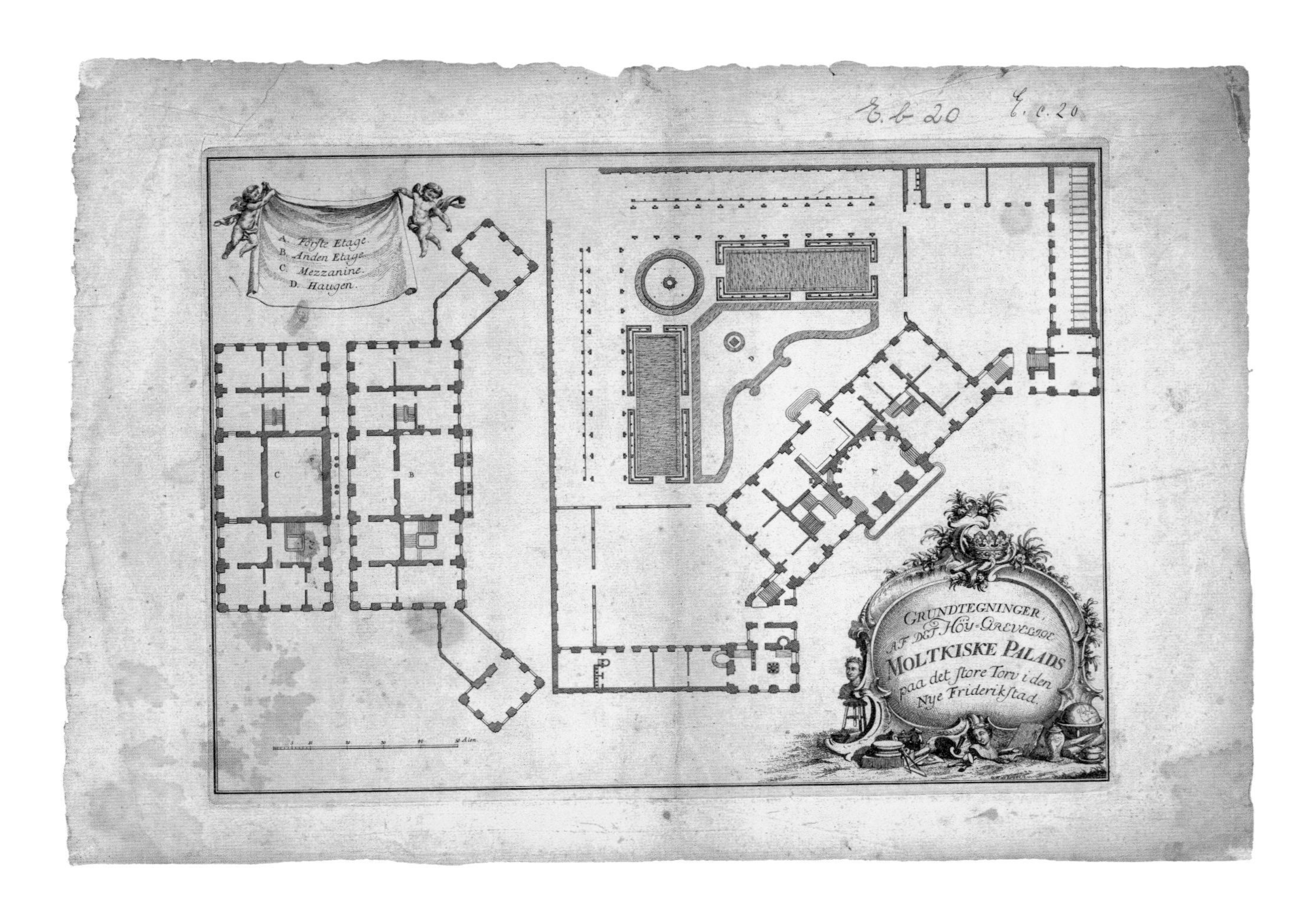

O.H. de Lode: "Grundtegninger af det Høy-Grevelige Moltkiske Palads paa det store Torv i den Nye Friderikstad", kobberstik 1756. Stikket er den eneste kendte gengivelse af etageplanerne, som de var ved palæets indvielse i 1754.

Allerede inden for hoveddøren gjorde palæets enestående karakter sig gældende: en højloftet vestibule af norsk marmor med en krans af frisøjler foran den buede bagvæg, i hvis midtniche S.C. Stanleys legemsstore statue i hvid marmor, Andromeda, vred sig yndefuldt. Moltkes vestibule er i dag i sine hovedtræk genskabt, med Andromeda i gipsversion. *Foto Elizabeth Moltke-Huitfeldt.*

måtte Eigtved give afkald på den praktiske mellemzone imellem rumsuiterne mod henholdsvis plads og have, som sås i de tre andre palæer. Hos Moltke lå vestibulen ryg mod ryg med havesidens højereliggende gemakker, mens små skjulte trapper og aftrædelsesrum måtte klemmes ind. Et første forsøg her i vestibulen med en traditionel illusionistisk loftsfreske af Jacopo Fabris blev nærmest med det samme "efter høj befaling" kasseret og kradset ned, hvorefter et mere moderne loft med rig stukkatur i overgangen væg-loft opsattes. Tiden for de vældige illusionslofter var ved at være forbi ude omkring i Europa, og Moltke må, trods rummets 5,30 m til loftet, ikke have fundet virkningen tilfredsstillende.

Stueplanen var ellers klart disponeret med fordelingsrummene mod pladsen, grevindens afdeling, *appartement*, i syd og grevens i nord. De mødtes på havesiden i det herskabelige sovegemak. Her lå ikke, som i de andre palæer, en stor havesal. Selv i disse rum til dagliglivet var udstyret rigt – med dyr lakfarve på paneler, overvægge med gobeliner, silkedamask, i den daglige spisestue vægtæerreder med Jacopo Fabris' romerske prospekter og i Moltkes daglige audiensgemak udsøgt flerfarvet silkefløjl, en del af den franske konges kostbare gave til overhofmarskallen. Grevindens gar-

Den unge akademikunstner J.G. Bradt blev protegeret af Moltke og kvitterede 1757 med denne fine radering med de mange præcise detaljer af sin læremester Jardins nyskabte spisesal. Raderingen er den eneste kendte billedlige skildring fra palæets interiører i Moltkes ejertid. *Statens Museum for Kunst.*

derobe ved siden af sovegemakket havde direkte udgang til haven og var som et raffineret parisisk boudoir overdådigt udsmykket med rokokoornamenter på væggene foran skjult indbyggede skuffe- og skabsindretninger. Dette praktiske arrangement bevarede arkitekten C.F. Harsdorff, da han for Moltkes anden hustru omkring 1770 moderniserede garderoben i nyklassicistisk stil (se side 91). Hovedtrappen syd for vestibulen fik yndefulde rokokoornamenter i gelænderets båndslyngsmønster og Eigtveds stringent disponerede vægstukkatur, mens samtlige fløjdøre mod pladssiden fik en særligt rig, buet indfatning (se side 105). Den ellers mørke skjulte trappe, gehejmetrappen, på den anden side af vestibulen fik trods alt en del lys gennem store glaspartier i bagvæggen af det tilstødende forgemak.

På beletagen lå perlerækken af selskabslokaler: paradegemakkerne. I planløsningen her genfandt man de to appartementer, men hurtigt synes dette stivere levn fra ældre tider at være opblødt i mere utvungne og moderne funktioner. Dette ses især i nordgavlen, hvor grevens forgemak og audiensgemak allerede 1757 blev slået sammen til ét langt spisegemak, designet af Moltkes yndlingsarkitekt efter Eigtveds død, franskmanden Nicolas-Henri Jardin (se side 75). I denne lange sal, opdelt i et centralt taffelafsnit og endepartier med store faste marmorbuffeter, skabte Jardin et yndefuldt interiør, der i dag står som det ældst bevarede pragtrum i den nye franske Louis Seize-stil, selv når man medregner Frankrig. Også her var billedhuggeren Simon Carl Stanley virksom både ved vægpanelernes store forgyldte billedskærerier og ved de pragtfulde fontæneopsatser og ovne, hvor Saly gav fortegning til prydvaserne.

Riddersalen, *den store sal*, nåede Eigtved selv at indrette, og her fandt den danske rokoko sit absolutte højdepunkt: *I* de fuldt panelerede vægges lyse blågrønne lakfarve som baggrund for rige forgyldte rokokoskærerier. *I* fløjdørenes fantasifulde kompositioner. *I* det højdestræbende rums overdådige stukloft, hvor man må formode, at det igen var Moltke, som undervejs i indretningen beordrede den oprindelige hvidtning kradset af til fordel for forgyldning på profiler og ornamenter. Han har nok ikke syntes, at stukkaturens væld af motiver kom nok til deres ret i den helt hvide udgave på det højtliggende loft. *I* marmorkaminerne, seks vældige spejle, en kolossal krystallysekrone og mængder af trearmede lampetter i lueforgyldt bronze. *I* rokokomøblementet med betræk af elfenbenshvid satin broderet med blomsterranker i mangefarvede og bløde chenillegarner, stof, der gik igen i salens gardiner. *I* det gyldne parketgulvs gigantiske Savonnerie-tæppe, som selveste Louis XV's elskerinde madame de Pompadour havde foræret Moltke. Og sidst, men langtfra mindst, *i* salens faste malerier.

Her ønskede Moltke kun det ypperste, og den hjemlige hofkunstner, svenskeren Carl Gustav Pilo blev første leverandør af dørstykker og de vældige majestætsportrætter. Hurtigt lod Moltke dog disse udskifte med moderne fransk kunst af øverste skuffe, dør- og kaminstykker af François Boucher og majestætsportrætter af Louis Tocqué. Disse vil blive omtalt nærmere senere. Disse maleriudskiftninger krævede dog ændringer i Eigtveds rokokosal, ændringer, der blev udført med takt og delikatesse af Jardin. Herefter gik rokokoen og Louis Seize'n hånd i hånd i forunderlig harmoni i Moltkes store festsal.

Hvert af de andre beletagegemakker i paradesuiten fik hos Moltke sit eget kunstneriske særpræg ved indretningen. I Grevindens Forgemak kom en prægtig suite flamske gobeliner med Perseus og Andromeda-sagnet. I hendes audiensgemak opsattes de helt moderne Beauvais-gobeliner *La tenture chinoise*, eller Det kinesiske tapet, efter forlæg af Boucher (se side 386) skænket Moltke af Louis XV ligesom nabogemakkets kostbare mangefarvede silkefløjl fra Lyon (se side 385). I det store galleri bag riddersalen hang 126 gamle mestre så tæt ramme ved ens ramme, at man knap kunne ane vægbetrækket i grøn uldmoiré (også denne samling omtales senere). Her i galleriet fik den italienskfødte hofstukkatør Giovanni Battista Fossatis overdådige stukloft med myriader af detaljer lov at stå i sin flødeskumshvide dragt. I Moltkes tilstødende gemak så man tekstiler af guld- og sølvbrokade og blå damask og helt moderne franske dørstykker af nyklassicisten Joseph-Marie Vien (se side 20).

PAVILLONSALENE

De to pavilloners store velbelyste beletage-sale hinsides de brede marmorterrasser over portbygningerne blev inddraget i paradesuiten med Moltkes berømte naturaliekabinet i Frederiksgade-pavillonen og med et blåmalet bibliotek, indrettet 1757 af Jardin i Amaliegade-pavillonen. Man kan dog stadig undre sig over, at Moltke accepterede denne løsning fra Eigtveds hånd, hvor herskabet måtte udendørs fra hovedbygningens gavlsale og tværs over eventuelle våde eller snedækkede terrasser for at kunne betræde disse to spændende sale. Måske var det netop denne diskussion mellem bygherre og arkitekt, som affødte den tidligere nævnte facadetegning med alternative løsninger. Det var trods alt en vinterresidens, man byggede. Til udsmykning af pavillonsalene fik Moltke endnu en gang milde gaver af Frederik V i form af interessante ældre loftsmalerier på lærred, som hidtil havde siddet i et af de store lysthuse i Kongens Have, Lysthuset med de fire gyldne Knapper. I naturaliekabinettets loft sidder stadig fem af disse plafonder, malet i underfundig illusionisme af Karel van Mander. De omgives af raffineret forgyldt stukkatur i form af naturalistiske muslinge- og tangmotiver, forlangt af Moltke som endnu en forbedring og skabt af Jardin som særligt velegnet i et lokale med store udstillinger af konkylier, muslinger og koraller (se side 136).

Den passionerede samler Moltke savnede også hurtigt plads i naturaliekabinettet, som blev udvidet med rummet nedenunder samt et kontor til samlingens arkivar. Gulvet mellem stue og beletage blev åbnet, hvilket gav endnu bedre udsigt til de illusionistiske malerier i loftet foroven, og her nede i det nye udstillingsrum opsattes o. 1763 billedhuggeren Johannes Wiedewelts portrætrelief af Moltke i hvid marmor på en fornemt udsmykket og indskriftsprydet piedestal. Ved palæets salg til kronen i 1794 overflyttedes Wiedewelts værk til Moltkes mausoleum ved Karise Kirke,

I den store sal, Riddersalen, skabte Moltke og Eigtved Danmarks skønneste rokokorum, hvor især de yndefulde forgyldte rocailler på panelernes blege blågrønne baggrund og det overdådige, delvis forgyldte stukloft springer i øjnene. Man må forestille sig rummet møbleret med forgyldte rokokomøbler betrukket med broderet silke ligesom gardinerne, med et vældigt fransk gulvtæppe på egeparkettet, med snesevis af levende lys i lueforgyldte bronzelampetter og i krystallysekronen og med ædelt fransk porcelæn på kaminhylder og konsolborde. *Foto Elizabeth Moltke-Huitfeldt.*

hvor det næsten skjuler sig bag grevens store klassiske sarkofag (se side 148 og 346).

MEZZANINEN

Oppe på den relativt lavloftede mezzaninetage bredte "ni logementer" sig u-formet omkring trapper og den blinde kerne, øverste del af riddersalen. Her forestillede Moltke og arkitekten sig først at anbringe en række af de mange tjenestefolk, der hørte til den grevelige husholdning. Men hurtigt blev rummene erobret af Moltkes stadig voksende flok af hjemmeboende børn. Ved palæets indvielse i 1754 var de ældste sønner fløjet af reden, og døtrene Catharine og Ulrica blev gift i henholdsvis 1752 og 1757. Men de unge grever med hver deres hofmester og komtesserne med deres frøken fandt alle plads heroppe, hvor en skolestue også indrettedes. Så sent som i 1787 beretter et inventarium, at den nygifte søn Gebhard med sin unge brud fik en helt lille lejlighed heroppe på mezzaninen i de rare værelser mod syd. Muligvis har denne ordning også gjort sig gældende for nogle af Gebhards storebrødre, før de flyttede til egne huse ude i byen.

TJENERSKABET

Det standsmæssige liv med stor selskabelighed, som moltkefamilien førte i palæet, krævede selvfølgelig udstrakte og velordnede domestikforhold. Da der i efteråret 1762 blev foretaget mandtal landet over med henblik på ekstraskatten, var herskabet åbenbart ikke hjemme i palæet, men tjenerskabet opregnes: forvalter, portner, portører, tjenere, kok, kuske, rideknægt, forrider, kammerpiger samt vaske-, stue- og kokkepiger – i alt 23 personer.

Som et lille kuriosum kan nævnes, at digteren Adam Oehlenschlägers forældre begge var ansat i palæet hos Moltke. Faderen, Joachim Conrad, født 1748 i landsbyen Krusendorf ved grevens store slesvigske gods Noer, kom sytten år gammel på Moltkes foranledning til palæet i København og underviste fra 1767 de unge komtesser Moltke i klaverspil. I palæet traf han grevindens kammerjomfru, den usædvanligt dannede Martha Maria Hansen, og i 1777 kunne de gifte sig, da den musikalske unge slesviger fik stilling som organist ved Frederiksberg Kirke. Digteren fødtes 14. november 1779, så selv om han ikke kan være undfanget i Moltkes Amalienborg-palæ, var det dog grevinden selv, der holdt ham over dåben. Oehlenschläger fortæller i sine erindringer, at forespurgt, hvad barnet skulle hedde, svarede Martha Maria: "Adam Gottlob", hvortil grevinde Sophia Hedwig udbrød: "Det skulle jeg håbe!"

Mens hovedbygningens kælder rummede hvælvede opbevarings- og vinkældre samt beboelse i lune værelser med trægulv, lå det store køkken i Amaliegade-pavillonens stueetage med alle de tilhørende lokaler – bagerum, spisekamre, vaskehus, retirade og brænderum i de lave tilstødende længer omkring køkkengården i syd. Modsat, ud mod Frederiksgade, lå staldgården med plads til sytten heste. Her stod ikke kun familiens ride- og køreheste, men også somme tider hopper fra Bregentved, der var til bedækning ved de kongelige hingste. I remiserne ind mod naboejendommen, Bernstorffs Palæ, var der plads til seks store kareter og vogne, og ved staldgården var der også en stor retirade samt værelser til kusk og portner.

HAVEN

Moltkes udprægede interesse for moderne haveindretning gjorde sig også straks gældende i den femkantede have bag palæet. Her skabte den oprindeligt gartneruddannede Eigtved den første strukturerende plan til en virkelig fornem byhave. Det muromkransede anlæg spejlede sig symmetrisk om en midtakse fra hovedbygningens havetrappe til bagvinklens lysthus. De største elementer var forsænkede plæner, *boulingrins,* samt lindebeklædte buegange, hvortil kom frugtespalierer og *parterrer* (blomsterbede) med svungne græsrabatter og gruspartier. En marmorstatue – måske "Det sabinske Rov", senere flyttet til Bregentved – har prydet i midten.

Vi ved fra kilderne, at Eigtved havde planlagt et lysthus bagest i haven, men også at han ikke nåede at projektere det inden sin død i juni 1754. Derfor blev det først Jardin, som realiserede dette havens vigtigste element i 1761-62, måske en gave fra Moltke til den nye unge hustru. Jardins voliere blev opført i bornholmsk sandsten som et herligt vidne om Moltkes meget bevidste, både merkantilistiske og kunstneriske ambitioner. Blandt

I palæhavens inderhjørne skabte Jardin o. 1761-62 et unikt lille lysthus kaldet Volieren, fordi det rummede to store flyvebure til eksotiske fugle foruden en grotte med fontæner og en udendørs opholdsplads under rotundekuplen. Moltke var stolt af her som lødigt byggemateriale at lancere den bornholmske sandsten, hvis brydning han få år forinden havde iværksat. *Foto Elizabeth Moltke-Huitfeldt.*

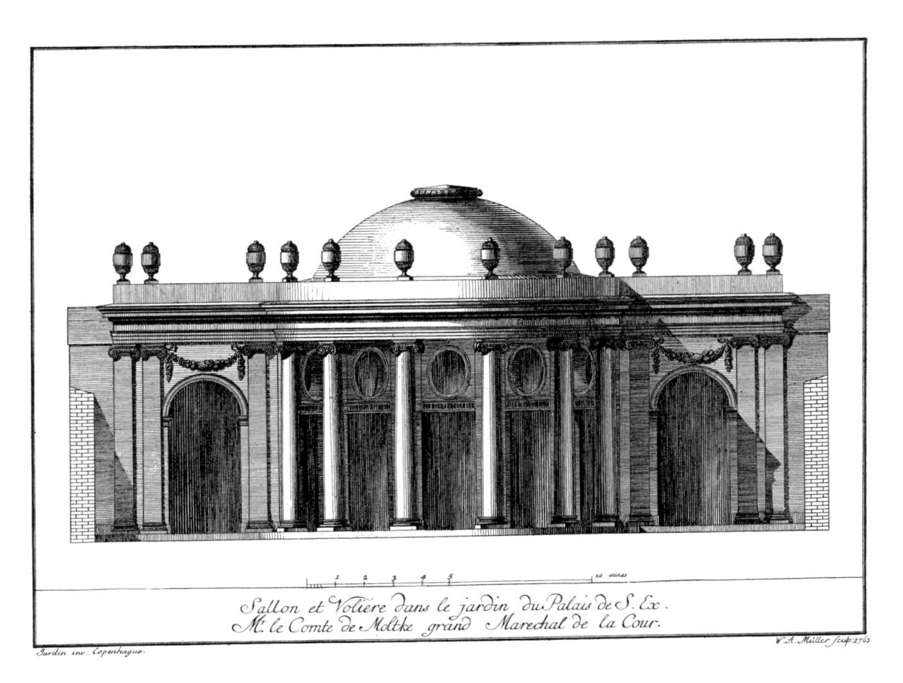

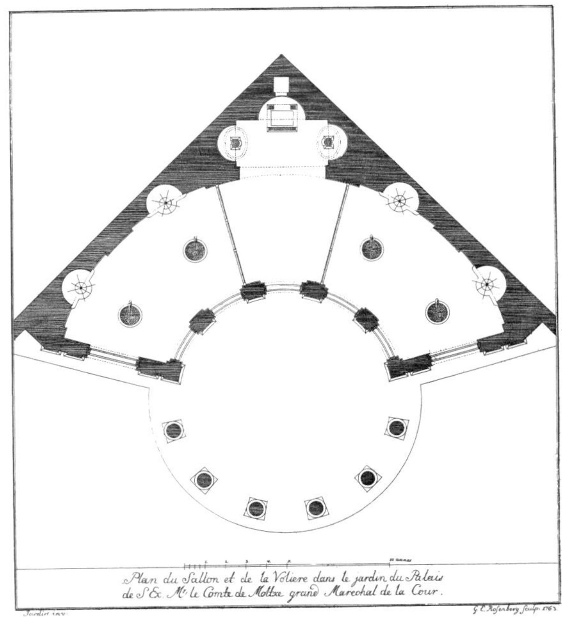

Raderingerne af Volierens plan og opstalt er udgået fra Jardins tegnestue i 1763, udført af to unge medarbejdere, G.E. Rosenberg og W.A. Müller. Man ser, hvorledes arkitekturen i sjælden grad tilpassede sig den specielle placering, mens Jardins kølige franske nyklassicisme kommer til udtryk i detaljerne. *Nationalmuseet.*

de mange initiativer, som Moltke var så stolt af, at han medtog dem i sin *Beretning om de indretninger, som primært takket være mine forslag og besørgelser blev foretaget til landets bedste i Frederik V's regeringstid*, nævnes etableringen af et hjemligt sandstensbrud ved Neksø på Bornholm. Han skriver: "Stenen blev til at begynde med erklæret for ubrugelig, men da jeg i min have her i byen lod opføre et lysthus i denne sten, viste jeg derigennem, at den var brugbar og god". Jardins fine voliere har altså altid stået med stenen fremme, ikke oliemalet, som det ellers var kutyme i 1700-tallet. At stenen virkelig var brugbar og god, kan man forvisse sig om ved i dag at betragte den 250-årige bygning. At det var en lille arkitektonisk perle, fremgår også af samtidens vurdering, som når den skarpe kritiker August Hennings i 1773 nævnte, at den og Harsdorffs Herkulespavillon i Kongens Have var de eneste smukke arkitekturværker i København!

INDVIELSEN

Efter fire års svangerskab kan Moltkes nye palæ på Amalienborg regne sin egentlige fødselsdag til den 30. marts 1754 – her indpasset i overhofmarskallens hektiske festprogram, som efter en celeber indvielsesdiner i palæet, der nød "Monarkens Allerhøjeste nærværelse", fortsatte på Charlottenborg samme aften, som det kan læses i bogens afsnit om Kunstakademiet, mens man næste dag fejrede Frederik V's 31-års fødselsdag med stor og sædvanlig ceremoni. Alle gode kræfter var sat ind de seneste måneder, for at palæet kunne stå klart. Ud over håndværkere og tjenerskab blev ekstra soldater engageret som håndlangere, og såvel aftener som søn- og helligdage blev inddraget. Mængder af sne blev fjernet fra tage, terrasser og fortove i denne den Lille Istids voldsomme vintervejr, mens typisk dansk omslag til tøvejr betød spandevis af smeltevand at bære bort. De fine parketgulve blev efter boning med okkerfarvet voks afdækket med alenvis af lærred, mens sække fyldt med tørre blade blev sat op som beskyttelse foran de kostbare vægge under rengøringen og den hektiske skramlen med møbler. Alle ruder og spejle, og det var ikke få, blev efterpudset af glarmesterens folk, mens skorstensfejeren rensede de 46 etagemål skorstenskanaler igennem og afprøvede alle ildsteder. Selv byens brandmajor kontrollerede det kostbare slukningsmateriel, som Moltke havde ladet fremstille eller købe. Vældige kar stod parat på loftet fyldte med vand, og de tre kostbare brandsprøjter regnedes for så effektive, at Moltke blev bedt om at stille dem til rådighed, hvis der blev ildløs i nabolaget.

Moltkes Palæ blev i december 1754 vurderet i brandforsikring til 102.000 rigsdaler, men efter Moltkes egne direktiver som direktør for brandkassen kun assureret for to tredjedele af denne sum. Denne bestemmelse kom til at gælde for alle de store nyopførte palæer, idet man frygtede for brandkassens økonomi ved en totalskade. Desuden havde man ved beslutningens ikrafttræden næppe overvundet chokket fra den store brand hos naboen, Schacks Palæ, få uger forinden.

LIVET I PALÆET

Selv om oplysninger om livet i palæet desværre er stærkt begrænsede, véd man dog, at Moltke i hvert fald én gang hver vinter holdt et stort "traktement for de fremmede ministre", dvs. udenlandske diplomater. Familiefester blev naturligvis fejret med gæstebud og bal, og ved alle de højtidelige begivenheder uden for Moltkes vinduer i Frederiksstaden, fortsatte festlighederne indendørs hos ham i palæet. Kom der fornemt besøg af udenlandske kongelige i Frederik V's tyveårige tid som regent, blev også de opvartet med fest i palæet. Selv senere kunne uforudsete besøg, såsom et russisk flådebesøg i 1770, betyde, at Moltke måtte byde på diner i palæet, denne gang for de russiske officerer, fordi Moltke passede udenrigssagerne, mens J.H.E. Bernstorff var i Holsten med Christian VII.

Ellers betød årene efter 1766 også lange perioder, hvor Moltke i unåde holdt sig væk fra byen og hoffet. Men taget til nåde igen efter Struensees fald 1772 vendte den gamle greve og familien tilbage til de vante rammer i hovedstaden, om end hverdagen forløb noget mere i det stille. Han synes i 1780'erne at have haft *assemblé*, selskabelig sammenkomst, en fast ugedag i vintersæsonen, og i hans livsaften var det ham, som andetsteds omtalt, meget kært, at kongefamiliens fornemste medlemmer ved audienser tog uhyre venligt imod ham. Med palæet og dets fornemme interiører synes der for det meste kun at have været tale om smuk vedligeholdelse af det, som Moltke havde skabt i 1750'erne og 60'erne. Enkelte vigtige genstande blev dog fjernet, bl.a. Stanleys "Andromeda" i vestibulen, som i 1778 blev overflyttet til Bregentved for i 1783 at finde sin endelige placering på Moltkes Glorup.

At dette det fornemst indrettede palæ således i modsætning til sine tre søstre omkring pladsen var blevet så godt passet på i skaberens mere end fyrreårige ejertid, betød også, at det var et oplagt emne som midlertidig bolig for landets enevældige monark, Christian VII, da han stod hjemløs i hovedstaden efter Christiansborg Slots brand i 1794. Lejligheden bød sig, fordi Adam Gottlob Moltkes bo efter hans død 1792 alligevel helst ville skille sig af med det kostbare palæ.

Bregentved og Turebyholm

Ganske kort tid efter sin tronbestigelse 6. august 1746 skænkede Frederik V ved gavebrev af 20. september sin nyudnævnte overhofmarskal krongodset Bregentved. Moltke ofrede store summer på indretninger, moderniseringer og udvidelser af såvel hovedbygning som have, og som vi har vænnet os til at se, samarbejdede han også her gang efter gang med landets ledende kunstnere, mens udførelsen ofte blev varetaget af hovedstadens og hoffets dygtigste håndværkere.

Den gamle middelalderlige hovedgård ejedes op til 1718 af skiftende højadelige slægter. Dette år blev den købt af Frederik IV og gjort til ryttergods med rytterikvarter under kronen. Efter generalbygmester J.C. Ernsts planer indrettedes barakker til mandskabet og stalde til 191 heste. Hovedbygningen fra 1600-tallet bestod af fire grundmurede fløje, hvoraf kun den endnu bevarede, dengang fritliggende nordfløj var i to etager med kælder. Som den fornemst indrettede blev denne fløj forbeholdt Kongen, når han kom på besøg, mens de øvrige, lave fløje indrettedes til officerer og befalingsmænd. Arkitekturen var enkel, usmykket, som det passede sig for militære anlæg.

LØVENØRNS BREGENTVED

Da generalløjtnant Poul Vendelbo Løvenørn ved Christian VI's tronbestigelse i 1730 vendte hjem fra diplomatisk tjeneste til posten som overkrigssekretær, dvs. krigsminister, købte han Bregentved af Kongen til en meget fordelagtig pris og delvis finansieret ved en rundhåndet kongelig gave. I hans ejertid fra 1731 til 1740 skete der væsentlige

Kapellet på første sal af Bregentveds gamle nordfløj set fra herskabsstolen. Det pragtfulde interiør i regencesstil, der blev skabt før Moltkes ejertid, skyldes efter al sandsynlighed Thurah, mens billedskærerierne i rig rokoko er af Johann Friedrich Hännel. *Foto Elizabeth Moltke-Huitfeldt.*

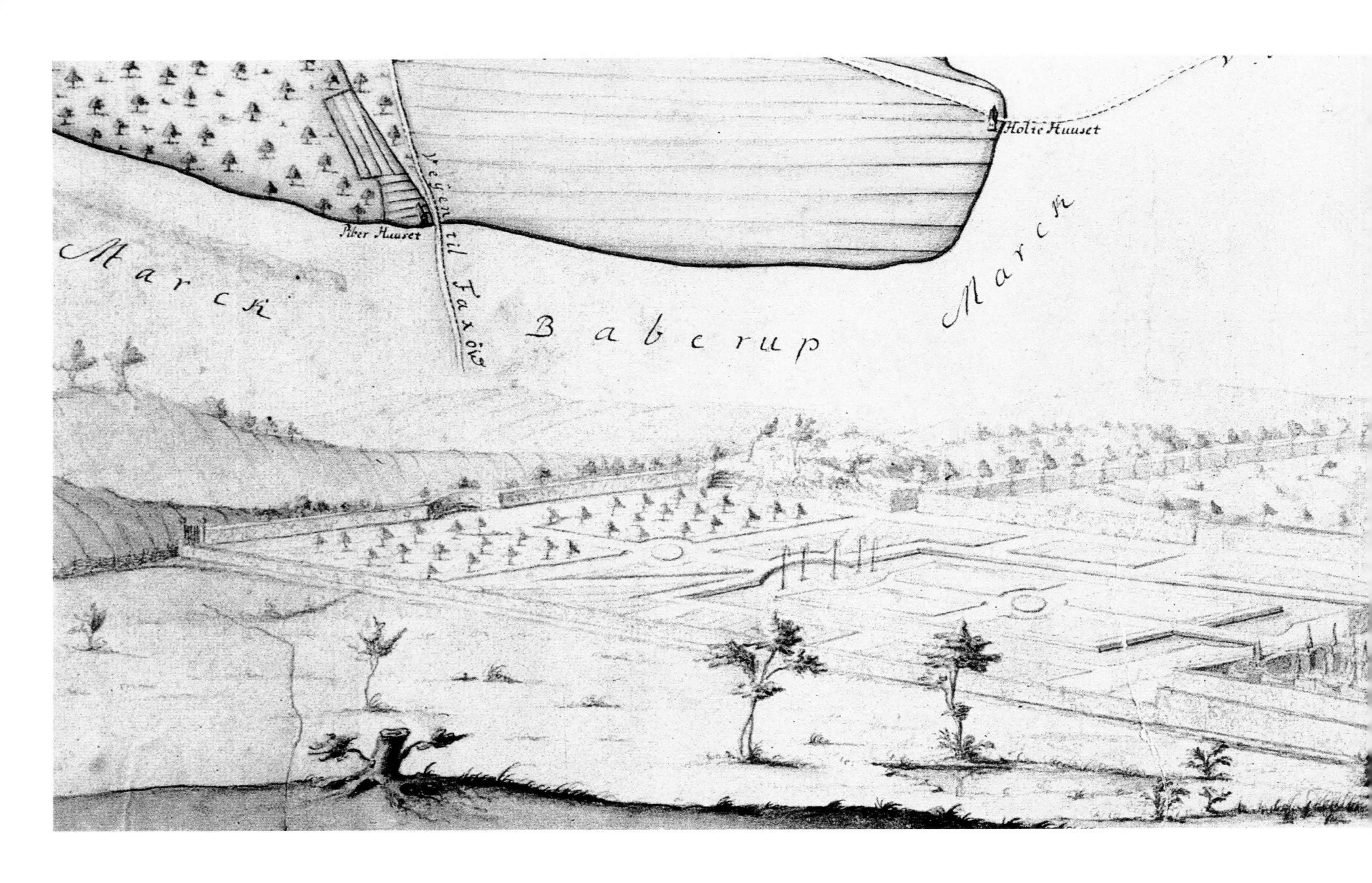

Prospektet af Bregentved findes som kantvignet på et stort kort over godset fra 1746. Man ser de ældre bygninger før Moltkes ombygninger samt haveanlæggets eminente tilpasning til det vanskelige terræn med terrasser, broderi- og vandparterrer, bosqueter og lindelysthus. Anlægget må være skabt i Løvenørns ejertid og næppe af andre end Eigtved. *Bregentved godsarkiv.*

arkitektoniske forbedringer. Med stor sandsynlighed var det den unge hofbygmester Thurah, der netop hjemvendt i efteråret 1731 fra sin europæiske studierejse stod for hovedbygningernes istandsættelse 1732-35 i hans karakteristiske senbarokstil. Nordfløjens kapel og herskabsstol blev flyttet op i øverste etages vestgavl, og her skabte Thurah et af de skønneste barokinteriører i landet, stærkt beslægtet med spisesalen i hans næsten samtidige Eremitageslot i Jægersborg Dyrehave. Kapellet blev fuldendt med alter, prædikestol og orgel i billedhuggeren Johann Friedrich Hännels rige rokokoformsprog. Meget taler for, at Løvenørn efter hovedbygningernes istandsættelse påtænkte at anlægge en have ved Bregentved. Og her må han have henvendt sig til sin protegé Eigtved, der som gartneruddannet og nu helbefaren arkitekt med kendskab til de mest moderne sachsiske, polske og bayerske slotsparker var vendt hjem til fædrelandet i efteråret 1735. Det fornemme anlæg ses på et prospekt fra 1746.

Efter Løvenørns død i februar 1740 havde Christian VI en helt privat plan med Bregentved. Eigtved, nu ansvarlig hofbygmester, blev straks sendt ned for at registrere og gøre forslag til istandsættelse, hvilket resulterede i et fornemt sæt opmålinger dateret april 1740. Kongen ville nemlig gerne her installere sin svigerinde og meget gode

veninde, enkefyrstinden af Ostfriesland, hvorfor han skyndte sig at tilbyde arvingen, Frederik de Løvenørn, en nærmest uimodståelig høj pris – 65.000 rigsdaler mod de blot 25.000, som faderen havde givet ni år tidligere! Dronningen modsatte sig imidlertid Kongens plan, men denne 'hang', om man så må sige, nu på Bregentved. Eneste arbejde i 1740 blev derfor Eigtveds forlængelse af nordfløjen til udskiftning af et faldefærdigt trappehus. Udvidelsen, der gjorde Bregentveds havefacade asymmetrisk, ses på ovennævnte prospekt.

MOLTKES OMBYGNINGER

Hurtigt efter at have overtaget Bregentved gik overhofmarskallen med ombygningsplaner. Hovedbygningen skulle jo fremover være den voksende families sommerbolig – fra juni til oktober – og samtidig være så standsmæssigt indrettet, at Moltke kunne modtage Kongen og dennes følge på gentagne årlige sommerbesøg. Hans foretrukne arkitekt var på dette tidspunkt Eigtved, og allerede i 1746 havde de kontakt om Bregentved. Uden tvivl har der fra hofbygmesterens hånd foreligget en generalplan for både bygninger og park, som desværre ikke er bevaret. I 1747 tog projektet en begyndelse ved anlæggelsen af en kilometerlang tilkørselsallé af lindetræer fra øst gennem dyrehaven. Denne nye imposante adgangsvej til herregården førte via en ligeledes nyanlagt dæmning og bro over mølledammen lige mod østfløjen, som det var Moltkes tanke nu at ombygge til repræsentativ hovedbygning.

I sin projektering måtte Eigtved først og fremmest oprette den ifølge samtidens æstetik så vigti-

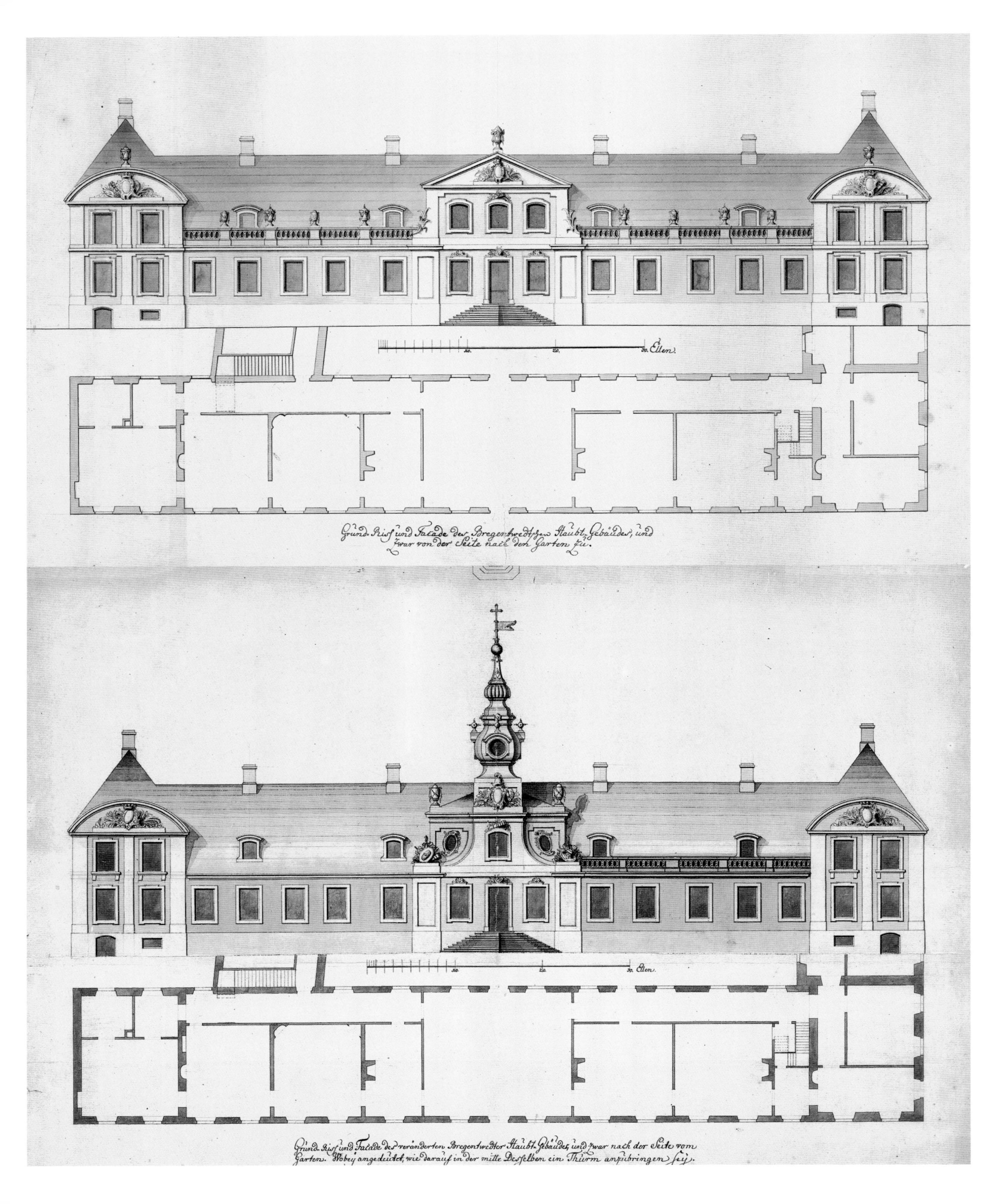
10. 20. 30. Ellen
Grund-Riss und Facade des Bregentwedtschen Haubt-Gebäudes, und
zwar von der Seite nach dem Garten zu.
10. 20. 30. Ellen
Grund-Riss und Facade des veränderten Bregentwedter Haubt-Gebäudes, und zwar nach der Seite vom
Garten. Wobey angedeutet, wie darauf in der mitte Desselben ein Thurm anzubringen sey.

MODSAT SIDE ØVERST / Eigtveds mest konservative projekt til Bregentveds østfløj har tydeligt forbillede i Thurahs kongelige landslot Hirschholm, som stod færdigt i 1744. Der er toetages fremspring både midtpå og i siderne, prydet med store frontispicer, buede på sidepartierne, midtpå trekantet og smykket med det grevelige våben. *Bregentved godsarkiv.*

MODSAT SIDE NEDERST / Variantprojektet har en mere fantasifuld udformning af midterpartiet med en svejfet overbygning, der slutter i et lille, men rigt detaljeret tårnspir. Her gør Eigtved brug af sine minder om Dresdens berømte Frauenkirche, som han havde set opført. *Danmarks Kunstbibliotek, Samlingen af Arkitekturtegninger.*

Moltke fik også Eigtved til at modernisere gårdfacaden af den gamle nordfløj, hvor indgangsdøren dog beholdt sin barokke sandstensportal, sandsynligvis tegnet af Thurah. *Foto Elizabeth Moltke-Huitfeldt.*

ge symmetri i den nye hovedfacade mod øst, og to varianttegninger af Eigtved er bevaret. Plandispositionen var enkel og egentlig lidt gammeldags – en stor gennemgående midtersal flankeret af en række gemakker mod haven og korridorer mod gårdsiden. Moltke valgte det konservative facadealternativ, og allerede i efteråret 1749 kunne man gå i gang med gemakkernes indretning, hvor Moltke og Eigtved benyttede de bedste håndværkere fra København. I maj 1750 gjorde Moltke klar til at modtage kongeparret på dets årlige fjortendages sommerbesøg i den nu færdige østfløj. Allerede 1748 var Eigtveds udbedring af den gamle nordfløjs portalparti mod gården blevet gennemført. Dette parti er i dag det eneste af eksteriøret, som er synligt tilbage af hofbygmesterens virksomhed på stedet. Af den bevarede korrespondance får man endnu en gang den forbavsende indsigt, at

den travle overhofmarskal, som reelt styrede landet i disse år, også som passioneret bygherre magtede at følge med i sit private byggeri til mindste detalje.

INDRETNINGEN

Moltkefamiliens Bregentved gennemgik en stor ombygning 1886-91, således at kun den gamle nordfløj i dag står nogenlunde intakt fra A.G. Moltkes tid. Et inventarium fra 1790 over hele Bregentved, udarbejdet af Moltke i forbindelse med hans testamente, tillader os imidlertid at få indblik i, hvorledes grevefamilien havde indrettet sig i det store bygningskompleks. Beskrivelsen af de mange gemakker i øst- og nordfløj især, af hvis udstyr utroligt meget endnu er bevaret på gården, enten genanvendt eller stadig *in situ*, giver et levende billede af det høje kvalitetsniveau, som Moltke også her i sin landlige hovedresidens forlangte. Over årene træffes en række arkitekter, som tæller blandt landets ypperste og mest fremtrædende – Eigtved, Jardin og Harsdorff, mens mindre berømte som G.D. Anthon, Joseph Zuber og G.E. Rosenberg også arbejdede for Moltke på stedet. Greven har tilsyneladende ikke ladet sig styre af puritansk stil'renhed' ved sine indretninger, men snarere af en pragmatisk tilgang. Havde man smukke møbler i en lidt ældre stilform, kunne disse snildt sammenstilles med mere moderne indretninger i en helt anden stil. Således for eksempel de mange rige rokokokonsoller placeret under nyklassicistiske pillespejle.

Gennem inventariets omhyggelige opremsninger sammenholdt med gamle plantegninger er det muligt at beskrive rumforløbet i hovedfløjen samt nordfløjen. Ofte gives klar besked om gemakkets tiltænkte funktion, eller man kan gætte sig til den ud fra møbleringen. Man opdager således, at Moltke sandsynligvis omkring 1770, da hans livsomstændigheder var så radikalt ændrede, har ladet østfløjen forlænge hele fire fag mod syd, i eksteriøret ganske underordnet Eigtveds oprindelige østfacade, mens man i interiøret her finder tre vigtige nye gemakker i greveparrets private suite. En bemærkelsesværdig indretning er også de permanente fornemme gæstesuiter, som åbenbart primært var forbeholdt Frederik V og hans dronning, når de kom på det nærmest obligate sommerbesøg. Kilderne oplyser, hvorledes Moltke ved disse besøg måtte sende en stor del af sin familie og husholdning over på sit nærliggende Turebyholm for at få plads til det omfangsrige kongelige følge hjemme på Bregentved.

En tur gennem Moltkes bolig må naturligt begynde i østfløjens store midterste trefags sal, "den store spisesal", hvortil der både var indgang fra have og gård. Eigtved skabte her harmoni i rummets proportioner ved at hæve loftshøjden i forhold til de tilstødende gemakker – samme elegante arkitektoniske virkemiddel, som arkitekten anvendte på Frederiksdal, Turebyholm og først og fremmest i Moltkes Palæ på Amalienborg. Vi følger herfra rummene mod syd igennem greveparrets suite – først til "grevindens forgemak", der har tjent som en slags anretterværelse både for den store sal og for "det højgrevelige herskabs daglige spisegemak til den anden side". Dèr var væggene over brystpanelet dækket med "perspektiviske" lærreder af Fabris, "Roms antikviteter", hvoraf desværre kun de to dørstykker synes bevaret på Bregentved i dag. Typisk for en spisestue rummede de bageste hjørner nicher med henholdsvis en fedtstensovn og dens pendant, en attrap af træ, for at sikre symmetrien. Dernæst lå det ligeledes tofags "grevindens visitgemak", og bag disse tre rum var på gårdsiden en bred korridor, belyst med vinduer både til forgård og mellemgård. Derpå fulgte greveparrets sovegemak, et tofags rum med tronseng, bagtil betjent af "et lidet kabinet, og et lille a parte værelse, tidligere for-

På litografiet fra midten af 1800-tallet ser man tydeligt Moltkes diskrete udvidelse af østfløjens sydlige ende uden forstyrrende indgriben i Eigtveds facadearkitektur. F. Richardt og C.E. Secher: *Prospecter af danske Herregaarde*, 1844. *Foto Det Kongelige Bibliotek.*

gemak", begge med vinduer mod mellemgården. Suiten fortsatte i Moltkes ovennævnte tilbygning fra omkring 1770 mod syd, først med visitgemak mod haven og skrivekabinet mod gården, begge på to fag og betjent af "et lidet a parte kabinet næst derved". Endelig sluttede rumfølgen mod syd med "det saakaldte havegemak", hvor to glasdøre førte direkte ud i haven, og bag dette "grevens forgemak".

Tilbage i midtersalen kunne man så ligeledes betræde *enfiladen* (fra fransk: trukket på en snor, dvs. en række rum, hvis døre ligger på linje) mod nord, der var indrettet som kongesuite, uden at Moltke ved inventariets skrivning i 1790 direkte har benævnt den således. Kongebesøg havde jo ikke været aktuelle siden Frederik V's død i 1766. Rummene fremstod som en fornem gæstesuite – først en salon, dernæst sovegemakket med den vældige tronseng, begge rum udstyret med kongeligt rødt silkebrokade som dominerende boligtek-

Et yndefuldt Louis Seize-vægbetræk er bevaret, med små håndmalede kinesiske landskabsvignetter illusionistisk indrammet i 'guldrammer' og 'ophængt' i sløjfebånd på lys blå baggrund. *Foto Elizabeth Moltke-Huitfeldt.*

stil. En lille etfags garderobe fulgte foran en beskeden gehejmetrappe til første sal. I hjørnegemakket og i gårdside-korridoren bag kongesuiten, den såkaldte skilderigang, kunne herskabets gæster forlyste sig ved at se på malerkunst, idet hele 156 malerier i forgyldte rammer smykkede væggene, der var betrukket med rødt uldent stof. Ved siden af hjørnegemakket lå et værelse med vinduer mod nord og udstyret med vægbetræk sammensyet i baner af skiftevis håndmalet kinesisk silke og blå damask. Dette typiske 1700-tals vægbetræk er stadig bevaret på Bregentved.

Det ser ud til, at Moltke også i den gamle nordfløj havde statelige gæste- og selskabsgemakker, hvor især førstesalens suite var bemærkelsesværdig. Øst for kapellet og den smukke baroktrappe fra Løvenørns ejertid, som Thurah og Hännel nok også har ansvaret for, følger den store såkaldte 'kirkesal' med to fag vinduer til hver side og udsmykket med mytologiske væglærreder. Med sine karakteristiske spejle prydet med gipsmedaljoner, "Merkur" og "Apollon", og enkle, retkantede, oprindeligt gråmalede panellering bærer salen præg af en indretning omkring 1770, der meget vel kunne skyldes Harsdorff. Her var der i 1790 indrettet til selskabelighed med både et billard og et kuglebord. Dernæst fulgte en ligeledes gennemgående salon betrukket med "gult blomstret kinesisk papir" og – i Eigtveds hjørnetilbygning fra 1740 på den anden side af nordfløjens gamle gavlmur – først et fornemt sovegemak med tronseng, alt holdt i gul silkedamask, og et mindre hjørnegemak, hvis lysblå, malede væglærreder havde en fortryllende udsmykning med små håndmalede kinesiske scenerier indrammet i guldlister og ophængt i bånd illusionistisk malet med skygger. Sidstnævnte væglærreder er genanvendt i 1892-rummet på samme sted i nordøsthjørnet, mens det gule soveværelse med sin pragtfulde tronseng er rykket mod vest i nordfløjen.

I nordfløjens stueetage lå i vestgavlen endnu et fornemt sovegemak med vinduer til hver side og udstyret med rødt-hvidt blomstret tapet, en stor tronseng betrukket med grøn silkedamask og hvidt blomstret kinesisk silketaft på møblementet. Dernæst fulgte en række veludstyrede mindre rum, de fleste med jernovne og med et eller to vinduer mod nord, mens gårdsiden i syd havde en lang korridor med fløjens indgangsdør og ovennævnte baroktrappe.

1790-inventariet giver også oplysning om indkvarteringen af en del af Moltkes store familie. Hans yndlingsdatter, enkegrevinde Catharine Wedell, havde en lille egen suite på første sal i østfløjens sydligste sidefremspring, *risalit*, mens sønnen Gebhard Moltke boede med hustru i den såkaldte havelænge, der fortsatte østfløjen mod syd. Her lå der også mange gæsteværelser. I hovedbygningens søndre længe boede komtesserne med deres selskabsdame, *françoise*, i stueetagen, mens deres brødre indtog øverste etage med deres hofmester.

MØBLERING OG UDSTYR

Inventariet slutter med disse ord: "Alt heri hører til grevskabet og skal forblive og følge med", underskrevet af Moltke 31. marts 1790 og ifølge påskrift fremlagt i hans dødsbo 19. november 1792. Sammenholder man inventariets detaljerede oplysninger med Bregentveds interiører i dag, kan mange genstande direkte identificeres eller i hvert fald sandsynliggøres som hidrørende fra Adam Gottlob Moltkes ejertid. Vi har allerede set, hvorledes vægbetræk fra 1700-tallet optræder som genbrug i nye rum fra ombygningen 1888-92, hvor man tydeligvis har tilstræbt at reproducere hele indretninger i østfløjens nyopførte rammer. Faste spejle er genanvendt, enkelte marmorkaminer er genanvendt, mange dørstykker er genanvendt. Selv fine billedskårne og forgyldte ornamenter er åbenbart forsigtigt taget ned fra de oprindelige vægfelter og genopsat i de nyskabte interiører. Også fedstensovne med forgyldte messingdetal-

Kongesuitens store pragtseng er bevaret med de rige tekstiler, som inventariet fra Moltkes tid beskriver. *Foto Elizabeth Moltke-Huitfeldt.*

jer, en enkelt attrapovn og et kunstfærdigt forgyldt ovngitter fra 1700-tallet kan genfindes i dag.

Med hensyn til møbleringen nævner inventariet en næsten uoverskuelig lang række af indlagte kommoder, chatoller, skriveborde og bakkeborde, hjørneskabe, mange siddemøblementer, rokoko- og Louis Seize-konsoller, franske rørfletstole, taffelure, store kinesiske lågkrukker osv. osv. Mange helt specielle genstande kan umiddelbart genkendes, såsom en stor og meget velbevaret sofa-, stole- og taburetserie i rokoko med "broderet (petit og gros point) perspektiv og figurarbejde". Er det mon lensgrevinden og hendes unge døtre, som har baldyret? Denne møbelsuite befinder sig stadig på samme sted som hos Moltke – i kongesuitens hjørnegemak med de mange malerier.

Det er vist også enestående for en dansk herregård, ja, for en hvilken som helst herregård, at den på Moltkes tid har rummet hele fem store pragthimmelsenge, og at fire af disse stadig er bevaret på stedet – den røde, den gule, den blå og den ene grønne. Stilen spænder fra rig barok og yndefuld rokoko i de tre første til elegant nyklassicisme i sidstnævnte. Den røde himmelseng i østfløjens kongelige sovegemak har stadig den indre montering med pragtfuldt blomstret silke med indvævede sølvtråde, som inventariet nævner.

PORTRÆTTER

Mon ikke Bregentved ved Moltkes død i 1792 har været den herregård med flest portrætter af kongefamilien? I hvert fald vidner inventariets beskrivelser om det helt specielle forhold mellem monarken og hans trofaste overhofmarskal. Mindst syv portrætter af Frederik V nævnes, deriblandt Salys bronzebuste fra 1754 og adskillige Pilo-malerier i både hel- og halvfigur og i forgyldte rammer med krone, tydeligvis skabt hen over en årrække. Det store helfigursportræt af Frederik V i ordensme-

Jardins raffinerede niche og sokkel til Salys buste af Frederik V er genbrugt næsten uændret ved ombygningen af Bregentved. *Foto Elizabeth Moltke-Huitfeldt.*

sterdragt, malet af Peder Als, som nu pryder havestuen, nævnes ikke specifikt i 1790-inventariet, hvorimod Andreas Møllers smukke portræt af den unge konge i sort rustning stadig hænger over kaminen i nordfløjens kirkesal som oplyst i inventariet (se side 72). Ofte har Pilos kongeportrætter deres pendant med den regerende dronning, både Louise og den unge Juliane Marie. Sidstnævnte optræder også fra sin tid som enkedronning på et portræt, der hang i grevindens visitgemak. Et suggestivt Pilo-helfigursportræt af den unge Kronprins Christian (VII) fra omkring 1760 ses også. En serie kongelige portrætter på spejlglas, som var på mode, nævnes ligeledes og er bevaret. Senere må både Salys bronzebuste af Frederik V med mindre brystudsnit samt den smukke bronzerede gipsversion i en sjettedel størrelse af rytterstatuen på Amalienborg Plads, modelleret 1758-59, være kommet til.

Det smukkeste interiør omkring et ensemble af kongelige portrætter lod Moltke Jardin skabe i østfløjens store spisesal i forbindelse med en nødvendig istandsættelse her i 1762-63. Væggene var fuldpanelerede med forgyldte lister, over de fire fløjdøre var puttoscenerier, formentlig af Mandel-

Jardin nyindrettede østfløjens spisesal for Moltke 1762-63. Et ældre fotografi viser denne indretning før arkitekt Axel Bergs store ændringer af Bregentved 1887-91, hvor han imidlertid i den nye havesal genanvendte både malerier, paneler og møblering fra Moltkes sal. *Privateje.*

Tocqué har skildret den pragtfuldt klædte tolvårige Prinsesse Wilhelmine Caroline yndefuldt rygvendt og med et nærværende, levende blik i det smukke ungpigeansigt. *Foto Elizabeth Moltke-Huitfeldt.*

berg, og på de fire vinduespiller var karakteristiske store Jardin-spejle med spinkle sløjfeophængte festoner omkring, under hvilke stod rokokokonsoller. Midt på hver kortvæg sås en fladbuet niche med forgyldte, billedskårne palmegrene – i den ene stod en toetages ovn af fedtsten omgivet af forgyldt jernværk, i den modstående Salys store bronzebuste af Frederik V på et raffineret fodstykke af norsk marmor med forgyldte bronzeornamenter (se side 290). I panelværkets otte brede felter med deres typiske buede top- og bundstykker indfattede Jardin portrætter af den øvrige kongefamilie, illusionistisk 'ophængt' i guirlander. Seks af disse malerier var udført af ingen ringere end den berømte franske portrætmaler Louis Tocqué, da han i 1758-59 gæstede København. De seks portrætter, som Tocqué tog med til Paris og først sendte retur til Moltke i 1762, forestiller Dronning Juliane Marie og de fem kongelige børn (se også side 111). Tocqués charmerende portrætter er kunst i verdensklasse med deres livlige karakteriseringsevne, gengivelse af de rige stoffer og raffinerede kompositioner. Salens sidste to kongelige portrætter fremstiller Enkedronning Sophie Magdalene og Prinsesse Charlotte Amalie, Christian VI's søster. De er formentlig malet af Johann Salomon Wahl. Tocqués smukke brystbillede af Frederik V, et forarbejde til Amalienborg-portrættet, fandt plads andetsteds på Bregentved – i spisesalen var Kongen jo repræsenteret med Salys buste.

Jardins indretning kendes fra et par ældre fotografier i familiens eje, mens man i 1800-tallets nye, mere højloftede havesal forsøgte at genskabe atmosfæren fra 1700-tallet med genopstilling af busten på sit marmorpostament i den udsmykkede niche, med portrætterne nu indsat på nye stuk-vægge i rokokostil, og med genbrug af dørstykker, spejle og møbler. Det var først i denne nye havesal, at Als' imponerende kongeportræt blev indlemmet, hvor der på Moltkes tid havde været dør ud til forgården i vest. At Moltke også på Bregentved havde mange familieportrætter kan ikke undre. Her fandtes mange af de skildringer af husherren selv, som behandles mere udførligt andetsteds i denne bog. Selvfølgelig var der også portrætter af hans to kære hustruer og af børnene. Ganske interessant er udsmykningen i havegemakket, hvor Moltke havde ladet ophænge portrætter af gamle venner fra sit politiske liv: J.H.E. Bernstorff, J.S. Schulin, Gram, Lerche og Laurvig, der alle i 1790, da inventariet blev forfattet, betegnes som "salige", dvs. afdøde.

MOLTKES HAVEANLÆG

Da den travle Eigtved døde i sommeren 1754, havde han næppe nået at realisere den omlægning af haven foran den nyopførte østfløj, som var nødvendiggjort af den nye fornemme tilkørselsallé fra øst gennem dyrehaven. Moltke har da nogle år senere fundet tiden belejlig og henvendt sig til sin nye yndlingsarkitekt, Jardin, der i perioden 1760-70 stod for væsentlige nyanlæg ved Bregentveds park. Mest markant var en monumentalisering af partiet mellem allé og søbred. Dette smukke anlæg ses på samtidige prospekter og haveplaner. I midtaksen stod – og står stadig – en statue af "Det sabinske Rov" i blændende hvid, italiensk marmor, sandsynligvis udført af Simon Carl Stanley som en bearbejdet variant efter Giovanni da Bologna (se side 357). Mellem allé og parterre skabte Jardin en 'forgård' med opmarch af flere rækker lindetræer, som stadig er bevaret.

Eigtveds store rektangulære vandparterre mod syd med buegange og kanaler omkring en

blomsterø fik ny udsmykning med vægge af palisadeklippet lind samt nye små broderiparterrer og en halvcirkulær plads med lysthus, grønmalet med gyldne ornamenter, som point de vue i syd. De ældre springvand i kanalen erstattedes af en mere særpræget end skøn fontæneopbygning med grotteværk, udført i norsk marmor og omgivet af fire vandspyende delfiner. Ideen til den stadig bevarede fontæne synes muligvis opstået hos greven selv ifølge et brev til billedhuggeren Johannes Wiedewelt i efteråret 1772, da denne udførte en model for stenhuggerne at arbejde efter. Wiedewelt

På en fin lille gouache fra 1763 af W.A. Müller ses Jardins nye parterreanlæg på Bregentved foran Møllesøen med Eigtveds hovedbygning i baggrunden. De to ridende herrer, som bærer Elefantordenens bånd, er sandsynligvis Frederik V og Moltke, mens Dronning Juliane Marie så befinder sig i den kongelige karet trukket af et seksspand, og scenen kunne således skildre et af Kongens hyppige besøg hos Moltke. *Det Nationalhistoriske Museum på Frederiksborg Slot. Foto Kit Weiss.*

leverede også tegninger, flere stadig bevaret, til de mange vaser, som skulle udsmykke nyopførte portpiller og pointere de nye haveanlæg. I et bevaret haveinventarium fra 1770 tælles allerede 24 havevaser af sandsten eller kalksten samt adskillige stenpostamenter til kinesiske porcelænsvaser, fajancevaser og urtepotter. Moltke kommenterede i sommeren 1772 Wiedewelts vaseforslag med rettelser og egne forslag. Det er jo godt med nogen variation ved vaserne "udi haven og deromkring", og man må ikke repetere det samme for ofte, bemærkede han.

Som et meget karakteristisk greb i samtidens havekunst var tilføjelsen af divergerende alleer på hver side af dyrehavens hovedallé, en såkaldt *patte d'oie* eller gåsefod. Alle tre alleer samledes mod øst i runddele tæt ved parkens indgangsport. Den nordligste af de nye alleer pegede frem mod et lille kunstigt bjerg ved søbredden smykket med en statue af "Flora". Den sydligste allé fik en dobbelt så lang sigtelinje og et dramatisk forløb ned gennem dyrehaven og tværs hen over ovennævnte, skævt herfor liggende vandparterre, men derefter aksefast videre via et smalt terrasseret vandløb i otte fald og en vase- og søjlesmykket kaskadebro, hen over et højereliggende vandreservoir og endelig ad en 42 trin lang trappe op over bakken til en lille cirkulær rydning i skoven mod sydvest.

Her på havens højeste punkt rejstes en tretten m høj mindeobelisk for Moltkes kære Frederik V, tegnet af Wiedewelt og opstillet i 1772. Typisk for grevens interesser læses indskriften omkring monumentets brede runde fodstykke: "TIL DEN BED-

Den mærkelige fontæne fra 1772 i Bregentveds vandhave skyldes billedhuggeren Johannes Wiedewelt, mens ideen synes opstået hos Moltke selv. Nu savnes vandfaldene ud fra det store runde hul, og man må nøjes med de spinkle vandstråler. *Foto Elizabeth Moltke-Huitfeldt.*

STE KONGES MINDE HELLIGER BREGENTVED DENNE PYRAMIDE OG FAXÖE SINE FØRSTE BLOKSTENE", sidstnævnte brudt 1770 i Moltkes eget kalkstensbrud ved Fakse og med meget stor møje slæbt frem til Bregentved ad de frosne vinterveje året efter. At Moltke har lagt vægt på denne imponerende, mere end 1,2 km lange sigtelinje fra den ene ende af haven til den anden, ses af teksten på det detaljerige kobberstik, som han lod udføre ved anlæggets afslutning i 1773. Spadserede man nede i vandparterret, ville med ét udsigten pludselig åbenbares for den forbavsede gæst, "... på hvilken man uforventendes bliver var den

På en lille kunstig høj ved Møllesøen for enden af dyrehavens nordligste allé pryder en statue af Flora Farnese en stor linderondel. Mens Eigtved havde anlagt dyrehavens midterste allé allerede i 1740'erne, blev de to divergerende sidealleer først skabt i begyndelsen af 1770'erne. Moltkes haveanlæg var i stadig udvikling. *Foto Elizabeth Moltke-Huitfeldt.*

Sigtelinjen ad den sydlige divergerende dyrehaveallé fortsatte i en lang kanal med små vandfald og – på den anden side af en vase- og søjleprydet bro med en større kaskade – for at ende i havens højeste punkt i sydvest. Her anbragte Moltke en vældig obelisk til minde om Frederik V. *Foto Elizabeth Moltke-Huitfeldt.*

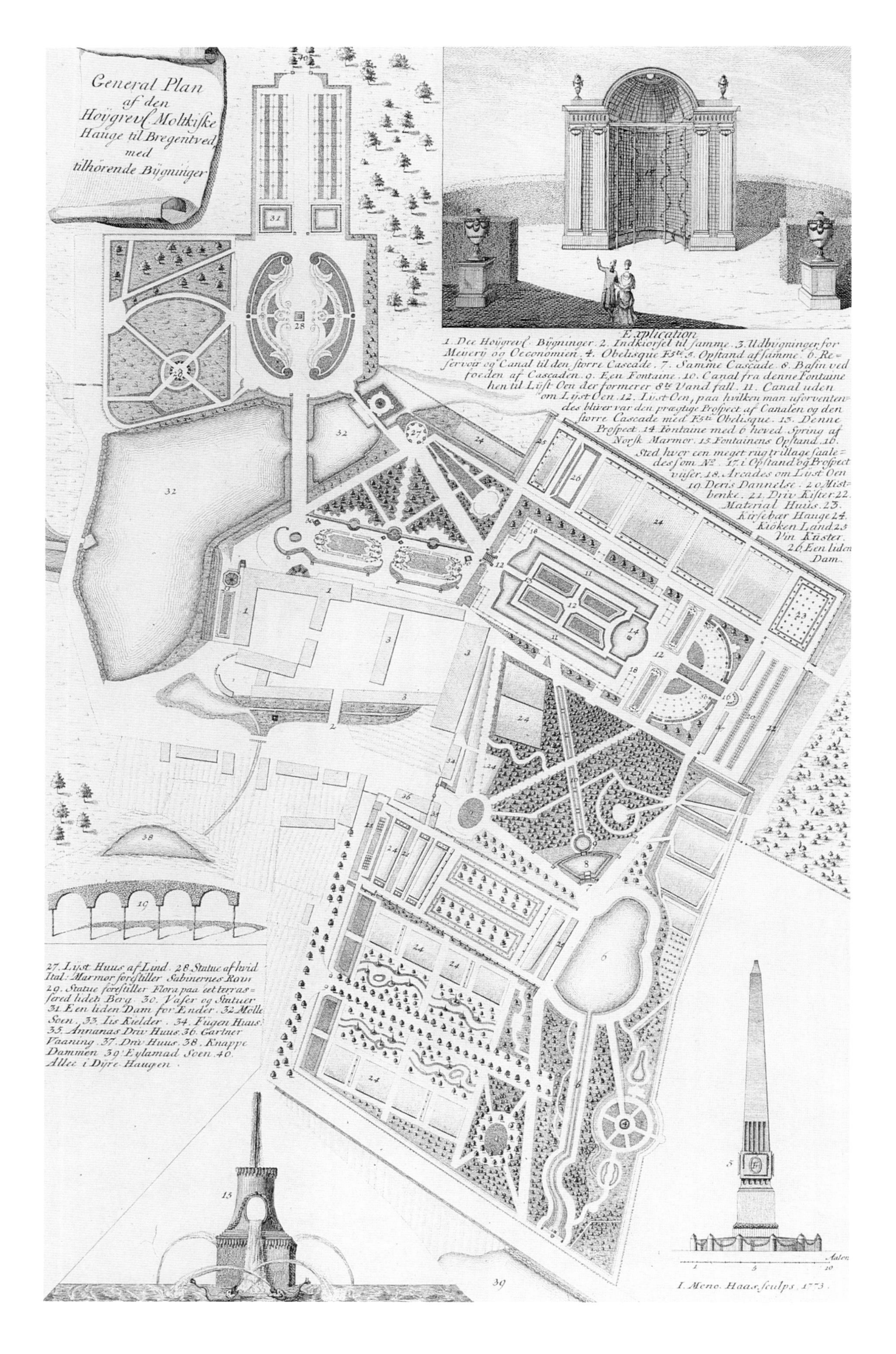
General Plan
af den
Höygrevl. Moltkiske
Hauge til Bregentved
med
tilhörende Bygninger
Explication
1. Dee Höygrevl. Bygninger. 2. Indkiorsel til samme. 3. Udbygninger for
Meyery og Oeconomien. 4. Obelisque F5te. 5. Opstand af samme. 6. Re=
servoir og Canal til den store Cascade. 7. Samme Cascade. 8. Basin ved
foeden af Cascaden. 9. Een Fontaine. 10. Canal fra denne Fontaine
hen til Lyst Oen der formerer 8te Vand fall. 11. Canal uden
om Lyst Oen. 12. Lyst Oen, paa hvilken man uforventen=
des bliver var den prægtige Prospect af Canalen og den
store Cascade med F5te Obelisque. 13. Denne
Prospect. 14. Fontaine med 6 hoved Spring af
Norsk Marmor. 15. Fontainens Opstand. 16.
Sted hvor een meget rig trillage saale=
des som No. 17. i Opstand og Prospect
viser. 18. Arcades om Lyst Oen
19. Deris Dannelse. 20. Mist=
benke. 21. Driv Kister. 22.
Material Huus. 23.
Kirsebær Hauge 24.
Kiöken Land 25
Vin Küster.
26. Een liden
Dam.
27. Lyst Huus af Lind. 28. Statue af hvid
Ital: Marmor forestiller Sabinernes Rov
29. Statue forestiller Flora paa eet terras=
sered liden Berg. 30. Vaser og Statuer
31. Een liden Dam for Ender. 32. Mölle
Soen. 33. Iis Kielder. 34. Figen Huus.
35. Annanas Driv Huus. 36. Gartner
Vaaning. 37. Driv Huus. 38. Knappe
Dammen 39. Eylamad Soen. 40.
Allee i Dyre-Haugen.
I. Meno. Haas sculps. 1773.

Obelisken, som midt i endnu en linderondel blev opstillet i 1772, var udført i kalksten fra Moltkes eget brud ved Fakse efter tegning af Wiedewelt. Selv mange år efter Kongens død er det sin velgører, Moltke mindes. *Foto Peder Rasmussen.*

I 1773 lod Moltke kobberstikkeren I.M. Haas udføre en stor, meget detaljeret plan af haven på Bregentved med alle de indretninger, som han gennem årene havde gennemført. Forklaringer og små vignetter af de enkelte elementer henviser til numre på planen.

prægtige prospect af kanalen og den store kaskade med F5ti Obelisque."

TUREBYHOLM

Da Moltke som nyslået godsejer i sommeren 1747 udvidede sin sjællandske ejendom ved at købe Bregentveds nabogods Turebyholm af Frederik V, bestod bygningsanlægget af ældre stråtækte bindingsværkshuse med egen gammel kirke, men uden standsmæssig herskabsbolig. Dette planlagde Moltke at rette op på ved hjælp af yndlingsarkitekten Eigtved, så snart den gamle forpagtningskontrakt på stedet udløb i sommeren 1749. Herren til Bregentved havde næppe tænkt sig selv at bo på Turebyholm, men som passende læreplads for sin tiltænkte arvtager som lensgreve og dennes unge familie var avlsgården meget velegnet. Således blev Turebyholm i 1762 overdraget til Moltkes ældste søn, Christian Friderich, som boede der indtil sin tidlige død i 1771, hvorefter gården gik tilbage på gamle Moltkes hænder. I de første år synes familien nærmest at have benyttet det som lyststed eller som anneks til Bregentved, når pladsforholdene dér fordrede det. Fra 1787 boede andre af Moltkes børn der på skift, senest Joachim Godske, der overtog Bregentved-imperiet efter faderens død i 1792.

Eigtveds projekt bestod i en totalopstramning af hele anlægget med aksefast opdeling i stor kvadratisk ladegård mod vest og smallere U-formet borggård mod øst, hvor en ny hovedbygning i nord i dramatisk perspektiv afsluttede dette dybe rum. I tidens yndede sammenknytning af bygninger og det omgivende landskab fortsatte hovedbygningens midtakse mod syd i en prægtig tilkørselsallé og mod nord i det planlagte haveanlægs midtergang. Det er vanskeligt i dag at forestille sig denne tætte og stramme plan, idet hovedbygningen efter mange nedrivninger, især af borggårdens lange lave sidefløje, nu ligger frit og isoleret.

Eigtveds hovedbygning

Den fine lille hovedbygning fik efter sin funktion en yderst enkel udformning, hvor det er arkitektens udsøgte sans for fornem proportionering og elegante, nærmest underspillede detaljer, der placerer Turebyholm blandt perlerne i dansk bygningskunst fra 1700-tallet. Opførelseshistorien er stadig gådefuld og må støtte sig til Moltkes delvis

Den uhyre enkle hovedbygning, som Moltke lod Eigtved skabe på Turebyholm, taler for stedets sekundære rolle i Moltkes sjællandske godsimperium. I dag fritliggende bør den tænkes ind i helheden fra Moltkes tid, sammenbygget med lange lavere sidefløje omkring en forgård. Turebyholm fremstod hos Moltke med gråmalede facader og røde tegl på valmtaget. *Foto Elizabeth Moltke-Huitfeldt.*

bevarede korrespondance, til inventarier fra 1780 og 1790 og til bygningsarkæologiske spor – mange fremkommet ved den nyeste, meget hensynsfulde restaurering 1998-99. Alt tyder på flere byggefaser – fra starten i 1750 til afslutningen i 1755, som efter Eigtveds død i juni 1754 blev varetaget af Thurah. I somrene 1752 og 1753, i årets bedste byggeperiode, måtte arbejdet afbrydes og nødtørftige installationer foretages for at kunne modtage Frederik V, der var nysgerrig efter at beundre den kære hofmarskals seneste iværksættelser. Disse afbrydelser kunne måske forklare flere besynderlige beslutninger fra Moltkes side, som dog også kan skyldes nye ideer, han har fået undervejs, og hans velkendte skånselsløse kassation af netop udførte arbejder, hvis han mente at kunne få noget bedre og smukkere.

Den enetages hovedbygning hævede sig over borggårdens lave hvidkalkede længer på en høj kælderetage. Hver langside opdeltes af brede trefags midtfremspring kronet af Eigtveds foretrukne lave frontispice og udelukkende prydet af sandstensrocaillerne med det grevelige våbenskjold og de trompetsvungne trapper med spinkelt elegant smedejernsrækværk, som førte op til de fladbuede indgangs- og havedøre. Kun midtpartiets åbninger havde indfatninger – glatmurede i yderste enkelhed. Alle andre vinduer stod skarptskåret direkte i muren. Eigtveds farveholdning med oliemalede facader i lys grå stenkulør

Turebyholms interiør præges af den enkle plan med de flugtende døre. Løfflers helfigursportræt af husets herre i Elefantordenens dragt prydede den centrale sal, hvorfra der var udgange både til gård- og til havesiden. Over fløjdøren ses et af Cesaris dørstykker, der var blevet tilovers ved indretningen af Moltkes Palæ i København. *Foto Jens Lindhe.*

har markeret bygningens topplacering i anlæggets hierarki, mens det helvalmede tag dengang havde røde tagsten i harmoni med borggårdens længer.

Moltke og Eigtved gentog på Turebyholm den lidt gammeldags enkle planløsning fra den nye østfløj på Bregentved – en gennemgående midtersal svarende til facadernes midtfremspring og til hver side korridorer ud mod borggården og en række kabinetter på havesiden. Her var der tale om paradesuiten af selskabsrum og "de herskabelige værelser", idet de mere intime og praktiske rum var henlagt til den tilstødende østfløj eller til kælderen. Ligesom på Bregentved benævnte Moltke midtersalen "den store spisesal" og ikke som i dag "havesalen". Her i den højloftede sal med sin store eigtvedske hulkel ved overgangen mellem væg og loftsspejl var møbleringen yderst enkel med stole, ophængte spejle og derunder konsolborde med marmormalede træplader. Dørstykkerne hørte til en serie små arkadiske landskaber i lyse rokokofarver af den habile amatørmaler Giovanni Antonio Cesari , åbenbart 'overskud' fra bestillinger Moltke havde gjort til Amalienborg-palæet, hvor andre eksemplarer stadig kan ses. Ellers taler inventarierne her kun om "mit portræt i forgyldt ramme", E.H. Løfflers store helfigursmaleri af lensgreven i Elefantordenens festlige renæssancedragt (se side 366). De andre kabinetter stod med Eigtveds enkleste rokoko-brystpaneler og overvægge med moderigtige betræk. I det ene sås "grønt kinesisk skildret taft", yndigt håndmalet silke, som stadig er bevaret i sart, falmet fremtræden. I to andre var opsat malet lærred, "schæfer malings voksdug", hvis motiver var tidstypiske italieniserende hyrdeidyller i kraftig rokokoindfatning, mens den lette landlige tone blev anslået i de mindste kabinetters "blomstrede kulørte sirts og blaat og hvidt trykt lærred".

Haven

Haveanlægget nord for hovedbygningen blev åbenbart til lidt efter lidt, men sandsynligvis efter en hovedidé af Eigtved. Således talte Moltke i 1760 om, at havens og alleernes træer skulle sættes næste forår. Et korsnet af alleer opdelte haverummet klart, mens terrænets hældning ned mod et åløb i nord optoges af flere terrasseringer, passende udstyret med parterrer, siddepladser, fiskedamme, bosquet'er og 'vildnis' med slyngede stier. Af denne typiske herregårdshave fra 1700-tallet er desværre kun få spor bevaret i dag.

Glorup

Mens han stadig befandt sig på magtens tinde, erhvervede Moltke endnu et stort gods, Glorup på Østfyn sammen med det nærliggende Anhof, med skøde af 1. maj 1763. I 1765 erhvervede han også nabogodset Rygaard. Efter den første ombygnings- og moderniseringsfase, der sluttede i 1765, blev Glorup grevefamiliens residens en måneds tid i højsommeren hvert år, mens forpagter og skovrider fik anvist boliger på den lille, middelalderlige Rygaard.

Det fortælles ofte, at Moltke skulle have købt Glorup for en lotterigevinst, men dette er en sandhed med modifikationer, idet hans hustru Sophia Hedwig Raben først i 1769 var så heldig at vinde den store gevinst på 65.000 rigsdaler i Altonaer Statslotteri, og de penge var hendes egne (se også side 166). Hun deltog med levende interesse og endda med egne midler i forbedringerne gennem årene i hus og have på Glorup, så ægtefællerne har sandsynligvis aftalt, at dette sted skulle være hendes eventuelle enkebolig.

Det Glorup, som Moltke i sommeren 1763 overtog og straks begyndte at modernisere, havde faktisk en temmelig nyrestaureret hovedbygning. Den åbenbart rigt udsmykkede firfløjede renæssanceborg var af den mægtige rigshovmester Christoffer Valkendorf blevet opført på pæle i nordenden af en stor sø i 1580'erne med Frederiksborg Slot som forbillede. Vældige avlslænger vest for hovedbygningen betjente dette, et af Fyns største landbrug. I årene 1743-44 stod hovedbygningen, "som formedelst dens store brøstfældighed var nedreven og genopført", kendeligt formindsket og ændret af Christian Ludvig Plessen, der benyttede Philip de Lange som bygmester. Øverste etage forsvandt, tårnene forsvandt,

På den fine tegning, som må tilskrives Jardin og dateres 1763-65, ses Moltkes Glorup, som det fremstod efter hans første modernisering. De tre øverste opstalter viser facaderne i den indre gård, og nederst ses vestfløjens indgangsfacade og forpladsens høje hæk med lindetræer foran. Fontænen i midten blev udsmykket med "sneglehuse og coquiller", som Moltke lod oversende fra København. *Privateje.*

og den nye arkitektoniske markering begrænsedes til adgangsfacaden i vest, hvor søen eller voldgraven også blev opfyldt til fordel for en ukrigerigsk forplads. Kun de imponerende hvælvede kældre var synlige spor af Valkendorfs stolte vandborg.

MOLTKES OMBYGNINGER

I eksteriøret accepterede den for en gangs skyld økonomisk fornuftige Moltke vestfacadens yderfag i deres plessenske barokskikkelse, ja, endda så langt, at han ligefrem bibeholdt Plessens navnetræk i frontonerne. Midtpartiet omkring porten fik imidlertid en kraftig arkitektonisk modernisering. I samme byggefase fik facaderne i den indre gård en ny stram markering med vandret fugede partier, prydvaser og tosidede trapper i nord og syd, men mest monumental blev østfløjens midtparti. Det er interessant at konstatere, at Glorups facader, som nu står hvidkalkede med gule markeringer, i Moltkes ejertid – ifølge de skriftlige kilder – stod kalkede i en lysegrå sandstensfarve. Samme distingverede virkning gjorde sig gældende på flere af Moltkes ejendomme.

I Plessens interiør var vest- og nordfløjen indrettet til herskabet, mens forvalteren boede i sydfløjen og en del af østfløjen. Nu ønskede Moltke

Élevation d'une des ailes du Chateau de Glorup, du côté de la cour

Élevation principale du Chateau du côté de la Cour en face de l'Entrée

facade de l'Entrée du Chateau, du côté de la Cour entre les ailes

facade de l'Entrée du Chateau, du côté de l'avantcour & de la fontaine

1 2 3 4 5 10 15 20 25 30 35 40 45 50 55 60 65 70 aunes.

Élevation de la fontaine en face de l'Entrée du Chateau de Glorup

helt at ændre fordelingen, så stedet kunne leve op til grandseigneurens boligkrav. Sydfløjen skulle fremover rumme husets repræsentative opholdsgemakker, orienteret mod den store have, han også havde i tankerne at indrette. Greveparrets beboelsesrum blev placeret i den dybe østfløj omkring en statelig vestibule, mens Plessens ældre indretninger i nord og vest med gange ind mod gården og en række værelser mod ydersiden fik lov til at stå uændrede til den store børneflok og de mange gæster. Dog forsvandt den ene af vestfløjens to store baroktrapper, der som pendanter havde flankeret portrummet.

I den forholdsvis smalle sydfløj indrettedes tre selskabsgemakker – længst mod vest "spisestuen" med tre fag vinduer både mod have og gård, der-

Hovedbygningen på Glorup står i dag udvendigt stort set bevaret i den skikkelse, hvori Moltke fandt den ved købet i 1763. På indgangsfacaden mod vest bibeholdt han en tidligere ejers barokformsprog og nøjedes med at lade Jardin ændre portpartiets overbygning. Først i 1774 lod han opsætte det lille klokketårn udformet som rundtempel og tegnet af G.E. Rosenberg. *Foto Elizabeth Moltke-Huitfeldt.*

I Glorups indre gård skabte Moltke og Jardin østfløjens nye monumentale hovedindgang, hvor en høj tresidet trappe fører op til hoveddøren i en facade forhøjet til fulde to etager. Øverst ses et stort alliancevåben for familierne Moltke og Raben med både grevekrone og elefantordenskæde. Som skjoldholdere vogter to vældige ørne med udstrakte vinger, mens store guirlandeprydede vaser afslutter kompositionen. *Foto Elizabeth Moltke-Huitfeldt.*

næst midt i fløjen "grevindens forgemak", senere havestuen, med tre fag vinduer mod haven, men kun en indgangsdør mod gården, og endelig "det røde visitgemak", igen med tre fag vinduer til begge sider. I østfløjens store hjørneværelse mod syd kom "det herskabelige røde sovegemak" med to fag vinduer i begge ydermure, hvorefter grevindens to etfags kabinetter, "det blå" og "det gule", blev fulgt af Moltkes etfags "skrivekabinet", det tofags "gule kabinet", og i nordøsthjørnet med to fag vinduer til hver side "grevens gule visitgemak". Ind mod gården lå forgemakker på hver side af vestibulen.

JARDIN OG ZUBER

Der har i faglitteraturen været rejst spørgsmål om, hvilken arkitekt Moltke benyttede til denne elegante renovering på sit nyerhvervede fynske gods. Sagen er den, at arkitekten Christian Joseph Zuber både nævnes i de bevarede skriftlige kilder såsom korrespondance og regnskabssager fra disse år, og selv i en levnedsskildring mange år senere i noget forblommede vendinger hævder at have opført Glorup. Til gengæld peger en både stilistisk og kvalitetsmæssig vurdering meget tydeligt på landets ved den tid absolut førende arkitekt, Nicolas-Henri Jardin, der også var Moltkes foretrukne arkitekt siden midten af 1750'erne. Dertil kommer, at den serie bevarede projekt- eller præsentationstegninger, der viser ombygningerne på Glorup 1763-65, har fransksprogede tilskrifter og er udført i den pertentlige, elegante tegnestil, som kendes fra Jardin. En skriftlig kilde på Glorup, et manuskript vedrørende gårdens historie nedskrevet i 1842, siger tilmed utvetydigt, at Moltke lod bygningen "smukt restaurere og forsire i italiensk stil ved bygmester Jardin, samt indvendig indrette …"

Zuber var 1760-66 tegner og konduktør hos Jardin, som han også havde haft som lærer på Kunstakademiet 1759-62. Mon ikke sagens rette sammenhæng er følgende – Jardin har allerede ved Moltkes køb af Glorup projekteret de ønskede ændringer og som travl chef for landets bygningsvæsen kun personligt ekspederet de sager vedrørende Glorup, der fandt sted i hovedstaden, og som de skriftlige kilder bevidner. Som konduktør og ansvarlig på selve den fynske byggeplads har han så installeret sin betroede medarbejder, den unge Zuber. Nærlæser man Zubers udtalelser fra 1781, står der netop, at Jardin betroede ham "til opsigt alle under hans bestyrelse standne betydelige bygninger, såvel kongelige som private", og Glorup nævnes så blandt disse private, som han dels selv har opført, dels givet projekter, planer og tegninger til. Som vinder af Kunstakademiets store guldmedalje og nyudnævnt kongelig bygningsinspektør i 1762 kom Zuber ud på sin store stipendiatrejse i Europa fra sommeren 1766 til 1773, hvorfor han selvfølgelig ikke optrådte på Glorup i disse år. Men vel hjemkommen fik han, nu som selvstændig arkitekt, fra 1779 opgaver for Moltke på Glorup, som vi senere skal komme tilbage til, og som netop kan forklare vendingerne fra 1781 – først konduktør for Jardin, senere med selvstændige arbejder på stedet.

Yderligere interessant ved Glorups bygningshistorie er, at Moltke fra 1773 også benyttede sig af

Sydfløjens spisestue blev skabt af Jardin med karakteristisk paneludformning. Mange familieportrætter fra 1700-tallet smykker væggene, og klæberstensovnen, som var tegnet af Harsdorff, medtog Sophia Hedwig Moltke fra Amalienborg-palæet, da hun efter Moltkes død i 1792 flyttede til Glorup. *Foto Elizabeth Moltke-Huitfeldt.*

I det røde visitgemak indrettet af Jardin ses stadig de faste pillespejle med ovale blomstermalerier og yndefulde forgyldte rankeskæringer. På bagvæggen lod Moltke ophænge C.G. Pilos store portrætter af Frederik V og Dronning Louise. *Foto Elizabeth Moltke-Huitfeldt.*

Zubers dygtige makker fra Jardins akademiundervisning og tegnestue, Georg Erdmann Rosenberg. Rosenberg arbejdede hos Jardin 1760-65, hvorefter også han var på studierejse i Europa 1765-71. Jardin, som selv var på rejse til Frankrig 1762-63 og igen til Frankrig, Holland, Belgien og England 1768-69, forlod Danmark for stedse i 1771.

Som slutargument i diskussionen om Zuber versus Jardin må man anføre Glorup-arbejdernes kvalitet. I 1763-65 var det kun Jardin, mesteren for Bernstorff Slot og Moltkes Glædeshave i Helsingør (se nedenfor), der herhjemme magtede en sådan indsats. Når man tilmed analyserer den storslåede hovedidé for Glorup-havens indretning, der må have fungeret som underliggende skelet for Moltkes langsomme gennemførelse af sine planer, og som også kan anes på ovennævnte 'franske' tegningssæt, må Jardin, arkitekten som var ansvarlig for Fredensborg-parkens store grønne tæppe, *tapis vert*, og for haverne ved Bernstorff og i Helsingør, være denne masterplans ophavsmand.

Betragter man i dag de velbevarede interiører på Glorup, ses mange stiltræk, der er karakteristiske for Jardins arbejder i den forfinede tidlige nyklassicisme, som vi i Danmark oftest betegner Louis Seize-stilen. Mange af snedkerdetaljerne er decideret franske, og vestibuletrappens dristige dobbeltløb og enkle gelænder med volutafslutning er stærkt beslægtede med andre trapper af Jardin.

Moltkes senere ændringer

Blandt de vigtigste ændringer ved hovedbygningen senere i Moltkes ejertid må nævnes klokketårnet. Tidligt på året 1773 udtrykte Moltke utilfredshed med vestfløjens gamle slagur, der ikke udfyldte sin mission – at "blive hørt overalt på gården". Derfor lod han et nyt klokketårn projektere, som samtidig "ville forøge sammes [hovedbygningens] anseelse". Tegningerne til dette lille antikke rundtempel i toskansk orden blev udarbejdet i København af G.E. Rosenberg efter arkitektens orienteringsbesøg i sommeren 1773, og året efter kunne en københavnsk urmager installere det nye urværk i tempel-tagrytteren, mens stenhuggeren i 1775 erstattede de gamle urskiver i portoverbygningerne mod facade og indre gård med de stenrosetter, som stadig ses.

Samtidig gav Rosenberg tegning til den havedør og havetrappe midt på sydfacaden, som var en naturlig følge af den store haveplan under udvikling (se side 38). Moltke ønskede døren smykket i lighed med den indre gårds sidefacader med vandret fugning og vasekronet gesims, men hans vægelsind kom tydeligt til udtryk i de mange breve med ordrer og kontraordrer, som fulgte de næste par år. Man prøvede endda at spare ved som trompe l'oeil at male refendfugningen på muren, men resultatet huede ikke greven. Bortset fra havedørens indfatning blev Rosenbergs harmoniske facadeændring aldrig gennemført. En midlertidig havetrappe af egetræ gjorde tjeneste, mens de 89 tunge kalkstenskvadre blev tilhugget på Moltkes brud i Fakse på Sjælland og transporteret den lange besværlige vej til Fyn, hvor stenhuggeren fra Bregentved i foråret 1774 kunne besørge opsætningen.

GLORUPS HAVE

I langsom udbygning gennem hele sin ejerperiodes næsten fyrre år skabte Moltke på Glorup en i Danmark helt enestående herregårdshave, i hovedtrækkene i dag så velbevaret, at den i sit samspil med den fornemme hovedbygning og avlsgården er fundet værdig til at optræde på Kulturministeriets

På Jardins situationsplan af Glorup fra 1765 ser man tydeligt, at søen stadig grænsede helt op til de tre af hovedbygningens sider. Jardin har indrettet den tidligere anlagte lysthave syd for avlsgården med regelmæssige parterrebede, mens en allé er påbegyndt langs søens regulerede vestbred. *Privateje.*

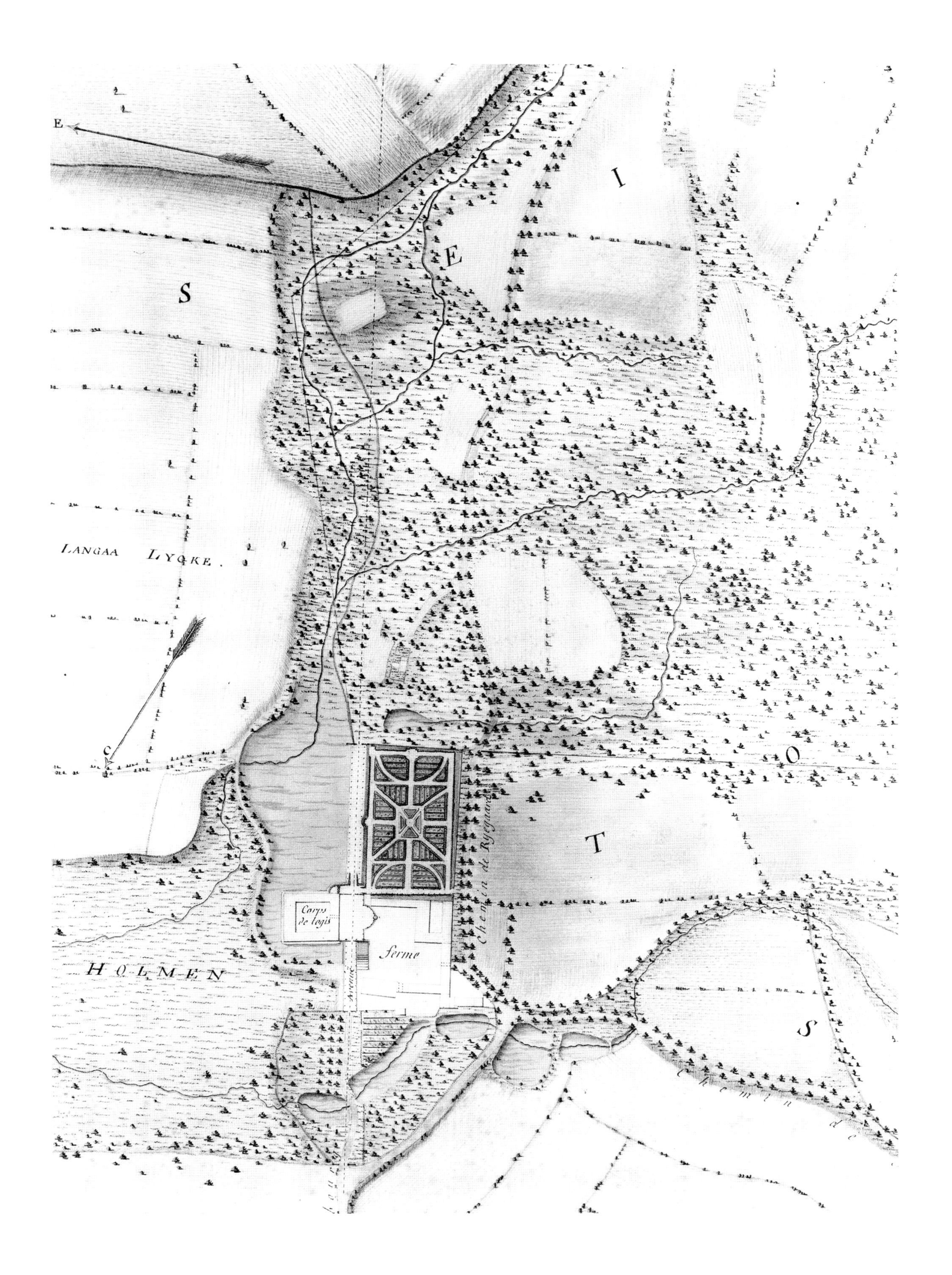

E
S
E
I
LANGAA LYCKE.
C
O
T
Corps de logis
Ferme
Chemin de Ryegaard
Avenue
HOLMEN
S

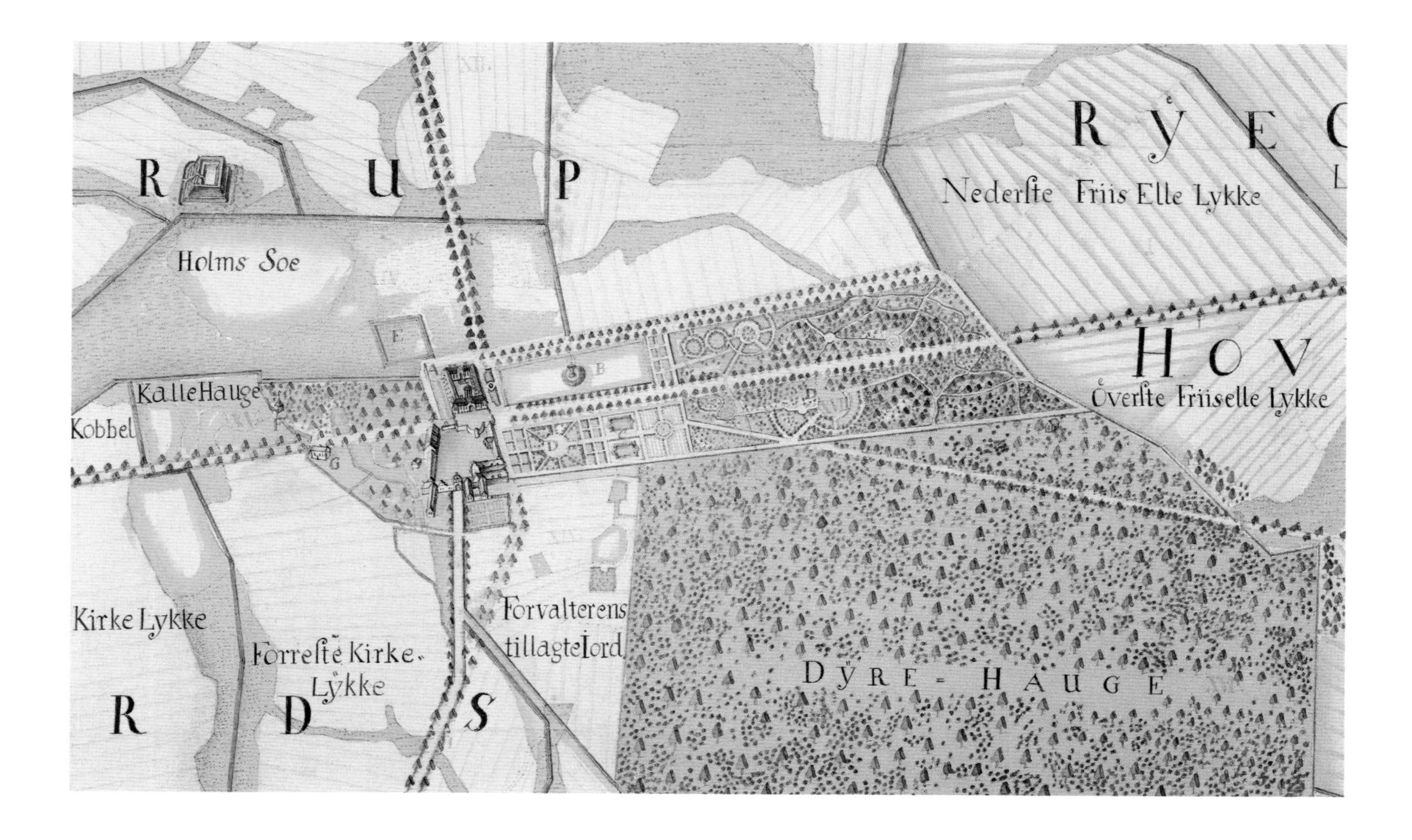

S.J. Pauli: Jordekort over Glorup, Anhof og Rygaard, 1774, udsnit med Glorups have. Nu er søen reguleret, og springvandsøen skabt. To af alleerne strækker sig i havens fulde længde og omgiver sammen med en tredje vej i vest Moltkes helt moderne engelske have med både geometriske og uregelmæssigt slyngede stiforløb. Foran hovedbygningens havefløj ses den smalle parterrehave, som stadig er bevaret. *Privateje.*

arkitekturkanon. Ved hjælp af bevaret kortmateriale, regnskaber og især de fyldige kopibøger med Moltkes breve til forvalter og gartner er det muligt at følge denne udvikling, som endnu en gang beviser hans aldrig svigtende energi og sans for de mindste detaljer, samtidig med at han lod sig inspirere af tidens helt nye æstetiske ideer, bragt til ham især af en talentfuld kunstnerstab. Moltkes have på Glorup rummede således både den seneste fase af den klassiske franske havestil og hans *engelske have*, det tidligste større romantiske anlæg i landet!

Da Moltke overtog Glorup, gik søen mod syd, øst og nord helt op til hovedbygningen, mens opfyldningen mod vest, påbegyndt af Plessen i 1743, nu var fuldført til "en rummelig plads", adskilt fra avlsgården i vest af et simpelt plankeværk. Søen strakte sig med uregelmæssige bredder langt mod syd til et sumpet engareal og en dyrehave eller skov gennemkrydset af et lille bæksystem. Kun mod vest, nærmest bygningerne synes en vis regulering af søbredden at have fundet sted samtidig med forannævnte opfyldning, og her – syd for avlsgården og således forskudt for hovedbygningen – var Plessen begyndt at anlægge en rektangulær lysthave, som imidlertid fik prædikatet "meget slet og afsides fra palæet" i en besøgendes rapport til Moltke i 1764. Nord for bygningsanlægget lå køkken- og frugthaver med uregelmæssige karpedamme.

Ifølge det ovennævnte 'franske' tegningssæt fra 1765 synes der også for omgivelserne nærmest hovedbygningen at være planlagt en mesterlig udbedring af Jardin, og de skriftlige kilder bekræfter, at man virkelig udførte projektet. Fra 1770 påbegyndte Moltke en større opstramning af sin såkaldte lyst- og dyrehave, først og fremmest ved indlemmelse af markarealer mod sydøst og ved regulering af søen gennem opfyldninger. Hele det store haverum strakte sig nu godt 700 m ned til mødet med Rygaards marker, og de storslåede rammer for den fortsatte indretning var skabt.

Først i 1772 ansatte Moltke fast gartner, og til de partier, som krævede havearkitekt, benyttede han ovennævnte G.E. Rosenberg, Jardins gamle medarbejder, netop hjemvendt fra sin store studierejse. Hans første arbejde blev projekteringen af en cirkelrund stensat fontæneø midt i den nyregulerede sø. Landingspladser på både øen og ved parterrerne for søens ender gav mulighed for muntre lystsejladser, og Moltke opblødte hurtigt Rosenbergs lidt nøgterne ø med en opmarch af beplantede fajancepotter og legemsstore figurer symboliserende "de fire årstider". Nu forstår man, hvorfor Rosenberg også måtte etablere havedør med trappe i hovedbygningens sydfløj. Spejldammens sider skulle mellem allétræerne prydes med vaser, og Moltke fik efterhånden fremstillet og opsat fire vasepar på postamenter, de tre af parrene nyhugne i Fakse-kalksten i nyklassisk stil, det sidste par åbenbart genbrug af ældre Jardin-vaser af sandsten med forfinet dekoration af satyrhoveder og rosetter. Alle vaser er i dag flyttet fra søbredden til den store græsflade syd for spejldammen.

Det dybe haverum foran Glorups sydfløj. Mens søen med sin springvandsø og de flankerende lindealleer fremstår næsten som på Moltkes tid, er størstedelen af hans elskede engelske have nu udlagt som en lang eng. Vaserne, der smykker engens sider, stod i Moltkes dage ved alleerne langs søbredderne. *Foto Elizabeth Moltke-Huitfeldt.*

Der indrettedes også en rigtig frugthave, *bomhaven*, lige nord for hovedbygningen med lystkvarterer, vinranker og spalierede fersken- og abrikostræer. I den højtliggende nordende af denne have opførtes efter Rosenbergs tegning i slutningen af 1770'erne en stor iskælder under et fint lysthus med spåntag og vindfløj forbundet med en kompasrose i interiøret. Et samtidigt *brændelysthus* i dyrehaven mod syd har været et af parkens ægte romantiske sætstykker, mens nye gitterporte med stenvaser på pillerne også tilkom flere steder.

"Min engelske have"

Mere vanskeligt var det i haverummet syd for spejldam og lysthave, dvs. de to store partier på hver side af midteralleen, at anlægge Moltkes attråede "engelske have", som nok blev detailprojekteret af Rosenberg i disse år. De dels geometrisk bestemte, dels frit slyngede grusstier i den helt moderne præromantiske *anglo-chinois*-stil, som Rosenberg kan have hjembragt fra England og Frankrig, krævede udtynding, opfyldning, dræning og indhegning i de temmelig sumpede og ujævne skovpartier. En ny kilometerlang skråakse fra sydvest, en "promenadevej" gennem dyrehaven og den engelske have, synes at pege direkte mod hovedbygningens nye havedør – en gentagelse af Moltkes indretning på Bregentved – men blev vist aldrig helt gennemført.

S.C. Stanleys marmorstatue af Andromeda, skabt til Amalienborg-palæet i 1750'erne og efter ophold på Bregentved endelig flyttet til Glorup i 1783, pryder stadig et lille tempel-lysthus på en forhøjning i havens sydøstre hjørne, skønt J. Zubers oprindelige lysthus til figuren for længst er gået til. Nuværende rundtempel stammer fra midten af 1800-tallet. *Foto Elizabeth Moltke-Huitfeldt.*

De mange vandløb fik stensatte sider, små kaskader og broer. En naturlig forhøjning i terrænet omskabtes til tidens yndede sneglehøj, og Moltke lod en vældig stenplade opsætte som bord på en anden lille forhøjning. Mange frugttræer, "vilde kastanjer og blomstrende udenlandske træer" kom til. Men elletykningerne forlangte greven bevaret af hensyn til sangfuglene, især nattergalene. Allerede ved årsskiftet 1772-73 var der anlagt 2,5 km stier, og en strategisk placering af bænke blev besluttet.

Andromedatempel og familiesøjle

I slutningen af 1770'erne var man nået til anlæggene i den sydligste del af den engelske have over mod Rygaard. Her lod Moltke det gamle sydskel regulere og skabte to udsigtshøje i parkens yderhjørner, hvor en nyplantet tværallé dannede grænse mod markerne og ramte de to lange yderalleer. Disse kunstige høje skulle selvfølgelig udsmykkes med vægtige sætstykker som point de vue, og efter en del diskussion frem og tilbage endte man med at opføre et lille rundtempel af træ i sydøsthjørnet og opsætte en imponerende mindesøjle på sydvesthøjen. I 1781 havde Rosenberg forladt scenen på grund af sygdom, og Zuber blev Moltkes arkitekt.

Zubers tempel skulle rumme den yndefulde skulptur i hvid italiensk marmor af "Den lænkede Andromeda og havuhyret", som Simon Carl Stanley stil havde skabt til vestibulens midterniche i Moltkes Amalienborg-palæ midt i 1750'erne. Efter at en ung tilsendt billedhugger havde nogenlunde tilhugget statuens nu synlige bagside, og prinsessens ødelagte marmorlænker var erstattet med nye af forgyldt messing, kunne "Andromeda" opsættes midt i det lille tempellysthus. For øvrigt var den gamle greve ikke helt stiv i sin græske mytologi, idet han gang på gang omtaler statuen som en "Andromache", der som bekendt var trojaneren Hektors hustru.

Søjlen, som i kilderne blev betegnet "pyramiden", var et typisk værk af Johannes Wiedewelt, nært beslægtet med flere af hans monumenter i Fredensborg Slotspark. Søjle og tempel var nu så vigtige fikspunkter i Glorup-parkens anatomi, at Moltke, som i høj grad værdsatte udsigter og forbavsende point de vue'r, bestilte smalle, lige udsigtsstier udhugget midt inde fra den engelske haves vildnis mod de nye monumenter.

Et sidste romantisk sætstykke, som Moltke nåede at se udført 1789 i sin fynske park, var en mos- og barkbeklædt eremithytte tæt ved et nyt stensat kildevæld. En ægte ahaoplevelse for den besøgende var, at når man trådte på hyttens dørtærskel, rejste den langskæggede eremitdukke sig op og bukkede! Hytten lå sandsynligvis nede ved den dybe bækslugt i sydvest, hvor senere en romantisk gotisk hængebro blev opført. Hytten er væk, ligeledes hængebroen, men de gotiske tårne står i dag, som om de var 'fødte' ruiner.

Moltkes sidste sommer

Moltkes mange bevarede breve til forvalter Bredahl på Glorup afslører i deres venlige, nærmest fortrolige tone det fine forhold mellem de to. Forvalteren trak sig tilbage i 1789 med både mindegave og klækkelig pension fra Moltke til en lille landejendom ved Storebælt syd for Nyborg. I juni 1792 skrev Moltke til Glorup, at "dersom mit helbred og vejrliget ville tillade det, så agter jeg at indtræffe på Glorup imod slutningen af denne måned ..." To år før havde han "på grund af skrøbelighed og høj alder" ikke vovet turen over Storebælt, men den gamle statsmand har åbenbart tilbragt sin sidste sommer på den elskede fynske gård, for en måned senere skrev han til Bredahl fra Bregentved. Først takkede han for dennes sædvanlige affyring af salut ved forbisejladsen, så "... vinden til overfarten var først ej gunstig forrige onsdag, men den blev siden bedre, og jeg kom hertil samme dags aften klokken 7½. Jeg befinder mig efter rejsen, Gud være lovet, temmelig vel ..." To måneder senere døde Moltke på Bregentved.

I Nordsjælland

I sommeren 1758 indledte Moltke forhandlinger med toldkæmmerer Putscher om køb af dennes lystejendom uden for Helsingør – den gamle Lundehave eller Kongens Have, i dag kendt som Marienlyst Slot. Putscher må have glædet sig over den aftalte købesum på 3.600 rigsdaler eller næsten det dobbelte af, hvad han selv havde givet kun syv år før. Moltke siger, at han "havde alene dermed hensigtet til større agrément og øjesyn ved stedet, ved at movere sig undertiden på egen grund til forandring og til sindets fornøjelse og vederkvægelse". Man kunne godt forestille sig, at de lange sommerophold med konge og hof på Fredensborg, hvor han så at sige var i tjeneste dag og nat, har tilskyndet ham til ønsket om et lille fristed i rimelig nærhed. Og ride- eller køreturen de femten km op til Helsingør kunne klares på et par timer. Men kun som lyststed tænkte den altid virksomme Moltke sig nu ikke ejendommen. At han her ville skabe et lille hypermoderne og eksperimenterende mønsterlandbrug, fremgik af de store jordtilkøb i efteråret 1758, som bragte "Moltkes Glædeshave" op på 42 tdr. land, og af hans aftaler om driften med sine folk på stedet. Denne interesse synes Moltke dog efter nogle år delvis at have mistet, da han indgik forpagtningsaftale for jorderne ved årsskiftet 1761-62.

MOLTKES GLÆDESHAVE

At stedets usædvanlige beliggenhed har været hans hovedtilskyndelse til købet, kan ikke betvivles. Det gamle kongelige lysthus fra Frederik II's tid lå som en smal tårnagtig bygning halvt indgravet i kystskrænten som en ægte *belvedere* omgivet til alle sider af en fin gammel, muromkranset lysthave. Især fra øverste etage havde man en enestående udsigt ind mod Helsingør og Kronborg og over det her så smalle Kattegat med de mange store og små sejlskibe til svenskekysten med Kullens bjergprofil i horisonten mod nordvest.

Om selve byggearbejderne er vi godt underrettede, idet især regnskaber og korrespondance mellem Moltke og dennes repræsentant på stedet, generalkrigskommissær Vincent Otte Bartholin, er bevaret. Det overordnet meget gådefulde i hele historien skal der senere vendes tilbage til. Da Bartholin i vinteren 1758-59 undskyldte indhegningsarbejdets langsommelighed, svarede Moltke sindigt: "Rom er ikke bygget på én dag … og lader Gud mig leve, må jeg stedse have noget arbejde og nogen forbedring, hvormed jeg mig kan amusere. Min agt er aldeles ikke at have alting i eet år i komplet stand." Er dette ikke som en selverkendende erklæring om den virksomme Moltkes hele livsfilosofi?

Overhofmarskallen har ønsket sig et topmoderne *maison de plaisance*, der kunne danne ramme om uhøjtidelig selskabelighed, hvor udsøgte måltider og forfriskninger kunne tilberedes og serveres på stedet. De vigtigste gemakker måtte ligge øverst i huset for at udnytte den enestående udsigt, mens tilstrækkelige mindre aftrædelseskabinetter skulle stå til rådighed for familie og gæster. Disse krav kunne det gamle Lundehave slet ikke leve op til, ej heller det første ombygningsforslag, som Moltke bestilte hos hofmurermester Schiønning i september 1758. Schiønnings gammeldags trefløjede projekt i ren rokoko tilsluttede sig det uændrede gamle renæssance-lysthus. Det blev forståeligt nok kasseret af den kræsne bygherre, ligesom et par nye forslag fra Schiønning, blandt andet med kuppelbekroning af midtpavillonen. Først derefter henvendte Moltke sig til landets førende og mest moderne arkitekt N.-H. Jardin, som han jo allerede kendte så godt og selv havde benyttet tidligere.

Jardins projekt

Jardins projekt lå klar omkring årsskiftet 1758-59, og resten af det nye år brugte Moltke til overvejelser, mens håndværkeroverslagene blev udarbejdet. Under denne tænkepause forenklede Jardin sit projekt, som åbenbart først var tænkt med små pavilloner for hver ende af øverste etage og det flade tag, kaldet altanen. Jardins haveplan kunne Moltke dog umiddelbart acceptere, og dermed gik arbejdet i gang i foråret 1759. Selve ombygningen forberedtes for alvor i vinteren 1759-60 med kalkgrube til læskning, materialetilkørsel og sprængning af lokale marksten til fundamenterne. Moltkes usædvanlige interesse for moderne teknik fremgik, når han diskuterede et tilslag af naturcement til mørtelen "for at fremskynde murens tørring". Det egentlige byggearbejde indledtes først i april 1760. Som sin konduktør på byggepladsen

Huset i Moltkes Glædeshave (nu Marienlyst Slot) ligger nærmest gravet ind i den høje kystskrænt og med en enestående udsigt over hav og by. Her skabte Jardin for Moltke et lille hypermoderne fransk maison de plaisance på dansk jord, og her kunne Greven med udvalgte gæster trække sig tilbage fra det store hof og de travle dage ved Fredensborg Slot. *Foto Roberto Fortuna.*

valgte Jardin den unge arkitekt Zuber, som vi traf på Glorup. Man skal dog ikke tro, at den fornemme professor og *intendant des bâtiments du Roi* med sine mange pligter i København følte sig for god til selv at besøge den fjerntliggende byggeplads. Dertil var Moltke en alt for betydningsfuld person netop inden for Jardins virkeområde. Jardin førte omhyggeligt regnskab med sine inspektionsbesøg, og mellem 1758 og 1764 blev det til hele 53 ture! De fleste benyttede kunstnere og håndværkere hørte til Moltkes sædvanlige elitekreds fra København. Huset stod i sit ydre færdigt i 1762, mens interiørerne først var klar i 1764.

I "Det Grevelige Moltkiske Lysthus", som bygningen også benævntes, beholdt Jardin kernen af det gamle hus, dog muret en alen højere og med helt ny trefags facade, hvortil han i hver side føjede firefags blokke i samme højde. De fik også

På W.A. Müllers prospekt fra 1767 fornemmes, hvorledes hus og have gik op i et højere og fuldendt proportioneret hele. *Statens Museum for Kunst.*

samme dybde, men lå lidt tilbagetrukket fra midtpartiet, hvorved der tilkom forbindende korridorplads ind mod bakken bag det gamle hus. Med sin udformning af eksteriøret formåede arkitekten subtilt og elegant at skjule, at det drejede sig om ombygning og tilføjelser til et flere århundreder gammelt hus, hvis oprindelige etageinddeling han var nødt til at overtage. Svarende til hans moderne franske æstetik fremstod lysthusets ydre i homogen "stencouleur", dels oliemalet, dels "med en grå bestand", formentlig en limfarvebehandling. Tagbalustradens oliemalede vaser, som var udført i egetræ, blev yderligere strøet med sand i den våde maling for at forhøje illusionen af sandsten. Alle facadedetaljer stod knivskarpt i deres indbyrdes samspil og i den særligt fint præparerede gipspuds. Vinduerne var som skåret ind i murmassen med en enkelt smal fals, mens gesimserne overskar murpillerne med en fin lille fuge. Symmetrien var gennemført helt derhen, hvor flere vinduer i gavlene ved nærmere eftersyn viser sig at være blindvinduer med påmalede rammer, sprosser og rudeglas. Denne følge af, at interiørindretningen krævede vægplads snarere end vindue, betragtede samtiden ikke som et falskneri, men som helt naturlig og elegant.

I underste etage kom man fra den nedre have gennem en åben, rundbuet forbygning ind i en stor forstue, hvor den brede trappe førte op til mellemetagen. Køkkenet med birum lå til venstre, og domestikværelser til højre. Moltke sendte i 1764 sin kok op for at kontrollere alle køkkenrekvisitter, og inventarierne beretter om et fuldt indrettet køkken, blandt andet med rindende vand, parat til selv store taffelarrangementer. På mellemetagen genopstod den gamle rundbuede søjlebårne Lundehave-*loggia* foran trapperummet. Mens trappen videre til øverste etage anlagdes ind mod bakken, kom der fire gemakker på havesiden og mindre kabinetter bagtil. Øverste etage, den egentlige beletage, fik hele fire selskabsgemakker en suite og tre kabinetter. Til en lille forstue bag ved den store midtersal førte husets anden indgangsdør, som man udefra nåede ad den fornemme tilkørsel i øvre have og en muret bro over den smalle slugt mellem hus og bakke. Endelig gav det næsten flade kobbertag med balustrade på hele den nye sluttede bygningsblok en storslået udendørs udsigtsplatform, som kunne betrædes via en lille trappe og en loftslem.

Et dansk Petit Trianon

Moltkes og Jardins lysthus er ofte blevet sammenlignet med det langt mere berømte Petit Trianon i Versailles, som Ange-Jacques Gabriel skabte for tidens smagsdommer *par excellence*, madame de Pompadour. Lighederne er slående, så man kunne få den mistanke, at vor hjemlige franskmand hav-

På facaden lykkedes det Jardin med dygtig disponering af detaljerne at kamuflere de tre næsten ens etagehøjder, som nødvendigvis var overtaget fra det gamle hus. Man fornemmer en 'bærende' sokkeletage, en høj beletage og en noget lavere overetage, den klassiske arkitekturs idealfordeling. *Stik af G.E. Rosenberg efter tegning af Jardin.*

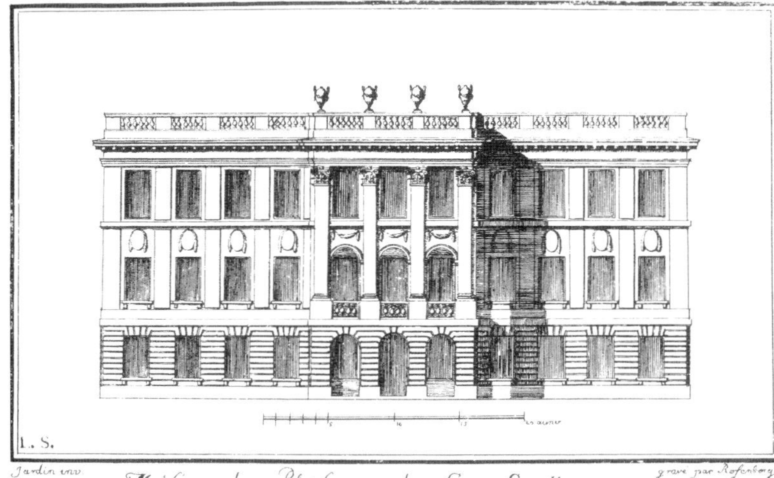

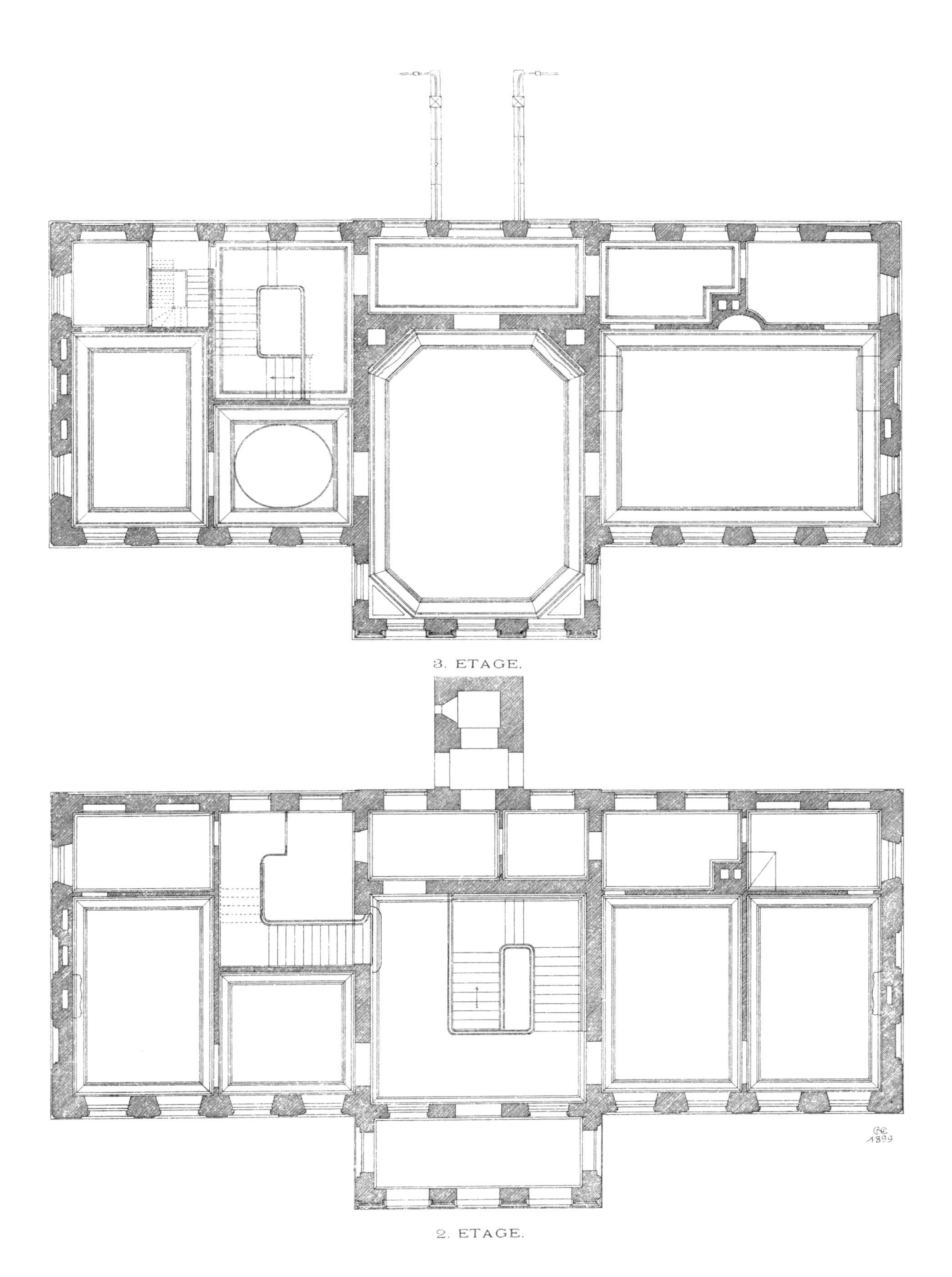
3. ETAGE.
2. ETAGE.
1899
Cm 100 50 0 1 2 3 4 5 6 7 8 9 10 Meter
Tom 24 0 1 2 3 4 5 6 7 8 9 10 11 12 13 14 15 16 17 18 19 20 Alen

På tværsnittet ses blandt andet Jardins elegante indretning af vægpanelerne i midtersalen på øverste etage. *Opmåling 1898.*

MODSAT SIDE / På planen af den vigtigste øverste etage ses, hvorledes arkitekten varierede rumformerne helt i overensstemmelse med tidens mest moderne franske boligindretning. Dog bindes rummene sammen ved det lange kig gennem fløjdørene fra gavlvindue til modsatte gavlvindue. *Opmåling 1898.*

de ladet sig inspirere af sin navnkundige kollega. Imidlertid udelukkes dette ved en sammenligning af dateringerne, for her kommer Jardin både først fra start og først i mål. Gabriels første projekt dateres 1761, og projektet, som blev realiseret, forelå først året efter. Arbejdet blev derefter påbegyndt i maj 1762, mens færdiggørelsen blev forsinket ved Pompadours død i april 1764. Jardins første projekt derimod lå klar i januar 1759, det endelige blev iværksat i april 1760, og huset stod færdigt i det ydre 1762. Snarere end at spekulere i påvirkninger den ene eller den anden vej skal man vel acceptere, at begge klassisk skolede franske arkitekter, trods forskelle i alder og berømmelse, repræsenterer netop det ypperste i arkitektonisk kreativitet og fælles idealer omkring denne overgangsfase i europæisk arkitektur, når emnerne er så beslægtede som i Versailles og Helsingør.

Ved et tilfælde har vi bevaret en rosende omtale af Moltkes lyststed fra en anden af tidens mest kunstkyndige smagsdommere, den vidt berejste svenske greve og eks-overhofmarskal Carl Gustav Tessin, som på gennemrejse besøgte sin vens ufærdige hus i sommeren 1762. Bartholin refererede stolt for Moltke, at "højstbemeldte skal have været meget indtaget af stedets beliggenhed og indretning, har og ladet sig forlyde med, at han ikke vidste at have set et mere plaisant sted og rarere [dvs. sjældnere] prospekt, hvor han endnu havde været, og måtte i øvrigt tilstå, Deres Højgrevelige Excellence var af stor og extraordinair Gou(t) (god smag)."

Interiørerne

Ganske svarende til husets ydre elegance skabte Jardin interiørerne som en udsøgt følge af subtilt differentierede rum i kølig distingveret nyklassicisme. Den fineste etage var som nævnt øverste. Den store, over ti meter dybe midtersal, som svarede til det gamle Lundehaves kongesal, var paneleret fra loft til gulv i skiftevis brede og smalle felter med forgyldte lister og spinkle billedskærerier. Dette rum fremhævedes over for den ellers gennemførte perlegrå oliefarve på træværket med en ganske sart blåtonet hvid lakfarve. Ud mod haven og havet indfattedes de fem vinduer i store rundbuede gerigter, over hvilke forgyldte billedskærerier fremstiller allegorier over "De fem sanser" i

Salens skrå inderhjørner fik marmorkaminer, hvis buede overspejle smykkes af ovalmedaljoner med profilportrætter af Frederik V og Dronning Juliane Marie, illusionistisk malet direkte på spejlglasset af C.G. Pilo som hvid marmor på en baggrund af mørkeblå lapis lazuli. Medaljonerne er yndefuldt indfattet og 'ophængt' i forgyldte billedskårne blomsterranker. *Foto Elizabeth Moltke-Huitfeldt.*

Hele fem vinduer åbner sig for enden af midtersalen mod have og udsigt. De forgyldte billedskærerier over vinduerne fremstiller allegorier over "De fem sanser". *Foto Elizabeth Moltke-Huitfeldt.*

guirlandeomkransede ovaler. På vinduespillerne kom smalle spejle med blomstermalerier oven over og konsoller med Jardins diskrete kurvaturer og naturalistiske detaljer. I denne udsigtssal indførte Jardin, vistnok for første gang i Danmark, en fransk snedkerdetalje – indadgående vinduer uden midterpost, så man kunne åbne vinduesfeltet helt mod herlighederne udenfor. Jardins udsøgte sal lod Moltke møblere med en suite siddemøbler i rokokostil betrukket med grøn damask, mens lange nedhængende gardiner i tilsvarende grøn silketaft blev sat op. Møblerne stammede fra palæet i København og beviser endnu en gang, at Moltke ikke var så nøjeregnende med stilistisk overensstemmelse, som vi i dag ville være tilbøjelige til at stræbe mod i den slags fornemme interiører. Det vigtigste var åbenbart at få salen gjort brugbar på den letteste måde.

Den tilstødende spisesal var af omtrent samme størrelse, men fik alligevel en ganske anden karakter. Over endevæggenes store buffeter med plader af norsk marmor sad indfattet store venetianske prospekter af Jacopo Fabris. Denne maleriske udsmykning af et spisegemak fandt Moltke åbenbart så stort behag i, at den også fandtes i bypalæets og Bregentveds daglige spisesale. Ifølge inventarierne stod der i buffeterne både et stort ostindisk porcelænsservice i blåt og hvidt, et glasservice med hele 30 karafler samt et tilsvarende stort kaffe-, te- og chokoladeservice "ziiret med Grevens våben". I etagens øvrige gemakker og på mellemetagen træffes flere steder et nymodens indretningsmateriale, nemlig tapet, eller "trykt papir", i de vigtigste rum karmoisinrødt eller blåt på fornem sølvgrund og opsat på lærred. Andre tapeter var trykt "med adskillige insekter og blomsterværk", andre igen med "chinesiske positurer". I et enkelt kabinet på mellemetagen var væglærrederne dog malet "med blå oliefarve gotisk løv i borter", andetsteds træffes "kulørte blomster og blade" eller "kulørte indianske blomster og fugle" eller "laurbærkranse". I et af kabinetterne opbevarede Moltke sin store kikkert med træfod, som kunne opstilles ved udsigtsvinduerne til værtens og gæsternes forlystelse.

Jardins plan fra 1759 viser, hvorledes han i nederste haveafsnit opnåede symmetri og regulær rumfornemmelse i det gamle uregelmæssige areal med en kransplantning af klippede lindetræer. Statuer og vaser markerede overalt hjørner, afslutninger, rampesider og portpiller. Den mere vildsomme og skyggefulde øvre have var præget af stier, udsigtslysthus og behagelige bænkepladser. *Danmarks Kunstbibliotek.*

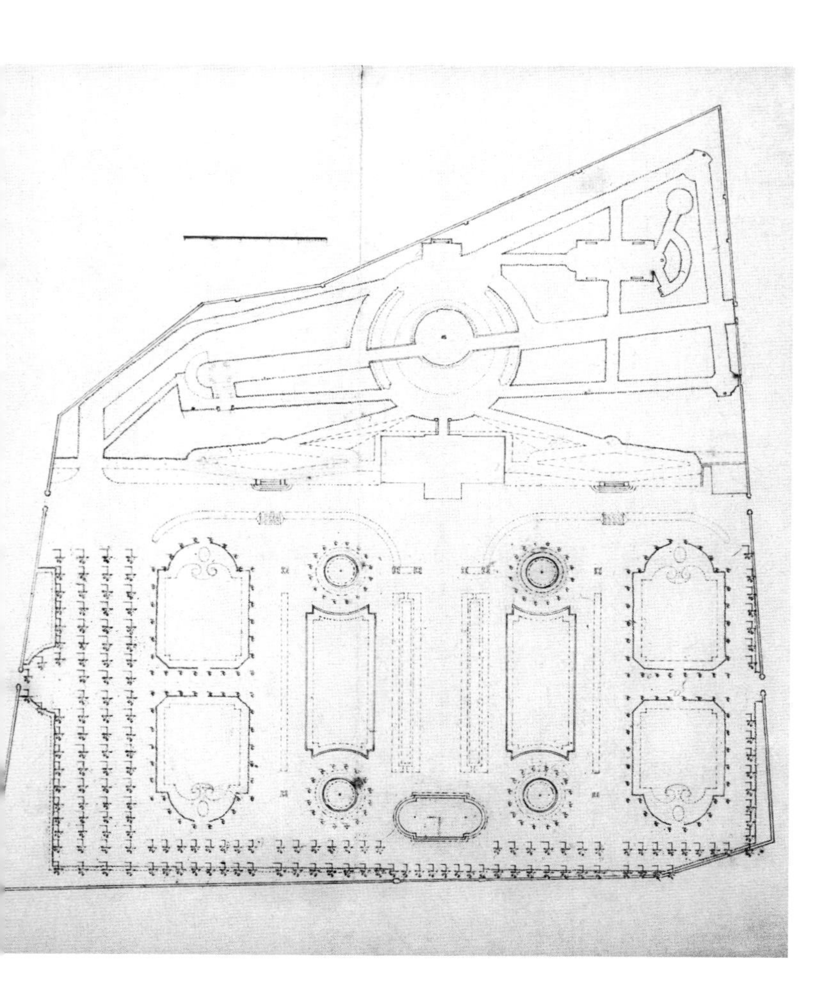

Haven

Jardin formåede i sin haveplan at skabe et højmoderne fransk anlæg i fuld harmoni med bygningen, hvis hovedmål, har analyser påvist, går igen som moduler i parterrehavens udlægning. Med dette stilfulde anlæg skabte Jardin en differentieret, men rolig fladehave, hvis hovedelementer blev det lyse grus og det grønne i græs, hæk og klippede trækroner, effektfuldt pointeret af springvandets høje stråle og skulpturerne. Hele denne rumlige geometri har man kunnet overskue fra selskabsgemakkerne på lysthusets øverste etage. De gamle zigzagstier op over den stejle skrænt på hver side af huset blev strammet op i deres forløb samt markeret af hække og linderækker. Her oppe i den vildere del af haven bag huset anlagdes en bred tværgående sti, der sluttede i en belvedere med et stort grønmalet lysthus flankeret af fritstående portaler, som har dannet yndige rammer for de bedste udsigter.

De gådefulde ejerforhold

Moltkes hus og have stod i sommeren 1764 klar til brug, men desværre melder de bevarede kilder intet om herskabets eventuelle besøg. Moltke forlangte stadig regnskaber og rapporter ført med samme nidkære akkuratesse som under selve byggeriet. Dette forbavser egentlig ikke, når man kender til Moltkes utrolige evne til at have tid og interesse for selv de mindste af sine mange gøremål. Men en yderligere forklaring skulle snart åbenbare sig i begyndelsen af 1766. Kongen var død i sin trofaste Moltkes arme i januar, og da det kongelige dødsbo blev opgjort, viste det sig, at ikke Moltke, men Frederik V var ejer af lyststedet ved Helsingør! Et nyopdukket, men aldrig tinglyst skøde, underskrevet af Moltke 6. april 1760 og "med det grevelige signet hostrykt", havde åbenbart ligget hemmeligt hos Kongen i seks år.

Et nærmere studium af Moltkes egne papirer kan kaste lidt lys over den mørklagte sag. Her lå en originalobligation på købesummen 14.100 rigsdaler udstedt 6. februar 1760 og signeret egenhændigt af Frederik V. Kongen skriver, at han har "visse allernådigste udsigter" med stedet, og at det er ham selv, der har opfordret Moltke til salget. Salgssummen svarer til *alle* Moltkes hidtidige udgifter + 5 procent rente p.a.! Moltke beordres til ikke at tinglyse skødet, før Kongen giver besked "når og til hvem". Betalingen skal ske fra Chatolkassen, hvorfra Moltke kan hæve afdrag "så ofte og så store som muligt efter kassens omstændigheder". Kongens gæld skal altså være: "Jo før jo hellere … in totum deleret og afbetalt". Komplikationerne for vor fulde indsigt opstår, fordi det er Moltke og dennes højrehånd i sin private økonomi, den dygtige finansmand H.C. Esmarch, som også er involveret i Frederik V's private kasser, Partikulærkassen og Chatolkassen.

Det var således Moltke og Esmarch, som med Kongens underskrift meddelte Chatolkassen den ønskede fremgangsmåde, bl.a. at de fremtidige udgifter ved byggesagens afslutning også skulle betales af Chatolkassen efter Moltkes godkendelse, men at byggeriet skulle stå i Moltkes navn "for ydermere tavsheds skyld"! I Chatolkassens regnskab måtte man ikke kunne identificere udgifterne, og alt vedrørende sagen skulle mørklægges i kassens øvrige bogføring. Man skulle stille sig tilfreds med Kongens generelle godkendelse af Moltkes attesterede udgifter, og først når Kongen havde truffet sin endelige beslutning om skødets udfærdigelse, skulle alle papirer fremlægges som bilag "i fuld regnskabsmæssig offentlighed". Af kvitteringer bag på obligationen fremgår, at den var fuldt udbetalt til Moltke allerede i august 1760, idet tre afdrag blev udleveret Moltke af Kongen "højst Selv egenhændigt!" Ser man efter i Chatolkassens udgifter for 1760, genfindes disse tre afdrag som de eneste større udgifter, for hvilke Frederik V personligt kvitterede. Også i fremskaffelsen af disse beløb til Chatolkassen og Frederik V ses Moltke direkte at have været involveret. Det ser således ud til at Moltke sikkert, men nærmest skjult har styret hele forløbet, og nu forstår man bedre hans strenge holden orden i alle regnskabs- og inventarsager vedrørende stedet. Som Kongens stråmand har han i forbavsende grad holdt facaden som bygherre, men er dette hele forklaringen?

Kongens egentlige planer med ejendommen kunne åbenbart ikke realiseres i 1760. Men hvad var da disse planer? Ifølge hoffourerens dagbøger fra 1758 til Frederik V's død har Kongen aldrig aflagt besøg på stedet. Man har tidligere gættet på, at det var tiltænkt en kongelig elskerinde. Med blot lidt kendskab til Kongens livsførelse og de sene års lange svækkelsesperiode er dette dog usandsynligt. Moltke var derimod på magtens højeste tinde, og Kongens gavmildhed over for ham en velkendt sag, som yderligere må have tirret hans mange fjender, deriblandt den jaloux Dronning Juliane Marie. Den kloge Moltke har været ganske klar over situationen, hvorfor følgende forslag til en forklaring fremlægges – fuldt ud på forfatterens ansvar.

Frederik V har i 1760 igen ønsket at begave sin kære Moltke, en sørgende enkemand som lige havde rejst sig fra en alvorlig sygdom, ved at skænke ham lystejendommen og betale dennes forvandling til et kunstnerisk højlødigt og hypermoderne anlæg. Imidlertid har Moltke af politiske grunde fundet tidspunktet for at modtage en så flot gave uheldigt. Det var bedre, om det fortsat på overfladen så ud som Moltkes eget køb og egen byggesag. Så kunne Frederik V i al hemmelighed holde Moltke totalt skadesløs ved selv at betale alt gennem Chatolkassen for siden, når situationen blev gunstigere, at forære Moltke det hele. Denne situation opstod bare aldrig, og ved Kongens død blev det hemmeligholdte mellemstadium med Kongen som ejer blotlagt. Hvorfor skulle Moltke egentlig have fyldt huset med eget indbo, blandt andet porcelæn og glas med eget våbenskjold, hvis ikke han forventede at blive dets retmæssige ejer? Alt dette personlige gods blev nu i 1766 på Moltkes ordre slettet i inventariet og tilbageleveret ham.

Christian VII arvede således stedet og efter et mislykket forsøg i sommeren 1767 på at sælge det via auktion, hvor ingen liebhavere meldte sig, skænkede Kongen det til sin stedmoder, Dronning Juliane Marie. Herved fik det lille lystslot det navn, som det stadig bærer – Marienlyst Slot.

PÅ FREDENSBORG

Når Moltkes bygge- og indretningsarbejder ved sine egne boliger skal omtales, kan man ikke forbigå Fredensborg Slot. Ganske vist drejede det sig her om hans embedsbolig, hvor udgifterne bortset fra privat løsøre blev betalt af Partikulærkassen. Men Moltke har her kunnet handle så egenmægtigt, at det næsten må betragtes som privat byggeri. Fra gammel tid lå overhofmarskallens indkvartering på det kongelige lystslot i den såkaldte Ottekant, og det var da også her – i den østlige midterfløj – at Moltke med familie flyttede ind ved Frederik V's tronbestigelse og monarkens første af mange og lange sommerophold. Fredensborg blev nemlig kongeparrets foretrukne sommerresidens, og opholdene strakte sig over det meste af et halvt år. Med Eigtveds tilbygning af de fire store pavilloner ved selve hovedslottet midt i 1750'erne skulle der derfor skaffes mere plads, først og fremmest til kongefamilien. Men også indkvarteringen af den store medfølgende hofstab krævede ombygninger og udvidelser af de gamle lokaliteter. Ved ændringer af netop Ottekanten til dette formål, blev overhofmarskallens hidtidige lejlighed overtaget, idet Moltke besluttede at flytte over til Ridebanegården og Kriegers gamle Markgrevehus øst for kirken, hvorefter bygningen fremover hed *Marskalhuset*.

Marskalhus og Damebygning

Her klarede greven og hans grevinde sig til at begynde med i den gammeldags indretning, men snart begyndte en række større og mindre ændringer, som i de næste seks-otte år afløste hinanden kontinuerlig, og hvoraf kun de vigtigste nævnes her. Man kan se dette forløb som et koncentrat af Moltkes legendariske krav til perfektion og utrættelige lyst til forbedringer. I 1757 beordrede han Thurah til at iværksætte dels en modernisering af Marskalhusets gammeldags gyldenlæders-interiører, dels på den anden side af kirken en radikal ombygning af Frederik IV's gamle orangeri. Dette ændredes til en almindelig nifags muret bygning med mansardtag som pendant til Marskalhuset, især for at skaffe overhofmarskallen den store seksfags "Marskalstue", spisestuen til de såkaldte marskalstafler 'sub rosa', hvortil kom en smallere tilstødende "Kaffestue" og en forstue. I de nye værelser oppe på mansarden indkvarterede Moltke sine hjemmeboende sønner.

Næppe var byggeriet fuldført her, før Moltke i 1760 søsatte planer om at forhøje både det gamle og det nye marskalhus til fulde to etager med enkle valmtage. Nu ville han samle sin store familie under ét tag i det østlige hus, mens den nye overetage i det vestlige hus, der endnu en gang skiftede navn til "Damebygningen", skulle rumme gemakker for Dronning Juliane Maries hofdamer. Blandt disse havde enkemanden Moltke netop i september 1760 hentet sin nye hustru, den 23 år yngre So-

På hver side af Fredensborg Slotskirke ses de bygninger, som Moltke fra 1757 til 1764 foranledigede enten opført, ombygget eller nyindrettet – til venstre Damebygningen, til højre Marskalhuset. *Foto Elizabeth Moltke-Huitfeldt.*

phia Hedwig Raben, efter en passende, men kort sørgetid. Arkitekter for de enkle eksteriører var J. Fortling og ved hans død G.D. Anthon, mens interiørerne blev varetaget af ingen ringere end den nyudnævte *intendant des bâtiments du Roi*, N.-H. Jardin. I Damebygningens store Marskalstue ses stadig detaljer med Jardins formsprog. Trappen til første sal er derimod af den karakteristiske Eigtved-type med gennembrudt båndslyngsgelænder, som kunne tilskrives enten Thurah, Fortling eller Anthon, men ikke Jardin.

Jardins interiører

Planløsningen i selve det forhøjede Marskalhus spejlede sig nu om husets længdeakse med grevens afdeling mod haven – lakajgemak, forgemak, audiensgemak, arbejdsværelse og kabinet – og hans unge nygifte grevindes på den solbeskinnede ridebaneside – forgemak, audiensgemak, sovegemak og kabinet. De mange børn fik værelser på den nye første sal med større kamre mod syd og mindre mod nord. Fra denne byggefase 1761-62 har Jardin i samarbejde med Mandelberg efterladt sig fine indretningsgenstande fra grevindens audiensgemak.

Da Jardin var vendt hjem fra et lille halvt års besøg i sit fædreland i 1763, skabte han på Moltkes foranledning endnu en nyindretning i Marskalhuset, som blev præget af de mest moderne stilmoder fra Paris. Moltke besluttede nemlig at slå de to boligsuiters forgemakker sammen til ét stort spisegemak, beregnet for ham selv og familien samt private gæster. Jardin gentog her i betydeligt mindre og enklere form tredelingsprincippet fra pragtspisesalen i Moltkes Amalienborg-palæ. Da det elegante nye spisegemak kunne tages i brug i 1764, var moltkefamiliens dage på Fredensborg imidlertid talte, idet 1765 blev deres sidste sommer på stedet. Få måneder efter Frederik V's død i januar 1766 afstod Christian VII Fredensborg til sin stedmoder, Enkedronning Juliane Marie som enkesæde og sommerresidens. Moltke måtte forlade Marskalhuset og lade sit private bohave fjerne, blandt andet spejle, kommoder, spilleborde samt en stor samling malerier.

Da Jardin for Moltke skabte Marskalhusets nye spisegemak i 1763-64, blev det en mere beskeden lillesøster til Amalienborgpalæets pragtsal fra 1757, opbygget efter samme principper med buffeter ved begge smalle vinduesvægge i den gennemgående sal. Vægmalerierne skyldes Johan Mandelberg og forestiller romantiske ideallandskaber, som tilmed gengiver motiver fra nogle af Moltkes ejendomme. *Foto Elizabeth Moltke-Huitfeldt.*

Fjerne herregårde

Det er påfaldende, at Moltke på nyindkøbte godser langt fra København og fra hans andre primære godsbesiddelser iværksatte kostbare og omfattende moderniseringer af såvel hovedbygninger som haveanlæg. Det har næppe foresvævet ham, at hans egne ophold på disse fjerntliggende godser skulle have anden karakter end sporadiske besøg, men ved sine adskillige godserhvervelser har han sikkert også tænkt på de mange sønner, der ikke skulle efterfølge ham som lensbesidder på Bregentved. Når han så åbenlyst følte sig som kender af moderne arkitektur og havekunst med de bedste forbindelser til de dygtigste kunstnere og tilmed ligefrem nød at administrere byggesager erfarent og kyndigt, kunne han vel lige så godt selv etablere de ønskede herskabelige rammer på disse nyanskaffede ejendomme.

Her skal berettes om de to store herregårde, som lå længst fra København – Dronninglund nord for Limfjorden, købt i oktober 1753, og Noer ved Eckernförde-bugten i Slesvig, købt i 1764. Begge steder betjente han sig af ypperlige arkitekter, henholdsvis Thurah i det nordjyske og Jardin samt Gottfried Rosenberg i hertugdømmet. Og begge steder viser bevarede brevvekslinger Moltkes stadige og minutiøse interesse og styring gennem årrækker, men også hans evne til at involvere samvittighedsfulde stedfortrædere ved de forretninger, som trods alt skulle besluttes på stedet. Når det var tilrådeligt, kunne han sende dygtige hofhåndværkere fra hovedstaden ud til selv disse fjerne provinser. Andre gange blev særligt krævende opgaver løst på værkstederne i København og siden fragtet med skib og vogn til deres blivende plads. Moltke formåede at bringe kvalitet og modernitet helt ud i rigets yderkroge, til 'udkants-Danmark'.

DRONNINGLUND

På Dronninglund fandt Moltke i 1753 et bygningsanlæg fra både middelalder og renæssance, der næppe i hverken ydre eller indre var blevet væsentligt ændret, mens først Dronning Charlotte Amalie og derefter hendes datter, Prinsesse Sophie Hedvig, ejede stedet fra 1680 til 1730 og benyttede det til sommerophold. Anlægget kendes fra et fint prospekt i *Frederik V's Atlas*, dateret 1754, altså i Moltkes ejertid (se side 189). Vest for hovedbygningen lå en stor lukket ladegård, og mod øst lå den muromkransede kirkegård. Anlægget var yderligere karakteriseret ved de mange kilder og bække, som skabte en ydre voldgrav. Den ene lille bæk, Smedebækken, løb ligefrem ind under hovedbygningens vest- og østfløje og har givetvis været kilden til husholdningens vand helt fra klostertiden.

Efter købet 19. oktober 1753 henvendte Moltke sig åbenbart til den kongelige hofbygmester med ansvaret for Jylland og Fyn, Lauritz de Thurah, der oven i købet siden 1752 boede som nabo til Dronninglund. Thurah havde i 1748 giftet sig med enken på Børglum Kloster, Christiane Marie Kiærskiold, hvorved han blev ejer af denne, hendes store fædrene gård. Fortrædeligheder ved hans virke i hovedstaden havde i 1752 fået ham til at ansøge Frederik V om tilladelse til at bosætte sig på sit jyske gods, hvilket blev bevilget, og samtidig ordnede Moltke fra Partikulærkammeret en mere praktisk deling af ressortområderne mellem de to hofbygmestre, Eigtved og Thurah. Sidstnævnte anbefalede sig selvfølgelig som særdeles villig til at være Moltke behjælpelig både med bygninger og med have "efter det mindste vink fra Deres Højgrevelige Excellence".

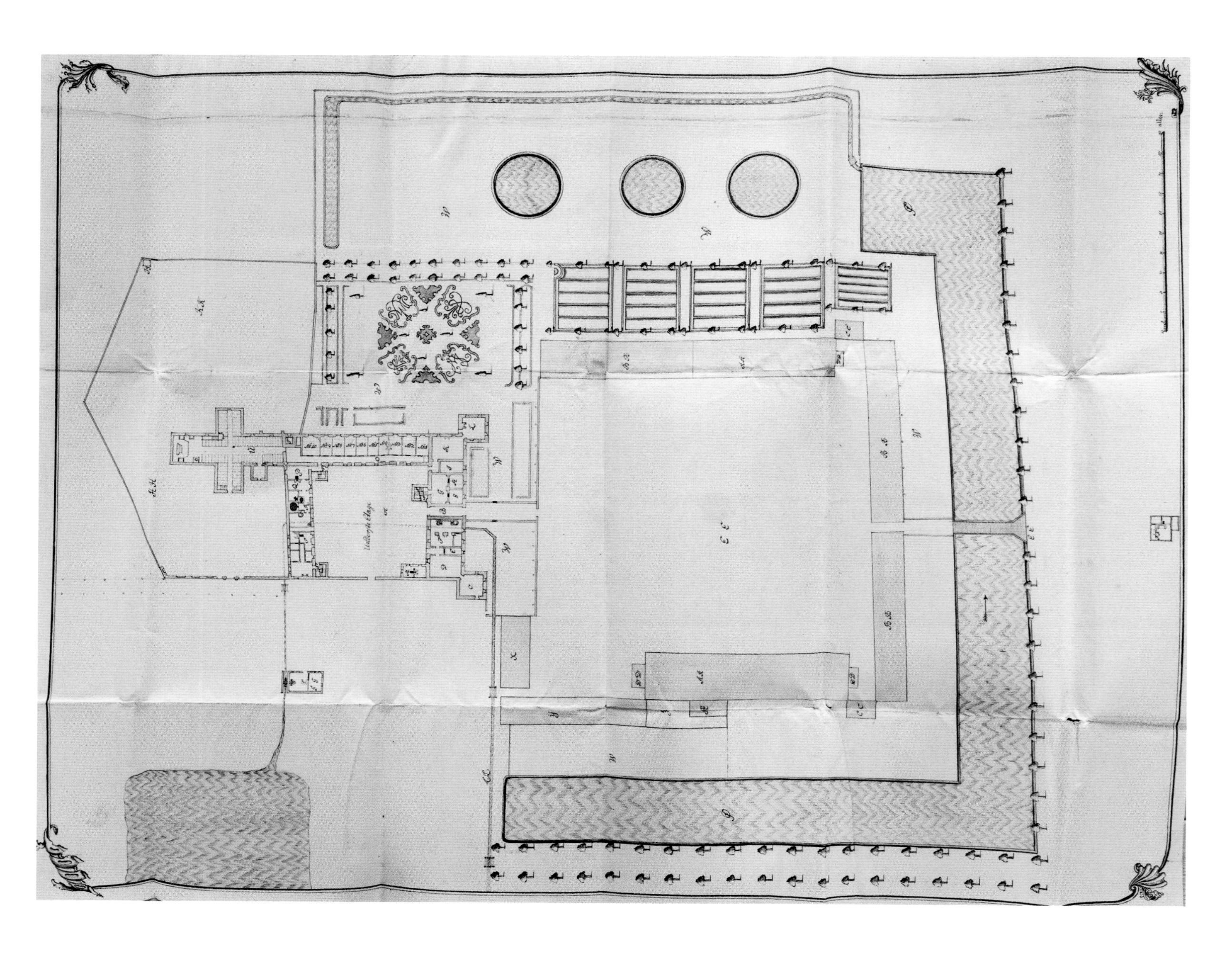

På opfordring fra Moltke målte Thurah i 1753 op på Dronninglund. Hans store situationspan her samt etageplaner berettede om hovedbygningen fra middelalder og renæssance samt om haven, som den forrige ejer havde påbegyndt en udvidelse af, blandt andet med tre runde fiskedamme. *Bregentved godsarkiv. Foto Elizabeth Moltke-Huitfeldt.*

Moltke, der havde købt Dronninglund ubeset, bad først og fremmest om en opmåling af stedet, og i brev af 22. november 1753 gratulerede hofbygmesteren:

> "... til det herlige og yndige Dronninglunds besiddelse ... Deres Højgrevelige Excellence er bleven ved denne lejlighed ejer af den prægtigste og yndigste gård i Vendsyssel, som ej alene i henseende til bygningen kan kaldes et slot, men endog er både solidt og trofast bygget og

ligger i den allerherligste egn … Jeg tilstår, at bygningens indvortes indretning mere passer sig på den forriges end den nuværende ejers stand, men sligt alt sammen kan med ringe ting remedieres."

Thurah gjorde som bedt og sendte juleaften en situationsplan og etageplaner. Han blev dog ikke længe boende i Vendsyssel. Efter Eigtveds død i juni 1754 var det Moltke selv, som en måned senere kaldte ham tilbage til hovedstaden for at overtage kollegaens mange ufuldførte sager, og Thurah bortforpagtede Børglum Kloster. Han fik dermed officielt Eigtveds departement, beholdt sin egen og udvirkede hos Moltke at måtte bære den ellers afskaffede titel af *generalbygmester* af hensyn til den medfølgende større autoritet. I de næste år før hans død i 1759 ser vi ham trods flytningen til hovedstaden være Moltke behjælpelig med sager vedrørende Dronninglund. Med egentlige ombygninger så Moltke imidlertid tiden an. Kun kirketårnets "hazarderlige" tilstand krævede snarlig indgriben, især da greven "gerne kan lide tårne". Thurah tjekkede overslagene i København, og arbejdet blev udført i 1755.

Haven

Thurah meddelte Moltke, at stedets forrige ejer, Jacob Severin, syd for den "overmåde velvedligeholdte" lysthave var begyndt på en stor udvidelse, bl.a. med tre runde fiskedamme. Haven lå naturligt ud for hovedbygningens sydfløj, som Moltke, ligesom de kongelige damer før ham, ville indrette til stedets herskab. Men på grund af de lokale forhold, især kirkegården i øst, var et større aksefast anlæg umuligt at etablere ud fra denne fløj. Thurah advarede om, at en haves forsømmelse i bare ét år kunne ødelægge, hvad der ikke kunne indhentes på ti, hvorfor han i de allerhøfligste fraser anbefalede Moltke at ansætte en dygtig gartner på stedet.

Til de få spor i det i dag næsten helt forsvundne anlæg føjer sig flere bevarede planer og de skriftlige kilders oplysninger. Moltke førte sædvanen tro en omhyggelig korrespondance med sin forvalter på stedet, Christian Friedrich Roosen, der aflagde i hundredvis af rapporter til ejeren hvert år. Moltke sendte straks i foråret 1754 en dygtig gartner derover. Christian Hansen Hind, der var barnefødt på Bregentved og oplært i gartnerfaget der i Løvenørns ejertid, var hjemkommen efter elleve år i udlandet som gartnersvend og havde i sommeren 1753 med held henvendt sig hos Moltke og bedt om ansættelse. Nu ankom han i det nordjyske med en lang udførlig instruks om havernes fremtidige vedligeholdelse og ydelser, men også om oplæring af de lokale bønder i frugt- og grøntsagsavl og uddeling af gratis planter til disse.

I september 1754 sendte Roosen Moltke to forslag fra Hind, det ene indfattede blot de runde fiskedamme i et mønster af hækbosquet'er, det andet omdannede de to vestlige damme til en stor rektangulær dam. Hind indtegnede i den gamle have nærmest huset et broderiparterre forsynet dels med det regerende kongepars spejlmonogrammer, dels med Moltkes og hans hustrus, hvor han dog undskyldte, at han ikke kendte nådigfruens navn! Dette materiale drøftede Moltke så med sine eksperter – først gartner Schildknecht og forvalter Telling på Bregentved, så gartner Bruhn i Kongens Have. Som så ofte kommenterede man bedst ved selv at komme med modforslag, og Moltke antog i november 1754 Bruhns plan: Parterret skulle kun omfatte to bede, den rektangulære dam i vest skulle omgives af frugttræer, andre passende steder ønskedes frugtespalierer, mens den sidste runde dam skulle erstattes af en skyggefuld *boscage* til promenader og med to lysthuse.

Trods Moltkes godkendelse skete der ikke så meget på stedet. Hind var bl.a. optaget af i et tilsendt plantekatalog at indkøbe hele 54 pomerans-, appelsin-, citron- og grapefrugttræer til sine baljer

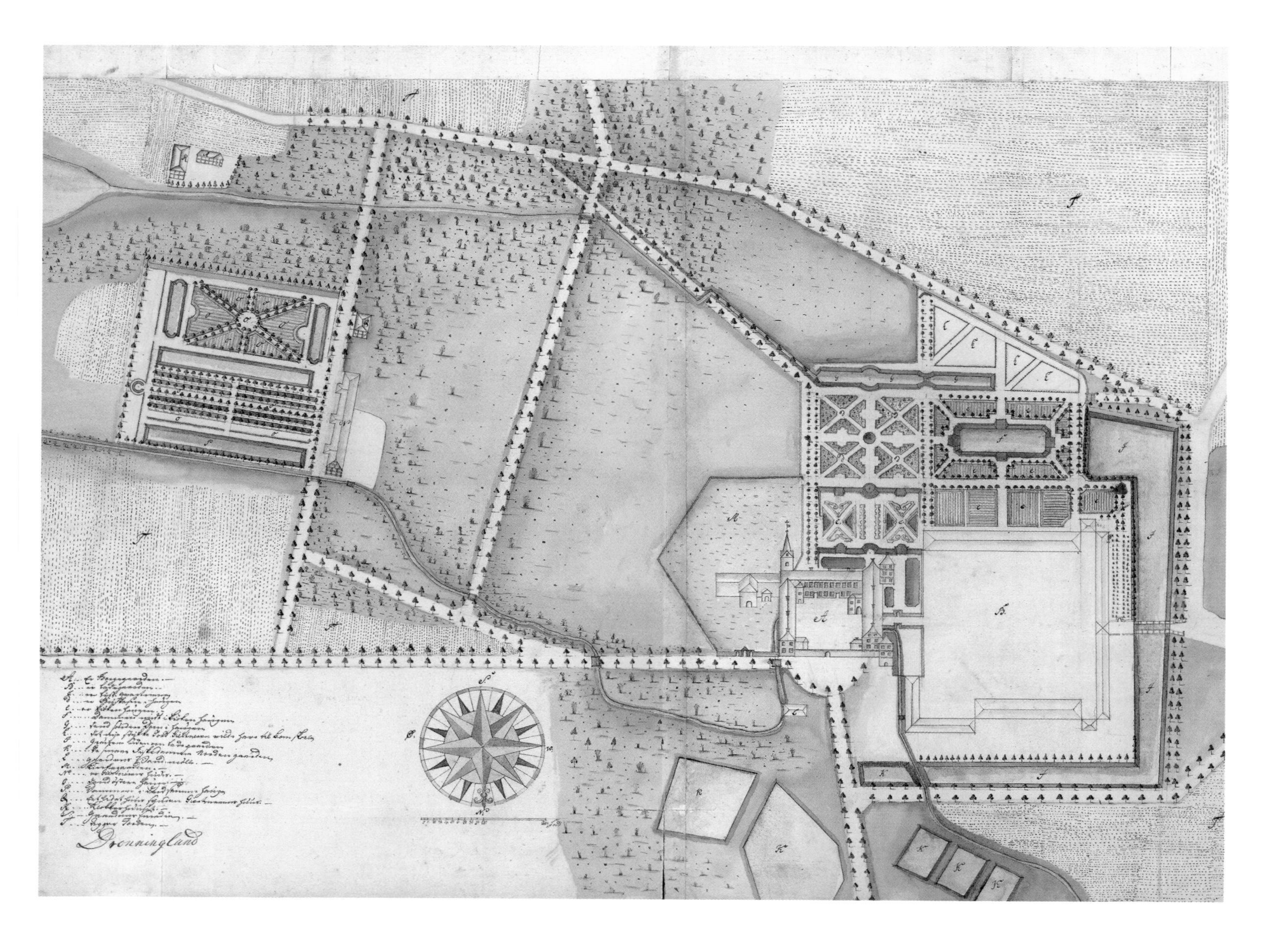

På en senere udateret oversigtsplan over Dronninglund, der viser den have, som Moltkes gartner Hind skabte 1756-57, ses bygningsanlægget tegnet i sin stadig uændrede skikkelse fra Moltkes købsår 1753. Selv om Thurah måske har givet Moltke et projekt til modernisering, var i hvert fald endnu intet sket, da hofbygmesteren døde i 1759. *Dronning Juliane Maries Atlas, H.M. Dronningens Håndbibliotek.*

og at indrette sydvesttårnets stueetage til orangeri. Først ved forårets komme 1756 hører man igen om lysthaven: den lokalkendte og selvsikre Hind lod sig ikke slå af banen med københavnergartnerens plan og kom nu med både nyt projekt og forklaring. Roosen meldte samtidig, at Hind ville kunne have to partier færdige i 1756 og resten det følgende år.

Moltke lod sig åbenbart overbevise af sin stædige gartner i det nordjyske, og med kun få korrektioner fik Hind lov at gå i gang med det anlæg, som så mange nu havde været med til at planlægge. Den østlige runde dam forsvandt til fordel for et traditionelt hækbosquet, dog uden lysthuse, de vestlige blev til den lange fiskedam – omgivet af frugttræer og køkkenhave. Der kom nord-sydgående alleer både i midtaksen og ved havens grænser mod øst og vest, vistnok alle af kugleklippet lind, og midtal-

På dette luftfotografi af Dronninglund ses den trefløjede hovedbygning med de karakteristiske hjørnetårne til højre og den sammenbyggede kirke med tårn til venstre. Bygningsanlægget fremtræder stort set som efter moderniseringen i anden halvdel af 1700-tallet, der sandsynligvis skyldes Moltke. Moltkes haveanlæg lå bag ved hovedfløjen. *Foto H.H. Tholstrup. Polfoto.*

leen synes i hvert fald ifølge planerne på ægte barokvis at skulle fortsætte ud i landskabet mod syd. Moltke havde udtrykkeligt udbedt sig en løsning med tre stier ned gennem parterret, for "når et anseeligt kompagni blev sindet på én gang at forlyste sig i haven" og brugte de to af stierne, måtte der være en tredje til tjenestefolkene! Han påpegede også, at arbejdet med havens anlæg ikke måtte gå så stærkt, at bønderne, der udførte det som hoveri, blev hindret i deres egentlige gerning.

Moltkes moderniseringer

I oktober 1756 sendte forvalter Roosen Moltke tre omhyggeligt tegnede etageplaner af hovedbygningen på Dronninglund samt nitten sider utroligt præcise beskrivelser af samtlige værelser, og hvad de hver især måtte savne i istandsættelse og møblering for at blive tjenlige. Han ville gerne så småt

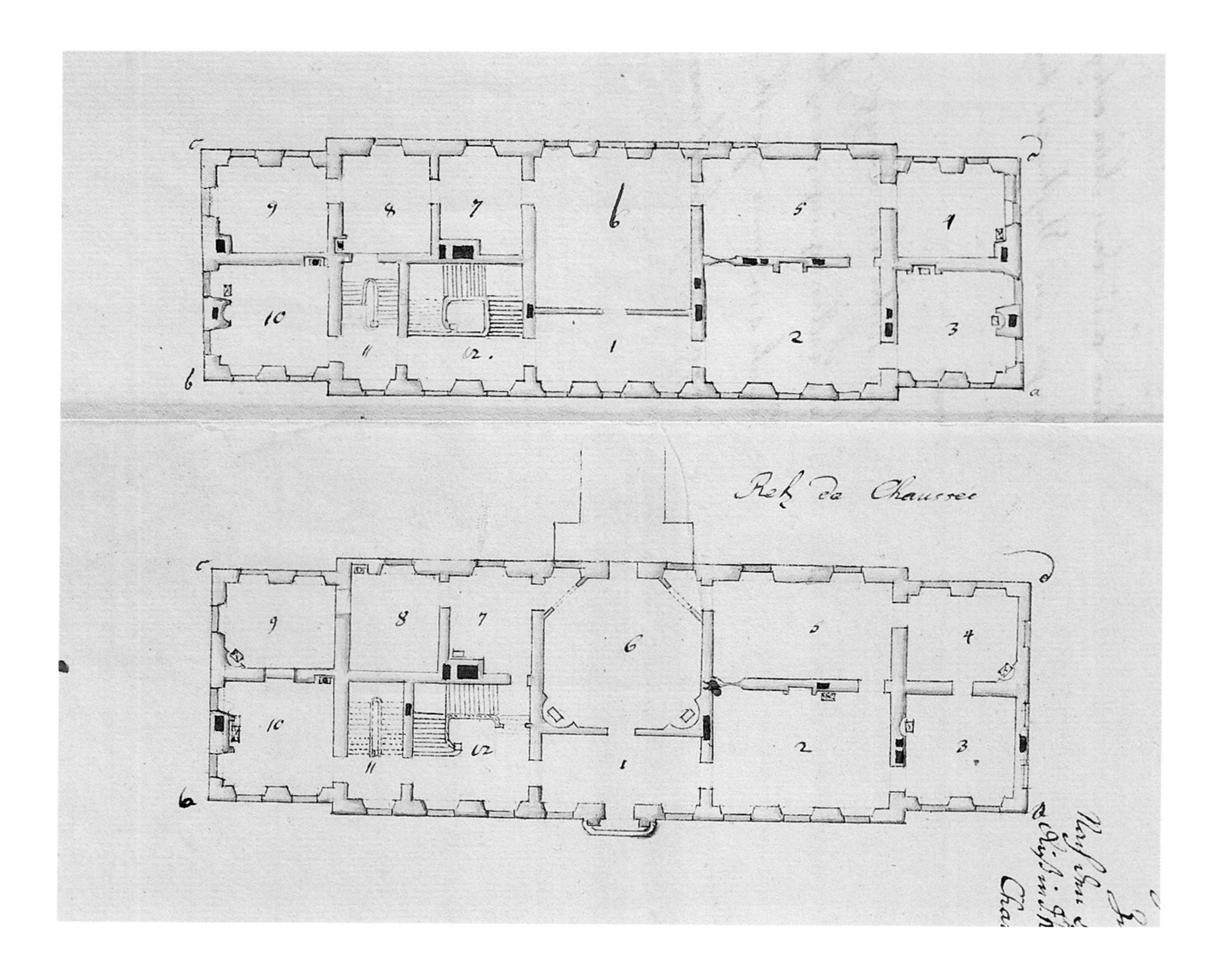

Meget lidt billede- eller tegningsmateriale synes bevaret om Noer i den ombyggede skikkelse, Moltke gav det 1764-67. To etageplaner fra 1765, tegnet af Gottfried Rosenberg, oplyser dog fint om den nye rumfordeling. Man ser blandt andet de to nye trapper samt stueetagens store ottekantede sal. *Bregentved godsarkiv. Foto Elizabeth Moltke-Huitfeldt.*

i gang med indretningerne, og der fandtes åbenbart ikke så mange duelige håndværkere lokalt. Af Roosens oplysninger og tegningerne kan man danne sig et detaljeret billede af Moltkes Dronninglund år 1756. Det meste løsøre var bortauktioneret før hans køb, men nu lykkedes det bl.a. at tilvejebringe 13 malerier, som Thurah på Børglum havde købt. Den almægtige overhofmarskal nægtede man vist nødigt noget.

Skovrideren havde lejlighed i den middelalderlige østfløj, forvalteren i renæssancefløjen mod vest. I sydfløjen må klosterindretningen med nonneceller have overlevet, idet stueetagen ud mod haven havde hele ti små værelser, kaldet "numrene", ét af dem indrettet til tingstue, et andet benævnt "præsternes kammer", mens en lang gang på gårdsiden førte direkte hen til kirken i øst og en mørk arreststue under kirketårnet. Den mere højloftede salsetages seks "numre", de kongelige damers suite mod haven, havde fornem barokindretning med malede plafonder i loftet og væglærreder, egetræsådrede døre, marmorerede gerigter og paneler i stærke kulører, kaminer og kakkelovne. I stueetagerne i øst- og vestfløj fandtes så alle den store husholdnings praktiske indretninger: vaskehus, køkken, bryggers, bagers, brændestue, snedkerstue, vinkældre, proviantkældre osv. Tårnrummet i sydvest var Hinds orangeri, "havestuen", mens det hvælvede tårnværelse oven over suggestivt hed "Kong Salomons stue".

Roosens planer svarer ganske til både Thurahs nævnte opmålingsplan og til ovennævnte prospekt. Altså var de store ombygninger på stedet, som sædvanligvis tilskrives Moltke og Thurah, endnu ikke begyndt året før Thurahs død i september 1759. Er det så virkelig hofbygmesteren, som er ansvarlig for moderniseringerne? Sker de store ombygninger i det hele taget i Moltkes ejertid frem til 1772, når nu de fleste af ændringerne og de bevarede dekorationer stilistisk snarere kan henvises til den senere ejer, generalmajor William Hallings provinsielle Louis Seize-stil, der med sikkerhed kan dateres til 1786 og muligvis tilskrives arkitekten Hans Næss?

Sandsynligvis var det dog Moltke, som efter Thurahs død, men ifølge projekt fra denne, foranstaltede den gennemgribende barokiserende nyorientering af den gamle trelængede hovedbygning, der stadig ses. De kraftigt rødkalkede mure og vestfløjens rundbuefriser forsvandt til fordel for hvidkalkede facader. På gårdspladsen forsvandt de ældre trappetårne og udbygninger, og sydfløjen blev fremhævet som anlæggets midtfløj ved gulkalkede pilastre og et nyt fremspringende trappehus midtpå, kronet af en stor buet fronton. Vestfløjen mistede sin øverste etage og blev sammen med østfløjen til underordnede sidefløje. Mod nord kom en moderniseret spærremur, mens hjørnetårnene i vest med nye brudte tage stadig dannede et imposant motiv mod avlsgården. Sydfløjens højloftede førstesal kom også fremover til at rumme herskabets primære suite med kostbart fornyet udstyr – lakmalede paneler, stukkatur og ovnnicher. Især en fin trappe med yndefulde rokokodetaljer ses bevaret, mens hovedtrappen i det nye trappehus ved sit formsprog tydeligt må skyldes Halling i 1780'erne. Moltke overlod i 1772 Dronninglund med de tilhørende ejendomme til sin søn Caspar.

NOER

Da Moltke i januar 1764 købte de store sammenhængende godser Noer og Grönwohld i hertugdømmet Slesvig af arvingerne efter Joachim Brockdorff, var bygningssituationen en noget anden end i Vendsyssel. Og her skred den nye ambitiøse ejer hurtigere til handling. Han allierede sig først og fremmest igen med særdeles bygningskyndige bekendte. I København drejede det sig om Moltkes foretrukne arkitekt i 1760'erne, Jardin, der var den nye Louis Seize-stils hjemlige bannerfører. På stedet henvendte Moltke sig til landbygmesteren for Hertugdømmerne, Gottfried Rosenberg, der boede i Slesvig og desuden allerede havde virket for Moltke med urealiserede projekter til Testorf i Holsten, som Greven kun ejede 1761-62. Jardin blev dermed den projekterende hovedarkitekt for Moltkes ombygninger på Noer, mens Rosenberg styrede byggeriet og håndværkerne på stedet.

Som sædvanlig engagerede overhofmarskallen ud over sin forvalter på stedet en dygtig kreds af embedsmænd, venner og familie til at varetage de praktiske opgaver. Således var amtmand Detlev Reventlow i Plön behjælpelig som Moltkes "overinspektør", Schimmelmann sendte jævnligt 1.000 rigsdaler over til betaling af håndværkere og materialer, og da Moltkes søn generalmajor Caspar Moltke fra 1765 blev stationeret i Haderslev og Itzehoe, var han faderens forlængede arm på Noer under byggeriet 1765-67. Caspar besøgte ofte Noer, holdt møder med Rosenberg og rapporterede udførligt til sin fader i udsøgt høflige vendinger iblandet iagttagelser fra stedet, som måtte behage den fjerne ejer: "Jeg så i dag syv skibe sejle forbi samt harer, der sprang, og agerhøns, der fløj!"

Moltke havde næppe nogen sinde selv set Noer og spurgte således i marts 1764 i sit første brev til Rosenberg, hvordan der så ud, og hvilke forbedringer der efter landbygmesterens mening krævedes. Svaret sendte Rosenberg en måned senere som en beskrivelse af bygningsanlægget sammen med tolv desværre siden forsvundne opmålingstegninger, alt "på Jardins ordre". Moltke takkede straks og ville vende tilbage til sagen efter konference med Jardin i København. Heldigvis er to smukt tegnede etageplaner af Rosenberg fra april 1765 med Jardins ombygninger bevaret i Moltkes arkiv i en rapport om byggeriets fremgang.

Jardins ombygning

Den statelige toetages hovedbygning var sandsynligvis opført af Joachim Brockdorffs fader, Wulf Brockdorff, omkring 1708-11 og lå med indgangssiden mod den stråtækte avlsgård i øst, mens vestfacaden vendte ud mod voldgrav og haveanlæg. Rosenberg mente selv, at huset var opført af en italiener for halvfjerds-firs år siden, og at de oprindelige kvadratiske hjørnekabinetter ved gavlene "for tre år siden" var udbygget til det dobbelte. Herved opstod den lidt mærkelige tagform, der kan ses på et prospekt fra omkring 1840, den ældst kendte afbildning af det siden stærkt ændrede Noer. På en meget primitiv lille skitse af planløsningen ved Moltkes overtagelse ses, at Brockdorff og frue havde haft deres boligsuite i husets sydende med alkove, kabinetter, gyldenlæderssal osv., mens trappen gik fra vestibulen, den typisk nordtyske "Diele", op gennem havesidens midterparti. Jardin har åbenbart projekteret en temmelig omfattende udvendig modernisering i den stil, vi kender fra den næsten samtidige Moltkes Glædeshave ved Helsingør (se ovenfor). Jardins tegninger, der desværre ikke er bevaret, sendte Moltke over til Rosenberg midt i maj 1764, og overhofmarskallen bad udtrykkelig de to arkitekter holde god kontakt med hinanden. Jardin måtte dog ofte rykkes for klar besked, men fulgte således på afstand hele byggesagen de næste tre år.

Hvorledes facaderne, som man straks begyndte på, kom til at se ud i detaljer, vides desværre ikke, men af de bevarede arkivalier kan udledes en hel del. Når Moltke og Jardin ligefrem i sommeren 1764 sendte selveste hofstukkatør G.B. Fossati over til Noer for at lede sine folk ved arbejdet "med facadens rustica", må man formode, at Jardin har ordineret fin facadestukkatur, mindst med de gesimser og kvaderbånd, som man kan skimte på ovennævnte prospekt. Mest markant må dog have været opsætningen af 33 m "galerie" eller tagbalustrade på den ene facade og en tilsvarende tolv m lang modsat. Gallerierne havde svungne balusterdokker og mange postamenter prydet med vaser. Da Jardin fra Rosenberg havde fået oplyst, at det ikke var nemt på stedet at skaffe gotlandsk sandsten, blev hele herligheden udført i træ af hoftømrermester Christian Joseph Zuber i København og sejlet over til Eckernförde. Natursten nok til Moltkes våbenskjold over hoveddørens portal skaffede man dog. Farveholdningen på husets eksteriør var, som man kunne forvente fra Jardin, en moderne afdæmpet helhed – på taget kom sortglaserede tagsten købt i Kiel, mens facaderne inklusive de nye balustrader "med zirater" stod oliemalet i lys grå sandstensfarve, hvor vaserne fik drysset strøsand i sidste farvelag for bedre at illudere sandsten – det samme trick som i Helsingør.

Når Moltke i april 1765 skriver, at "jeg påtænker også et og andet at ændre ved Noers hovedbygning", er det en karakteristisk beskeden beskrivelse af hans hensigter. I interiøret beordredes nemlig radikale ændringer efter Jardins planer, hvor den herskabelige boligsuite nu blev lagt i nordenden af huset – for fra disse gemakker var der, havde Caspar fortalt, den skønneste udsigt ned til den nærliggende fjord, så førstesalens værelser mod fjord og have skulle indrettes fornemst. Her i nordgavlen lå i stueetagen det herskabelige sovegemak side om side med Moltkes eget kabinet, men døren imellem disse to mente Moltke godt kunne tilmures ligesom vinduerne i gavlen! Det gav jo mere vægplads begge steder. Midt på havesiden både i stuen og på første sal indrettedes typisk jardinske *octogoner*, store ottekantede sale med spejle over marmorkaminer eller fajanceovne i nicherne, mens en statelig ny hovedtrappe af egetræ med smedejernsrækværk samt en gehejmetrappe anlagdes på indgangssiden. Flere steder kom nye gulve, og gamle kaminer og jernovne måtte vige for nydannede ovnnicher med fornemme fajanceovne. Interiørernes træværk, der flere steder var fornyet, endda med "billedhuggerarbejder fra København", stod i stedet for Brockdorffs kulørte barokudsmykning malet med fornem lysere og mørkere lakfarver efter prøver, som Moltke havde sendt over. Ligeledes blev de ældre malede væglærreder med store kulørte blomster udskiftet med nye elegante rammeindfattede hovedstadsbetræk i damask og silke, hvor tapetsereren fra Zøllners værksted i København både tog over for at tage mål og ved opsætningen. Kun Brockdorffs finere gamle gobeliner og et sæt tapeter malede med "hollandske kvægstykker og vindmøller" blev genanvendt. Spejlglas indforskrevet fra Paris fik forgyldte rammer med udskæringer, og mange teborde med fajancebakker blev anbragt i "kaffeværelserne" og andetsteds. Moltke og Jardin skaffede nye møbler og dørstykker i København til de allerfornemste gemakker. Ellers benyttede man de mange ældre møbler på stedet, som var fulgt med i købet, idet Brockdorffs arvinger kun udtog "guld, sølv, pretiosa, ure, geværer, familieportrætter og linned". Alt blev stillet til side et sikkert sted under byggeriet, også "det kostbare

Der findes ingen pålidelige fremstillinger af Noer i Moltkes tid. Her ses det i sin stærkt ombyggede moderne skikkelse. Jardins balustrader, facaderustika og havedør med trappe foran er forsvundet. Til gengæld er der tilkommet sidetårne og balkonprydet porticus. Huset fungerer i dag som ungdomsherberg. *Foto © 2010 Schlossgeister-Noer.de*

porcelæn", som nævnes stående i skabene. Muligvis har Moltke også beholdt nogle af de mange freskomalede lofter og dørstykker, som Rosenberg havde nævnt i sin beskrivelse 1764.

Haven på Noer

Man gik også hurtigt i gang – efter plan af Jardin – med en omlægning af haven, som allerede var prydet med parterrer, bosquet'er, statuer og vaser, fontæner og treillageportaler. Først og fremmest skulle der opføres en ny havetrappe midt på facaden mod vest, hvor voldgraven lå helt tæt op ad hovedbygningen. En Rosenberg-tegning af en fin svungen dobbelttrappe og bro er bevaret, og projektet blev da også realiseret. Gravens støttemur med "32 temmelig store stenvaser" blev også indmalet i husets grå farve, men Moltke foreslog fornuftigt, at en hel del af disse vaser bedre kunne anbringes i parterret, mens potter med gevækster i stedet for skulle sættes på voldgravsmuren. Parterret blev også ændret med roser og buksbom og prydet med to store nye blomsterkurve af egetræ med påmalet udsmykning, hvor Rosenberg fik besked på helst at bruge krumvokset træ. To gamle buegange blev bevaret, men Moltke ønskede også "udsigterne fra huset bedst udviklet", hvilket medførte nedskæringer i de eksisterende bosquet'er, mens nye, mindre linde også måtte plantes. Her på Noer ønskede Moltke – ligesom på Bregentved – en helt ny adgangsallé anlagt, således at det tilrejsende herskab, der kom fra Eckernförde i vest, på lang afstand kunne ane hovedbygningens centrale havedør og kunne køre lige gennem haven hertil. Planering og opfyldning blev foretaget i 1766 af en deling soldater, som var udkommanderet fra fæstningen i Rendsborg, og lindetræer blev indkøbt i store mængder.

Da Moltke – sandsynligvis for allerførste gang – i sommeren 1767 besøgte Noer, har han kunnet køre ad 200 m ny lindeallé allerede uden for selve lysthaven. På dette tidspunkt meddelte han arbejdet på herskabshuset afsluttet. Han havde da brugt 7.500 rigsdaler på byggesagen. I 1772 overdrog han Noer og Grönwohld til sin tredjeældste søn, senere generalløjtnant Magnus Moltke, ikke til Caspar, som kendte stedet så godt. Det var Magnus' søn Adam Gottlob Detlef Moltke, der på grund af sin begejstring for Den Franske Revolution pådrog sig farfaderens vrede og fik denne til at ændre arvefølgen til lensgrevskabet Bregentved. Noer gik ud af Moltke-familiens eje i 1801, mens hovedbygningen i 1933 brændte totalt ud og blev genopført i ændret skikkelse, så fysiske minder på stedet fra Adam Gottlob Moltkes indsats er i dag ganske få.

Gravkapellet i Karise

Da Moltke i 1750 købte godset Juellinge af Frederik Danneskiold-Samsøe og indlemmede det i lensgrevskabet Bregentved, fulgte *jus patronatus* til den nærliggende Karise Kirke med. Allerede i disse år har det muligvis været Moltkes hensigt at gøre Juellinge til enkesæde under Bregentved, hvilket sandsynligvis har været en vægtig grund til at vælge Karise og ikke en anden nærmere ved Bregentved blandt grevskabets otte kirker som slægtens fremtidige begravelsesplads. I hvert fald stod Juellinge nævnt med denne funktion i Moltkes ægtepagt fra 1760 med sin anden hustru. Her, har han nok tænkt, kunne hans enkegrevinde nemt køre de knap to kilometer fra boligen for at tilse og dvæle ved gemalens gravmæle.

Helt sådan kom det ikke til at gå. Da lensgrevens første hustru døde 28. februar 1760, var det

Karises middelalderlige teglstenskirke ligger malerisk højt og frit syd for den lille landsby og Stevns ådal – samt nær Juellinge, dengang ejet af Moltke og planlagt som enkesæde. Gravkapellet kontrasterer med sin arkitektur og sine farver stærkt hertil, men helheden er monumental. *Foto Elizabeth Moltke-Huitfeldt.*

den sørgende ægtemand, som måtte i gang med at realisere planerne om et gravkapel ved kirken. Han henvendte sig til en gammel bekendt fra arkitekt- og håndværkermiljøet, Jacob Fortling. Hofstenhuggeren, som desuden drev blomstrende virksomheder med fajance, industrikeramik og bygningsmaterialer, var også aktiv som arkitekt og netop udnævnt til kongelig bygmester for København, Sjælland og Falster. Fortlings projekttegninger er bevaret og viser en rektangulær tilbygning forbundet til det vestligste fag af kirkens sydside ved en kort mellemgang. Indretningen var tydeligvis kun tiltænkt to sarkofager, den afdøde grevindes og enkemandens, opstillet ved kapellets smalside under sobert indfattede indskriftstavler kronet af guirlandesmykkede våbenskjolde. Enklere kunne det næppe gøres. Moltke har været tilfreds med Fortlings projekt og skrev straks sin godkendelse på tegningerne. En lille korrektion kort efter blev et lavere, kobberklædt tag. Byggeriet skulle påbegyndes i 1760 og stå færdigt året efter, noterede greven.

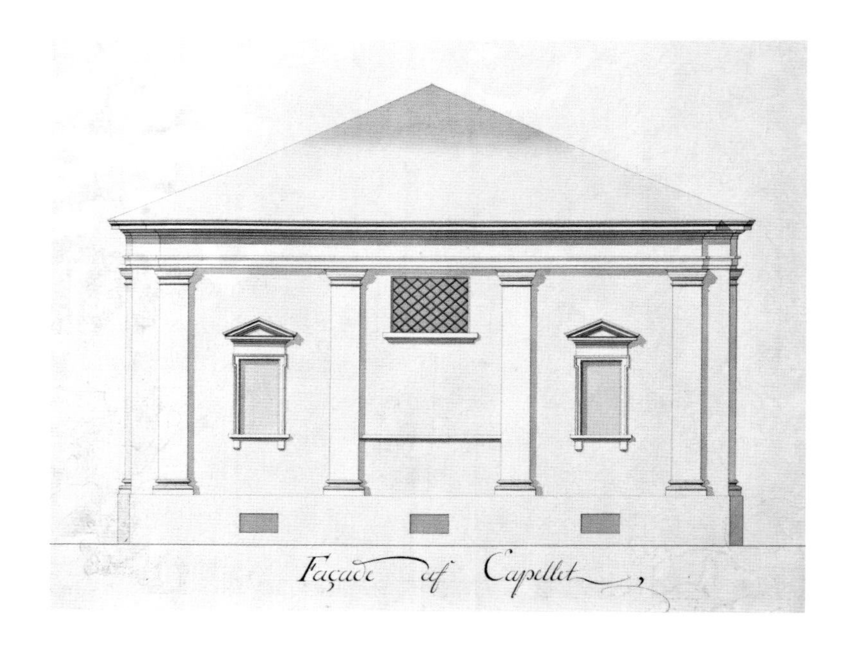

Jacob Fortlings nøgterne gulkalkede facader stod med klassiske detaljer i kalksten. På Harsdorffs tegning ses de oprindelige vinduer tilmuret og i midten erstattet af et højtsiddende vindue. *Bregentved godsarkiv. Foto Elizabeth Moltke-Huitfeldt.*

OPFØRELSEN

Fortling nåede ikke at se bygningen fuldført. Han døde 16. juli 1761, mens ny kontrakt om entreprisen blev sluttet mellem hans efterfølger i familievirksomheden, svigersønnen, stenhuggermester August Braun. Men før disse nye udviklinger var der allerede i sommeren 1760 sket noget glædeligt, der krævede en ændring af projektet. 9. september indgik Moltke nyt ægteskab i Fredensborg Slotskirke med Sophia Hedwig Raben. Herefter skulle det grevelige gravkapel naturligvis omfatte tre, ikke to sarkofager, og de to hustru-sarkofager måtte opstilles ligeværdigt, flankerende grevens egen. Dette nye byggeprogram blev i første omgang løst på den simple måde, at Fortlings ufærdige kapel gjordes bredere til en nu kvadratisk bygning.

Arbejdet skred langsomt og møjsommeligt frem. Især var det de meget tunge transporter af sten og tegl fra havnen i Køge, der helst skulle foretages som slædekørsel på frosne vinterveje. Heller ikke Braun oplevede at færdiggøre bygningen. Da han døde i 1766, manglede vistnok hele interiøret. Men igen kunne arbejdet blive i familien, idet Brauns purunge enke giftede sig med arkitekten C.F. Harsdorff. Kontrakten af 3. maj 1766 mellem Moltke og Harsdorff taler om "det indvendige af ham vidtløftige designerede arbejde". Hermed tog gravkapellet et kvalitetsmæssigt kvantespring, idet den unge nyudnævnte professor og bygningsinspektør her i sit første større arbejde skabte et af dansk nyklassicismes mest udsøgte og stemningsfulde interiører (se side 142).

Moltke havde som Kunstakademiets præses givetvis allerede fra 1754 lagt mærke til den talentfulde unge arkitektstuderende, med velvilje per-

På J.G. Bradts suggestive radering 1769 af interiøret ses Harsdorffs overdådige stukloft i klassicistisk formsprog, hvor en vældig midtkassette, der udnytter tagrumshøjden, hvælver sig over den tomme gulvflade. Moltkes sarkofag skildres med Stanleys ikke realiserede statue af Greven som Maecenas, og kunstneren levner plads til den anden, endnu ikke udførte hustrusarkofag. *H.M. Dronningens Håndbibliotek.*

sonligt i 1756 overrakt ham den store guldmedalje som den allerførste fra arkitektskolen og med store forventninger sendt Harsdorff af sted 1757 på den seksårige studierejse til Paris og Rom. Man kan således sige, at Moltkes valg af Harsdorff i 1766 snarere skyldtes dennes åbenlyse talent og modernitet end slægtskabet til kapellets to tidligere bygmestre. Og igen fås et eklatant eksempel på Moltkes aldrig svigtende kvalitetssans, som gang på gang, hvor det var muligt, betød kunstneriske forbedringer af projekter, der var undervejs eller endda afsluttede.

HARSDORFFS INTERIØR

Harsdorffs geniale indgreb med en næsten total forandring af det påbegyndte interiør var at rykke de fire fritstående piller ud mod hjørnerne og konvertere dem til kanelerede doriske søjler. Nu opstod et klassisk *atrio di quattro colonne*, et centraliseret rum med rigt kassetteret loft. Omkring det store tomme midterfelt var nicheagtige sidepartier til de tre sarkofager og små underspillede kvadratiske hjørnefelter (hvor senere efterfølgende slægtled fandt deres grave). For indgangen opsattes en pragtfuld gitterlåge af smedejern, hvis udsmykning med klassiske motiver harmonerede

Ved indgangen fra kirken og den korte mellemgang til gravkapellet opsattes en pragtfuld gitterport i smedejern tegnet af Harsdorff. *Foto Elizabeth Moltke-Huitfeldt.*

Sandsynligvis tilskyndet af Moltke til i 1769 at projektere en ny kirke til Karise i forbindelse med mausoleet har Harsdorff ikke kunnet dy sig for at fantasere over alle rundkirkers moder, Pantheon i Rom. Man genkender forbilledets runde cylinderkrop og foranstillede tempelfront samt den indre kuppels markante kassettering. *H.M. Dronningens Håndbibliotek.*

fuldendt med interiørets hele. Ovenover opsattes i 1818 ifølge grevens udtrykkelige testamentariske ønske en fornem hvid marmorplade med latinsk tekst indhugget, der oversat lyder: "Til ære for kunstens opretholder, borgernes fader, Kong Frederik V satte A.G. Moltke dette den 31. marts 1766. Tiderne skifter, marmoret forgår, men Frederik V's velgerninger forbliver evindelige." Selv i dette, det mest private regi var Moltke trofast ærefrygtig over for sin konge og ven. Den nævnte dato, som ifølge bygningshistorien hverken kan have været grundstensnedlæggelse eller byggeriets afslutning, er da også den kære, nyligt afdøde konges fødselsdag!

Klassicisten og Roma-fareren Harsdorff har nok følt modstriden mellem den gamle middelalderlige teglstenskirke og det nu næsten lige så store gravkapel – i sandhed ulige sammenbragte størrelser. Ifølge Harsdorff'ske familieoptegnelser var det dog Moltke selv, der havde tænkt sig at gøre noget ved problemet, og udbad sig et projekt

til opførelse af en ny moderne kirke. På Salonen 1769 udstillede Harsdorff en tegning, "Forslag til en landsbykirke", som kunne opføres i stedet for den nuværende Karise Kirke, og som kunne indeslutte det nybyggede kapel. Da sønnen og efterfølgeren Joachim Godske Moltke døde i 1818, stod der bl.a. i hans testamente et ønske om, at hans søn (A.W. Moltke) skulle gennemføre den ombygning af Karise Kirke, som han selv havde attrået, og hvortil bygmester, etatsråd Hansen, dvs. C.F. Hansen, havde alle dertil hørende tegninger. C.F. Hansen var nær ven og elev af Harsdorff, som selv var død 1799. Er det mon stadig Harsdorffs planer fra 1760'erne, som spøger hos moltkerne?

SARKOFAGERNE

Harsdorffs højtidelige interiør var jo blot ramme omkring de tiltænkte lensgrevelige sarkofager. Også her, inden for skulpturens område, finder vi såvel i de udførte som i ikke realiserede projekter hovedværker i dansk kunst fra det 18. århundrede. Naturligt nok var den mest presserende opgave sarkofagen for Moltkes første hustru, der var død kun 47 år gammel i 1760. Også her henvendte Moltke sig til en af Kunstakademiets unge stjernekunstnere, billedhuggeren Johannes Wiedewelt, hjemkommet fra sin niårige studierejse året før og allerede gennem Moltke betroet den store opgave med Christian VI's sarkofag til Roskilde Domkirke. Wiedewelt dyrkede med begejstret flid antikkens mytologier og allegorier, der oftest for nutidens mindre skolede betragtere kræver nærmere udredning ved hjælp af kunstnerens egne forklaringer, datidens ikonologiske leksika eller kyndige eksperter. Wiedewelt fik af den praktisk indstillede greve besked på at inkludere marmoret til sarkofagen i bestillingen i Livorno vedrørende Christian VI's monument. Kontrakten blev sluttet året efter, sarkofagen var færdig i 1764, men da kapellet endnu ikke var fuldført, måtte opstillingen vente helt til maj 1767. Sarkofagens kortsider er smykket med fritstående allegoriske kvindeskikkelser, lidt buttede for ikke at sige noget plumpe, i halv naturlig størrelse. Langsiderne har relieffer med komplicerede allegorier – alt velvalgt til den gode, afdøde hustru.

Moltkes antikinspirerede sarkofag var på Wiedewelts projekter rigt udsmykket med både relieffer og store figurgrupper. Således ses på det enes gavl en laurbærkranset, antikt klædt mandsbuste – Moltke selv som Maecenas – der omgivet af skyformationer troner over jordkuglen og to vingede genier. *Bregentved godsarkiv. Foto Elizabeth Moltke-Huitfeldt.*

I 1700-tallet var det ganske normalt for en betydelig person at beskæftige sig med sit eget fysiske eftermæle i form af sarkofag og mindesmærke, mens man endnu var i live. I A.G. Moltkes arkiv findes en række udkast til hans sarkofag og dens omgivelser understøttet af korrespondance med mere. Flere kunstnere, Wiedewelt, Saly og C.F. Stanley, var åbenbart involveret i projekteringsforløbet, hvis rækkefølge frem til det udførte monuments færdiggørelse efter Moltkes død i 1792 her skal foreslås.

Som en naturlig følge af Wiedewelts arbejde med hustruens sarkofag må greven også have bedt om forslag til sin egen, hvorfor to bevarede og udaterede Wiedewelt-udkast må placeres først i 1760'erne. Vi ved ikke, hvorfor han ikke også fik opgaven med grevens sarkofag. Måske fordi han i disse år var travlt beskæftiget andetsteds, bl.a. både på Bregentved og i Fredensborg. Tilsyneladende har Moltke derefter rådført sig med den ypperste kapacitet på skulpturens område herhjemme, Saly, der som Kunstakademiets direktør var Moltkes allernærmeste samarbejdspartner i dennes hverv som præses. Moltke og Saly var også i konstant kontakt vedrørende rytterstatuen af Frederik V til Amalienborg Plads, og franskmanden havde allerede 1757 skabt portrætbusten af Moltke.

I Moltkes arkiv er bevaret et meget udførligt skriftligt forslag til grevens gravmonument forfattet på fransk med Salys udsøgte håndskrift, men desværre hverken signeret eller dateret. Heri beskrives en sarkofag af sort eller hvid marmor bærende en pude med grevens ærestegn, mens Elefantordensdragtens kappe ligger kunstnerisk henslængt ned over sarkofagfronten mod en foranliggende allegorisk figurgruppe forestillende "Kunstakademiet med de tre kunstarter". På en inskriptionssokkel bagved skulle grevens bronzebuste med frisure og klædning som antikke Maecenas-buster omgives af symboler på hans dyder og virkefelter – spejlet for "Klogskaben", lampen for "Årvågenheden" – samt bøger med titler, der passede sig for en stor ministers studier. For at danne en rolig baggrund for denne rige og komplicerede opstilling tænkte Saly sig helt teatralsk et stort draperi. Han fortæller, at sådanne med fin effekt ses i Italien, udført af sten beklædt med ganske tynde skiver af antikke marmorsorter og prydet med frynser af forgyldt bronze. Der var tænkt flere figurer: Til venstre for Moltkes buste forsøger "Misundelsen" i skikkelse af en hæslig gammel kælling at tildække busten og inskriptionen nedenunder med en del af baggrundsdraperiet, mens en figur til højre, "Retfærdigheden", med ædel rolig mine skubber til "Misundelsen" og med den anden hånd peger på netop inskriptionen, en bronzeplade med lang hædrende omtale af greven. Saly foreslår endda selve tekstens ordlyd og billiger desuden Harsdorffs forslag om gravurner, tårevaser, lamper og røgelseskar.

Netop sådan som Saly her har formuleret Moltkes gravminde, så kunstnerstanden på Akademiet deres afholdte præses behandlet i de turbulente år først i Christian VII's regeringstid, hvorfor forslaget må dateres til disse år omkring 1766-67. Saly, som da var mere end travlt optaget af rytterstatuens færdiggørelse, har næppe haft noget ønske om at involvere sig yderligere i grevens mausoleum. Han var jo under kontrakt med den danske konge og ønskede sikkert brændende at vende hjem til Frankrig ved fuldendt opgave.

C.F. Stanleys projekter

Den billedhugger, som fik appelsinen i sin turban, var dog en af Salys elever og protegeer, Carl Frederik Stanley, søn af den Simon Carl Stanley, der som billedhugger og billedskærer havde været med til at skabe Moltkes pragtinteriører i Amalienborg-palæet under både Eigtved og Jardin. C.F. Stanley gik på Kunstakademiet og vandt den store guldmedalje i 1758. På sin store udenlandsstudietur havde han Harsdorff som rejsekammerat, og det kan derfor ikke undre, hvis også denne har anbefalet ham hos Moltke til arbejdet i Karise.

En række bevarede projekter og dokumenter kan sættes i forbindelse med dette arbejde. Stanley må i høj grad have ladet sig påvirke, ja ligefrem lede af Salys skriftlige projekt, som han dog først kombinerer med en egen storslået idé (se side 212). Salys buste af Moltke bag selve sarkofagen var her erstattet med en marmorstatue af greven i legemsstørrelse, siddende som Maecenas, iført romersk konsultoga. På det høje postament gengiver et frontrelief Salys idé med "Misundelsen" og "Retfærdigheden". Lidt anakronistisk bærer Maecenas Elefantordenens kæde. Om dette store monument forelå der fra 1767 flere udkast til en kontrakt mellem Moltke og Stanley, som dog ikke blev sluttet. Alene omkostningerne må have fået Moltke til at blegne – 9.500 rigsdaler for materialer, lønninger og honorar! Muligvis har greven også tøvet over for sin egen skikkelse "i fuld corpus" som lidt for prangende, selv om Stanley fandt, at "intet mere nobelt kunne tænkes". Man må også huske på bestillerens prekære både politiske og økonomiske situation i disse år efter tronskiftet 1766, hvor Moltke var alvorligt i disfavør.

Så billedhuggeren gik på kompromis. Den kontrakt, som endelig blev sluttet i august 1768, lød kun på selve den fornemt udformede klassiske sarkofag "i græsk stil" prydet med et Fugl Føniksrelief samt de grevelige insignier. Arbejdet skulle være fuldført på seks år og koste 3.900 rigsdaler. Måske ville Moltke senere bestille de store gavlfigurer fra projekttegningerne, men i så fald skulle de først opsættes efter hans død. Om hans egen statue blev der ikke længere talt. Stanley, som hverken havde den bedste arbejdsdisciplin eller økonomisk sans, fik besvær med at fuldføre selv det 'skrabede' monument, der blev til på hans værksted ved Stanleys Gård på Christianshavn. Wiedewelt måtte føre tilsyn og advarede Moltke mod eventuel økonomisk uredelighed hos kollegaen. Andre billedhuggere udførte detaljer, og puden med insignier blev aldrig lavet. Greven bevilgede alligevel generøst både forskud og terminsudbetalinger, men forlangte tidsfristen absolut overholdt. Men med et års forsinkelse kunne stykkerne til den færdige kiste omsider i sommeren 1775 fragtes den besværlige vej til Karise via blokvogne og særlige stenfartøjer. En ny dør i kirkens våbenhus gav den korteste og lige vej over i kapellet, mens gudstjenesterne til sognebørnenes ærgrelse måtte suspenderes en hel måned.

Sophia Hedwig Moltkes sarkofag

Betydeligt mere gnidningsløst forløb udførelsen af gravmælet til Sophia Hedwig Raben, der blev iværksat i 1769. Her styrede Harsdorff efter Moltkes ordre med sikker hånd selve den arkitektoniske udformning af sarkofagen, der naturligvis skulle stå som en harmonisk pendant til Wiedewelts arbejde. Harsdorff levnede ikke megen plads til egentligt billedhuggerarbejde, som han og Moltke nogle år senere overlod til Stanleys jævnaldrende Andreas Weidenhaupt. Også denne kendte Moltke godt fra Kunstakademiet, hvor han som elev af Petzold og Saly havde vundet alle medaljerne 1758-60 og gennemført studierejsen til Paris og Rom 1762-69. Hjemvendt blev han i 1770 medlem af Akademiet og året efter professor i anatomi sammesteds. Weidenhaupt var som kunstner føjelig og eklektisk uden stor selvstændighed, men til gengæld samvittighedsfuld. Efter problemerne med Stanley lod Moltke alligevel Wiedewelt i 1771 kontrollere kontraktudkastene, og den endelige kontrakt med vedhæftet tegning sluttedes først i juni 1774, mens selve sarkofagen opstilledes 1781. Grevinden overlevede som bekendt sin mand og døde først 1802.

ADAM GOTTLOB MOLTKES DØD OG BISÆTTELSE

I et langt anonymt manuskript til en ligtale over Moltke, som sandsynligvis er skrevet af en familien nærtstående præst, beskrives til slut grevens sidste timer smukt:

> "Som greven levede, så døde han, ligesom han takkede Gud for enhver levedag, ham blev forundt, helst når han havde lejlighed til at gøre noget godt, så var han og altid beredt på at dø, sagde ofte, han var ikke bange for at dø, thi han var taget til nåde ved troen på Jesum. Således ventede han og rolig i sin sidste sygdom på døden ... Ofte lod han indkalde sine elskede, kære børn og havde idel gudelige og hjertelige samtaler med dem, til opmuntring og styrke på deres vandring her igennem livet til evigheden. Hans elskede grevinde, som så kærlig i 32 år havde omgåets ham, bestandig søgt at lindre hans sygdomme og alderdommens skrøbeligheder, og nu ikke forlod ham ... nat eller dag, og hans over alting sær kære datter, enkegrevinde af W[edell] ømmedes han hjertelig over, men søgte at

I stedet for statuer eller buster, høje postamenter og dramatiske bagtæppedraperier nøjedes man med C.F. Stanleys smukke klassiske sarkofag og med Wiedewelts portrætrelief fra palæet i København. På sarkofaglåget indhuggedes i 1796 en gravskrift samt et langt bibelcitat, som Moltke selv havde bestemt. *Foto Elizabeth Moltke-Huitfeldt.*

trøste dem med den glæde ham forestod. Til slutning omfavnede han sin kære frue grevinde og sagde hende den inderligste farvel, han mærkede nu, at døden nok ville nærme sig i den begyndte tunghed og søvnagtighed, takkede og velsignede hende for al hendes kærlige omsorg, holdende hende i sin favn, bad hende sige hans kære børn, at han smagede allerede den salighed, som Jesus tildeler ham, dør glad i sin Frelser og beder dem alle stræbe at kunne dø ligesom han. Han faldt derpå i dvale, som varede nogle timer, i hvilke en af grevesønnerne af og til læste gudelige salmer, ved hver forefaldende sær[ligt] rørende ord greven gav tegn med hænderne, at han hørte og følte det. I denne rolige dvales 5te eller 6te time hensov han sagte og salig er given."

Da den gamle lensgreve således lukkede sine øjne på Bregentved den 25. september 1792, havde han til mindste detalje planlagt sin jordefærd. Den 9. oktober, uden "alt det, som kunne give anseelse af ceremoni", kørte ligvognen med den sorte fløjlskiste og forspændt seksten heste med sorte dækkener af sted. Ligfølget bestod af tyve ligbærere i sorte kapper med flor og familien i kareter bemandet med livréklædte tjenere fulgt af tjenerskab i ti andre vogne. Ligtoget bevægede sig østpå fra Bregentved mod Karise, først ad dyrehavens store midterallé, som i den højtidelige anledning var fejet for efterårsblade og revet.

I Karise ventede Stanleys store hvide marmorsarkofag. Man fandt to år senere, da palæet i København blev solgt, en ikke helt vellykket nødløsning ved fra naturaliekabinettet at overflytte Wiedewelts fine vægpostament fra 1763 med portrætmedaljonen i basrelief udført i hvid marmor. Her i gravkapellet står det nu op ad et markeret vægfelt og dukker sig bag sarkofagen. Wiedewelts smukke forgyldte bronzeornamenter og hvidbrogede marmorramme omkring relieffet kan ses, mens man må helt om bagved for at betragte det grevelige våben og læse den i 1796 tilføjede latinske indskrift. Oversat til dansk lyder den omtrent således:

"Adam Gottlob Moltke, greve til Bregentved, født d. 10. november 1709, død d. 25. september 1792. Hvis billedhuggerkunsten i mindre grad udtrykker ansigtets skønhed, stråler et billede af sindet sikrere ved hans fortjenester, der ikke må forties."

Grevens planlagte insignier på den rødbrogede marmorpude fik Stanley jo aldrig udført til sarkofagens låg. I 1796 lod man her i stedet følgende indskrift med bibelcitat, hans "hjertes bekendelse", bestemt af Moltke selv:

"Her hviler de jordiske levninger af hans højgrevelige Excellence højvelbaarne Hr. Adam Gotlob Moltke til grevskabet Bregentved, Ridder af Elefantordenen, hans Kongelige Majestæts gehejmeraad, født den Xde november MDCCIX og død den XXVde september MDCCLXXXXII, gift Iste gang med Christiane Friderica Brügmann hvilket Ægteskab blev velsignet med XIII børn, gift IIden Gang med Sophia Hedevig Raben og i dette Ægteskab gav Forsynet IX børn. Den ømmeste ægtefælle og moder begræder med XII levende Børn den kæreste gemal og faders for tidlige død. Det er en troværdig tale og aldeles værd at annammes, at Christus Jesus kom til verden at gøre syndere salige, iblandt hvilke jeg er den groveste, men derfor er mig barmhjertighed vederfaren, at Jesus Christus ville bevise mig som den groveste al langmodighed dem til et eksempel, som herefter tro på ham til det evige liv, men den evige konge, den uforkrænkelige, usynlige, den alenevise Gud være pris og ære i al evighed. Amen."

BILLEDKUNST OG KUNSTINDUSTRI

Kunstsamler

Samme titel, som madame de Pompadour i Frankrig populært er blevet tildelt – *ministeren for de skønne kunster* – kunne med god ret gives Moltke i Danmark. Først og fremmest udfoldede han dette virke qua to vigtige embeder som chef for Partikulærkammeret fra 1746 og som *præses* for Kunstakademiet fra i hvert fald 1748. I det følgende skal hans mere personlige forhold til billedkunsten skildres, både ved de malerier og skulpturer, han valgte at omgive sig med, ved hans og Kongens gallerier af malerkunst samt ved de skildringer af hans egen person, som han lod udarbejde.

PALÆETS FASTE MALERIER

Vægfaste malerier skulle selvfølgelig i 1750'erne i stort antal anskaffes til Moltkes Palæ i Frederiksstaden, først og fremmest de mange dørstykker, som skønnedes uundværlige over fløjdørene i både stue- og beletage. Det er ofte svært at få de sparsomme oplysninger i bevarede regninger til at stemme overens med inventariernes summariske beskrivelser. Fem italieniserende landskaber af samme hånd, habil og tidstypisk dekorationskunst fra 1700-tallets begyndelse, er f.eks. bevaret og vides at have været opsat hos Moltke, sandsynligvis købt *en bloc* hos en kunsthandler og siden tilpasset de nye pladser ved øgninger. De tre veludførte nattescenerier i grevindens forgemak, som i 1778 tilskrives "italienske mestre" kunne måske være de dørstykker "af Zuccarelli", som Moltke købte i 1752. Stadig *in situ* udmærker de sig ved dramatisk lyssætning samt mørk, blågrøn kolorit.

Fem bevarede dørstykker i palæet, landskaber i sart rokokoagtig kolorit og lidt miniatureag-

Ubekendt kunstner: Bjergrigt kystlandskab. Dørstykket fra Grevindens forgemak er et af tre, der stadig sidder i rummet, hvor deres blålige og mørke kolorit harmonerer smukt med Moltkes ligeledes bevarede gobeliner. *Foto Klemp & Woldbye.*

Et af G.A. Cesaris 24 dørstykker, som Moltke købte hos kunstneren i 1753. Dette, "Landskab med havbugt", hænger stadig på hovedtrappen i palæet. *Foto Klemp & Woldbye.*

Johan Mandelbergs "Musen Terpsichore" er et af fire dørstykker, kunstneren som rummets dekorationsmaler udførte til Harsdorffs modernisering af Grevindens garderobe i palæets stueetage o. 1770. *Foto Klemp & Woldbye.*

tige i deres detaljerigdom, kan med stor sandsynlighed tilskrives en herboende italiensk musiker og autodidakt maler, Giovanni Antonio Cesari. I palæregnskabet for 1753 ses således indkøbt hele 24 "perspektivstykker at sætte over dørene". Otte dørstykker i serien, som åbenbart ikke skulle benyttes i palæet, lod Moltke opsætte i hovedbygningen på Turebyholm. I grevens forgemak i stueetagen kunne de ventende audienssøgende løfte blikket til dørstykker forestillende husherrens vigtigste sjællandske besiddelser, Bregentved, Turebyholm og Juellinge, desværre siden forsvundet. Men alle de nævnte dørstykker har ikke opfyldt større krav til kunstnerisk værdi end som gængs, let anskaffelig dekorationskunst. Da Harsdorff senere omdannede Grevindens garderobe i stueetagen i moderne nyklassicistisk stil, udførte rummets dekorationsmaler, Johan Edvard Mandelberg, også de fire dørstykker med "Muser" (se også side 91). Mandelberg, der ellers havde prætentioner som bataljemaler, havde allerede i samarbejde med Jardin udført dekorationsmaleri for Moltke både i Nordsjælland og på Bregentved. Nogen stor kunstner blev han aldrig med sin lidt klæge figurtegning og banale kolorit, men dog acceptabel som leverandør til rummenes dekorative helheder.

DE FRANSKE MALERIER

Anderledes forholdt det sig med malerierne til paradesuitens vigtigere rum. Kunstelskeren Moltke kendte ved årelangt selvsyn det fantastiske opbud af ypperlig moderne fransk kunst, der siden 1741 prydede paradegemakkerne på residensslottet. Når

François Bouchers "Malerkunsten" er et af syv dekorationsmalerier, som Moltke havde bestilt hos den berømte franskmand allerede i 1751, men som først ankom til opsætning i den store sal fem-seks år senere. *Foto Klemp & Woldbye.*

det drejede sig om at gennemføre sin utvivlsomme ambition om at kunne måle sig med slottet i udsmykningen af familiens nye boliger, først og fremmest palæet, kunne Moltke betjene sig af sine gode diplomatiske forbindelser. Her tænkes først og fremmest på udenrigsminister J.H.E. Bernstorff og på legationssekretær Joachim Wasserschlebe. Sidstnævnte var selv passioneret kunstsamler og havde med over tyve års ophold i Paris fra 1731 fået gode venner i de førende kunstkredse. Dertil kom, at selveste madame de Pompadour havde tilbudt at hjælpe Moltke, hvis han ønskede det. Hvorvidt dette fandt sted vedrørende indkøb af malerier, vides ikke, men velviljen har givetvis været befordrende, og grevens franske malerier er blevet kaldt "den dansk-franske kunstforbindelses triumf i det 18. århundrede, … rumdekoration på højeste europæiske plan".

Moltkes mest ambitiøse anskaffelse var de fem dørstykker og to ovalmalerier over kaminspejlene i palæets store sal, bestilt hos selveste François Boucher, Frankrigs førende maler i Louis XV's og madame de Pompadours epoke. Sandsynligvis allerede fra 1751, da rokokoen herskede uindskrænket, begyndte Moltke at sende følere til Paris. I korrespondance mellem Wasserschlebe og Bernstorff tales der om dørstykker til en af sidstnævntes venner – som må være Moltke. Den feterede og travle Boucher var imidlertid berygtet for at udskyde afleveringen, og malerierne ankom først til København i 1756-57. Moltke indviede som bekendt palæet i marts 1754, hvorfor salen måtte udstyres med midlertidige dørstykker af grevens hjemlige kunstner, C.G. Pilo, som også udførte de to vældige majestætsportrætter til den store sals

bagvæg. Emnerne i Pilos ikke bevarede dørstykker var allegorier over kunster og videnskaber. Man kan næsten se Eigtveds rene uantastede rokokosal i 1754 for sig, helt smykket med Pilos kunst, der i sin lysfyldte lette stil og pastelagtige toner må have harmoneret exceptionelt godt med interiøret.

Bouchers fem rektangulære dørstykker forestiller "Malerkunsten" (sign. og dat. 1755), "Billedhuggerkunsten" (sign. og dat. 1756), "Bygningskunsten" (sign.), "Musikken" og "Poesien", de to ovale kaminstykker "Geografien" (se side 131) og "Astronomien" (begge sign. og dat. 1757) – alle mesterligt komponerede allegoriske småbørnslege i kunstnerens kendte lysende kolorit og sprudlende udtryksfuldhed. Opsætningen blev varetaget af Moltkes nye yndlingsarkitekt, nyklassicisten Jardin, og krævede en ganske stor ændring i Eigtveds sal. Især da man også måtte tage højde for to nye majestætsportrætter udført af endnu en berømt fransk kunstner, Louis Tocqué, og betalt af Frederik V som gave til Moltke.

Tocqué var, igen gennem Wasserschlebes diplomati, blevet lokket til – på vej hjem fra Sankt Petersborg – at gøre ophold i København 1758-59, hvor han gjorde forarbejder, og hvor han også kunne se Moltkes sal med Boucher'erne og tilpasse sine næsten fire m høje portrætter rummets helhedstone. Under sit kun trekvart års ophold i København nåede Tocqué blandt andet også at male et desværre forsvundet portræt af Moltke selv, mens hans vidunderlige brystbilleder af den kongelige familie kom til Moltkes Bregentved, hvor de stadig kan beundres. De er omtalt ovenfor i afsnittet om Bregentved. De vældige lærreder med "Frederik V" og "Dronning Juliane Marie" ankom først fra Paris i sensommeren 1762, hvor Jardins festlige indfatninger med fyrstelige symboler ventede i palæet.

Frederik V forærede Moltke sit og Dronningens helfigursportrætter til palæets store sal som erstatning for de allerede opsatte af C.G. Pilo. De vældige nye majestætsportrætter var udført af den berømte franske portrætmaler Louis Tocqué i forbindelse med et kort ophold i København 1758-59. *Foto Klemp & Woldbye.*

Moltkes store sal repræsenterede således fremover både Eigtveds rokoko og Jardins tidlige nyklassicisme i skøn forening og udsmykket med ypperlig fransk kunst i tilsvarende stilretninger. Som regel må man i dag opsøge malerier af Boucher og Tocqué spredt på museer og i samlinger. At Moltkes mesterværker stadig sidder i den prægtige sal på de pladser, som de blev skabt til, gør yderligere rummet kunstnerisk værdifuldt.

I 1756 var Moltke også begejstret modtager af syv dørstykker bestilt i Frankrig hos Bouchers elev, den unge historiemaler Joseph-Marie Vien. Derimod var det ikke lykkedes for Greven at lokke Vien til Danmark og til Kunstakademiet på samme måde som hans venner Saly og Jardin. Alle tre var vigtige repræsentanter for den gryende nyklassicisme. Fem af Viens dørstykker er bevaret i palæet, alle store, allegoriske skikkelser i kølig, sart fremtoning, typiske for overgangsstilen fra rokokoens sensuelle tone til den monumentale heroiske stil som hos Viens vigtigste elev, J.L. David. Emnerne kunne relatere til husets – eller landets herre: "Bestandighed og Klogskab" var endda Frederik V's valgsprog, "Fædrelandskærlighed" et oplagt motiv for Moltke (se side 20), ligesom "Orpheus" kunne repræsentere de musiske kunsters beskytter og ynder, og "Amphion" den store bygherre og byplanlægger. De syv dørstykker blev i 1756 opsat i tre beletage-gemakker med nye forgyldte rammer i fin stilistisk harmoni, tegnet af Jardin og skåret af S.C. Stanley.

Da Jardin i 1757 skabte den nye spisesal i beletagens nordre ende, behøvedes der dørstykker til gemakkets seks fløjdøre. Her lykkedes det Moltke at skaffe fire, endnu bevarede arbejder af den eminente franske dyremaler Jean-Baptiste Oudry. Motiverne er typiske jagtscener med rovdyr, byt-

Dørstykket "Jagthund, der vogter en død råbuk" er et af fire, som enten kommer fra J.-B. Oudrys værksted eller er kopieret af Pilo efter Oudry-malerier på Christiansborg Slot. De er opsat af Jardin i Moltkes nye spisesal i 1757. *Foto Klemp & Woldbye.*

te og jagthunde. Andre versioner kendes ligesom flere detaljer fra egenhændige tegninger af Oudry, hvorimod kvaliteten af Moltkes malerier synes at pege på værkstedsarbejder, der ved senere øgninger er tilpasset målene hos Moltke. Af forskellige indicier, bl.a. emnesammenfald med syv runde lærreder af Oudry købt 1741 og opsat i en af Christiansborg Slots store sale, samt posten "3 jagtstykker af Pilo efter Oudry" i en udateret fortegnelse over hensatte malerier i et rum hos Moltke, kunne man fristes til at foreslå en anden teori: Pilo har efter 1741 kopieret de runde Oudry-malerier på Christiansborg i det mere gængse rektangulære format, hvorefter Moltke i 1757 anskaffer alle syv kopier og sandsynligvis lader samme Pilo, der var hans konservator i disse år, øge lærrederne, så de passede i den nye spisesal.

Ligeledes bevaret fra Jardins indretning 1757 er de to dørstykker midt i salen, over fløjdøren ud mod gehejmetrappen og over den modstående fløjdør foran et blændet vindue. Disse malerier er udført på glas med store gennemsigtige partier ved siden af de suggestive Oudry-agtige motiver,

De specielle dørstykker på glas i Moltkes spisesal kan meget vel være malet af C.G. Pilo, der udførte mange værker for Moltke og desuden virkede som hans malerikonservator. Motivet er her store arapapegøjer og en fræk lille abekat, der gynger i blomstersmykkede silkebånd. *Foto Klemp & Woldbye.*

"Falke ved en død hare" og "Papegøjer og marekat". Tydeligvis skabt til interiøret som et raffinement er de meget dygtigt malet, og med ovenstående historie om Pilo in mente, kunne man meget vel tilskrive ham de fine, usædvanlige værker.

FABRIS' SPISEGEMAKKER

Venetianeren Jacopo Fabris, der som erfaren teater- og perspektivmaler kom til København i 1747, blev gennem Moltke ansat som hofkunstner året efter. Han fik som en af de første fribolig på Charlottenborg og malede først og fremmest for kongehuset og hoffet. Han blev specialist i hele rumudsmykninger enten med arkitektur- og ruinfantasier eller med prospekter fra Rom og Venedig, befolket med et mylder af staffagefigurer. Hans karakteristiske farveskala bevægede sig i douce gråsølverne toner. Moltke kendte også venetianeren godt fra arbejdet ved Eigtveds komediehus af 1748 på Kongens Nytorv, hvor Moltke fra 1747 var drivkraften, og hvor Fabris i 1749 udførte en serie dekorationer til den italienske operatrup.

Ved flere af sine boliger lod Moltke Fabris dekorere spisegemakkerne, først og fremmest stueetagens daglige spisegemak i palæet, der på alle vægge og over fløjdørene fik lærreder med "prospekter af Rom", indrettet i 1754 og senere flyttet til naborummet. Kun de to dørstykker med romerske kirker er i dag bevaret i palæet. På Bregentved var det ligeledes Fabris, der udsmykkede væggene i østfløjens daglige spisestue, i dag totalt

ombygget, mens huset dog stadig rummer mange fine dørstykker af Fabris. Selv i Moltkes Glædeshave ved Helsingør opsattes over buffeterne i Jardins elegante spisestue store venetianske prospekter, de berømte motiver fra Piazzetta'en, købt af enken efter Fabris' død i 1761.

SKULPTURER

Da Moltke og Eigtved skulle vælge en billedhugger til de mange skulpturer og relieffer ved palæet under opførelse, var det nærliggende for begge at bruge den herboende sachser Johan Christoph Petzold. Uddannet i Dresden og Wien var Petzold formentlig på Eigtveds foranledning kommet til København i 1739. Han leverede således efter Eigtveds udkast de otte store, siddende figurer på Marmorbroens pavilloner. Senest havde de to samarbejdet ved Christiansborg Slots hovedportal og ved Eigtveds ombygninger for Moltke på Bregentved, efter at Petzold i to år havde arbejdet ved slotsbyggeriet i Potsdam. Kontrakten om pa-

To dørstykker, her "Peterspladsen i Rom", er alt, hvad der er tilbage i palæet af Jacopo Fabris' udsmykning af væggene i Moltkes daglige spisestue, som lå i stueetagen ud mod haven. *Foto Klemp & Woldbye.*

Moltke og Eigtved benyttede billedhuggeren J.C. Petzold til palæets facadeskulpturer. Højdepunktet ses i den store gruppe midt på tagbalustraden, hvor Moltkes våbenskjold omgives af allegoriske figurer, Berømmelsen og Historien, og af Elefantordenens kæde. Grevekronen øverst blev siden udskiftet med kongekrone for palæets nye beboer, Christian VII. *Foto Elizabeth Moltke-Huitfeldt.*

lærarbejderne blev sluttet i 1751 og omfattede hele eksteriørets vældige skulpturprogram – fra tagbalustradens store midtergruppe, *couronnementet*, og de fire legemsstore friskulpturer over puttigrupper, skjolde, trofæer og vaser til relieffer og ornamenter. Da Moltke i 1752 blev elefantridder, måtte Petzold som ekstraarbejde tilføje husherrens våbenskjold Elefantordenens kæde, støbt i bly med tårne og elefanter. Petzold arbejdede i en effektfuld og bevæget senbarok stil præget af hans store centraleuropæiske læremestre Balthasar Permoser, Georg Raphael Donner og Andreas Schlüter.

Til to friskulpturer, der derimod skulle optræde som selvstændige kunstværker og udarbejdet i fineste hvide italienske marmor, valgte Moltke en anden billedhugger, Simon Carl Stanley. Hjemkommet efter en lang karriere i England blev Stanley berømmet for sin tekniske virtuositet og var tilmed en smidig eklektiker, der var leveringsdygtig i stil og udtryksform efter ønske. Moltke bestilte en legemsstor marmorskulptur, der skulle møde den besøgende ved palæet, straks han trådte ind i vestibulen og melde, at her boede en sand kunstelsker og mæcen. I et formsprog, der minder om den franskfødte manierist Giambologna, vrider den skønne nøgne "Andromeda" sig yndefuldt og anråber om frelse fra havuhyret, der snor sig om klippeblokken, hvortil hun er bundet ved virtuost frihuggede marmorlænker. Ved palæets indvielse i 1754 var Stanley ikke helt færdig, og Andromeda optrådte kun som gipsfigur (ligesom i dag, se side 273), men den endelige marmorudgave må have været på plads i hvert fald før 1759. Thurah, som døde dette år, når nemlig i sit manuskript til tredje bind af *Den Danske Vitruvius* at omtale vestibulens "Andromede ... af hvid italienisk marmor". Moltke flyttede i 1778 "Andromeda" til Bregentved og i 1783 videre til parken ved Glorup, hvor den stadig kan ses (se side 312).

Som effektfuldt midtpunkt i Jardins usædvanlige parterreanlæg mellem sø og dyrehave på Bre-

Statuen af "Det sabinske Rov", som her tilskrives S.C. Stanley, pryder stadig midten af det tidligere parterre på Bregentved. Figuren er muligvis identisk med en fornem marmorstatue, som Moltke vides i 1750'erne at have opstillet midt i sin palæhave i København. *Foto Elizabeth Moltke-Huitfeldt.*

gentved kom i 1760 en statuegruppe, identisk med den på stedet stadig bevarede. "Det sabinske rov" er udført i samme hvide marmor som "Andromeda" og ligger som en selvstændigt bearbejdet variant efter Giambologna stilistisk så tæt på "Andromeda", at også den må tilskrives Simon Carl Stanley. Muligvis er den identisk med en "stor marmorstatue", der stod midt i Moltkes palæhave i København, og som var så kostbar, at snedkerne i 1756 udførte et træhus til den som vinterbeskyttelse. Vi ved ad arkivalsk vej, at Stanley omkring 1760 også udførte

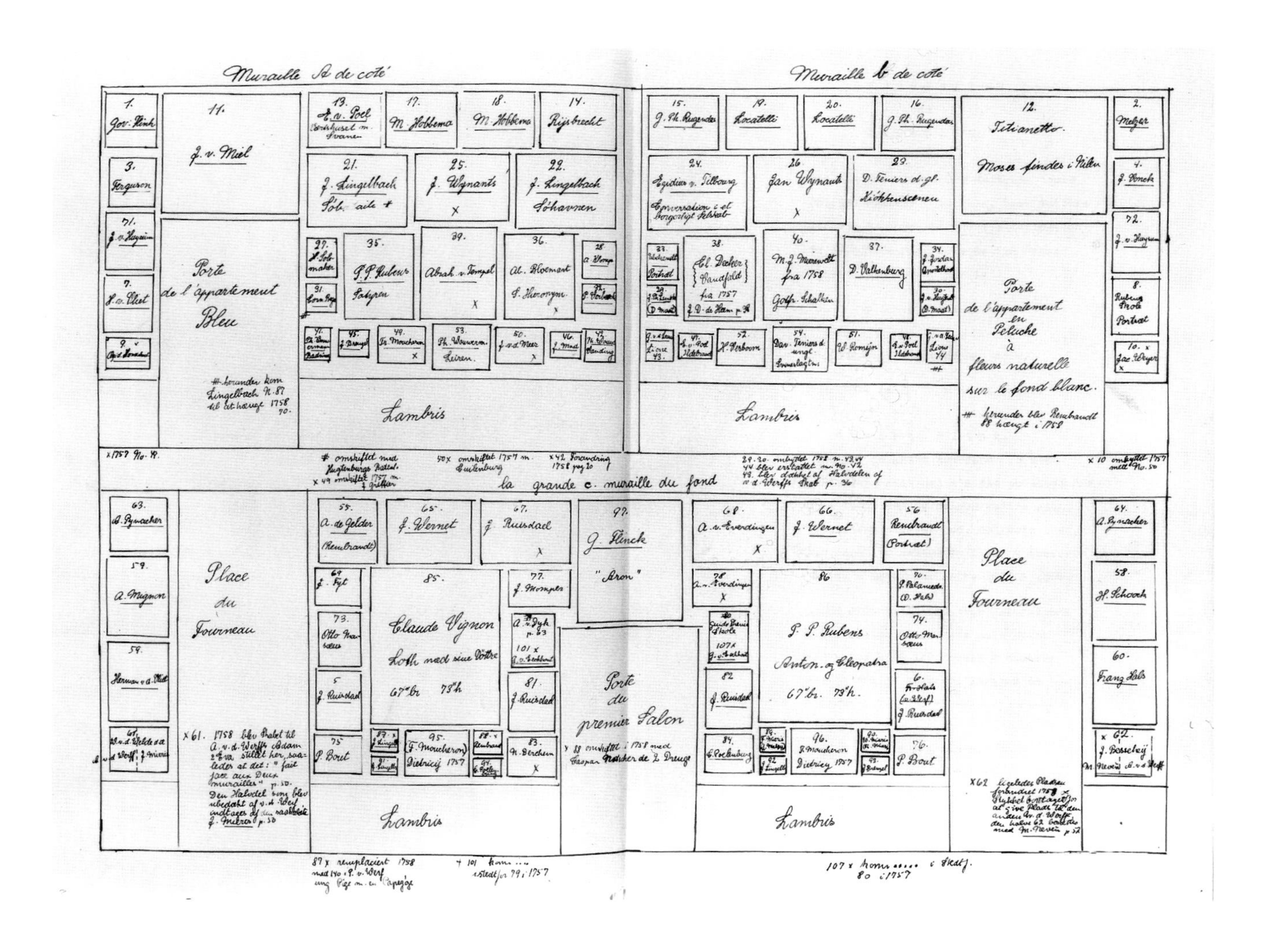

I fortegnelsen over Moltkes malerisamling i palæet, som hans kunstneriske konsulent Gerhard Morell udarbejdede i 1756, ses også denne tegning, der viser selve ophængningen på galleriets vægge. *Privateje. Foto Klemp og Woldbye.*

fontæner både til palæet og til Bregentved. Moltke flyttede jo "Andromeda" til Bregentved. Har han da allerede tidligere flyttet "Det sabinske rov" derned? Stanley virkede også som billedskærer og modellør for Moltke i samarbejde med Jardin, og især de fantastiske trofæer på spisegemakkets vægge i palæet fra 1757 vidner om hans virtuositet.

GALLERIET PÅ AMALIENBORG

Ved planlægningen af palæet på Amalienborg ønskede den kunstinteresserede Moltke også at skabe et "skilderigemak", et galleri i den grandiose gamle stil. Det store rum, ryg mod ryg med riddersalen og orienteret mod haven med tre høje buede vinduer, blev med ekstra loftshøjde harmonisk proportioneret og desuden indrettet fra starten til det bestemte formål med ubrudte overvægsflader beklædt med grønt moiréuld og uden faste dørstykker.

Man ved god besked med Moltkes store samling af malerier, men ikke helt så meget om deres anskaffelse og proveniens. Omhyggelige fortegnelser er bevaret fra 1756, 1763, 1771, 1779 og 1780, nogle med vægopstalter af galleriet, hvor hvert enkelt maleri er angivet i omtrentlig størrelse og med nummer svarende til fortegnelsen. Moltke allierede sig som sædvanlig med de dygtigste fagfolk, når han begav sig ind på nyt territorium, her ovennævnte Pilo, den internationale kunsthandler, danskeren Gerhard Morell og den kongelige kunstdrejer Lorenz Spengler. Desuden blev både familie og unge kunstnere sat til at købe ind for ham på deres udenlandsrejser, mens Moltke hjemme både købte på auktion og af andre samlere. Endelig fik Moltke malerier forærende af Kongen, således i efteråret 1751 hele 119 malerier og miniaturer, der stammede fra Lysthuset med de fire gyldne Knapper i Kongens Have.

Ifølge Gerhard Morells fortegnelse fra 1756 med vurderingspriser og vægopstalter hang der 139 malerier i galleriet, ramme ved ramme, så der selv på de smalle hjørne- og vinduespiller uden faste spejle hang striber af små billeder. Ensartethed blev skabt ved indramningen, hvor en særlig model med enkel profilering, forgyldt på fronten og med røde kanter blev indført overalt. En anneksophængning i de første år i beletagens pavillongemak ved Amaliegade, det senere bibliotek, rummede yderligere 81, mest mindre malerier. Som tegn på Moltkes ægte kunstinteresse var samlingen i evig *flux* med tilkøb, frasalg og omrokeringer helt frem til 1780. Selvfølgelig har ikke alle de oprindelige tilskrivninger, som nævnes i fortegnelserne, i dag gyldighed.

Moltkes smag var den gængse i Europa ved den tid, hvor man vurderede de gamle hollandske og flamske mestre fra 1600-tallet meget højt. Galleriets største og dyreste maleri var således i 1756 Rubens' "Antonius' og Cleopatras bryllup", og andre berømte Rubens-malerier var "En satyr med frugtkurv" og det tindrende "Portræt af en dominikanermunk", mens "Et bakkanal" af den flamske mester blev skænket til Kunstakademiet. Moltke kunne bryste sig med hele to værker af Rembrandt, "En gammel kone" og "Selvportræt med guldkæde og schweizerkappe". Moltke ejede også Rembrandts læremester, Pieter Lastmans, "Tobias og englen", og over døren til den store sal hang Rembrandt-eleven Govaert Flinks "Ypperstepræsten Aaron". Blandt de mest berømte landskabsmalere træffes Allaert van Everdingen med nordiske landskaber, to malerier af Meindert Hobbema og hele syv af dennes læremester, Jacob van Ruisdael. Andre kendte navne fra disse skoler er Nicolaes Berchem, Adam Pynacker, Jan Miel, Jan Wijnants, Valkenburgh, blomster- og stillebenmalerne Jan van Huysum, Jan de Heem, Abraham Mignon og Rachel Ruysch, jagtscenerier af Johann Lingelbach, Wijnants, bataljemalerne Georg Philipp Rugendas og Jan van Huchtenburgh, Philips Wouverman, van Mieris, Frans Hals' "Jægernes hjemkomst" (i dag tilskrevet Simon Kick), Gabriel Metsus fine lille "Den sovende frugtsælgerske", Willem van de Veldes nattescene "En landsby plyndres" og David Teniers d. Y.

Moltke havde også franske værker. Mest berømt og i 1780-vurderingen langt det dyreste var Nicolas Poussins store "Eudamidas' testamente" fra 1643, købt af Moltke på Salys anbefaling i 1759. Dette klassiske motiv handler om ædelmodighed og skulle eksemplificere kunstens opbyggelige og moralske formåen. Det hang i galleriet flankeret af to romerske landskaber af Poussins svoger, Gaspar Dughet. Moltke ejede endnu et fremragende Poussin-maleri, "Moses og den brændende busk". Pendanten til det store maleri af Rubens i galleriets traditionelt symmetriske ophængning var også en mester af den klassisk-franske skole, Claude Vignons "Lot med sine to døtre". Som vi skal høre, var Moltke også stærkt involveret i Kongens malerisamlinger på Christiansborg, og allerede 1760-61 solgte Greven via Morell sin store Rubens, Poussins "Moses" og Vignons "Lot" til

Kongen. 1700-talsmaleren Claude-Joseph Vernets to italienske havnescener blev sammen med flere andre malerier købt til Moltke af medaljør Arbien på auktion i Paris 1753. Moltke anskaffede også to helt moderne barneportrætter, "Têtes des jeunes filles", af den berømte J.B. Greuze, købt direkte i kunstnerens atelier 1766 af en af Moltkes sønner.

Kun ganske få malerier af de tyske og italienske skoler fandt vej til Moltkes vægge. Et enkelt portræt af renæssancemaleren Lucas Cranach ses dog i fortegnelserne. Fra Italien nævnes blandt andre Guido Reni, Salvator Rosa og Domenico Fetti. Moltke vides også at have skænket Kunstakademiet et siden forsvundet stort maleri, det over legemsstore "Hercules" af Annibale Carracci. Maleriet har vel først og fremmest skullet inspirere de vordende historiemalere blandt eleverne, og man kommer umiddelbart til at tænke på Nicolai Abildgaard og hans berømte "Den sårede Filoktet". Interessant nok hang der også hos Moltke malerier

På Salys anbefaling købte Moltke i 1760 Nicolas Poussins berømte "Eudamidas' testamente", et af samlingens dyreste kunstværker. *Statens Museum for Kunst.*

Adriaen van der Werffs lille udsøgte "Adam og Eva med to løver" fra 1717 med sin pendant var så kostbare og sjældne, at Moltke lod dem udstille i fine nøddetræsskrin på postamenter i Galleriets inderhjørner. *Rijksmuseum, Amsterdam. Foto Klemp & Woldbye.*

af danske kunstnere eller herboende udenlandske kunstnere fra samtiden – Balthasar Denner, Hendrik Krock, Marcus Tuscher og Johan Hörner.

I galleriet anbragte Moltke fra 1758 to mindre malerier, der var så sjældne og kostbare, at de måtte udstilles bag låger i særligt forarbejdede nøddetræsskrin opstillet i rummets hjørner. Det drejede sig om malerier af og efter hollænderen Adriaen van der Werff, en af tidens højest vurderede kunstnere – det ægte "Adam og Eva med to løver" fra 1717 og kopien "Uddrivelsen fra Paradiset" udført af kunstnerens broder. Efter mange års forgæves forsøg lykkedes det Morell for et ukendt, men sikkert astronomisk beløb, at købe det ægte på Moltkes vegne, og pendanten, som han fandt næsten lige så veludført, kom til året efter. Ved moltkesamlingens vurdering i 1780 blev parret sat til 3.500 rigsdaler, langt den dyreste post og mere end en tiendedel af hele samlingens værdi på 30.686 rigsdaler!

Moltkes malerisamling var berømmet i sin samtid som byens ypperste privatkabinet. Ved boopgørelsen efter 1792 overgik den til hovedarvingen, Joachim Godske Moltke, for blot en tredjedel af faderens vurdering fra 1780. Efter forgæves forhandlinger om et muligt salg og efter kronens overtagelse af palæet i 1794 flyttede Joachim Godske det hele hen til den store biblioteksbygning i haven bag Reedtz-Thotts Palæ på Kongens Nytorv. Fra 1804 tillod han publikum adgang tre timer en dag om ugen, og Adam Gottlob Moltkes malerisamling blev således Danmarks første offentligt tilgængelige kunstgalleri.

MALERISAMLINGEN PÅ BREGENTVED

Som omtalt i beskrivelsen af Moltkes indretning af Bregentved havde han i nær tilknytning til østfløjens fine kongesuite også en samling ældre malerier ophængt. Det drejede sig om billederne i "skilderigangen" bag kongesuiten og "hjørnegemakket" i nordøst, hvor der ifølge en bevaret kladde til et inventarium efter Moltkes død i 1792 hang henholdsvis 77 og 54 malerier. Et inventarium, som sandsynligvis havde givet mere fyldige oplysninger, vides udarbejdet af Morell i 1763, men synes desværre ikke bevaret.

I kabinettet hang åbenbart ganske små billeder, mens gangen rummede de større. Af de meget summariske beskrivelser kan man dog udlede, at samlingen typisk har haft hovedvægt på de nederlandske skoler. Blandt de få kunstnere, som nævnes ved navn, er selveste Rembrandt, Adam Elsheimer, Pieter Casteels, Lingelbach, Cornelis van Poelenburg og Philips Wouverman. Her hang også blandt de mere moderne et selvportræt af englænderinden Marie Hotchkiss, London 1744, og et "Natstykke af Hörner" samt "Et fruentimmerhoved malet af Lorrain i Paris 1755 for konferensråd Wasserschlebe". Dette maleri havde Louis-Joseph Le Lorrain udført i en nyopfunden voksteknik, *encaustique*, som en genskabelse af antikkens malemåde. Han sendte det op til Kunstakademiet i København som reklame for sine evner, hvor det blev fremvist i forsamlingen i 1756 og så senere åbenbart endte hos præses.

Med den ihærdighed, som Moltke således udviste både i anskaffelse af en kunstsamling og i dens stadige vækst og forandring, må man betragte ham som en seriøs samler og en engageret kunstnyder. Det er ikke kun grandseigneuren, der omgiver sig med standsmæssige herligheder. Han fulgte ganske vist de gængse normer for storsamlere ude i Europa med sin forkærlighed for de nederlandske skoler, men egentlig konservativ som samler er han ikke, hvilket køb og bestillinger hos førende samtidskunstnere i ind- og udland beviser. Det tætte forhold til Kunstakademiets professionelle kunstnere og til sine egne kunstkommissærer har givetvis skærpet hans medfødte connaisseurblik. Hans entusiasme for kunst viser sig således også, når han går i brechen for kongens samlinger.

DET KONGELIGE BILLEDGALLERI

Da Frederik V i 1754 var blevet præsenteret for Moltkes fornemme privatsamling af gamle og nye mestre både i palæet og på Bregentved, må han have været meget lydhør over for sin kære rådgivers forslag med hensyn til den kongelige malerisamling ved residensslottet. Her kunne man da ikke stå tilbage for en undersåts galleri! I projektet gik Moltke, der som overhofmarskal havde det øverste ansvar for de kongelige samlinger, hånd i hånd med sin personlige kunstrådgiver, Gerhard Morell, som han i 1757 havde formidlet udnævnt til hof- og kunstkommissarius, dvs. kgl. kunsthandler. Gennem Moltke og Partikulærkassen havde Morell allerede tidligere solgt kronen malerier, således i 1755 sytten styk.

På dette tidspunkt var den ældre kongelige malerisamling en sekundær del af Kunstkammeret, benyttet mest som illustration og kommentarer til denne samlings rariteter. De fleste malerier blev opbevaret oppe på øverste etage af Frederik III's gamle biblioteksbygning i et galleri, som lavloftet, smalt, mørkt og overfyldt nærmest lignede et pulterkammer. Morell beskrev det malende "som en vild tilvokset skov, som ikke bliver behagelig uden en udtynding" i det forslag til en fundamental reorganisering af malerisamlingen, som han på Moltkes foranledning forelagde majestæten i marts 1759.

Nu skulle et nyt billedgalleri skabes, uafhængigt af Kunstkammeret og baseret på både nyindkøb og udvalgte værker fra de kongelige slotte, selvfølgelig skaffet til veje via ham selv, foreslog Morell. Galleriet måtte allerhelst være en del af hovedetagens paradesuite på det nyopførte Christiansborg, og her bød den endnu ikke færdigindrettede løngang over mod Kancellibygningen sig oplagt til. Med varmekilder i begge ender, med fem m til loftet, velbelyst fra østsiden og med god vægplads på den modstående væg med blændede vinduer kunne kongefamilie og hof her promenere indendørs i vinterhalvåret i den over fyrre m lange sal, mens verdenskunsten blev beundret. Og om sommeren, når herskabet var på landslottene, kunne særligt fortjente akademielever kopiere de gamle mestre. Moltke og Morell havde også i 1759-henvendelsen indflettet en ekspansionsplan – at Kongen skulle rive den gamle biblioteksbygning ned og erstatte den med nybyggeri i harmoni med slottets arkitektur, og her i direkte fortsættelse af løngangsgalleriet skabe en smuk og rummelig malerisal til de fornemste værker. Sådan blev det dog ikke, kun løngangen blev indrettet 1762-64 af arkitekt G.D. Anthon med spejle og konsoller på vinduespillerne i eigtvedsk rokoko. Morell måtte ved sin billedophængning nøjes med dette nye galleri og Kunstkammerets gamle.

Moltke må også have formidlet den tilladelse, Morell fik til på Kongens vegne at rejse ud til store auktioner i Holland og andetsteds. At købe via kommission frarådede Morell stærkt – så ville man blive snydt! Han fik lov til at rejse i 1759 og igen i 1763, og i alt 171 malerier blev købt for godt 10.000 rigsdaler, hvor Moltke ordnede betalingerne fra Rentekammeret via Chatolkassen. Det viste sig at være en fordel, at italienske gamle mestre ikke lige var på mode, og det lykkedes for en billig penge at erhverve skatte som Andrea Mantegnas "Lidende Kristus", Parmigianinos "Lorenzo Cybo", Filippino Lippis "Joachim og Anna ved den Gyldne Port" og Leonardo da Vincis "Hellige Katarina" (i dag Luini). Af de nordeuropæiske skoler kan nævnes Rembrandts "Emmaus" (i dag fraskrevet), Jan van Eycks "Donor med den hellige Antonius" (i dag Petrus Christus) og Egbert van Heemskerks "Den genopstandne Kristus". Fra Gottorp-samlingen kom via Kunstkammeret Lucas Cranach d. Æ.s fine "Melankolien".

Samarbejdet mellem Moltke og Morell fortsatte. Morell blev 1759 forfremmet til "assisterende og eventuelt succederende kunstkammerforvalter" for J.S. Wahl, der først døde i 1765. Ombygningen, prøveophængninger, transporter til restaurering på Charlottenborg, den endelige indretning – alt skete ifølge Morell efter Moltkes ordrer. Morells beskrivende fortegnelse med ophængningsplan blev overrakt den nye unge konge, Christian VII, på dennes tyve-års fødselsdag 29. januar 1767. Især ved ophængningen i lønggangen tog man, ligesom hos Moltke, hensyn til symmetri, ligevægt og størrelser, nogle gange på bekostning af kvalitet og kunstnerisk sammenhæng. I det gamle kunstkammergalleri ophængtes mange af de nyindkøbte værker, og her tilstræbte Morell en vis konsekvens efter 'skoler', dog stadig sammen med en del af den ældre samling alt for tæt og overfyldt.

Ved denne koncentrerede indsats og med en nærmest helt nyanskaffet maleribestand skabtes på bare fem år en samling, der kvalitetsmæssigt hævede sig højt over, hvad man tidligere havde haft ved det danske hof. Værkerne i den nye kongelige malerisamling blev også den centrale kerne i det, der først blev Det Kgl. Billedgalleri på Christiansborg og senere til Statens Museum for Kunst. Således må man endnu en gang konstatere, hvor langtrækkende betydning Moltkes energiske og engagerede mæcenvirksomhed har haft.

Portrætter af Moltke

Ved siden af kongefamilien er der næppe nogen person i Danmark i anden halvdel af 1700-tallet, som er blevet så ofte skildret i maleri, skulptur, grafik og andre kunstneriske medier, som Adam Gottlob Moltke. Dette hang selvfølgelig sammen med både hans overordentlig vigtige rolle øverst i samfundets magthierarki og hans nære kontakt med kunstnerne, der virkede både ved hoffet og på Kunstakademiet. Moltkes karakteristiske fysiognomi blev således fortolket gennem flere stilistiske udviklingstrin og i de forskelligste medier. Mange værker kendes i flere udgaver, enten som gentagelser eller kopier, som det var gængs i landets øverste kredse med store familier og mange hjem, og som det desuden kunne forventes hos landets største mæcen næst efter Kongen. Andre værker kan i medier som kobberstik, porcelæn eller på mønter føres tilbage til originale portrætskildringer af en maler eller billedhugger.

PILO OG HØYER

Den kunstner, der synes at have fulgt ham nærmest i magtens årtier, er svenskeren Carl Gustav Pilo, rokokoens portrætmaler *par excellence* i Danmark. Det ældste portræt, som må dateres til mellem 1745 og 1747, skildrer Moltke som hvid ridder med sit karakteristisk ovale ansigt, den lange næse og antydningen af et smil på læber og i øjne. Pilo maler med sine typiske brede penselstrøg og med rokokotidens lyse gråtonede farver, her domineret af blåt og violet. På et portrætmaleri med samme fysiognomi og fyldige paryk, men med et lettere bekymret udtryk, bærer Moltke over sin brune kjol stadig kun Dannebrogordenens hvide bånd, men også det berømte diamantbesatte brystportræt af Frederik V, som Kongen skænkede ham i 1749 (se side 68), hvorefter Moltke næsten aldrig ses gengivet uden. Dette portræt må således date-

Carl Gustav Pilos ældste portræt af Moltke må dateres mellem 1745, hvor Greven modtog Dannebrogordenen, og 1747, hvor han fik Kongens diamantprydede brystportræt. *Det Nationalhistoriske Museum på Frederiksborg Slot. Foto Kit Weiss.*

E.H. Løfflers imposante helfigursportræt af Moltke som elefantridder er udført i 1774, hvor Greven lod det ophænge i den store sal på Turebyholm. Privateje. *Foto Elizabeth Moltke-Huitfeldt.*

Moltke protegerede den unge maler Cornelius Høyer, som kvitterede med flere miniaturer af sin mæcen. Her ses Moltke med marskalstaven og med en suggestiv arkitekturbaggrund, der både signalerer slotsmiljøet og den store bygherre. *Det Nationalhistoriske Museum på Frederiksborg Slot. Foto Kit Weiss.*

res til tiden umiddelbart efter gavens modtagelse. Pilo må tillige have brugt dette maleri i en opdateret version efter Moltkes modtagelse af Elefantordenen i 1752. Dette meget repræsentative maleri kendes i dag kun i G.V. Baurenfeinds smukke store gengivelse fra 1755 i sortekunst-teknikken (se side 35). Her var til mangfoldiggørelse og uddeling skabt en skildring af den mægtige mand, hvor den latinske tekst opregner alle hans godser, titler og virkeområder.

Pilos desværre forsvundne helfigurs-portræt af Moltke som Elefantridder i ordenens festlige, anakronistiske renæssancedragt må igen dateres til 1752 eller kort efter. Det kendes kun i nogle tegnede forarbejder fra Pilos hånd og i O.H. de Lodes fine kobberstik, dateret 1753 (se side 150). Derimod er et andet helfigursmaleri af greven i samme dragt bevaret, men udført 1774 af en knap så habil kunstner, E.H. Løffler, og Moltke lod det følgelig ophænge på en af sine mindre herregårde – i havesalen på Turebyholm.

Pilo kan ikke have undgået påvirkning, da verdensmanden Tocqué med sin kølige polerede portrætstil besøgte København og Kunstakademiet i vinteren 1758-59. Moltke sad også selv model for den berømte franskmand, men maleriet synes desværre ikke bevaret. Pilos næste portræt af overhofmarskallen fremviser ikke blot en lidt modnere model, men også en mørkere og varmere kolorit og en mere omhyggelig gennemarbejdning uden flaksende penselstrøg og opløsende lyssætning. Portrættet er dateret 1760, hvorfor den gyldne medalje, som Moltke fremviser, sandsynligvis er en af de nystøbte, som overhofmarskallen 18. oktober samme år nedlagde i grundstensskrinet til Salys ryttermonument, netop på hundredårsdagen for arvehyldningen, der førte frem til eneværldens indførelse. Personkarakteristikken synes nu at udtrykke en mild venlighed (se side 10). Dette portræt og dets pendant af Moltkes smukke hustru nr. to, blev kort efter kopieret af den lovende miniaturemaler Cornelius Høyer, som Moltke derefter skaffede et treårigt rejsestipendium fra kongens kasse. Moltke havde allerede tidligere bedt den unge ukendte elev male miniaturer af sig og sin familie og stærkt opfordret ham til at fortsætte som miniaturemaler. Forløbet er typisk for den personlige interesse og opmuntring, som Moltke gav mangen en håbefuld ung kunstner.

Pilo blev tilsyneladende aldrig færdig med det repræsentative portræt af Moltke, som var bestilt af Kunstakademiet i 1763. I de vanskelige år lige efter Frederik V's død var det simpelthen umuligt for kunstneren at arrangere den nødvendige sidste

På denne miniature skildrer Høyer sandsynligvis Moltke som præses for Kunstakademiet. Reliefmedaljonen fremviser Akademiets stifter, Frederik V, og papirrullen hentyder måske til den økonomiske redningsplan for institutionen, som Moltke fik gennemført i 1767. *Det Nationalhistoriske Museum på Frederiksborg Slot. Foto Kit Weiss.*

Peder Als har i sit portræt af Moltke fra 1766 skildret Greven som grandseigneur og hofmand bærende både ordensinsignier og Kongens kære gave. Marskalstaven betyder, at portrættet er udført før Moltkes afsked i sommeren 1766. *Privateje. Foto Elizabeth Moltke-Huitfeldt.*

seance med sin model. Maleriet, som man jo gerne havde set i Pilos Moltke-serie, forblev formentlig ufuldendt, da kunstneren i 1772 blev udvist af Danmark. Heller ikke den hjemvendte Høyer, der i 1769 som medlemsstykker til Kunstakademiet skulle male Saly og Moltke, kunne få sidstnævnte til at afse tid til at sidde model, og Høyer valgte så i stedet for Pilo. Dog kendes en fremragende miniature af Moltke som meget vel kunne være dette påbegyndte værk af Høyer. På miniaturen støtter Moltke en reliefmedaljon med Kunstakademiets stifter, Frederik V's laurbærkransede hoved, og papirrullen i Moltkes hånd kunne hentyde til de forbedrede økonomiske forhold for Kunstakademiet, som han i 1767 havde fået Christian VII til at approbere.

HÖRNER, ALS OG JUEL

Johan Hörner – som Pilo født i Sverige og ellers borgerskabets foretrukne portrætmaler – synes at have skabt en portrættype af Moltke, som kendes i flere gentagelser eller kopier (se side 212). Portrættet fremviser en selvsikker, næsten kæk person med et stærkt blik og et bestemt drag om den som sædvanligt svagt smilende mund. Det er Moltke på højden af sin magt, bærende Kongens personlige pragtgave og landets fineste ordensbånd , hvor moirésilkens skinnende kornblomstblå sættes i relief af den glødende valmuerøde dragt. Det oprindelige portræt må være malet inden 1763, Hörners dødsår.

På Peder Als' portræt af Moltke fra 1766 optræder greven som myndig *grandseigneur* i pragtfuld mangefarvet brokadeskjol og i sin åbenbart foretrukne position med ansigtet vendt mod beskuerens højre, skønt kroppen her drejer modsat. Insignierne er på plads, og overhofmarskallen støtter sig til sin embedsstav. Als var elev af Pilo, men blev på sit studieophold i Rom efter at have vundet Kunstakademiets første guldmedalje i 1755 stærkt påvirket af en af nyklassicismens foregangsmænd, tyskeren Anton Raphael Mengs. Efter sin hjemkomst fik han som portrætmaler et stort klientel i landets øverste kredse. Hans typisk kølige og glatte klassicistiske stil kommer endnu stærkere til udtryk i pendantportrættet af Sophia Hedwig Moltke.

Selv om Moltke efter tronskiftet 1766 aldrig kom til at spille samme vigtige offentlige rolle, har den gamle greve alligevel ladet sig afbilde af den nye tids bedste portrætmaler, Jens Juel. Maleriet, som er udført 1780, viser den da halvfjerdsårige med samme æresbeviser og insignier som i de tidligere brystbilleder, mens allongeparykken er udskiftet med tidens soignerede og stilfærdige bukkelparyk. Synsvinklen er den samme som hos Pilo og Hörner ligesom den lysende røde fløjlskjol, og man genkender uden besvær grevens fysiognomi og skarpe blik, mens alderens lidt tungere øjenlåg, markante linjer og slunkne kinder præger Juels fine portrætskildring (se side 143).

SALYS BUSTE

Det mest storslåede portræt af Moltke er imidlertid billedhuggeren J.-F.-J. Salys buste, modelleret i 1757. Ganske vist var denne kontraktligt bundet til ikke at påtage sig andet arbejde, før rytterstatuens modeller var klar, men indimellem har der alligevel været pauser, og når selveste Moltke var bestilleren, forelå den kongelige tilladelse naturligvis. Moltkes buste blev først støbt i bronze af Gor i tre eksemplarer en halv snes år senere og forelå mesterligt færdigbearbejdet, sandsynligvis af Saly selv, i 1771. Moltke fremstår her med let idealiserede ansigtstræk som den store statsmand, repræsentativ og officiel, elskværdig, men fornem. Stofferne i hans pragtfulde dragt med draperet silkekappe, galoneret brokadeskjol og kniplingskrøs er virtuost differentieret, mens Elefantordenens kæde og stjerne samt brillantsmykket med Kongens portræt bæres til skue. Parykkens yppige bukler afsluttes bagtil i en umiddelbart forbavsende detalje – til hver side en blødt bundet pisk og i midten en lang løs krølle. Når samme parykform ses på Salys buste fra 1759 af Moltkes nære ven Ogier, den franske ambassadør i Danmark, må man dog tro, at netop sådan lod en moderigtig *grandseigneur* sin frisør ordne parykken i slutningen af 1750'erne. Salys buste kendes også i en marmorversion i halv størrelse (se side 382) samt i en endnu mindre udgave i biskuit-porcelæn.

Forsiden på den guldmedalje, som Kunstakademiet i 1757 skænkede Moltke, var skabt af medaljøren M.G. Arbien. Samme portrætrelief kendes skåret i elfenben, muligvis af Arbien. *Privateje. Foto Elizabeth Moltke-Huitfeldt.*

J.-F.-J. Salys pragtfulde buste af Moltke blev modelleret i 1757, mens den franske billedhugger var i gang med forarbejderne til Frederik V's rytterstatue. Kunstner og model havde et nært samarbejde både ved dette projekt og ved Kunstakademiet. Busten blev først støbt i bronze i 1771. *Privateje. Foto Elizabeth Moltke-Huitfeldt.*

A·G·COMES DE MOLTKE S·R·M·CONSIL·INT·ET SVPR·AVL·MARESC

J.F. Hännels lille portrætbuste af Moltke er et typisk rokokoarbejde og udført før 1761 i hvidglaseret fajance på svogeren J. Fortlings fabrik, Kastrup Værk. *Privateje. Foto Elizabeth Moltke-Huitfeldt.*

Wiedewelts portrætrelief var forbilledet, da medaljøren Daniel Adzer i 1766 skar forsiden på den guldmedalje, som Akademiet igen skænkede Moltke. *Nationalmuseet, Den Kongelige Mønt- og Medaillesamling.*

På grundlag af busten gav Saly også tegning til det fornemme profilportræt, som modelløren Arbien smykkede Kunstakademiets første guldmedalje for Moltke med i 1757, den medalje, der omtales som et højdepunkt i det 18. århundredes danske medaljekunst (se side 228). Selv på et lille elfenbensrelief og i en lillebitte kamé, begge virtuost skåret, genkendes Salys og Arbiens Moltke med det diamantbesatte brystsmykke.

ANDRE BILLEDHUGGERE

En alsidig billedhugger, der fra begyndelsen af 1730'erne virkede i rokokoens Danmark, sachseren Johann Friedrich Hännel, samarbejdede fra 1755 med svogeren Jacob Fortling ved dennes fajancefabrik, Kastrup Værk, hvortil han leverede modeller. Der eksisterer flere eksemplarer af en hvidglaseret fajancebuste af Moltke i halv naturlig størrelse, som menes fremstillet på Kastrup Værk. Formsprogets urolige bevægethed og det noget patetiske udtryk samt den lange paryk med en nonchalant krølle over den ene skulder placerer busten sikkert i rokokoen, modelleret før Hännels død 1761.

Billedhuggeren Johannes Wiedewelt, nyklassicismens mand i det hjemlige parnas, udførte omkring 1763 det tidligere nævnte marmorrelief med profilportræt af Moltke til opstilling i overhofmarskallens udvidede naturaliekabinet i Amalienborgpalæet. Efter Moltkes død og palæets salg blev hele værket som også tidligere nævnt overført til gravkapellet i Karise og opstillet med ny inskription bag Moltkes sarkofag (se side 338). Wiedewelts portræt dannede model for nye kunstværker i andre medier og materialer. Modelløren Louis Fournier, der som leder af porcelænsfabrikken ved Blåtårn virkede i København 1759-66, skabte således medaljoner i uglaseret porcelæn efter Wiedewelts relief (se side 133), og da Kunstakademiet igen ville hædre deres elskede præses med en medalje i 1767, havde medaljøren Adzer skåret Moltkes portræt efter samme forbillede. Wiedewelt skabte i 1776 et interessant relief af den aldrende Moltke, nu et hoved i antik stil uden paryk, der kendes både som

Som del af en serie store gipsrondeller med antikiserede hoveder af prominente personer skabte Wiedewelt i 1776 dette usædvanlige portrætrelief af Moltke. Dette eksemplar stammer fra herregården Juellinge, som Moltke ejede. *Det Danske Kunstindustrimuseum. Foto Pernille Klemp.*

På Hartman Beekens gipsbuste af Moltke, som må være udført i slutningen af 1770'erne, bærer Greven bukkelparyk, skønt hans nøgne hals på antik vis er svøbt i draperi. *Privateje. Foto Elizabeth Moltke-Huitfeldt.*

stik og som gipsmedaljon. Et eksemplar af sidstnævnte ses indfældet i kunstnerens klassicistiske udsmykning af generalmajor J.F. Classens beletagesal på Corselitze fra 1775-77. Det her viste eksemplar stammer fra Moltkes herregård Juellinge.

En anden dansk billedhugger, Hartman Beeken, udførte ligeledes et spændende, meget anderledes portræt af Moltke – en buste, som må være blevet til i de godt tre år mellem kunstnerens hjemkomst fra Rom i 1777 og hans død ved selvmord i 1781. Busten fremstår i kraftig, dramatisk modellering med ideal klassisk drapering om den nøgne hals, men med 1770'ernes typiske bukkelparyk. Det naturalistisk opfattede ansigt har Moltkes karakteristisk skrånende pande, lange næse og ret smalle mund. Mere karikeret med sin meget lange næse synes den herboende italiener Luigi Grossis store reliefmedaljon. Skønt udført i begyndelsen af 1780'erne ses ikke her nogen klassicerende antik stil. Moltke bærer rigt krøllet bukkelparyk, samtidstøj og ordenskæde.

MED I BILLEDET?

Man kunne med god ret spørge, om Moltke optræder på samtidige kunstværker, der skildrer be-

Luigi Grossis reliefmedaljon i gips fra o. 1781 fremviser Grevens karakteristiske ansigtstræk i næsten karikeret udgave. *Det Nationalhistoriske Museum på Frederiksborg Slot. Foto Kit Weiss.*

givenheder fra hans egen tid. Her må nævnes det ene af A.C. Rüdes fire store historiske malerier fra 1780'erne, der udsmykker det øverste af væggene i Kuppelsalen på Fredensborg Slot. Tableauerne skildrer vigtige begivenheder under de seneste fire konger, og på "Frederik V ved De vestindiske Øers overdragelse til staten i 1755" ses Moltkes høje tynde skikkelse et skridt bag ved monarken (se side 64). Det er lidt morsomt, at denne forherligelse af enevoldsmagten i virkeligheden skildrer en af Moltkes største personlige politiske sejre, da han som præses i Vestindisk-Guineisk Kompagni overdrog øerne til kronen

På denne detalje af J.H.W. von Haffners store tegning fra Apartementssalen på Christiansborg står en høj og fornem person, som må være Moltke, mærkeligt isoleret lidt til højre for midten. Han er hverken en del af forgrundens gruppe af prominente personer eller nær de kongeliges bord. Placeringen afspejler således den virkelige politiske scene i 1781, da tegningen blev til. *De Danske Kongers Kronologiske Samling, Rosenborg.*

og ved nedlæggelsen af det nu obsolete kompagni accepterede Frederik V's køb af kompagniets aktier til en særdeles fordelagtig pris for aktionærerne, blandt andre Moltke selv.

Blandt J.H.W. von Haffners reportageagtige og menneskemyldrende store tegninger, der skildrer hoflivet på Christiansborg Slot, mener man i "Hans Kongelige Majestæts Apartements Sal" fra 1781 (se side 141) at kunne genkende Moltke, stående lidt isoleret i mellemgrunden til venstre, ét skridt foran mængden af lavere rangerende gæster, ikke langt fra de kortspillende kongelige, men ikke part i forgrundens grupper af vigtige personer midt i Guldberg-tiden. Sådan blev den gamle statsmands skæbne skildret – endelig taget til nåde igen af kongefamilien, men uden politisk betydning.

Kunstindustri

Et af de væsentlige områder inden for kunstens spektrum, hvor mæcenen A.G. Moltke udøvede en vigtig rolle som igangsætter, protektor og bestiller, var kunstindustrien. Dette hang uløseligt sammen med hans udprægede merkantilistiske tankegang, hvor Frederik V's riger gerne skulle hævde sig ved egen produktion i så store mængder og af så høj kvalitet, at man kunne undvære dyr import og endda måske opnå indtægtsgivende eksport. Succes på disse områder højnede selvfølgelig også landets og fyrstens anseelse ude i Europa. I sin egenskab af Frederik V's rådgiver i alle kunstneriske spørgsmål og i kraft af sin officielle stilling som direktør for Partikulærkassen var Moltke i stand til at skaffe kongelig understøttelse og kongelige bestillinger til en hel række kunsthåndværkere og kunstindustrielle virksomheder. Blandt hans mange indsatser på dette virkefelt skal her vælges to kerneområder som typiske eksempler på Moltkes betydning – den vellykkede norske glasproduktion og porcelænet, hvor det ikke gik så godt.

NØSTETANGEN

Et typisk eksempel, hvor økonomiske tanker gik hånd i hånd med Moltkes mæcenvirksomhed og kunstinteresse, var den norske glasindustri på værket i Nøstetangen. Der var allerede på Christian VI's tid stor interesse for at udnytte Norges naturrigdomme, især gennem de produkter, der var tilknyttet landets enorme skove. Foruden tømmer drejede det sig om biprodukterne potaske, soda, kønrøg, tjære, beg – og glas. I 1739 skabtes således et statsstøttet industriselskab, Det Norske Kompagni, som med "kongeligt octroy" fik privilegier og monopoler.

Glas lod sig ikke nemt fremstille i det relativt skovfattige Danmark, hvorfor import fra især Tyskland dækkede behovet. Derfor var det naturligt at søge en hjemlig industri opbygget i tvillingriget mod nord, og en glashytte med en kyndig tysk mester og tyske svende blev etableret i 1741 samme sted som Kompagniets andre fabrikker – ved Nøstetangen, hvorfra fragtforholdene var usædvanlig gode. Man fremstillede finere krystalglas, især pragtpokaler, i ganske små mængder, og indtjeningen var således meget beskeden. Aftagerne var først og fremmest hoffet i København, hvor pokalerne så blev graveret af dygtige glasslibere. En høj lågpokal fremstillet mellem 1743 og 1746 tilhørte Moltke. Bestillingerne var nærmest ment som beskyttelse og økonomisk støtte for den spæde industri.

I 1751 blev det skrantende Norske Kompagni opløst, men fabrikkerne overtaget af et interessentskab med Frederik V, fire nordmænd og Moltke som parthavere og med sidstnævnte i spidsen som administrativ chef. En bevaret pokal med monogram og indgraveret hyldestdigt blev i denne anledning lavet til Moltke og tømt første gang ved en fest til hans ære. I stedet for at nedlægge Christian VI's urentable glashytte bestemte han sig for at udvide den, stærkt stimuleret af en glimrende rekonstruktionsplan indleveret til ham af den dygtige C.H. v. Storm. I 1753 gjorde han Storm til driftsleder, og værkets storhedstid blev indledt. I moderne lokaler og med en stor stab fremstilledes alle finere glasvarer, såkaldt krystal, mens vinduesglas og flaskeglas blev produceret andetsteds, henholdsvis i Hurdal og Hadeland.

Eksempler på vinglas og kuvertkarafler fra Nøstetangens illustrerede katalog 1753. De var oprindelig bestilt af Moltke, men overgik siden i produktionen, stadig behæftet med hans navn. *Her efter Ada Polaks bog om Gammelt norsk glas.*

Velfungerende oplagspladser og en udbredt salgsorganisation blev oprettet. Produktionen blev så effektiv og kvalitetsbetonet, at Moltke og Storm i 1760 kunne opnå deres mål – den norske glasindustri fik monopol i Danmark-Norge med importforbud udefra! Samtidig var der skabt forudsætninger for en rig kunstnerisk udfoldelse, ikke mindst ved den geniale tyske gravør Heinrich Gottlieb Köhler, som fra 1746 i København og fra 1756 i Nøstetangen, hvortil han blev hentet af Moltke, udførte aldrig overgåede glasslibninger på kongehusets, hoffets og adelens pokaler.

I denne periode var hoffet i København stadig storkunde – det sørgede Moltke for! Det drejede sig både om store kunstfærdige genstande og omfangsrige glasservicer. Stilistisk var man ikke nyskabende, men kopierede ofte ældre europæiske modeller. Moltke selv sendte mange modeller op til Storm i Nøstetangen, hvor de så indgik i produktionen, f.eks. "Hoffets Dessert"[glas] og "Hoffets slebne Vand Carafler". Han var selvfølgelig også privat storaftager. Således bestilte han nye glasservicer, som senere indgik i værkets produktion. I værkets katalog fra 1753 med fine tegninger af de forskellige typer ses f.eks. enkle balustervinglas, "Graf Molkes Chrystal No. 1" og "No. 2" samt kuvertkarafler, "Graf Molkes Carafler". Igen i 1758 bestilte Moltke "slebne vinglas og vandkarafler". Hos hans efterkommere er mængder af de norske glas bevaret, selvfølgelig med familievåbenet indgraveret (se side 119).

I 1765 skabtes på Nøstetangen for Moltke den såkaldte "Charlottenborgpokal", en pragtpokal med uovertrufne graveringer ved specialisten H.G. Köhler. *Privateje. Foto Elizabeth Moltke-Huitfeldt.*

I 1765 skabtes den store pragtfulde "Charlottenborg-" eller "Akademipokal" graveret og signeret af Köhler, måske en gave fra Kunstakademiet til deres kære præses, Moltke, i anledning af tiårsjubilæet. Pokalen med dobbeltkronelåg har en rig allegorisk dekoration, hvor man blandt andet på tegnebrættet hos den putto, som symboliserer bygningskunsten, ser grundplanen af Moltkes Amalienborg-palæ, mens den malende putto har et portræt af Moltke på sit staffeli! Pokalens hovedallegori viser en opgående sol (Frederik V), som bestråler en linse (Moltke), hvorfra stråler spredes og rammer to vulkaner (Danmark og Norge), som aktiveres! Köhler, som også var specialist i lysekroner, leverede i 1753 den vældige lysekrone til den store sal i palæet. Desværre for længst forsvundet havde den flere etager lueforgyldte arme, slebne glasopsatser og hele 426 "fint slebne pendeloquer", dvs. prismer.

Som ved så mange af de foretagender, hvor Moltke var øverste drivkraft, fik afslutningen af hans politiske magtperiode ved Frederik V's død i 1766 også betydning for Nøstetangen Glasværk. Værkets vigtigste aktive kontakt til kundekredsen i Danmark var væk, og man måtte fremover koncentrere sig om Norges velhavende borgerskab.

DE DANSKE PORCELÆNSFORSØG

Kinesisk porcelæn, fremstillet i mere end tusind år, var siden 1500-tallet et højt skattet samlerobjekt i Europa. I 1700-tallet skabte moden med te-, kaffe- og chokoladedrikning, der stadig betragtedes som en eksotisk luksus, et udbredt behov for fine porcelænsservicer, idet den plumpere fajance ikke fandtes tilfredsstillende. De pragtfulde ostindiske kamingarniturer med vaser, lågkrukker og figurer skulle også findes i selskabssalene i enhver fornem europæisk bolig, og fyrsterne skabte endog rene porcelænskabinetter som seværdigheder på slottene. Man efterlignede så godt som muligt det kinesiske porcelæns former og dekorationer på den europæiske fajance, men uden at opnå det tynde, men stærke og gennemskinnelige materiales eftertragtede hårdhed og hvidhed. Først ved den sachsiske alkymist Johann Friedrich Böttgers vellykkede forsøg med kaolinler omkring 1708 lykkedes det i Europa at fremstille ægte porcelæn. Resultatet blev etableringen af fabrikken i Meissen, mens opskriften blev vogtet som en statshemmelighed. Samtidig produceredes dog flere steder det såkaldte bløde porcelæn, egentlig en glasmasse og mindre gennemskinnelig, men med en meget smuk elfenbensfarvet skærv (den brændte lermasse). Glasuren tillod fine malede dekorationer i alverdens farver, som ved den lave brændingstemperatur kunne opnå enestående glans og dybde.

Alle europæiske stater gik dog i skarp konkurrence om at aflure Meissen hemmelighederne bag det ægte porcelæn og om at finde egne lersorter og oprette egne porcelænsfabrikker. Der var tale om udbredt industriel spionage, mens mere eller mindre kyndige *arkanister*, nogle gange de rene charlataner, rejste rundt ved hofferne og tilbød deres åh så hemmelige viden mod god betaling. Intet under, at porcelænsmanien også fandtes i Danmark, og her spillede Moltke en vigtig rolle.

Siden 1738 havde der i København under hofbygmester Eigtveds overopsyn været kongelig fajancefabrik i Rysensteens Bastion ved Vester Voldgade, benævnt Ovnfabriken bag Blåtårn på grund af hovedproduktionen og det nærliggende fængsel af dette navn. I en del af bygningerne havde Frederik V, dvs. Moltke, også igangsat afprøvning af danske jord- og lerarter, den såkaldte "jordlaborering", under Eigtveds ledelse. Blåtårnfabrikken blev nedlagt i 1754, sikkert i forbindelse med Eigtveds død, og dens forme, redskaber og til dels arbejdere overgik til hofstenhugger Fortlings nyanlagte fajancefabrik i Kastrup, som man ønskede at fremme. I de forladte bygninger i bastionen rykkede nu på Moltkes foranledning efter tur en række udenlandske specialister i porcelænsfremstilling ind, idet man primært ønskede at kunne skabe dansk porcelæn af danske materialer. Men først måtte arkanisterne ved vellykkede prøver bevise deres duelighed, og med dette kneb det skuffende.

Stærkt promoveret af rigsgreve Waldemar Schmettau og hemmelighedsfuldt under dæknavn kom den alsidige sachsiske billedhugger og modellør J.C.L. Lücke allerede i marts 1752 til København. Denne storpralende og meget jaloux arkanist fik ovn og penge til sine forsøg, men en ønsket dygtig kemiker eller laborant blev ham nægtet. Hans første, meget små prøver vakte ikke begejstring hos den kyndige Moltke, der ikke betragtede dem som ægte porcelæn. Selv nye prøver to år senere fandt ikke nåde, og Lücke måtte forlade København.

I mellemtiden var en englænder, D. MacCarthy, som uberettiget påstod at kende porcelænets hemmelighed, også blevet indkaldt, men fik rejsepenge efter knap et år i byen, som han forlod i foråret 1754. Næste håbefulde var J.G. Mehlhorn, som havde arbejdet ved porcelænsfabrikken i Meissen, og som blev fængslet i 1748 for at have røbet fabrikshemmeligheder. Han flygtede fra fængslet og kom via ansættelser ved forskellige tyske fabrikker omsider til København i 1754. Moltke stolede på Mehlhorns evner og bad ham indrette en porcelænsfabrik i de gamle lokaler i Rysensteens Bastion, hvor forsøgene fortsatte, og hvor Mehlhorn blev ansat som porcelænsmaler. Et stort skridt i den ønskede retning blev gjort i 1755, da man på Bornholm fandt det vigtige kaolinler. Men Mehlhorn og hans forsøg med ægte porcelæn rykkede i 1760 ud til Fortling på Kastrup Værk sammen med den dygtige farvelaborant Johann Georg Richter, der kom fra Strasbourg-fabrikken. Efter nogle år uden gode resultater konverterede Moltke Mehlhorns gage som hofporcelænsmaler til en pension. Dog blev han tvunget til først at videregive sine erfaringer til Richter og mineralogen og kemikeren Frantz Henrich Müller, der begge senere – efter Moltkes magtperiode – fik stor betydning i den endelige oprettelse af en dansk porcelænsfabrik.

Blåtårnsbygningerne skulle nemlig overdrages til en ny keramiker, der blev Moltkes mest kunstnerisk vellykkede kontakt på dette felt. Franskmanden Louis Fournier var uddannet ved Académie royale i Paris og som modellør ved de glimrende fabrikker i Chantilly, Vincennes og Sèvres, hvor man fremstillede det beundrede bløde porcelæn. Han blev indkaldt til Danmark i 1759 med en beskeden ugeløn fra Moltke personligt, og da denne et år senere kunne vise Frederik V vellykkede prøver i den bløde masse, fik Fournier den eftertragtede kongelige ansættelse. Han fik oven i købet lov til at tilkalde kyndige franske medhjælpere og at låne den dygtige Richter fra Kastrup, mens først Simon Carl Stanley, senere Wiedewelt blev tilsynsførende billedhuggere. Moltke bestemte mærkningen – selvfølgelig "F5". En beskeden produktion, men af højeste kunstneriske kvalitet blev resultatet. Man kender steldele, potpourrivaser, buster og biskuitrelieffer, blandt andet den smukke medaljon af Moltke efter Wiedewelt, som blev omtalt i afsnittet om Moltke-portrætter (se side 133 og 373). Det er også symptomatisk, at en meget stor del af de i dag omtrent 170 kendte Fournier-genstande befinder sig hos Moltkes efterkommere – greven har selv været storaftager. Fournier så allerede Richter og Müller som mulige videreførere af fabrikken, hvilket Frederik V/Moltke nåede at give tilladelse til i december 1765 mod, at også Fournier skulle videregive al sin viden og erfaring. Men driften var kostbar og kundekredsen begrænset, så mon ikke tronskiftet i 1766 og Moltkes fald

Moltke var lidenskabelig samler af porcelæn, 'det hvide guld'. Han var også hovedkraften bag de forsøg med porcelænsfremstilling, der gjordes i København fra 1752. De mest vellykkede var Fourniers arbejder, skabt fra 1759 til 1766, hvor Moltke var storaftager af den meget begrænsede produktion. *Privateje. Foto Elizabeth Moltke-Huitfeldt.*

som kongelig favorit også var medvirkende til fabrikkens standsning i sommeren 1766. Det, som Ogier lidt kynisk i 1763 havde beskrevet som "indtil videre kun en underholdning, som greve Moltke har forsøgt at pånøde sin herre Kongen", var slut, og Fournier rejste hjem til Frankrig. Blot ni år senere, i 1775, dannede Müller det aktieselskab med kongelig deltagelse, der fra 1779 blev til Den Kongelige Porcelainsfabrik.

DIPLOMATISKE GAVER

Moltke optrådte som trendsættende rollemodel i udstyrelsen af sine egne prægtige boliger, hvis ene vigtige hovedformål jo var at danne rammen om storslået selskabelighed for de øverste rangklasser og udenlandske notabiliteter. Både hans position, hans usædvanlige interesse og lidt af hans personlige karakter kan således illustreres ved historierne om nogle af de diplomatiske gaver især af kunstindustri, som tilflød Moltke fra de europæiske stormagter.

Moltke købte åbenbart stort ind af porcelæn til sig selv. Som præses for Asiatisk Kompagni havde han rig lejlighed til at vælge først, når Kompagniets ostindiefarere lagde til kajs i København, og

Som præses i Asiatisk Kompagni var det let for Moltke at bestille og købe eksemplarer af det så eftertragtede porcelæn fra Kina. Her ses dele af et ostindisk service udsmykket med grevefamiliens våbenskjold. Ved siden af står en formindsket marmorversion af Salys Moltke-buste. *Privateje. Foto Elizabeth Moltke-Huitfeldt.*

den kostbare last af blandt andet porcelæn blev fremlagt. Han bestilte også hele ostindiske servicer dekoreret med adelsvåbenet og synes at have haft en forkærlighed for de imponerende kinesiske kolossalvaser og guldfiskekummer, som prydede hans boliger. Men porcelænet fra Meissen tragtede han også efter. Og her kan berettes en morsom og symptomatisk historie om diplomatisk gavegivning, dette uundværlige aspekt af 1700-tallets politiske liv. Diplomatiske gaver blev skænket af høflighed, som en politisk gestus og som prestige, og gensidighed var uomgængelig. Ved at skænke et lands ypperste hjemlige produkter, gjorde man jo reklame både for producenten og for oprindelseslandet. Således var heste fra Frederiksborg-stutteriet samt islandske og grønlandske jagtfalke det fineste, Danmark-Norge kunne byde på, når man fejrede tronbestigelser, fyrstebryllupper og fyrstelige visitter. Det var også en udbredt skik, at indgåelse eller fornyelse af traktater landene imellem udløste gaver fra den ene fyrste til den anden såvel som til de øverste involverede embedsmænd og ministre.

Moltkes position ved Frederik V's side betød naturligvis, at han altid kunne vente sig en sådan erkendtlighed. De udenlandske diplomater var desuden fuldt ud klar over, at man ingen vegne kom hos Frederik V uden om Moltke, hvorfor man også, som en art legitim bestikkelse, søgte at indynde sig hos den almægtige overhofmarskal med gaver. Hvor diplomatiske gaver til undersåtter ellers ofte lidt anonymt tog form af fornemme smykker eller diamantbesatte gulddåser, rygtedes det hurtigt, at Moltke kunne man bedst glæde med ædel kunstindustri til det nyopførte palæ på Amalienborg Plads.

GAVERNE FRA SACHSEN

Nu var det 'det hvide guld' fra Meissen, som var på tale, og en bevaret korrespondance mellem Spenner, Sachsen-Polens ambassadør i København, og udenrigsminister Brühl hjemme i Dresden fortæller ikke så lidt om Moltke både som diplomat og som passioneret porcelænssamler. Sandsynligvis for at fejre Frederik V's tronbestigelse i 1746 blev en gaveudveksling fyrsterne imellem iværksat. Moltke ekspederede de så eftertragtede Frederiksborg-hingste samme år, mens man fra Sachsen lovede et pragtservice i Meissen-porcelæn. Men denne gave lod vente på sig, og gang på gang måtte Spenner berette om Moltkes efterhånden ret spydige forespørgsler til porcelænet og om sine egne – mere eller mindre dårlige – undskyldende svar. Den almægtige Brühl i Dresden lovede igen og igen at fremskynde den efterhånden pinlige sag. Moltke meddelte i 1750, at han til eget brug havde afgivet en ordre til en handlende i København på Meissen-figurer, og Brühl lovede gennem Spenner, at overhofmarskallens bestilling selvfølgelig ville blive prompte ekspederet. Moltke var dog ikke pacificeret med hensyn til gaven til Frederik V. Ambassadøren citerede i april 1750 noget illoyalt følgende svada fra Moltke, hvis diplomatiske tålmodighed for en gangs skyld synes opbrugt:

> "Lad dette blive mellem os. Det evindelige porcelæn er åbenbart slet ikke lykkedes. De ved, at vi her elsker præcision, og jeg skulle mene, at fra løftet blev givet frem til i dag, ville jeg have haft tid til at forsyne hele København med al den porcelæn, som kunne ønskes!"

Den ulykkelige Spenner måtte ved årets udgang igen melde, at man, dvs. Moltke, var af den mening, at Dresden ikke behandlede sagen med fornøden alvor. Først i august 1751 kunne en lettet Spenner rapportere, at Frederik V var meget begejstret for den endelig ankomne gave. Også Moltke bad ham overbringe en varm tak for det fine porcelænsservice, der var blevet medsendt som gave til ham personligt. 237 dele af sidstnævnte

Når diplomatiske gaver efter tidens sædvane skulle uddeles, var man ved de udenlandske hoffer helt klar over den uomgængelige Moltkes særlige interesser. Således tilgik der ham i 1751 fra det sachsisk-polske hof et pragtservice på 237 dele, udført på den berømte sachsiske Meissen-fabrik. *Privateje. Foto Elizabeth Moltke-Huitfeldt.*

fornemme service, som er dekoreret med naturalistiske blomster, er stadig bevaret i familien, hvor det har selskab af adskilligt andet pragtfuldt tidligt Meissen-porcelæn, både figurer og servicer, som Moltke åbenbart selv har indkøbt, eller som måske var gaver fra Frederik V. Langt under halvdelen, 122 dele, af Frederik V's Meissen-service opbevares i dag på Rosenborg Slot.

SILKEFLØJL, GOBELINER OG SAVONNERIETÆPPE

Andre diplomatiske gaver bestående af fortrinlig kunstindustri fandt vej til Moltke og palæet. I forbindelse med en traktatslutning mellem Frankrig og Danmark i 1754 var de obligate pengegaver til de involverede blevet fordelt, men en venskabelig gave hofferne imellem var også på sin plads. Frederik V sendte de sædvanlige Frederiksborgere, og Louis XV svarede igen med bourgogne og champagne til både Kongen, Konseilets medlemmer, overjægermesteren og selvfølgelig Moltke, der personligt havde udvalgt hestene, blandt andet en ægte hvidfødt, en ekstrem sjældenhed. Men pengegave og vin var åbenbart ikke nok til Moltke. Man overvejede parisersølvtøj eller fransk porcelæn. Moltke var jo kendt for sin fine samling Meissen! Frankrigs gesandt, Ogier, fik dog en bedre idé. Han og hans frue var nære venner af Moltke-parret, og han havde hørt, at den åbenbart velorienterede overhofmarskal var kommet på sporet af et vidunderligt mangefarvet og såkaldt *ciseleret* silkefløjl, som Louis XV netop havde benyttet til et gemak på et af sine slotte.

Moltke havde gennem Ogier bestilt prøver sendt op, så hvorfor ikke præsentere ham med de ønskede 300 alen stof, der krævedes til de to palægemakker, som Moltke ønskede at omdekorere? Da prøven ankom, viste den begejstrede Moltke det for Frederik V, som straks forlangte 250 alen til sig selv på Christiansborg. Moltke trak da Ogier til side og understregede "med allerstørste eftertryk", at *hans* stof skulle ekspederes *før* Kongens ordre! Imens var bestillingen konverteret til en gave fra Louis XV, og stoffet ankom i maj 1755 til Moltkes "usigelige henrykkelse" og blev straks benyttet til vægbetræk, gardiner og møbler i beletagens selvfølgelig fremover betegnede "Fløjlsgemak" og i Moltkes private audiensgemak i stueetagen. Frederik V's fløjl blev benyttet til det vigtige konseilgemak i Christiansborgs paradesuite, hvor det gik op i flammer i 1794, mens Moltkes fløjler

Når Moltke fik en diplomatisk gave fra udlandet, var det ofte en genstand, som han først selv ville bestille, og som så blev konverteret til en gave. Således med det franske mangefarvede silkefløjl, som Moltke modtog i 1755 og benyttede i to af palæets gemakker. Her ses Fløjlsgemakket monteret med en moderne, men nøjagtig kopi af gaven fra den franske konge. *Foto Elizabeth Moltke-Huitfeldt.*

efter nedtagning i 1924 blev genbrugt og opbevaret på Rosenborg, hvorfor nøjagtige håndvævede kopier kunne fremstilles til Fløjlsgemakket i forbindelse med restaureringen i 1990'erne.

En storpolitisk vigtig opstramning af den gamle traktat mellem Danmark og Frankrig skulle i 1758 atter udløse en pragtfuld diplomatisk gave til nøglepersonen Moltke. Igen havde Moltke først selv taget initiativ til at anskaffe sig et sæt gobeliner eller vævede tapeter, som de rettelig bør benævnes, fra en af de berømte kongelige manufakturer i Frankrig, Les Gobelins og Beauvais, idet han havde bedt madame Ogier ordne sagen på sin sommerferie hjemme i Paris. Så konverterede den franske udenrigsminister bestillingen til et gavetilsagn, som Ogier og Moltke dog foreløbig skulle holde hemmeligt af hensyn til Moltkes kolleger, der ikke skulle betænkes med gaver. Moltke foranledigede dog, at disse modtog de sædvanlige pengegaver. Stor var Ogiers bestyrtelse, da der ikke *også* blev sendt pengegave til Moltke, Frederik V's "værdige favorit ... sjælen i alt og de eksisterende politiske alliancers stærkeste opretholder". Gobelingaven var jo et bevis på Louis' *særlige* velvilje, mens pengegaven blot var kutyme. Ogier fik sin vilje, og Moltke *både* 6.000 rigsdaler *og* seks pragtfulde gobeliner fra Beauvais, den berømte serie *La tenture chinoise* efter skitser af Boucher. Tre af gavens gobeliner lod Moltke i 1759 opsætte i grevindens audiensgemak, hvor de stadig kan ses, mens de tre sidste åbenbart blev lagt til side og tolv år efter fik en ganske anden skæbne, om hvilken der snarest skal berettes.

je me flatte monsieur que vous recevrez
avec plaisir, les tapis de la Savonnerie que
j'ay l'honneur de vous envoyer, et que
vous regarderez cette marque d'attention de
ma part, comme une preuve des
sentiments, avec lesquels j'ay l'honneur
d'estre monsieur, Votre tres humble
et tres obeissante servante
Mise de Pompadour

22 7br 1759

TV / I 1759 modtog Moltke fra den franske Kong Louis XV en fornem gobelinserie, "La tenture chinoise", udført efter Boucher-forbilleder på væverierne i Beauvais. Tre lod han straks opsætte i palæets audiensgemak, hvor de stadig kan ses. De andre er der stor sandsynlighed for, at han solgte i Sankt Petersborg i 1771. *Foto Elizabeth Moltke-Huitfeldt.*

DENNE SIDE / Selveste madame de Pompadour udvekslede gaver med Moltke. Som tak for tilsendte Frederiksborg-hopper forærede hun ham til palæets store sal i 1759 et gigantisk gulvtæppe fra Savonnerie-manufakturen. Det lille håndskrevne følgebrev bedyrer i udsøgt høflige vendinger hendes respekt og hengivenhed. *Bregentved godsarkiv. Foto Elizabeth Moltke-Huitfeldt.*

Da Frederik V i 1759 igen sendte Frederiksborghingste til Louis XV i Frankrig, tillod Moltke sig som personlig gave at sende tre hopper fra stutteriet til madame de Pompadour. Hingste til kongen, hopper til elskerinden – i sandhed en næsten pikant gave. Hun kvitterede dog prompte i delikate små håndskrevne *billets* til Moltke ved både at tilbyde at være hans kommissær, hvis han ønskede at erhverve noget i Paris, men også ved at forære ham et gigantisk savonnerietæppe fra den kongelige manufakturfabrik til palæets store sal, hvis mål hun havde fået tilsendt af Ogier. Med nyvævet bort og sammensat af ni tæpper fra manufakturens varelager må dette vældige og mærkelige tæppe have målt ca. 11 x 14,5 m. Af uomgængelig høflighed må Moltke have placeret det i den store sal ved modtagelsen, men da det ikke optræder i 1787-palæinventariet, må man tro, at det sikkert led samme skæbne som de tre Boucher-gobeliner og forsvandt fra Danmark i 1771.

DET GRØNNE SÈVRES-SERVICE

Nu skal denne historie fremlægges. Et tredje pragtprodukt må dog først præsenteres i sin samtidige sammenhæng. Det var Ogier-parret, der introducerede smagen for Vincennes' og Sèvres' smukke bløde porcelæn i København – og især hos vennen Moltke. Ogiers var nemlig store porcelænssamlere, og mens madame de Pompadour i 1756 sendte en kasse Vincennes-varer til veninden, madame Ogier, bestilte Ogier selv mellem 1754 og 1758 hele tretten kasser porcelæn fra Vincennes og Sèvres til København. Vældige buketter med modellerede porcelænsblomster, som stod på konsolbordene i den store sal hos Moltke, var sandsynligvis en gave fra ægteparret Ogier. Uden tvivl inspireret af ambassadørparret købte Moltke selv i 1753-54 for næsten 8.000 rigsdaler fransk porcelæn, og igen i 1756 otte vaser (se side 119). Moltke modtog endog endnu en diplomatisk gave fra Louis XV i 1757 – et 114-deles hvidt Sèvres-spisestel dekoreret med blomster og blå kanter samt tre pragtfulde porcelænsgarniturer til kamin- og borddekoration bestående af potpourri- og blomstervaser, urtepotter og lysestager.

I 1758 skænkede Louis XV sin kongelige kollega Frederik V det første pragtservice med den nyopfundne og dyre grønne bundfarve, hvis 285 dele, overvåget af den interesserede franske konge, var udført i 1756-57, altså de allerførste år af Sèvres-fabrikkens virke efter overflytningen fra Vincennes i 1756. Prisen, næsten 35.000 livres, kan sammenlignes med de sølle 6.000 livres, som Moltkes gavestel fra 1757 kostede. I sommeren 1758 kunne man i den fransksprogede hjemlige avis *Mercure de France* læse både om gavens modtagelse af den begejstrede Frederik V og se opremset den lange liste af enkeltdele. Siden var alle spor af Frederik V's grønne Sèvres tilsyneladende forsvundet i Danmark, både fysisk og i bevarede hofarkivalier. Imidlertid er 87 dele af stellet for nylig entydigt blevet identificeret i Eremitagemuseets samlinger i Sankt Petersborg, uden at man hidtil har kunnet finde nogen plausibel grund til deres tilstedeværelse i Rusland. Den russiske proveniens kan på grund af tab af arkivalier kun føres tilbage til 1841 og til det kejserlige lystslot Gatjina ved Sankt Petersborg. I de ældste bevarede russiske lister over steldele manglede dog visse numre, som havde været til stede i 1758 ved gaveoverrækkelsen i Danmark, blandt andet "smørkander" og "ovale sukkerskåle med låg og tilhørende bakker".

Et lykkeligt fund af en korrespondance fra 1772 i Bregentved-arkivet åbner imidlertid for et sandsynligt forløb, hvor Moltke er hovedpersonen. Her korresponderer han med diplomaten C.V. Dreyer, som ved ambassadør Christen Scheels pludselige død i Sankt Petersborg 1771 var udsendt som foreløbig chargé d'affaires. Scheels enke var lillesøster til Moltkes hustru, og den pengeforlegne Moltke – efter afskedigelsen uden pension i 1770 og tynget af flere sønners gældsætning – havde i 1771 grebet udsendelsen af en ny legationssekretær som en praktisk lejlighed til at sende nogle kostbare franske indbogenstande over til svogeren, for at denne skulle søge dem afsat hos det franskbegejstrede russiske hof med kejserinde Katarina i spidsen. Scheels pludselige dødsfald havde gjort Moltke nervøs, og hans brevkoncept nævner genstandene: "nogle gobeliner, tæpper og et porcelænsservice fra Vincennes". Dreyer kan i sit svarbrev berolige Moltke: "Grev Orloff agtede at købe porcelænsservicet, den ene af gobelinerne samt de to tæpper", og pengene var allerede på vej til Moltke. Denne Orloff er uden tvivl kejserindens favorit Grigorij Orloff, som netop på dette tidspunkt var stærkt optaget af at indrette og udsmykke sit nye landslot Gatjina, en gave fra kejserinden, som hun senere købte tilbage af Orloffs arvinger.

En plausibel forklaring på servicets opdukken i Rusland kan derfor lyde, at Frederik V, måske allerede kort efter at have modtaget Det Grønne Sèvres og som så uhyre ofte før og siden, forærede pragtservicet til sin kære Moltke, der jo allerede var kendt som passioneret porcelænssamler. Dette kunne forklare servicets totale forsvinden i de kongelige arkiver. Og at Moltke i sin pengenød i 1771 – længe efter giverens død – sendte virkelig dyre, moderne franske ting på markedet i Sankt Petersborg: de tre ubenyttede Beauvais-gobeliner, madame de Pompadours savonnerietæppe plus endnu et tæppe samt Det Grønne Sèvres-stel. Men mens der tilsyneladende desværre ingen spor er i dag i Rusland af hverken gobeliner eller tæppe, stammer Eremitagemuseets Sèvres-dele netop fra grev Orloffs lystslot Gatjina!

Teorien kan underbygges hjemme i Danmark. Moltkes eget Sèvres-stel fra 1757 benyttede familien hele hans liv, så dette kan der ikke være tale om i Dreyer-korrespondancen. Til gengæld har Moltke åbenbart efter 1771 hæget stærkt om enkelte dele af Det Grønne Sèvres-service, blandt andet en oval sukkerskål med låg og bakke, altså netop en af de dele, som ikke optræder fuldtalligt i Rusland. Sukkerskålen er stadig i familiens eje, det bærer Sèvres-mærket "dobbelt L" og datomærkningen "D" for 1756. I 1775 skrev Moltke også til sin palæforvalter og bad denne sende "2de smørkander af det grønne franske porcelæn" til Glorup. Passer den fremlagte teori, har Moltke altså som kær souvenir fra den afdøde konges gave beholdt enkelte uvæsentlige dele af stellet, da de øvrige genstande i 1771 overgik fra Frederik V's kloge favorit til Katarina den Stores snart forsmåede favorit.

Først skænkede Louis XV i 1758 et vældigt Sèvres-porcelænsservice med grøn bundfarve til Frederik V, som derefter synes at have foræret det til Moltke. Senere solgte Moltke det åbenbart i Sankt Petersborg til zarinaens favorit, grev Orloff, men beholdt af veneration enkelte ubetydelige dele, således denne sukkerskål med låg og bakke. *Privateje. Foto af Ole Woldbye, ligeledes i privateje.*

SLÆGTEN MOLTKE

Af Poul Holstein

Slægtens oprindelse

Adam Gottlob Moltke (1710-1792) tilhørte en af de ældste og mest ansete mecklenburgske adelsslægter. Allerede i anden halvdel af 1200-tallet indtog hans slægt en så fremtrædende position i det daværende fyrstedømme Mecklenburg, at den i lang tid forinden må have været bosat her. Ikke alene riddertitlen, der blev tildelt talrige medlemmer i slægten, men også dens mange godser og nære forhold til det mecklenburgske fyrstehus viser, at den tilhørte datidens højadel.

I 1162 havde hertug Henrik Løve af Sachsen og Bayern underkastet sig det slaviske fyrstedømme Mecklenburg. En egentlig sachsisk indvandring fandt imidlertid først sted fra begyndelsen af 1200-tallet under venderfyrsten Henrik Borwin, som afgav store områder til indkaldte sachsere. De førende slaviske slægter, der overlevede kolonisationen i 1200-tallet, opgik hurtigt i den indvandrede sachsiske adel. De opgav deres slaviske fornavne, og deres døtre blev giftet ind i sachsiske slægter.

Slægten Moltke optræder tidligst med ridderne Friedrich (-1254-1265-) og Johann Moltke (-1255-1270-), for det meste som vidner hos fyrsterne af Mecklenburg. Om slægten Moltke er af slavisk eller sachsisk oprindelse, kan ikke afgøres med sikkerhed. Slægtens våben med tre urhaner, kendt

Ridderen Friedrich Moltkes (-1283-1310-) våben med de tre urhaner i segl fra 1297.

tidligst i segl fra 1296, antyder en mulig slavisk oprindelse. Slaviske slægter har som regel hentet motiv til deres våben fra dyre- og planteriget eller fra en hedensk mytologi, mens sachsiske slægter ofte har valgt motiv med krigerske attributter eller kristne symboler. Hjelmfiguren, kendt fra 1315, viser seks sceptre, hver med en påfjer øverst. Fra 1362 er de sat i en krone, hvilket er ret usædvanligt, idet kronen på den tid er sjælden i hjelmfigurer i mecklenburgske adelsvåbener. Henviser den

FORRIGE SIDE / Lensgreve Adam Gottlob Moltke opsatte i 1783 Familiesøjlen på Glorup. Den stod oprindeligt i haven for enden af en midterallé, men blev siden flyttet ind i skovanlægget. Den er opsat til minde om en familiesammenkomst på Glorup i juli 1778, hvor hovedpersonen var Adam Gottlob Moltkes svigermoder, Bertha Plessen, enke efter Friderich Raben, og hvor 32 børn og slægtninge deltog. Søjlen, som må være tegnet af Wiedewelt, er med sine inskriptioner og navne et fint udtryk for Adam Gottlob Moltkes familiefølelse. *Foto Elizabeth Moltke-Huitfeldt.*

Ridderen Eberhard Moltkes (-1310-1328-) våben med den moltkeske hjelmfigur, de seks sceptre, i segl fra 1315.

Slægten Moltkes våben, tre sorte urhaner i sølv felt, kendes fra 1296. En sidelinje af slægten med navnet Berkhan (tysk Birkhan, urhane), der kendes fra 1247 og førte samme våben, ikke blot identificerer våbenmotivet, men viser også, at det er opstået før 1247. På hjelmen ses seks guld sceptre, der hver er besat med en naturlig farvet påfjer. *Tegning Bengt Olof Kälde 1994.*

til en fortid som slavisk dynastslægt? Eller markerer kronen, at påfjerene er et nådestegn, givet af den mecklenburgske fyrste, selv af slavisk oprindelse, som også førte påfjer i sin hjelmfigur?

Slægten Moltke havde samme agnatiske oprindelse som to andre allerede i middelalderen uddøde slægter, Berkhan og von Karin, der ligeledes kendes fra 1200-tallet. De førte alle tre det samme våben og ejede i 1200- og 1300-tallet i fællesskab godser ved Kröpelin og Neubukow i landskabet mellem Rostock og Wismar, hvor slægten Moltke i forvejen sad på nogle af deres ældste godser. En fælles stamfader for disse tre slægter må i begyndelsen af 1200-tallet have siddet på en række gårde i dette område, der siden gik i arv til hans mandlige efterkommere med forskellige tilnavne.

SLÆGTENS SOCIALE UDVIKLING

Slægten Moltke bevarede sin position som en af Mecklenburgs førende slægter gennem hele middelalderen. Ikke alene var adskillige medlemmer riddere og råder hos fyrsterne og hertugerne af Mecklenburg, Rostock og Pommern, de sad også på talrige store og små godser. Slægtens godser bestod af gårde, landsbyer, skove, enge og søer. Herudover modtog slægten afgifter i form af penge og naturalier. Til gårdene var oftest knyttet hals- og håndsretten (jurisdiktionen), patronatsretten og jagten. Lensherren, den mecklenburgske eller pommerske fyrste, gav disse ejendomme og rettigheder som arvelige len til en eller flere medlemmer af slægten, for det meste til slægtens overhoved. Alle andre mandlige medlemmer af slægten havde godset til fælles hånd, dvs. de havde en fælles brugsret til indkomsterne. Kvindelige medlemmer modtog til deres underhold et livgeding (bolig og indtægter).

Slægten havde i 1200- og 1300-tallet besiddelser, rettigheder og afgifter i ca. hundrede kendte mecklenburgske og pommerske gårde og landsbyer, de fleste beliggende inden for en radius af tredive til fyrre kilometer fra Rostock. Lige så mange ejendomme blev erhvervet i 1400- og 1500-tallet. Hertil kom især i 1300-tallet talrige hertugelige mecklenburgske pantbesiddelser, som Rostock Land med Tessin og Ribnitz Byer og Lande, Gnoien Land, Schwaan Borg, By og Land, Strelitz Borg, By og Land og flere andre større borge, byer og lande.

Et af slægten Moltkes ældste og største godser var Strietfeld, ti kilometer sydøst for Tessin, der tidligst nævnes som værende i slægtens eje i

1327. I 1373 kaldes Strietfeld for en borg ("castrum"). Slægten tilhørte allerede da de såkaldte Schlossgesessene slægter, hvis stærke og kendte borge ofte blev nævnt som slotte. Der var knyttet store områder til disse borge, som gav status og prestige til ejerne og deres efterkommere. Hertugen af Mecklenburgs marskaller, droster, hofdommere, høvedsmænd og amtmænd blev fortrinsvis hentet fra disse førende slægter. I middelalderens krigshåndværk spillede disse borge eller slotte en vigtig rolle i forbindelse med indehavernes mange fejder med omegnens mindre og borgløse adelsslægter. Endnu i 1532 opføres de "Strytfelde Moltken" i en optegnelse over 22 borge, ejet af fjorten slægter. Først i løbet af 1600-tallet mistede slægten i lighed med de øvrige Schlossgesessene slægter sine rettigheder, som den måtte dele med den øvrige adel. Slægten ejede Strietfeld frem til ca. 1730. I dag er der ingen spor af borgen i Strietfeld.

Et andet hovedgods var Toitenwinkel, beliggende kun fem kilometer øst for Rostock, som fra år 1300 nævnes i slægtens eje. Godsets ejere lå i århundreder ofte i strid med Rostock By, som af og til havde pant i stedet. Den sidste af slægten på dette sted var Joachim Friedrich Moltke (1618-77). Han havde bragt det stærkt forgældede gods, der som følge af en stor gæld på ny var pantsat til Rostock By, tilbage til slægten, men ved hans død overgik godset til enken og senere til hendes anden mand, regeringsråd Gebhard Julius von Mandelsloh.

Slægten opførte i 1300-tallet adskillige kirker, heraf med sikkerhed Schlakendorf Kirke ved Neukalen og Kuhlrade Kirke ved Ribnitz. Foruden at stifte mange vikarier betænkte slægten kirker og klostre med jord, penge og inventar, kalkmalerier og farvede glasvinduer, ligesom den lod indrette familiebegravelser og opsætte epitafier. Særlig kirkerne i Toitenwinkel og Basse er endnu rige på minder fra den moltkeske tid.

Slægtens mange godser, ægteskabelige forbindelser og frem for alt store panterhvervelser fra de mecklenburgske hertuger medførte, at den navnlig i anden halvdel af 1300-tallet havde stor politisk indflydelse. Dette iagttages tydeligst i den gren af slægten, der sad på Strietfeld. Her kan fremhæves Johann Moltke (-1318-1339-) til Strietfeld, der i 1329 og frem til 1337 som eneste væbner med femten riddere som formyndere for fyrst Albrecht af Mecklenburg styrede landet. Senere blev han ridder og fyrstens råd.

Frem til omkring 1550 omfatter de mecklenburgske linjer af slægten Moltke ca. 240 kendte medlemmer. Heraf kendes ni råder, fjorten høvedsmænd samt en hofdommer hos fyrsten eller hertugen af Mecklenburg. Disse betydningsfulde stillinger indehavdes af elleve riddere og ni væbnere, i alt kendes i disse linjer hele fireogtyve riddere.

Slægten Moltke tilhørte således allerede fra 1200-tallet socialt, retsligt og politisk en privilegeret stand, som bundede i fødsel, besiddelser og ydelser. Slægten kunne udøve magt og yde beskyttelse, og den var som følge af store indtægtsmuligheder i løbet af middelalderen i stand til at forøge sin godsmængde. Den økonomiske og politiske magt lå i hænderne på slægten Moltke og andre fremtrædende ridderslægter, så længe landbruget var det vigtigste erhverv. Men opkomsten i højmiddelalderen af et stadigt rigere borgerskab og dets voksende indflydelse på handel og indpas i administrationen svækkede slægtens stærke position. Slægten havde hertil i 1500-tallet mange medlemmer, hvilket medførte en opsplitning af godserne og forringede slægtens økonomiske grundlag.
Det var især Trediveårskrigen (1618-1648), der i Mecklenburg gav slægten et økonomisk knæk. Forarmelsen skyllede i løbet af krigsårene hen over det mecklenburgske landskab. Moltkerne måtte som så mange andre adelige slægter under og efter krigen sælge eller pantsætte en stor del af deres godser, og i tilfælde af gentagne pantsættelser opstod der ofte så stor forvirring i besiddelsesforholdene, at adskillige godser gik konkurs. Slægten eje-

de i slutningen af 1700-tallet ikke længere godser i Mecklenburg. På det tidspunkt havde slægtslinjer slået rod i andre tyske fyrstedømmer og i Danmark, hvor de især tjente i hæren eller ved hoffet.

SLÆGTEN MOLTKE OG DANMARK

Slægten Moltke forekommer tidligst i Danmark i 1295 med ridderen Eberhard Moltke († 1309/10) som vidne i Slangerup for kong Erik Menved. I 1315 var en anden Eberhard Moltke (-1310-1328-) en af de 75 forlovere, der for kong Erik Menved lovede at holde det af kongen samme dag indgåede forlig med hertugerne Erik af Sverige og Erik af Jylland. I 1328 bevidnede han i Rostock kong Kristoffer af Danmarks privilegiebrev til Rostock By.

Denne Eberhard Moltke, som var en efterkommer af ovennævnte Johann Moltke (-1255-1270-), blev stamfader for den middelalderlige linje i Danmark. Denne linje fik med tiden et helt andet forløb, økonomisk, socialt og politisk, end de mecklenburgske linjer. Det var en linje, der allerede under kong Valdemar Atterdag fik stor politisk indflydelse. Slægten indtog især under kong Oluf en fremtrædende position, hvilket bl.a. fremgår af Danehoffet i Nyborg i 1377. Her mødte 44 riddere og 88 væbnere op, og de tilhørte alle højadelen. Slægten Moltke optrådte med en ridder og fire væbnere.

En af de mange rigsråder og høvedsmænd i denne linje kan trækkes frem, nemlig ridderen Vicke Moltke (-1254-1371-) til Møn, Freerslev og Skafterup, som var tæt knyttet til kong Valdemar Atterdag. I 1360 var han som ridder og rigsråd i Kalundborg, hvor han i den udstedte håndfæstning forpligtede sig med kongen, hertugerne Kristoffer af Lolland, Valdemar og Henrik af Sønderjylland, landets biskopper samt 41 riddere og 22 væbnere til at opretholde den bestående retstilstand. I 1360 var han foran Helsingborg medlover ved den af kongen sluttede fred og forbund med hertug Albrecht af Mecklenburg. Han nævnes i 1362 i en hansereces som rigsråd, høvedsmand på Vordingborg og en af forhandlerne med hansestæderne, med hvilke han samme år i Rostock sluttede fred på kongens vegne. Han forekommer også som høvedsmand på slottene i København, Kalø, Randers, Helsingborg og Nebbe. Han kaldes i 1364 rigsråd og gælker i Skåne ved våbenstilstanden med hansestæderne, sendtes i 1365 til Lübeck som gesandt og rigsråd i nye forhandlinger med hansestæderne. Disse forhandlinger fortsatte han med held og dygtighed til fredsslutningen i 1370. I 1371 optræder han sidste gang som vidne ved Valdemar Atterdags erklæring om, at dennes dattersøn, hertug Albrecht af Mecklenburg, skulle arve Danmarks rige, hvis kongen døde uden arvinger. Vicke Moltke var gift med Christina Moltke († 1347), som vistnok blev bisat i Spejlsby Hospitalskirke med sine forældre, ridderen Johann Moltke (-1305-1326) til Wargentin og Elsabe NN († 1355). Den smukke gravsten over disse, uden tvivl lagt af ægtefællen og svigersønnen, ridderen Vicke Moltke, ses nu i Keldby Kirke.

Fra ca. 1340 til ca. 1400 kunne denne danske linje af slægten opvise intet mindre end en marsk, en kammermester, en gælker, fem råder og seks høvedsmænd, og disse stillinger lå i hænderne på hele syv riddere samt to væbnere. Høvedsmændene sad på følgende slotte og borge: Varberg, Helsingborg, København, Dronningholm, Vordingborg, Stegeborg, Saltø, Nyborg, Fåborg, Kalø, Nebbe, Bjørnholm, Randershus og Ribe. Moltkernes politiske og sociale position var altså stærk, især omkring 1370-80. Kongerne Valdemar Atterdag og Oluf samt dronning Margrethe satte stor pris på dem, og den sjællandske højadel anså det uden tvivl for en ære at få giftet sine døtre ind i denne fornemme slægt af tysk herkomst.

Enkelte medlemmer var i stand til at mobilisere en betydelig militær styrke. I 1384 forhandlede dronning Margrethes rigsråd Conrad Moltke

(-1360-1395/99), dronningen selv og drosten Henning Podebusk i Stralsund med hansestæderne om at komme sørøveriet til livs. Conrad Moltke påtog sig alene at udruste tre skibe, hver med ti til tolv bevæbnede mænd, mens dronningen og drosten kun skulle stille med to hver. Kort tid efter kom det vistnok til et brud mellem Conrad Moltke og dronningen, og omkring 1385 synes hans politiske rolle udspillet. Han tog ophold på sit pommerske gods Redebas og var formentlig stamfader til den pommerske linje, som ligeledes sad på Redebas og uddøde omkring 1485.

Slægten synes endda beslægtet med kongehuset, selvom den nærmere forbindelse ikke kan klarlægges. Kong Valdemar Atterdags kammermester, ridderen Evert Moltke (-1360-1380/81) kaldes i 1364 medlem af kongens husstand, da han med hustruen Christine (Timmesdatter Abildgaard) fik fuld syndsforladelse i deres dødsstund af pave Urban V, og han siges her "også avlet i samme konges slægtslinje".

Moltkerne var tilsyneladende i besiddelse af store jordområder. Fra omkring 1350 og frem til 1400 erhvervede de hovedgårdene Farebæksholm, Bavelse, Hegnede, Veksø, Torbenfeld, Kyse, Højet og Eskebjerg samt ikke så lidt strøgods både på Sjælland og Fyn. Men tiden efter 1400 var ikke gunstig for moltkerne. Helt frem til denne linjes uddøen omkring 1520 forekommer kun en rigsråd, der tillige var høvedsmand på København Slot og Nykøbinghus, en dansk ridder, en norsk ridder og rigsråd og til sidst endnu en høvedsmand på København Slot. Hvad gik galt? Allerede dronning Margrethe bidrog til slægtens nedtur. I 1391 købte hun Lykkesholm, 1395 Kyse, 1399 Torbenfeld og Højet, 1404 nævnes moltkerne sidste gang til Farebæksholm, efter 1416 gik Hegnede ud af slægtens eje, 1423 ejede kronen Eskebjerg, og ca. 1450 gik Bavelse gennem ægteskab til slægten Thott.

En anden årsag til slægtens sociale nedtur er nok, at den ikke ejede meget andet gods, end hvad den havde giftet sig til. Det var let nok at erhverve gods som pant, men svært at overtage det som ejendom, og da dronning Margrethe ikke længere omfattede slægten med interesse, men tværtimod forsøgte at købe slægten ud, var dens rolle i Danmark udspillet. Det er ikke utænkeligt, at en del af hovedgårdene kun delvis var ejet af slægten eller behæftede med underpanter, som det var tilfældet med Lykkesholm, afhændet i 1391. De højadelige slægter af indfødt herkomst fik let spil, idet de ejede velkonsoliderede godser, opbygget gennem generationer, og de kunne derfor let købe gods eller indfri pantegods fra moltkerne. I løbet af tre generationer bukkede denne linje under, dens mandlige medlemmer fik lavadelig status, og dens døtre blev giftet ind i lavadelen. Linjen uddøde formentlig ca. 1520 med lensmanden på Lykå i Blekinge Peder Ugerup Moltke.

ADAM GOTTLOB MOLTKES SLÆGTSLINJE

Slægten Moltke var allerede i middelalderen en ret udbredt slægt, hvilket også forklarer den store efterslægt frem til i dag. Den sidste tavle over slægten (2010) har fra 1254 og til i dag næsten 1.400 kendte medlemmer, opdelt i tyve linjer.

Ovennævnte ridder Friedrich Moltke (-1254-1265-) må betragtes som stamfader til de første sytten linjer. I hans formentlige efterslægt forekommer Otto Moltke (-1441-1486-), som er den sikre stamfader til alle endnu levende linjer af slægten. Han forekommer hyppigt i de mecklenburgske kilder, ejede talrige godser som Strietfeld, Polchow, Gross-Ridsenow, Basse og Nieköhr og var tillige pantherre til Tessin Slot, By og Fogedi. Han optrådte ofte som medlover eller vidne for hertug Heinrich af Mecklenburg, hvis råd han i 1450 og endnu i 1484 også var. Han deltog i 1456 i tilfangetagelsen af stralsundske købmænd, og han holdt i 1457 to adelsmænd som fanger på Strietfeld. I 1465 havde han at dømme efter et klagebrev fra 1465 fra rådet i Stralsund sammen med andre mecklenburgske adelsmænd brændt, røvet, fanget og myrdet folk ved Stralsund. Han optrådte mere gudsfrygtigt, da han i 1474 gav penge til Dargun Klosterkirke. Hans hustru var Agnes von Parkentin (-1463-1470-)

Hans søn Claus Moltke (-1476-1503-) til Strietfeld, Drüsewitz og Walkendorf optræder for det meste som medlover eller vidne og var gift med Agnes Gans zu Putlitz.

Claus Moltke havde sønnen Gebhard Moltke (-1523-1563/1568) til Strietfeld, Toitenwinkel, Walkendorf, Samow og talrige andre godser. Han beseglede i 1523 den såkaldte Lille Union, førte flere processer ved Rigsretten mod de mecklenburgske hertuger om hjemfaldne moltkeske godser, var 1547 landråd og samme år en af kirkevisitatorerne, der skulle bringe orden i kirkeforholdene, og i 1555 underskrev han de mecklenburgske stænders fuldmagt. Han var gift med Elisabeth von der Lühe.

De havde sønnen Claus Moltke (-1585-1610-) til Strietfeld og Walkendorf, som ikke bestred noget hertugeligt embede, men kun synes at have været optaget af at drive sine godser. Hustruen hed Emerentia von Linstow.

Sønnen Christopher Moltke (-1607-1638-) til Strietfeld, Samow, Woltow og Walkendorf forekommer udelukkende i forbindelse med sine godser. I 1617 var han til stede ved bisættelsen af enkehertuginde Margareta Elisabeth af Mecklenburg og var hofjunker hos hertuginde Sophie af Mecklenburg. I 1630 var han til stede ved hyldningen af Albrecht Wallenstein, hertug af Friedland, og i 1632 ved hyldningen af de mecklenburgske hertuger. Han var gift med Margareta von Walsleben.

Deres søn var Claus Joachim Moltke (-1644-1673/1682) til Strietfeld og Walkendorf. Med ham møder vi igen et medlem af slægten i Danmark. Han var i 1644 dansk kaptajnløjtnant ved Ebbe Ulfeldts regiment. Der vides ikke så meget om ham, han levede endnu i 1673, men var død i 1682. Han blev gift før 1658 med Christina Amalia Moltke af den linje, som sad på godset Samow.

En af deres sønner var Joachim Moltke (1662-1730), som blev ejer af ikke så få mecklenburgske godser, Strietfeld, Walkendorf, Selpin, Stechow, Polchow, Gross-Ridsenow, Drüsewitz, Wesselstorf, Selpin, Neukirchen, Gottesgabe og Lübsee. Han gik i 1676 i dansk militærtjeneste og avancerede til kaptajn, indtil han i 1689 tog sin afsked fra dansk militærtjeneste. Han blev braunschweigsk oberstløjtnant, men helligede sig fra slutningen af 1690'erne sine mecklenburgske godser. Han solgte mellem 1715 og 1728 sine godser, således i 1717 Strietfeld og Walkendorf til et andet medlem af slægten. Han blev bisat i det moltkeske kapel i Polchow Kirke sammen med sin hustru, Magdalena Sophia von Cothmann (1681-1752).

En af deres sønner var Johann Georg Moltke (1703-64), der endte som dansk generalløjtnant og kommandant på Kronborg. Han blev stamfader for den ubetitlede danske linje, der overvejende var knyttet til den danske hær og som fortsat lever i dag, men med ganske få medlemmer. En anden søn var lensgreve Adam Gottlob Moltke (1710-92) til grevskabet Bregentved, der stiftede den grevelige linje i Danmark – hovedpersonen i denne bog.

En broder til Joachim Moltke (1662-1730) var Caspar Gottlob Moltke (1668-1728). Efter en kort tid som hofjunker ved det danske hof gik han i dansk krigstjeneste og endte som oberstløjtnant. Han valgte i år 1700 at forlade hæren og blev i stedet samme år amtmand over Frederiksstad og Smålenene i Norge og derefter fra 1703 til sin død amtmand over Møn Amt. Han købte omkring 1707 Nygaard på Møn, hvor han opførte en ny hovedbygning, og hvor han havde sin bolig som amtmand. Han var nært knyttet til Frederik

IV, som ofte besøgte ham på Møn. I 1708 blev han udnævnt til etatsråd. Han var gift med Ulrica Augusta von Hausmann (1688-1759), og det var dette ægtepar, som tog Adam Gottlob Moltke til sig i hans barndom.

Adam Gottlob Moltkes efterslægt

Adam Gottlob Moltke fik i sit første ægteskab med Christiana Friderica von Brüggemann (1712-60) tretten børn, hvoraf tre døde som små, og i sit andet ægteskab med Sophia Hedwig Raben (1733-1802) ti børn, hvoraf fem ligeledes døde som små. Hans børns ve og vel lå ham hele livet igennem på sinde. Han nåede at se de fleste af sønnerne placeret i høje charger enten ved hoffet, i statsadministrationen eller i militæret, og flere af hans døtre blev giftet ind i det højeste godsejeraristokrati. Han ønskede at kunne give sine sønner godser, og derfor lod han sig ikke nøje med oprettelsen af grevskabet Bregentved. Moltke købte adskillige godser, men her skal kun nævnes de, som gik videre til hans sønner. I 1753 købte han det store gods Dronninglund med avlsgårdene Dronninggaard og Hals Ladegaard i Vendsyssel, i 1762 Glorup med avlsgården Anhof og i 1765 Rygaard på Fyn, i 1762 Gammelgaard på Lolland, og i 1764 Noer og Grönwohld i den sydlige del af Slesvig.

Sønnen, greve Christian Friderich Moltke (1736-71) skulle ifølge erektionspatentet for grevskabet Bregentved fra 1750 som ældste søn overtage lenet ved faderens død. A.G. Moltke overlod i 1762 Turebyholm til denne søn, således at han kunne få indblik i godsadministrationen. Han var på dette tidspunkt deputeret i forskellige kollegier og hofmarskal under faderen. Senere blev han gehejmekonferensråd og overhofmarskal hos kong Christian VII. Men så døde han i 1771, og i 1775 fik A.G. Moltke tilladelse til selv at bestemme, hvem af sønnerne af første ægteskab der skulle være den næste besidder af grevskabet. Moltke besluttede i 1783, at den afdøde greve Christian Friderich Moltkes eneste søn, greve Friderich Moltke (1763-85) skulle tiltræde grevskabet efter hans død. Da sønnesønnen døde i Hamburg under en rejse, måtte A.G. Moltke igen tage stilling til, hvem der skulle overtage grevskabet.

Ældste søn var nu greve Caspar Hermann Gottlob Moltke (1738-1800), som gjorde sig håb om at blive faderens efterfølger, idet han skrev sig som arving til Bregentved. Faderen havde allerede i 1772 overdraget ham Dronninglund med avlsgårdene Dronninggaard og Hals Ladegaard, men dem afhændede han i 1776. Han sad i stor gæld, og faderen måtte for at hjælpe ham optage et lån på 60.000 rigsdaler i Tryggevælde, Alslev og palæet i København. Da grevskabet på det tidspunkt var behæftet med en stor gæld – ved A.G. Moltkes død var gælden på ca. 300.000 rigsdaler – blev Moltke klar over, at denne søn, som i øvrigt endte som generalløjtnant og guvernør i Rendsborg, ikke økonomisk var i stand til at overtage grevskabet.

Den næste søn, greve Christian Magnus Friderich Moltke (1741-1813) til fideikommiset Nøer ville faderen ikke have som efterfølger, idet sønnen var i sådanne omstændigheder, at "min hensigt og mine ønsker ikke ved ham opnås og videre hen i tiden bliver efterlevede". Selv om sønnen ikke havde gæld, ville heller ikke han kunne overtage grevskabet, da den største del af hans midler var båndlagt i fideikommiset. Også sønnen greve Friderich Ludwig Moltke (1745-1824) måtte A.G.

Moltke forbigå som efterfølger til grevskabet, idet han ligeledes havde pådraget sig gæld, som faderen måtte hæfte for. Han blev kaldt "den lærde Moltke", talte syv sprog, var meget belæst og en ivrig frimurer og var dertil kommitteret og deputeret i flere kollegier i få år, inden han endte som domdekant i Lübeck.

A.G. Moltke bestemte sig til sidst for, at sønnen greve Joachim Godske Moltke (1746-1818) skulle overtage grevskabet, da han havde de nødvendige midler til at kunne befri det for den store gæld. Sønnen havde i 1779 fået overdraget Gammelgaard, som han forvaltede udmærket. Moltke henvendte sig i 1787 til ham for at høre, om han ville overtage grevskabet efter hans død. Joachim Godske Moltke takkede faderen for hans godhed og den kærlighed og tiltro, som han her viste ham. Lensgreven modtog både mundtligt og skriftligt sønnens tilsagn, men sagen hvilede til 1789, idet Caspar Moltke endnu mente, at han havde retten til at være næste lensbesidder. Bestemmelsen fra 1775 gav imidlertid A.G. Moltke fri dispositionsret til at vælge sin efterfølger.

A.G. Moltke nedskrev i 1790 sit testamente, hvori det hedder, at han er overbevist om, at "intet er vissere end døden", og "at timen er aldeles uvis". Derfor er det naturligt, at han nu giver regel og rettesnor for, hvem der skal være hans arvinger. Det blev altså Joachim Godske Moltke, som skulle blive den næste lensgreve på Bregentved.

Han forpligtede sig til, at grevskabet med allodialgodserne ikke skulle opløses efter faderens død. Mange var uden grund misundelige på Joachim Godske Moltke og talte om den uretfærdighed, han begik mod sine søskende, men uden at tænke på, at han i løbet af de næste mange år skulle betale af på en gæld på ca. 300.000 rigsdaler.

Joachim Godske Moltkes brødre var derimod klar over, hvilke store omkostninger der var knyttet til bygninger og bøndergods, og at grevskabet kun kunne opretholdes ved, at faderens efterfølger ofrede store summer af sin egen formue. De foreslog og gav deres tilladelse til, at grevskabet blev solgt og pengene anvendt til oprettelsen af et familiefideikommis. Joachim Godske Moltke

Ved sin ophøjelse til greve af Bregentved i 1750 fik Adam Gottlob Moltke et våben, hvor stamvåbenet ses i hjerteskjoldet, men nu i guld felt. Hovedskjoldets 1. og 4. felt, i blåt tre guld stjerner, samt sinister hjelmfigur, en vildmand, viser hen til hustruen, Christiana Friderica von Brüggemann. 2. og 3. felt, i rødt en stående guld kronet løve holdende en rød fane med sølv kors og guld stang, samt dekster hjelmfigur, en guld løve holdende den samme fane, er utvivlsomt et kongeligt nådestegn. *Efter Danmark Adels Aarbog 1921.*

valgte dog at beholde godset, og han blev dermed stamfader til linjen på Bregentved.

Af A.G. Moltkes mange sønner stiftede kun fem af dem linjer, som alle rakte ind i 1900-tallet: greve Christian Magnus Friderich Moltke (1741-1813) stiftede linjen Nøer, lensgreve Joachim Godske Moltke (1746-1818) stiftede linjen Bregentved, greve Gebhard Moltke-Huitfeldt (1764-1851) var stifter af linjen Glorup, greve Otto Joachim Moltke (1770-1853) stiftede linjen Espe, og greve Carl Emil Moltke (1773-1858) stiftede linjen Nørager. Disse linjer har endnu nulevende efterkommere, på nær linjen Espe, der uddøde med kammerherre Adam Gottlob greve Moltke (1868-1958) til Espe.

I alt kan i 300-året for Adam Gottlob Moltkes fødsel opregnes 353 kendte efterkommere i mandslinjen, som i 1800-tallet især var aktive i militæret, civiladministrationen eller det politiske liv. I 1900-tallet opløses dette mønster, idet medlemmerne nu overvejende fandt deres beskæftigelse inden for det private erhvervsliv og i andre offentlige stillinger. Nogle af de mest fremtrædende medlemmer i disse fem linjer skal kort omtales.

LINJEN NØER

Adam Gottlob Moltkes tredje søn, greve Christian Magnus Friderich Moltke (1741-1813), blev kun ti år gammel kornet reformé ved Livgarden til Hest, og det lå således i kortene, at hans liv var viet til militæret. Han gik omkring 1755 i fransk krigstjeneste og deltog i Syvårskrigen på østrigsk side mod preusserne, men var i 1757 tilbage i Danmark, hvor han fortsatte sin militære karriere. I 1782 blev han generalløjtnant og tog i 1808 sin afsked fra hæren. I årene 1767-71 var han deputeret i Generalitets- og Kommissariatskollegiet, og han fik i 1779 prædikat af Excellence og rang med gehejmeråder.

I 1772 overdrog faderen ham godserne Noer og Grönwohld, og han blev med sine efterkommere optaget i Det Slesvig-holstenske Ridderskab. I 1779 oprettede han et fideikommis af Noer og Grönwohld, hvor han allerede fra 1790 ophævede livegenskabet. Herved afskar han sig selv muligheden for at efterfølge faderen som lensbesidder. Christian Magnus Friderich Moltke skrev, hvorledes faderen ikke alene af økonomiske årsager udelod ham som mulig arving til Bregentved, men også, at faderen ikke havde tillid til Christian Magnus Friderich Moltkes ældste søn, greve Adam Gottlob Detlef. Joachim Godske Moltke havde straks underrettet broderen Christian Magnus Friderich om, at faderen ønskede, at han skulle overtage grevskabet. Ikke desto mindre tilbød Joachim Godske Moltke at låne ham penge, så han kunne overtaget lenet. Joachim Godske Moltke tilbød også efter faderens død både grevskab og lån til broderen, men han tog ikke imod det store venskabsbevis, som hans broder her gav ham. Magnus Moltke skrev, "at hans ringe kundskab om danske godsers administration, og hans frygt for ikke at kunne afbetale gælden på over 300.000 rigsdaler gjorde, at han hellere ville undvære det end komme ud i vidtløftigheder på grund af gælden."

I året 1800 solgte Christian Magnus Friderich Moltke de to godser, hvis fideikommissariske status blev ophævet, til sin ældste søn, greve Adam Gottlob Detlef Moltke (1765-1843), der dog allerede det følgende år solgte begge godser. I stedet for godsfideikommiset oprettede han et pengefideikommis på 176.000 rigsdaler, der blev stående som en førsteprioritet i godserne, indtil det efter 1.Verdenskrig udbetaltes i, for størstedelen værdiløse, papirmark. Moltke købte i stedet godset Nütschau ved Oldesloe. Han var først blevet officer, studerede derefter i Göttingen, inden han

Forfatteren Adam Gottlob Detlef greve Moltke (1765-1843). *Privateje. Foto Brian T. McNally.*

i 1789 foretog en rejse i Tyskland og Frankrig. Han havde ud fra sine idealistiske og frisindede følelser begejstret hilst Den Franske Revolution velkommen som indledning til en ny og skønnere tidsalder, men under et besøg i Paris i 1791, hvor han kaldte sig citoyen Moltke, blev han dybt skuffet over pøbelherredømmets udarten.

Denne begejstring for revolutionen skulle ifølge sønnen, den senere gehejmestatsminister, greve Carl Moltkes erindringer have udelukket ham fra at efterfølge farfaderen som lensbesidder. Under en middag hos bedstefaderen på Bregentved skulle Moltke have udtalt sig om nødvendigheden af at afskaffe samtlige len og stamhuse. Den gamle lensgreve lyttede tavs, kaldte efter middagen sønnesønnen ind i sit kabinet og spurgte, om han virkelig mente, hvad han havde sagt om majoraterne. Sønnesønnen bekræftede sine synspunkter, og bedstefaderen lod ham gå, forandrede sit testamente og indsatte Joachim Godske Moltke som sin efterfølger. Denne myte holder dog ikke, da A.G. Moltke som nævnt allerede i 1787 havde besluttet sig for sin femte søn som kommende lensgreve.

Greve Adam Gottlob Detlef Moltke, som blev grebet af Den Franske Revolution, lod de tre urfugle i sin seglstampe med det grevelige våben erstatte af tre jakobinske frygerhuer. Under skjoldet hænger Elefantordenen, og seglstampen må oprindelig have tilhørt lensgreve Adam Gottlob Moltke, da hverken Adam Gottlob Detlef Moltke eller hans fader, greve Christian Magnus Friderich Moltke, var elefantriddere. *Foto Elizabeth Moltke-Huitfeldt.*

Moltke levede en rigmands uafhængige liv på sine godser, stærkt optaget af historiske og poetiske sysler. Han stod i forbindelse med tidens førende åndspersonligheder som Niebuhr, Zoëga, von Humboldt og Perthes. I 1815 blev han af Det Slesvig-holstenske Ridderskab sendt til Wienerkongressen, hvor han med iver talte Ridderskabets sag. I 1826 overlod han Nütschau til sin ældste søn, Carl, forlod Holsten og slog sig ned i Lübeck. Han udgav med tiden adskillige poetiske og politiske skrifter. I 1833 udgav han et skrift om Slesvig-Holstens forfatning og Ridderskabet, hvori han tog til orde for en aristokratisk forfatning for begge hertugdømmer – hvilken forskel fra 1789 til 1833!

Sønnen, greve Carl Moltke (1798-1866), var en fremtrædende politiker. Han blev i 1830 medlem af den holstenske overret, men var da så kendt, at han kaldtes til København, hvor han fra 1834 var ansat som deputeret i Rentekammeret og for Finanserne. Da Kong Christian VIII i 1846 indtog en mere fast holdning over for den slesvig-holstenske bevægelse, trådte Carl Moltke frem i forreste linje og blev præsident for Det Slesvig-holsten-lauenburgske Kancelli. Han var med sin tyske baggrund og personlige forbindelser inden for Ridderskabet den bedst egnede til at gennemføre den helstatspolitik, der nu var målet. I 1848 blev han udnævnt til gehejmestatsminister, og han fik udarbejdet et forslag til en fremtidig forfatning med en fælles stænderforsamling for kongeriget og de to hertugdømmer. Forfatningsforslaget blev udsat for hård kritik, og den folkelige bevægelse i marts 1848 umuliggjorde dets gennemførelse, hvorefter Moltke trådte tilbage som minister. I 1851 blev han minister uden portefølje, og 1852-54 blev han minister for Slesvig, hvor han på ny kæmpede for bevarelsen af helstaten og en ny fællesforfatning. I 1864 blev han på ny minister uden portefølje, hvor han måtte anerkende den traktat, der sønderlemmede det monarki, som han i hele sit liv havde forsøgt at holde sammen på.

Carl Moltkes sønnesøn, greve Carl Poul Oscar Moltke (1869-1935) blev først officer, men søgte i 1898 ind i udenrigstjenesten, hvor han som en dygtig og effektiv diplomat hurtigt fik betydelige poster. I årene 1908-12 var han gesandt i Washington og 1912-24 i Berlin, hvor han under 1. Verdenskrig var i nær kontakt med udenrigsminister Erik Scavenius. Da den første socialdemokratiske regering blev dannet i 1924, udnævnte

Gehejmestatsminister Carl greve Moltke. Malet af C. Rahl 1847. *Privateje. Foto Elizabeth Moltke-Huitfeldt.*

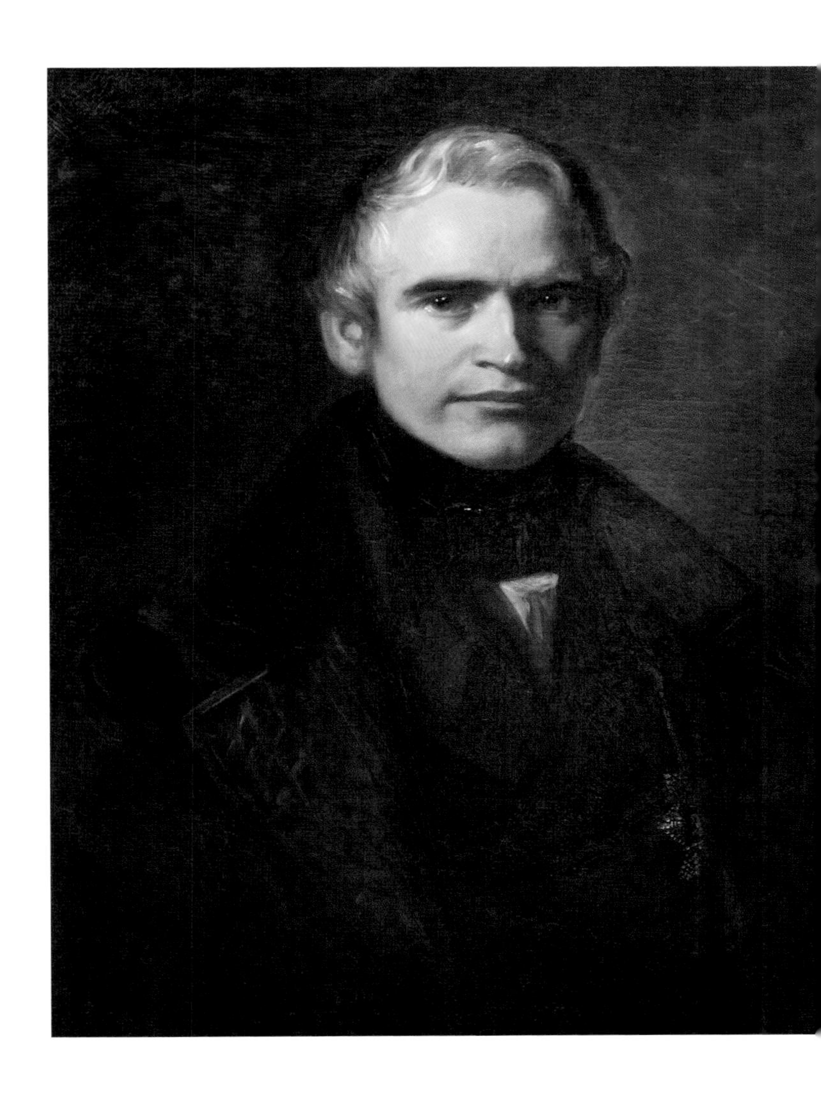

statsminister Stauning ham til udenrigsminister, idet han mente, at en diplomat burde besætte posten. Carl Moltke var aldrig medlem af Socialdemokratiet, og han delte ikke partiets syn på sikkerhedspolitikken. Han vendte efter regeringens fald i 1926 ikke tilbage til diplomatiet, men deltog gerne i flere internationale forhandlinger og blev medlem af Folkeforbunds-delegationerne.

En yngre broder til greve Adam Gottlob Detlef Moltke var officeren greve Joachim Moltke (1769-1820) til Rønnebæksholm, hvis oldesøn var kunstmaleren og forfatteren greve Harald Moltke (1871-1960). Han var uddannet fra Kunstakademiet, blev officer og deltog som tegner i flere videnskabelige ekspeditioner, blandt andet til Grønland i 1898 og 1902-04. Han udgav i 1906 sammen med Ludvig Mylius-Erichsen bogen *Grønland* og skrev selv i 1936 erindringerne *Livsrejsen* og i 1941 *Den lykkelige Rejse*. Mange af hans malerier rummer ikke alene religiøse og historiske motiver, men han portrætterede også adskillige af sin samtids personligheder, ligesom han illustrerede de fleste af Knud Rasmussens bøger.

Denne linje, som med 163 kendte medlemmer er den mest talrige linje efter Adam Gottlob Moltke, var kun godsbesiddende frem til sidste del af 1800-tallet. Efterkommerne har til gengæld repræsenteret et bredt udsnit af det private erhvervsliv og det offentlige liv. Overhovedet for den grevelige slægt er i dag oberstløjtnant, greve Henrik Carl Willem Moltke (f. 1941).

LINJEN BREGENTVED

A.G. Moltkes søn lensgreve Joachim Godske Moltke (1746-1818) tiltrådte som nævnt i 1792 besiddelsen af grevskabet Bregentved og havde i forvejen baronierne Einsiedelsborg og Kørup på Fyn. Faderen havde først tiltænkt ham en militær karriere, og han blev officer, men ville hellere studere. Efter universitetsbesøg i udlandet blev han i 1768 deputeret i et af kollegierne, men blev afskediget under Struensee. Under Høegh-Guldberg indtog han de højeste poster i statsforvaltningen, og i 1781 fik han endelig sæde i Gehejmestatsrådet. Han havde en udpræget konservativ holdning, der ikke hørte hjemme i kronprins Frederiks (VI) reformregering, og han blev afskediget i unåde efter kronprinsens kup i 1784. Herefter administrerede han i mange år sine godser og varetog som kurator administrationen af klostrene Vallø og Vemmetofte. Efter Christiansborgs brand i 1794 solgte han sit palæ på Amalienborg til kongefamilien – uden af den grund at blive taget til nåde. Moltke var stærkt naturvidenskabeligt interesseret og skænkede i 1810 Københavns Universitet en omfattende naturhistorisk samling; herudover oprettede han af egne midler to professorater i naturhistorie. Efter Statsbankerotten i 1813 fik han oprejsning og kom atter i Gehejmestatsrådet, fik på ny forvaltningsposter og medvirkede aktivt ved den finanspolitiske genopretning. Selv om han på det tidspunkt var 67 år, evnede han ved stor arbejdslyst at få stor autoritet inden for finansadministrationen, og han forhindrede, at man lånte sig vej gennem krisen. Han var indbegrebet af gammeldags dyder, hvad også sås i hans klædedragt. I årene frem til sin død var han kongens mest betroede rådgiver, og han deltog i 1814 i de førte forhandlinger om Norges afståelse.

Sønnen, lensgreve Adam Wilhelm Moltke (1785-1864), tiltrådte besiddelsen af grevskabet Bregentved i 1818 og administrerede fra samme år som kurator klostrene Vallø og Vemmetofte. Han købte i 1828 også Jomfruens Egede. Som godsejer

Gehejmestatsminister Joachim Godske lensgreve Moltke (1746-1818). Malet af Jens Juel. *Privateje. Foto Elizabeth Moltke-Huitfeldt.*

Senere gehejmestatsminister Adam Wilhelm lensgreve Moltke med sin hustru Marie Elisabeth, født komtesse Knuth (1791-1851) og deres børn. Malet af Hans Hansen. *Privateje. Foto Elizabeth Moltke-Huitfeldt.*

var han særdeles afholdt, om end ikke en af de mest liberale, idet han ikke gik ind for afløsning af fæstevæsenet eller hoveriet. Om det hengivne forhold, der alligevel bestod mellem hans undersåtter og ham, vidner hans af Bissen udførte bronzestatue i haven, "rejst 1859 af Bondestanden paa Grevskabet Bregentved og Egedes Gods". Ved siden af sit virke som godsejer var han embedsmand og aktiv politiker. Som jurist var han først assessor ved Højesteret, men gik i 1812 i administrationens tjeneste som deputeret og tog sæde i flere kommissioner. Han var 1831-48 finansminister og gehejmestatsminister, og 1845-48 var han præsident for Rentekammeret. Moltke var en dygtig administrator og moderat-liberal i sin økonomiske politik, men han var som politiker for veg og traditionsbunden til at blive en stærk leder. Moltke var ikke fremtrædende i kong Christian VIII's statsråd, og han ønskede ikke at tage sæde i det udvalg, der i 1848 skulle udarbejde den nye forfatning. Derimod indvilligede han i 1848 som premierminister i at danne den første konstitutionelle regering. Han var i 1848 tillige finansminister og 1848-50 også udenrigsminister. Han underskrev i 1849 den nye grundlov næst efter kongen og var stemt for bevarelsen af helstaten, men trådte tilbage som premierminister i 1852. Moltke udøvede sin største politiske bedrift ved i overgangen fra enevælde til konstitutionelt monarki at udvise mæglende og sammenbindende evner i det politiske liv. Den førende politiske kommentator C.St.A. Bille skrev, at: "Den Tjeneste, som han derved viste Danmark og den danske Nation, kan ikke skattes højt nok". Han, der var medlem af Landstinget 1849-60 og af Rigsrådet 1854-61, afslog at danne regering i 1854. I 1856 blev han udnævnt til overkammerherre og ordenskansler ved De Kongelige Ridderordeners Kapitel.

Lensgreve Adam Wilhelm Moltkes søn, lensgreve Frederik Georg Julius Moltke (1825-75) gik i 1848 i Udenrigsministeriets tjeneste og var 1850-55 attaché i London, men opholdt sig for det meste i Danmark, hvor han boede på Turebyholm, som han forpagtede, indtil han i 1864 overtog besiddelsen af Bregentved. Også han var meget afholdt af den stedlige befolkning, og beboerne på Bregentved rejste ham et mindesmærke i form af en obelisk udført i Fakse-kalk med en portrætmedaljon. Han efterfulgte også faderen som kurator for klostrene Vallø og Vemmetofte og fulgte i dennes fodspor som politiker, om end han ikke blev så fremtrædende. Først hørte han til de Nationalliberale, senere til Højre, men blev aldrig leder i noget af partierne. Han blev valgt til Folketinget 1855-61, Rigsrådet 1864-66 og Landstinget 1866-75. Som tilhørende en af godsejerstandens førstemænd blev han 1868-70 nævnt som ministeremne, men afslog i 1874 at danne regering. I 1875 blev han udenrigsminister i ministeriet Estrup, men døde få måneder efter udnævnelsen.

Lensgreve Frederik Moltkes søn, lensgreve Frederik Christian Moltke (1854-1936) fulgte faderen som besidder af grevskabet. Han overtog i 1879 administrationen af Bregentved, som han bestyrede med humant sind og udstrakt hjælpsomhed, og han støttede den landøkonomiske udvikling blandt andet ved at give adgang for forsøg inden for planteavl og husdyrbrug. Han foretog 1887-91 større ombygninger på Bregentved, hvor også hovedbygningen ændrede udseende. Hans interesse for samfundsforhold og hans omgængelige væsen gjorde, at han påtog sig talrige tillidshverv. Således var han 1880-1921 formand for Haslev-Freerslev Sogneråd og 1885-1920 formand for Præstø Amts Landboforening. 1887-1902 var han præsident for Dansk Fiskeriforening, 1910-24

Udenrigsminister Frederik Georg Julius lensgreve Moltke. Malet af H. Christian Jensen. *Privateje. Foto Elizabeth Moltke-Huitfeldt.*

formand for De samvirkende Landboforeninger i Sjællands Stift og 1911-30 præsident i Det Kongelige Danske Landhusholdningsselskab. I 1894 blev han kurator for Vemmetofte Kloster. Han var 1894-1910 medlem af Landstinget, hvor han tilhørte Højre, men nogen fremtrædende politiker blev han ikke. Grevskabet Bregentved blev i 1922 som følge af lensafløsningen gjort til fri ejendom. Til Bregentved hørte da hovedgårdene Sofiendal, Turebyholm, Juellinge og Tryggevælde samt fem avlsgårde.

I dag ejes Bregentved og Turebyholm af lensgreve Frederik Christian Moltkes oldesøn, hofjægermester, greve Christian Georg Peter Moltke (f. 1959).

En yngre søn til ovennævnte lensgreve Adam Wilhelm Moltke var greve Christian Henrik Carl Moltke (1833-1918), som i sine unge år var attaché ved gesandtskabet i London og legationssekretær i Wien. I 1861 valgte han at hellige sig bestyrelsen af sine godser, Lystrup og Jomfruens Egede i Præstø Amt, og fra 1872 også af den tilkøbte gård Sorvad på Djursland (solgt 1903). Han nød stor anseelse som landmand og navnlig som kvægopdrætter, hvor det såkaldte Lystrupkvæg fik betydning for den sjællandske kvægavl. Han deltog som sekondløjtnant i krigen i 1864. Herefter påtog han sig adskillige tillidshverv, således var han 1864-76 formand for Præstø Amts Landboforening og 1871-95 medlem af Præstø Amtsråd. I 1893 blev han kurator for Vallø Kloster og i 1909 ordensskatmester ved De Kongelige Ridderordeners Kapitel. Christian Moltke var 1875-86 valgt til Landstinget og 1886-1917 kongevalgt medlem af Landstinget. Han tog kun ordet en eneste gang i Landstingssalen i alle disse år, men til gengæld var han særdeles aktiv i udvalgsforhandlinger. Længst tid sad han i Finansudvalget, som han flere gange var formand for. Han sluttede sig i 1877 til provisoriet, men var 1885-94 betænkelig ved den førte politik. Han tog ivrig del i forhandlingerne forud for det politiske forlig i 1894, og han var med til at lægge det pres på Estrup, der medførte et løfte om dette ministeriums afgang. Moltke blev i år 1900 opfordret til at danne det sidste Højre-ministerium, men afslog. Efter systemskiftet i 1901 blev han mere højreorienteret, stemte f.eks. mod grundloven af 1915. Han nedlagde sit mandat i 1917. I dag ejes Lystrup og Jomfruens Egede af hans tipoldesøn, greve Joachim Godske Norman Moltke (f. 1988). Denne linje med kun 46 medlemmer var og er overvejende knyttet til godslandbruget.

LINJEN GLORUP

Greve Gebhard Moltke-Huitfeldt (1764-1851) var A.G. Moltkes ældste overlevende søn i hans andet ægteskab med Sophia Hedwig Raben. Han blev i 1789 som jurist assessor i Højesteret. I 1796 blev han udnævnt til stiftamtmand i Trondhjem Stift, og 1802-09 indehavde han det vigtige embede som stiftamtmand over Akershus Stift og amtmand over Akershus Amt, hvorfor han i 1807 blev medlem af den på grund af krigen nedsatte norske regeringskommission. Den norske befolkning satte pris på ham, og han interesserede sig for sociale spørgsmål. Kongen lovpriste hans administrative dygtighed, og i 1809 blev han forflyttet til Fyn som stiftamtmand og amtmand over Odense Amt, en stilling, som han allerede nedlagde i 1814. Han arvede i 1802 fra moderen stamhuset Moltkenborg, oprettet i 1793 af hende og bestående af Glorup med avlsgården Anhof og Rygaard, og i 1815 tilkøbte han gården Mullerup i Gudbjerg Sogn. Som følge af ægteskabet med Birte Huitfeldt (1768-88) kunne han i 1843 som successionsberettiget til det Huitfeldtske Fideikommis få patent på navnet Moltke-Huitfeldt og føje hustruens våben til sit eget. Det siges om ham, at han var en brav og retsindig mand, som med stor dygtighed drev sine vidtstrakte godser.

Den kendte landøkonomiske forfatter C. Dalgas udtalte i 1837, at Moltke-Huitfeldt blandt de daværende fynske landmænd "efter alles formening indtager den første plads som agerdyrker". Selv om han på det tidspunkt var over halvfjerds år gammel, formåede han ved at ansætte holstenske forvaltere at forvalte stamhusets tre og to andre større gårde, hvilket "sker på så fuldkommen en måde som nogetsteds i Fyn, ja vel i hele Danmark; en lyst er det at se de herlige afgrøder og de velholdte besætninger. Greven er i ordets fuldeste betydning en stor landmand".

Stiftamtmand Gebhard greve Moltke-Huitfeldt. Malet af Niels Peter Holbech. *Privateje. Foto Elizabeth Moltke-Huitfeldt.*

Hans sønnesøn, greve Gebhard Léon Moltke-Huitfeldt (1829-96) indtrådte i 1849 i udenrigstjenesten, i 1852 blev han attaché i Bruxelles, 1853-56 var han legationssekretær i Wien og 1856-60 ministerresident i Madrid. I 1860 og frem til sin død i 1896 var han gesandt på den vigtige post i Paris. Han tilhørte i kraft af sin slægt og sit ægteskab med grevinde Maria von Seebach (1843-1902) den toneangivende elite i den europæiske adel, der på

Det Moltke-Huitfeldtske våben. Greve Gebhard Moltke (1764-1851) fik i 1843 kongeligt patent på navnet og våbenet Moltke-Huitfeldt, efter at det Schilden-Huitfeldtske Fideikommis var tilfaldet ham samme år. Det grevelige våben fra 1750 blev ændret, idet slægten Huitfeldts våben blev indsat i andet felt i det nu delte hjerteskjold. Der blev endvidere tilføjet en grevelig kronet hjelm med den huitfeldtske hjelmfigur. *Efter Danmarks Adels Aarbog 1921.*

det tidspunkt endnu kunne påvirke de europæiske stormagtsregeringer. Han følte sig så meget hjemme i dette miljø, at han ikke havde lyst til at bosætte sig i Danmark, hvor han flere gange blev tilbudt posten som udenrigsminister. Han ejede foruden stamhuset Moltkenborg også Mullerup, og på Glorup tilbragte han somrene med sin familie. Frankrig blev dog hans andet hjem. Livet i udlandet lærte ham at se Danmarks udenrigspolitiske stilling i et bredere perspektiv end de hjemlige ministre og embedsmænd. Til gengæld lod han sig til en vis grad påvirke af franske politiske synspunkter. Under krisen i 1866, da det trak op til krig mellem Preussen og Østrig, rådede han klogt Danmark til fortsat at holde sig neutral. Derimod var han ikke nogen god støtte for de folk i regeringen og Udenrigsministeriet, der ønskede at holde sig neutrale, da der i 1870 udbrød krig mellem Frankrig og Tyskland, og Frankrig forsøgte at få Danmark med på sin side. Han holdt loyalt de skiftende danske regeringer godt underrettet om politiske begivenheder i Frankrig og ledende franske politikeres synspunkter.

Hans sønnesøn, kammerherre, greve Léon Charles Joseph Moltke-Huitfeldt (1898-1976) til Glorup og Rygaard fik i sit ægteskab med komtesse Tove af Danneskiold-Samsøe (1909-84) fire døtre, hvoraf den ældste komtesse, Alice Marie Louise Moltke-Huitfeldt, gift baronesse Rosenkrantz (f. 1930) arvede begge godser, som nu er nedarvet i hendes efterslægt.

Denne fåtallige linje med 39 fødte med navnet Moltke-Huitfeldt har i dag kun ét mandligt medlem, kammerre, hofjægermester greve Adam Carl Moltke-Huitfeldt (f. 1954) til Espe.

LINJEN ESPE

A.G. Moltkes næstyngste søn, greve Otto Joachim Moltke (1770-1853) begyndte sin karriere i Norge, hvor han i 1798 blev amtmand over Bratsberg Amt. I år 1800 blev han udnævnt til stiftamtmand i Kristiansand Stift og amtmand i Nedenæs Amt. I 1804 blev han kaldt til København for at blive direktør for Rentekammeret, og i 1813 blev han udnævnt til den vigtige post som præsident for Det Slesvig-holsten-lauenburgske Kancelli, hvor han kom til at skulle tage stilling til Hertugdømmernes fremtidige forfatningsforhold. Han var 1816-19 formand for Forfatningskommissionen for Holsten, og i 1824 blev han medlem af Gehejmestatsrådet. Han afviste ud fra tanken om enevælden som monarkiets styrende princip og ønsket om ensartethed i monarkiet kravene om en for-

Gesandt Gebhard Léon greve Moltke-Huitfeldt. Posthumt malet af Albert Edelfelt, 1901. *Privateje. Foto Elizabeth Moltke-Huitfeldt.*

fatning for Holsten, idet Holsten ifølge Det Tyske Forbunds forfatning § 13 havde krav på en stænderforsamling. Det Slesvig-holstenske Ridderskab hævdede, at denne forfatning skulle udstrækkes til Slesvig, et krav, som Moltke ligeledes afviste. Moltke øvede en afgørende indflydelse på indførelsen og udformningen af de rådgivende stænderforsamlinger for Hertugdømmerne i 1831 og 1834, idet han dog accepterede fælles administrative organer for Slesvig og Holsten. Han fratrådte sine poster i 1842, men fortsatte som rådgiver for kong Christian VIII og blev i 1848 overordentligt medlem af Statsrådet, hvor han med udpræget konservativ holdning deltog i de fornyede forfatningsforhandlinger. I 1842 trak han sig tilbage til sine sjællandske godser, Espe, købt i 1810, og Bonderup, købt i 1825.

Otto Joachim Moltke istandsatte i 1848 hovedbygningen på Espe, som derved fik sit nuværende smukke udseende. Avlsgården af bindingsværk havde Moltke måttet nyopføre i 1822, da de gamle bygninger var nedbrændte. I egnens tradition mindedes Otto Joachim Moltke som en kraftig og egen personlighed, der var opsat på at forbedre godsets og bøndernes forhold. Tidligere ejere havde udpint godset og plaget bønderne med hoveri, men hos Moltke kunne bønderne nu roligt henvende sig med deres problemer.

Denne linje, der med sine seksten medlemmer kun var knyttet til Espe, uddøde med hans oldesøn, greve Adam Gottlob Moltke (1868-1958) til Espe og Bonderup, hvorefter begge gårde overgik som arv til en fjern slægtning, ambassadør, greve Adam Nicholas Moltke-Huitfeldt (1908-92). I dag ejes Espe og Bonderup af sønnen, kammerherre, hofjægermester, greve Adam Carl Moltke-Huitfeldt (f. 1954).

LINJEN NØRAGER

Greve Carl Emil Moltke (1773-1856) var den yngste af A.G. Moltkes sønner. Han blev først uddannet i søetaten, blev officer, men forlod tjenesten i 1803. Allerede i 1798 var han trådt ind i den

Gehejmestatsminister Otto Joachim greve Moltke. Malet af August Schiøtt, udateret. *Privateje. Foto Elizabeth Moltke-Huitfeldt.*

danske udenrigstjeneste, og efter poster i Lissabon og Madrid var han i 1804-08 gesandt i Stockholm og i 1808-10 i Haag. I de følgende år blev han anvendt i diplomatiske sendelser, herunder 1813-14 som gesandt til det russiske hovedkvarter i Schlesien for at forhandle med zar Aleksander I om mægling med England. I årene 1815-19 var han gesandt i Nederlandene og 1821-32 i England, hvorefter han forlod udenrigstjenesten og bosatte sig på sin gård Ågård, som han havde købt i 1804. Han havde dog ikke helt opgivet sit virke i statens tjeneste, idet han i 1835-46 var medlem af Stænderforsamlingen i Roskilde, og i 1840 og frem til sin død var han ordenssekretær ved De Kongelige Ridderordeners Kapitel. I 1837 købte han herregårdene Nørager, hvor han tilbragte sine sidste år, og Conradineslyst.

Komtesse Else Moltke (1888-1986) var datter af den sidste ejer til Nørager og Conradineslyst, greve Otto Joachim Adam Moltke (1860-1937), en sønnesøn til nævnte greve Carl Emil Moltke. Hun blev i 1910 gift med sin fjerne slægtning, ovennævnte greve Harald Moltke, hvorved hun kom i berøring med helt andre kredse end sin egen godsbesiddende baggrund. Else Moltke tog del i genrejsningsarbejdet for Bakkehuset på Frederiksberg. Hun blev igennem sit venskab med forfatteren Thit Jensen engageret i diskussioner om kvindens livsvilkår og var i 1941 medstifter af Københavns kvindelige Diskussionsklub, som hun også var formand for. Senere blev hun medlem af Dansk Kvindesamfund og andre kvindeorganisationer. Men det var først og fremmest som forfatterinde, at hun blev kendt. I 1931 begyndte Else Moltke at skrive artikler til aviser og ugeblade, og i 1939 udgav hun bogen *Polsk September*. Foruden erindringsbøger udgav hun en række bøger med afsæt i hendes eget herregårdsmiljø, især om ældre tiders hof- og herregårdsliv, men også bøger om kvindevilkår og om Bernadotte, Napoleon og Talleyrand. Hendes bøger fremtræder overvejende som historiske causerier, skrevet i en livlig og engageret stil med sans for pittoreske detaljer.

En fætter til grevinde Else Moltke var politikeren, greve Kai Moltke (1902-79), hvis politiske ståsted adskilte sig ikke så lidt fra resten af slægtens. Han stod tidligt i opposition til sin konservative-kristelige baggrund og blev i stedet fanget ind af de revolutionære strømninger omkring 1920. Han blev ført ind i kommunistisk arbejde og var aktiv ved offentliggørelsen af papirer omkring Landmandsbankens sammenbrud og den mulige sammenhæng mellem den københavnske finansverden og politiske forbindelser, hvilket han senere udgav bøger om. Disse bøger blev afvist af senere historikere som præget af for mange myter. Han var medlem af Danmarks Kommunistiske Partis hovedbestyrelse 1927-33, og 1932-36 opholdt han sig i Sovjetunionen. Moltke var 1941-45 interneret og fængslet af tyskerne og blev ført til tyske koncentrationslejre. Efter krigen fortsatte han sit kommunistiske arbejde, men blev i 1958 ekskluderet af partiet som følge af modsætningsforholdet til partiets ledere. Han sluttede sig til det nydannede Socialistisk Folkeparti, og i 1960 valgtes han til Folketinget. Her var han SF's boligordfører og tog ofte ordet i udenrigspolitiske debatter. Moltke tog i 1966 del i forhandlingerne om en regering S-SF, og han medvirkede med en del af folketingsgruppen til regeringen Krags fald i 1967. Han var medstifter af Venstresocialisterne og blev valgt for dette parti i 1968, men gik ud af partiet allerede samme år og var løsgænger frem til valget i 1971. Han skrev adskillige bøger om udenrigspolitiske emner og kommunismens historie.

De fleste af de i alt 51 medlemmer i denne linje har overvejende været ansat i det offentlige, hvor de har repræsenteret et bredt udsnit af det danske samfund.

Slægten Moltke har med hæder indskrevet sit navn i dansk historie, og den slægtsbevidsthed, der i århundreder har præget adelsstanden, fornægtede sig heller ikke i Adam Gottlob Moltkes efterslægt. Da lensgreve Adam Wilhelm Moltke opgav sin politiske virksomhed i 1852, skete det med de ord til kong Frederik VII: "Skulle De igen have brug for mig, så er jeg en Moltke".

Litteratur og henvisninger

MENNESKET OG STATSMANDEN

(side 10-149)

Det følgende er ikke en fuldstændig annotering af teksten, men blot tænkt som en håndsrækning til den læser, som på nogle punkter måtte ønske at grave et spadestik dybere eller kigge forfatteren over skulderen. Samtidig tegner kommentarerne et omrids af det samlede kilde- og litteraturgrundlag, som teksten bygger på. Ved udarbejdelsen af teksten er det forudsat, at læseren er nogenlunde fortrolig med væsentlige hovedtræk i 1700-tallets almindelige danmarkshistorie, således som den fremtræder i eksempelvis Ole Feldbæks bind 9 af *Gyldendal og Politikens Danmarkshistorie*. Kbh. 1990.

A.G. Moltke har kun i beskedent omfang været genstand for samlet biografisk behandling; senest og mest dækkende, men til gengæld kortfattet, i Ole Feldbæks seksten sider lange portrætskitse som indledning til Hanne Raabyemagles store værk om *Christian VII's Palæ* (1999). Bortset derfra foreligger kun artiklen om ham i *Dansk Biografisk Leksikon*, 3. udgave samt spredte træk i de senere nævnte arbejder af Erik Arup, Aage Friis og Edvard Holm. Sidstnævntes storværk om *Danmark-Norges Historie 1720-1814* (1897-1902) er fortsat den grundigste fremstilling af periodens samlede historie og er en sand guldgrube af detailinformation om udviklingen i dobbeltmonarkiet i stort og småt. En samlet summarisk oversigt over slægten Moltke i Danmark fra middelalder til nutid findes i Poul Holsteins store stamtavle over slægten i *Danmarks Adels Aarbog*, bd. XCIII (1991-93), der tillige rummer en koncentreret oversigt over A.G. Moltkes samlede levnedsløb og karriere.

A.G. Moltke har efterladt sig et meget omfattende og velordnet arkiv på Bregentved indeholdende akter og regnskaber vedrørende både hans private anliggender og hans virksomhed som godsejer og embedsmand. Den her foreliggende fremstilling bygger dog næsten udelukkende på tidligere publicerede dele af dette arkivmateriale, idet den valgte form ikke åbnede mulighed for inddragelse af mere specialiserede detailstudier.

Af hensyn til læseligheden er alle de citater, der bringes i teksten, oversat til moderne dansk fra originalteksternes franske eller tyske sprogdragt. Der er naturligvis i denne sammenhæng lagt vægt på så vidt muligt at bevare originalteksternes meningsindhold og sprogtone, selv om direkte oversættelse ord for ord kun sjældent har ladet sig gøre. Af hensyn til den læser, som måtte ønske at gøre sig bekendt med originalteksterne, bringes der nedenfor henvisninger til disse for hvert citeret stykke.

Fra Mecklenburg til Møn

Om A.G. Moltkes rødder og familieforhold se Poul Holsteins stamtavle over slægten Moltke i *Danmarks Adels Aarbog*, bd. XCIII (1991-93), s. 523-909, særlig s. 708 ff. Citatet s. 17 stammer fra Moltkes egne erindringer, udg. af C.F. Wegener i *Historisk Tidsskrift*, 4. rk., bd. II (1870-72), s. 247-94, her s. 248 (herefter citeret som *Moltkes erindringer*).

Læreår ved det enevældige hof

Stemningen og forholdene ved Frederik IV's og Christian VI's hoffer beskrives af Edvard Holm, *anf. arb.*, bd. 3.1, s. 4 ff. og Knud Fabricius (red.), *Danmarks Konger* (1944), s. 328-54. Se desuden Reverdils erindringer, *Struensee og det danske Hof 1760-1772* (1916), hvori der tegnes et billede af livet ved hoffet på Moltkes tid. Om hoffets organisation og indholdet af hofembederne se Klaus Kjølsen, *Det kongelige danske hof 1660-2000* (2010). Henvisningen til Reverdil s. 23 refererer til dennes udgivne erindringer s. 136. Beskrivelsen af Moltkes udlandsrejser s. 23 ff. bygger på *Moltkes erindringer*, s. 247. Om Frederik IV's sidste år se Knud J.V. Jespersen, *Gyldendals Danmarks historie*, bd. 3. Kbh. 1989, s. 315 ff. Johan Ludvig Holstein og Johan Sigismund Schulin er begge biograferet i *Dansk Biografisk Leksikon*, 3. udg.

Ægteskab og familieliv

Udredningen af A.G. Moltkes familieforhold bygger i hovedsagen på Poul Holstein, *anf. arb.* samt oplysningerne i *Moltkes erindringer*. Hans bemærkninger i anledning af hustruen Christianas død, der er citeret s. 37, stammer ligeledes derfra (s. 259).

Moltke og Kronprinsen

Den svenske gesandt, baron Otto Flemmings karakteristik af Moltke s. 40 er citeret efter Edvard Holm, *anf. arb.*, bd. 3.1, s. 12. Det samme gælder den britiske diplomats vurdering s. 41. Karakteristikken af Frederik V bygger i hovedsagen på Hans Jensens bidrag om kongen i Knud Fabricius, *anf. arb.*, s. 355-70, hvor også Otto Flemmings på s. 43 gengivne vurdering af kongen optræder (s. 360).

De kongelige håndbreve, der omtales s. 44 er udgivet i original sprogdragt af C.F. Wegener, *anf. arb.*, s. 295-331. Oplysningen s. 46 om udnævnelsen til hofmarskal fremgår af *Moltkes erindringer*, s. 249, hvor også omtalen af brudefærden til Altona i fortsættelsen findes. Hyrdescenen på Charlottenborg mellem Kronprinsen og Kronprinsesse Louise skildres indgående af Charlotta Dorothea Biehl i dennes erindringer, udg. af Louis Bobé (1909) med titlen *Interiører fra Kong Frederik den Femtes Hof*, s. 3 ff., hvor hun s. 36-37 også beskæftiger sig med Kronprins Frederiks og kammerjunker Tillischs natlige eventyr. De s. 52 citerede breve fra Kronprinsen til Moltke er trykt hos Wegener, *anf. arb.*, s. 298. Brevvekslingen mellem Christian VI og Moltke, der behandles s. 52 ff., er udgivet af Edvard Holm i *Danske Magazin*, 5. rk., bd. III (1893-97), s. 151-54.

I magtens centrum

Den indledningsvis citerede optegnelse om Christian VI's død stammer fra *Moltkes erindringer*, s. 251. Løftebrevet af 1744 fra Frederik V til Moltke, der citeres i uddrag s. 57-58, er trykt hos Wegener, *anf. arb.*, s. 299. Moltkes regeringsplan, omtalt s. 59 ff., er udgivet i den originale tyske sprogdragt af G. Hille i *Historisk Tidsskrift*, 4. rk., bd. IV (1873-74), s. 43-64, hvorfra også citatet s. 61 stammer. Omtalen s. 65 f. af Moltkes vægring ved at indtræde i Gehejmestatsrådet bygger på *Moltkes erindringer*, s. 252. Brevcitaterne s. 70-71 er hentet fra Wegener, *anf. arb.*, s. 299-300 og 316-17. Det britiske bestikkelsesforsøg kendes fra *Moltkes erindringer*, s. 253 samt fra Edvard Holm, *anf. arb.*, bd. 3.1, henvisninger s. 4. Moltkes omtale af kongens forslag om at ægte hans datter findes i *Moltkes erindringer*, s. 256-57.

Statsmagtens forvaltere

Den indledende biografering af J.H.E. Bernstorff bygger på artiklen om ham i *Dansk Biografisk Leksikon*, 3. udgave. Omtalen s. 80 af russisk diplomatisk pres bygger på Moltkes udsagn i Wegener, *anf. arb.*, s. 158, hvor han s. 159 ff. også omtaler Bernstorffs vægring mod at modtage udenrigsministerposten og sin uvilje mod grev Lynar. Citatet s. 85 er oversat fra den franske originaltekst efter den trykte udgave i Aage Friis (udg.), *Bernstorffske Papirer*. Bd. II (1907), s. 377. Erik Arups s. 87 citerede syrlige kommentar om Moltke som landets egentlige udenrigsminister fremkom i hans kritiske artikel om forholdet mellem Bernstorff og Moltke i *Historisk Tidsskrift*, 9. rk., bd. II (1921-23), s. 78-125, som samlet set var et frontalangreb på Aage Friis' tidligere udlægning af deres indbyrdes forhold som harmonisk. Frederik den Stores forsøg på at vælte Bernstorff, der omtales s. 88-89, er skildret på grundlag af Edvard Holm, *anf. arb.*, bd. 3.1, s. 138 ff. samt Moltkes udsagn i Wegener, *anf. arb.*, s. 179-80. Panikken i København i sommeren 1762 beskrives levende af det samtidige øjenvidne Charlotta Dorothea Biehl i dennes erindringer, udg. af Louis Bobé (1909), s. 114. Selve krisen behandles af Edvard Holm, *anf. arb.*, bd. 3.1, s. 308 ff. Den heftige debat mellem Erik Arup og Aage Friis udspillede sig over flere omgange i *Historisk Tidsskrift*, 8. rk., bd. IV; 9. rk., bd. I samt 9. rk., bd. II (jfr. litteraturfortegnelsen).

De sidste år ved magten

Det indledende citat stammer fra *Moltkes erindringer*, s. 263. Om Saint-Germain og hans virksomhed, se Knud J.V. Jespersen, Claude Louis, Comte de Saint-Germain, *Scandia*, bd. 49 (1983), s. 87-102. Moltkes helbredsproblemer, omtalt s. 101, fremgår af *Moltkes erindringer*, s. 263. Den s. 103 ff. omtalte Rose-sag skildres med stor udførlighed af Charlotte Dorothea Biehl i dennes erindringer, udg. af Louis Bobé (1909), s. 82-114, hvorfra også citaterne stammer. Hendes lovprisning af Moltke findes s. 102. Kongens tiltagende svaghed og død beskrives *sst.*, s. 133-36 samt i *Moltkes erindringer*, s. 264-66.

Faldet fra tinderne

Prins Carl af Hessens øjenvidneskildring af udråbelsesceremonien er trykt i hans senere udgivne optegnelser ved C.J. Anker (1893), s. 32-33. Sceneriet danner også indledningen til Ulrik Langens Christian VII-biografi, *Den afmægtige* (2008). Konkurrenceforholdet mellem Moltke og Reventlow beskrives af Reverdil, *anf. arb.* (1916), s. 12-13. Referatet s. 115 af Moltkes samtaler med den nytiltrådte Christian VII stammer fra *Moltkes erindringer*, s. 267 f., hvorfra også de efterfølgende citater er hentet. Regnskabssagen, der omtales s. 116 f., behandles også af Edvard Holm, *anf. arb.*, bd. 4.1, s. 22. Uoverensstemmelserne i forbindelse med Prins Carls ægteskab omtales i Prinsens ovenanførte optegnelser, s. 38, samt i *Moltkes erindringer*, s. 270. Citatet s. 120 stammer ligeledes fra Prins Carls optegnelser, s. 41-42. Planerne om også at fyre Bernstorff, der berøres s. 121, omtales *sst.*, s. 42-43, samt hos Reverdil, *anf. arb.*, s. 24-25. Beskrivelsen af Moltkes reaktion på afskedigelsen bygger på *Moltkes erindringer*, s. 271-73.

Tilbage i statstjenesten – og ude igen

Moltkes overvejelser i forbindelse med hans tilbagevenden til hovedstaden fremgår af *Moltkes erindringer*, s. 274. Konflikten mellem Bernstorff og Danneskiold-Samsøe belyses af sidstnævntes brevveksling med Christian VII, udgivet af H.G. Garde i *Danske Magazin*, 3. rk., bd. III (1851), s. 42-71; jfr. Ulrik Langen, *anf. arb.*, s. 126 ff. Moltkes møde med den russiske delegation omtales i *Moltkes erindringer*, s. 274. Hans s. 128 citerede kommentar til Danneskiold-Samsøes fald findes *sst.*, s. 279.

Reverdils negative dom over Generallandvæsenskollegiet, der citeres s. 129, stammer fra dennes erindringer, *anf. arb.*, s. 79. Oprøret i Asiatisk Kompagni, der omtales s. 130 ff., er skildret og kommenteret i *Moltkes erindringer*, s. 276. Udsagnet om rytterstatuen s. 132 som det skønneste syn i København optræder *sst.*, s. 283, hvor også hustruens lotterigevinst omtales s. 283-84. Citatet s. 134 findes *sst.*, s. 286. Kongens hånlige bemærkning om Moltkes rigdom, der er refereret s. 137, stammer fra Svend Cedergreen Bech, *Struensee og hans tid* (1989), s. 221, mens det afsluttende citat er fra *Moltkes erindringer*, s. 287.

Alderdommens stilhed

Det indledende afsnit om sammensværgelse mod Struensee bygger i hovedsagen på *Moltkes erindringer*, s. 287-89, og de efterfølgende citater stammer ligeledes derfra, s. 289-90. Episoden med svigerdatteren Ida Hedwig von Buchwald kendes fra Moltkes brevveksling med Bernstorff trykt i Aage Friis (udg.), *Bernstorffske Papirer*. Bd. II (1907), s. 380 ff., mens optrinet med sønnesønnen A.G.D. Moltke er skildret hos Thorkild Kjærgaard, *Den danske revolution* (1991), s. 209. Den gamle excellences afsluttende visit hos kongefamilien er udførligt beskrevet i *Moltkes erindringer*, s. 291-93.

KILDER OG LITTERATUR

C.J. Anker (udgiver og oversætter), *Prins Carl af Hessens Optegnelser (1744-1784)*. Kristiania 1893.

Erik Arup, "Rantzau-Ascheberg", *Historisk Tidsskrift*, 8. rk., bd. IV (1913), s. 3-19.

Erik Arup, "Kritiske Studier i nyere dansk Historie. Intermezzo. Bernstorff og Moltke", *Historisk Tidsskrift*, 9. rk., bd. II (1921-23), s. 78-125.

Svend Cedergreen Bech (red.), *Dansk Biografisk Leksikon*. 3. udgave. Kbh. 1979-84.

Svend Cedergreen Bech, *Struensee og hans tid*. 2. udg. Kbh. 1989.

Louis Bobé (udg.), *Interiører fra Kong Frederik den Femtes Hof. Charlotte Dorothea Biehls Breve og Selvbiografi*. Kbh. 1909.

Michael Bregnsbo, *Caroline Mathilde. Magt og skæbne. En biografi*. Kbh. 2007.

Knud Fabricius, *Danmarks Konger*. Kbh. 1944.

Aage Friis, *Bernstorfferne og Danmark. Bidrag til den danske Stats politiske og kulturelle Udviklingshistorie 1750-1835*. Bd. I-II. Kbh. 1903, 1919.

Aage Friis (udg.), *Bernstorffske Papirer. Udvalgte Breve og Optegnelser vedrørende Familien Bernstorff i Tiden fra 1732 til 1835*. Bd. II. Kbh. 1907, s. 341-89 (XXVII: Brevveksling med A.G. Moltke 1750-1772).

Aage Friis, "Bernstorff og Moltke under Krisen 1762. En kritisk Undersøgelse", *Historisk Tidsskrift*, 9. rk., bd. I (1918-20), s. 317-54.

H.G. Garde, "Bidrag til Oplysning om Frederik Greve af Danneskjold-Samsøes Virksomhed under Kong Christian den Syvendes Regjering", *Danske Magazin*, 3. rk., bd. III (1851), s. 42-71.

Merete Harding (red.), *Danmarks konger og dronninger*. Kbh. 2004.

G. Hille, "Grev Adam Gottlob Moltkes Plan for Frederik den Femtes Regering", *Historisk Tidsskrift*, 4. rk., bd. IV (1873-74), s. 43-64.

Edvard Holm (udg.), "Depeche af 12.(23.) April 1767 fra Gehejmeraad C. v. Saldern og Generalmajor Filosofof til den russiske Regering", *Danske Magazin*, 5. rk., bd. III (1893-97), s. 104-15.

Edvard Holm (udg.), "Et Par Breve vexlede mellem Kong Kristian VI og Kronprins Frederiks Hofmarskal Adam Gottlob Moltke angaaende Prinsens formentlige Udsvævelser", *Danske Magazin*, 5. rk., bd. III (1893-97), s. 151-54.

Edvard Holm, *Danmark-Norges Historie fra Den store nordiske Krigs Slutning til Rigernes Adskillelse (1720-1814)*. Bd. 3.1-4.2. Kbh. 1897-1902.

Poul Holstein, "Stamtavle over slægten Moltke", *Danmarks Adels Aarbog*, bd. XCIII (1991-93), s. 523-909.

Poul Holstein, "Slægten Moltkes heraldik". I *Heraldisk Tidsskrift*. Bd. 8, nr. 74. 1996, s.137-174.

Knud J.V. Jespersen, "Claude Louis, Comte de Saint-Germain: Professionel soldat, dansk militær reformator og fransk krigsminister", *Scandia*, bd. 49 (1983), s. 87-102.

Thorkild Kjærgaard, *Den danske revolution 1500-1800. En økohistorisk tolkning*. Kbh. 1991.

Klaus Kjølsen, *Det kongelige danske hof 1660-2000. En forvaltningshistorisk oversigt*. Odense 2010.

Ulrik Langen, *Den afmægtige – en biografi om Christian 7*. København 2008.

Margit Baad Pedersen, *Huse af kalk. Kalksten fra Fakse som lokal bygningssten*. St. Heddinge 2005.

Hanne Raabyemagle, *Christian VII's Palæ. Amalienborg*. Bd. I-II. Kbh. 1999. (Med indledning om A.G. Moltke af Ole Feldbæk, bd. I, s. 23-39).

Elie Salomon Francois Reverdil, *Struensee og det danske Hof 1760-1772*. Oversat af Paul Læssøe Müller; med indledning og anmærkninger af Louis Bobé. Kbh. 1916.

C.F. Wegener, "Grev Adam Gottlob Moltkes efterladte Mindeskrifter", *Historisk Tidsskrift*, 4. rk., bd. II (1870-72), s. 129-331. – Teksten rummer følgende udgivelser:

I. "Plan betreffent die Regierung Friederich des 5ten.", (s. 131-41).

II. "Anzeige der merkwürdigsten Begebenheiten, welche sich wärent der Regierung der Königs Friederich des 5ten zugetragen.", (142-230).

III. "Einige merckwürdige Anecdoten, welche zu der Unterhandlung mit dem russischen Hofe gehören, in Absicht der Renunctiation des Grossfürsten auf Schleswig und Austausch dessen Antheils in dem Holsteinischen gegen die Grafschaft Oldenbourg und Delmenhorst, in so weit selbige unter der Regierung Friederich des 5ten geführet und besorget worden.", (s. 231-46).

IV. "Kurtze Beschreibung derer in meinem Leben mit mir vorgefallenen Veränderungen.", (s. 247-94).

V. "Handbriefe von dem König Friederich dem 5ten.", (s. 295-331).

GODSEJER OG REFORMATOR

(side 150-211)

Et stort materiale vedrørende Bregentved er fremlagt i Arne Majvang, *Dalby og Tureby sognes historie 1-3,* 1960-63 samt samme: *Haslevs Historie, Bd. 2: Bregentved,* 1972. En del materiale fra Dronninglund er fremlagt i Alexander Rasmussen, "Kulturbilleder fra Dronninglund Gods", *Vendsysselske Aarbøger,* 1921, s. 1-35 samt i L.Th. Fogtmann, "Uddrag af Dronninglund godsarkiv", *Vendsyssel, folk og land,* 1910, s. 73-132. Dele af reformaktiviteten er behandlet i: Philippe A. Sales, *A.G. Moltkes agrartekniske reformer samt træk af fæsteforhold på Juellinge, Tryggevælde og Alslev godser i anden halvdel af 1700-tallet,* speciale ved Københavns Universitet 1978. Dette vil dog blive behandlet mere indgående i en artikel af forfatteren med titlen "A.G. Moltke og det holstenske kobbelbrug", som vil komme i *Landbohistorisk Tidsskrift,* 2010:2.

Ellers bygger denne del af bogen på studier i arkiverne på Bregentved og Glorup. På Bregentved findes A.G. Moltkes privatarkiv, som bl.a. rummer en del materiale om Moltkes og hans børns økonomi, beretninger om hans reformer mv. og flere pakker vedrørende godserne i Hertugdømmerne. På Bregentved opbevares tillige hoveddelen af Bregentved godsarkiv, som ud over materiale vedrørende Bregentved med tilhørende godser på Sjælland også rummer meget materiale om Dronninglund og lidt om Lindenborg. Arkivet på Glorup rummer materiale vedrørende de fynske godser. Arkiverne er meget omfattende og har langt fra kunnet undersøges i deres helhed. Artiklen bygger derfor dels på en systematisk undersøgelse af bestemte arkivfonds, dels på stikprøver i andre, herunder det meget store korrespondancemateriale mellem Moltke og hans forvaltere.

Indledning

Fæstebrevet findes i Bregentved godsarkiv IV.F.9.

Godssamleren

Kortere redegørelser for Moltkes godssamling findes i Majvang, *Haslevs Historie II,* s. 113-17. For de sjællandske godser er der adkomstmateriale i A.G. Moltkes privatarkiv, II.B.d.2, og Bregentved godsarkiv, I.A.1 og I.B.1, og for de fynske tilsvarende i Glorup godsarkiv, B.I.b. For de jyske godser er tillige brugt Viborg Landstings skøde- og pantebøger, som findes på Landsarkivet for Nørrejylland, B.24, 689, 691, 692 og 697, mens der vedrørende godserne i Slesvig-Holsten er et betydeligt materiale i A.G. Moltkes privatarkiv, II.B.f-h. Om oprettelsen af grevskabet se Louis Bobé, Gustav Graae og Fr. Jügensen West, *Danske Len,* 1915, s. 241-45.

Mht. økonomien har Hanne Raabyemagle behandlet væsentlige dele af udgifterne til både palæbyggeri og sønnerne i *Christian VII's Palæ. Amalienborg.* Bd. I-II. Kbh. 1999. I Bobé, Graae, Jürgensen West, *Danske Len,* s. 264-67 er opgørelser over Moltkes økonomi, som bygger på nogle af notaterne fra privatarkivet. Her bygges især på de primære notater om Moltkes fortjenester og oversigterne over hans gæld, som findes i A.G. Moltkes privatarkiv, hhv. III.17 og II.A.d.2. Belåningen af de jyske godser fremgår af Viborg Landstings skøde- og pantebøger, Landsarkivet for Nørrejylland, B.24, 689, 691, 692 og 697. Vedrørende generationsskiftet og sønnernes vanskeligheder bygges på Majvang, *Haslevs Historie,* s. 140-151, Raabyemagle, *Christian VII's Palæ,* s. 382-90, samt materiale i A.G. Moltkes privatarkiv, II.B.i.2-6.

Jorddrotten

Beskrivelser af de sjællandske godser findes i Bregentved godsarkiv, I.C.1-2, I.D.1-2. I samme arkiv II.J.1 findes en oversigt fra 1785, som også anfører alt fremmed gods by for by. Se også Majvang, *Haslevs Historie,* II, s. 114 og samme, *Dalby og Tureby sognes historie.* II, s. 178-204. De fynske godser dækkes af en systematisk beskrivelse fra 1767 i Glorup godsarkiv, B.I.b og af jordebøger, Glorup godsarkiv B.II.a. Beskrivelser af Lindenborg ved Moltkes overtagelse og afståelse findes i Bregentved godsarkiv, XII.a.1 og XII.b.1. Fra Dronninglund findes en beskrivelse af bøndergodset i Bregentved godsarkiv, XII.f.8 og forpagtningskontrakter med beskrivelse af hovedgårdene i Bregentved godsarkiv, II.E.2, fol. 276 ff. Arealerne for de danske godser er beregnet ved at sætte Moltkes hartkornsandele af enkelte byer eller sogne i forhold til senere tal for sogne- og ejerlavsarealer. Økonomiske overslag bygger på Glorup godsarkiv, B.I.b, Beskrivelser og overleveringsforretninger, 1767 og Bregentved godsarkiv, XII.G.1-19, Dronninglund, Dronninggaard og Hals Ladegaards godsregnskaber 1753-72.

Materiale om Niendorf findes i A. G. Moltkes privatarkiv II.B.f. Her findes bl.a. overslag over indtægter og udgifter 1749-54, regnskaber 1760-61, en forpagtningskontrakt 1755 og en beskrivelse af godset 9.10.1759. Materiale om Noer findes i A.G. Moltkes arkiv, II.B.h.2, der bl.a. rummer en beskrivelse af godset ved forvalter Bay fra 1764, samt i arkivnummer II.B.h.5, hvor der findes en trykt beskrivelse fra 1764 og regnskaber fra 1768-69 og 1770-72.

Principperne i forvaltningen fremgår af den omfattende korrespondance mellem Moltke og forvaltere, bevaret dels som originalbreve, dels som systematiske kopibøger over Moltkes skrivelser. Vedrørende Bregentved findes de i Bregentved godsarkiv, VII.A-K, vedrørende Dronninglund i Bregentved godsarkiv, XII.E.1-2 (kopibøger) og XII.F.1-19 (korrespondance fra forvalteren). Kopibøger fra Glorup findes som Glorup godsarkiv, gruppe III. Dette materiale er dog kun gennemgået stikprøvevis. Forvalterinstrukser er præsenteret i Majvang, *Dalby og Tureby sognes historie*, II, s. 172-174, og i Alexander Rasmussen, "Kulturbilleder fra Dronninglund Gods", s. 6-8, men findes også i Bregentved godsarkiv.

Herskab

Oplysninger om antal beboere på Bregentved findes i Majvang, *Haslevs Historie* II, s. 118. Fra Dronninglund er der et mandtal i Bregentved godsarkiv, XII, F.10, og beboerne under Lindenborg er opregnet i Bregentved godsarkiv, XII, B.1, Overleveringsforretning over Baroniet Lindenborg 1761. Et mandtal fra Testorf findes i A.G. Moltkes arkiv, II.F.a.1. Antal beboere på de fynske og lollandske godser er skønnet ved at antage samme antal beboere pr. hus og gård som på Bregentved, mens tal for Noer er skønnet ved sammenligning med Testorf.

Overleveringsforretningen på Noer findes i A.G. Moltkes arkiv, II.B.h.1. Kirkebøn og jubilæumsfesten 1760 er omtalt i Majvang, *Haslevs Historie*, II, s. 105-08 og 143.

Omtaler af livegenskabet på Noer bygger på akter i A.G. Moltkes arkiv, II.B.h.2, heri breve 20.7.1765 og 7.8.1765, 28.9.1767. De omtalte stavnsbåndssager fra Glorup bygger på Glorup godsarkiv, III, kopibog 1770-75, 22.9.1770, 31.1.1775. Den flygtede bondesøn fra Dronninglund er omtalt i Bregentved godsarkiv, XII.E.2, kopibog, 24.12.1764. Sagen om Gilliam Olufssen er omtalt i L.Th. Fogtmann, "Uddrag af Dronninglund godsarkiv", s. 73-79.

Omtalerne af fæsteforhold og bønders økonomi mv. på Juellinge m.fl. godser bygger på Sales, *anf. arb.* Brevet til birkedommeren 1753 og jubilæet 1760 er omtalt i Majvang, *Haslevs Historie*, II, s. 119 og 105-08. Indberetningen fra 1776 findes i A.G. Moltkes arkiv, III.A.22. Forvalter Roosens melding om Glorup findes i Glorup godsarkiv, B.IX.a. Omtalen af bønder på Noer bygger på en beskrivelse af forvalter Bay i A.G. Moltkes arkiv, II.B.h.2.

Omtalen af sager om bøndernes "conservation" på Noer bygger på A.G. Moltkes arkiv, II.B.h.2, som bl.a. rummer et brev fra amtmand Reventlow til Moltke, 22.3.1768 og en instruks for regnskabsfører, maj 1769. Legatet er omtalt i Majvang, *Haslevs Historie*, II, s. 108-11. Ønsket om at styre enkers ægteskaber er omtalt både i Majvang, *Haslevs Historie* II, s. 136 og Fogtmann, "Uddrag af Dronninglund godsarkiv", s. 94-99.

Forvalterinstrukser er gengivet i Majvang, *Dalby og Tureby sognes historie*, II, s. 172-74, og i Alexander Rasmussen, "Kulturbilleder fra Dronninglund Gods", s. 6-8. Omtale af legat, brandgilde og kroer bygger på Majvang, *Haslevs Historie* II, s. 108-11 og 139 og samme, *Dalby og Tureby sognes historie* II, s. 173.

Citatet "strenghed gør det ikke ..." er gengivet efter Majvang, *Haslevs Historie*, II, s. 136. Voldssagen fra Dronninglund bygger på Fogtman, "Uddrag af Dronninglund Godsarkiv", s. 123-28, mens sagen om forvalter Selchov er beskrevet i Majvang, *Dalby og Tureby sognes historie* II, s. 175f. Omtalen af træhest på Bregentved bygger på Majvang, *Haslevs Historie* II, s. 134 og 136, mens brugen af træhest på Dronninglund bygger på Bregentved godsarkiv, XII.E.2, kopi af skrivelse til forvalter Roosen, 17.1.1764.

Citatet "Jeg elsker mine bønder..." bygger på Majvang, *Haslevs Historie*, II, s. 119.

Reformatoren

En mere udførlig redegørelse med fulde kildehenvisninger vil komme i artiklen "A.G. Moltke og det holstenske kobbelbrug", *Landbohistorisk Tidsskrift*, 2010:2. Moltkes egen redegørelse til Arveprinsen med bilag 1776 og fortsættelse af samme 1789 findes i A.G. Moltkes arkiv, III.A.22. Den er også detaljeret refereret af Hans Jensen i, "A.G. Moltkes Forbedring af Agerdyrkningen paa Bregentved", *Aarbog for Historisk Samfund for Sorø Amt*, Bd. 6, 1917, s. 95-109. Der refereres ikke yderligere til denne gennemgående kilde i det følgende, men af øvrigt materiale kan nævnes:

Omtalen af væveskole og kalkbrud bygger på Majvang, *Haslevs Historie* I, og bd. II, s. 117-22 samt på Margit Baad Pedersen, *Huse af kalk. Kalksten fra Fakse som lokal bygningssten*, 2005.

Hedeopdyrkningen ved Dronninglund er omtalt i Rasmussen, "Kulturbilleder fra Dronninglund Gods", s. 21 f. og P-M. Rørsig, "Fra Alhedens første kolonisation", *Historie/Jyske Samlinger*, 4. rk. Bd. 5, s. 537-55. Yderligere materiale er fundet i Bregentved godsarkiv, XII, F.11. Korrespondance ang. Dronninglund, Dronninggaard og Hals Ladegaard, 1763-64. Forsøget på tørlægning af Lille Vildmose er grundigt beskrevet i Alexander Rasmussen, "Vildmosegårds grundlæggelse", *Fra Himmerland og Kjær Herred*, 1917, side 409-73.

Tidlige forbedringer på Turebyholm er omtalt i Majvang, *Dalby og Tureby sognes historie* II, s. 184 f. og 193 f.

Völckers notat om det holstenske kobbelbrug findes i A.G. Moltkes arkiv, II.B.h.2. Omlægningerne på de sjællandske hovedgårde er grundigt omtalt i Moltkes nævnte notat, men også i Majvang, *Haslevs Historie* II, s. 122-27 og samme, *Dalby og Tureby sognes historie*, II, s. 197-99. Omlægningerne på de fynske hovedgårde er beskrevet ud fra en række skrivelser fundet i Glorup godsarkiv, B.III, Kopibog 1769-70, bl.a. 19.8.69, 3.10.69, 24.20.69, 25.11.69, Kopibog 1770-75, bl.a. 12.12.1772 og 22.2.1774, Kopibog 1775-77, 11.11.1775, 3.8.1776 og 5.8.1776. Vilkårene ved forpagtningen findes i Glorup godsarkiv, B.IX.B, forpagtninger, og overslag over udgifterne ved omlægningen sammesteds, B.IX.a.

Redegørelserne for øget kornavl mv. efter omlægningen bygger på Molteks notat. Udviklingen i forpagtningsafgiften af Turebyholm bygger på Majvang, *Dalby og Tureby sognes historie* II, s. 192, 196, 200 og 204. Forhandlinger om forpagtningsafgift af Glorup bygger på Glorup godsarkiv, B.III, kopibog 1775-77, 9.9.1775 og 14.9.1775.

Oplysninger om hoveristridigheder mv. findes i Majvang, *Haslevs Historie* II, s. 126, 130 f. og samme, *Dalby og Tureby sognes historie* II, s. 198, 248-50. Hoveriforeningerne findes i Bregentved godsarkiv, III.Æ.1.

Beskrivelsen af reformer på bondebrugene, herunder Niels Larsen, bygger delvis på Moltkes notat. Brevet til Roosen findes i Bregentved godsarkiv, XII.E.2, Kopibog over A.G. Moltkes skrivelser til forvalter Roosen, 1763-67, 9.11.1763.

Omlægningerne af landsbyerne og indførelsen af landsbykobbelbruget er beskrevet i Moltkes notat og mere systematisk i en række omfattende beskrivelser, som dækker hele godset, men ligger i en pakke i Bregentved godsarkiv betegnet: II.I.1, Magelægs- og udskiftningsdokumenter mv., Haslev S., Haslev by, Freerslev S. Freerslev by. I Bregentved godsarkiv, I.d.1-2, findes en omfattende beskrivelsesforretning over grevskabets bøndergods 1793, som viser status ved Moltkes død. Moltkes udtalelser 1778 er gengivet i *Bol og by 3. Indberetninger om Kornavlen i Danmark 1778 og Forslag til dens Forbedring*, s. 114. Omlægningerne på Fyn bygger på sager fra Glorup godsarkiv, bl.a. B.III, Kopibog 1775-77, 17.7.1776.

DEN DANSKE MAECENAS

(side 212-389)

Der skal ikke her igen henvises til den bredere historiske litteratur om perioden eller de specifikke publiceringer af Moltkes egne efterladte skrifter, som Knud J.V. Jespersen har redegjort for i sine litteraturhenvisninger, og som selvfølgelig også her er benyttet i udstrakt grad. For en sammenfattet nyere fremlæggelse af perioden fra den kunsthistoriske vinkel kan peges på Politikens Dansk Kunsthistorie, bind III: *Akademiet og Guldalderen 1750-1850*, Kbh. 1972, hvor især Torben Holck Coldings to kapitler, "Kongen og kunsten" og "Kunsten og fædrelandet" er relevante. Klassikeren om Moltke-perioden især er Mario Krohn, *Frankrigs og Danmarks kunstneriske Forbindelse i det 18. Aarhundrede*, Kbh. 1922. Embedsgangen med Moltke som Partikulærkammerets chef omhandles af Knud Voss i *Bygningsadministrationen i Danmark under Enevælden* ..., Kbh. 1966. Frederik V's kulturpolitik og Moltkes vigtige rolle heri er behandlet af Ole Feldbæk i artiklen "Aufklärung und Absolutismus. Die Kulturpolitik Friedrichs V" i festskriftet *Aufklärung als Problem und Aufgabe*, i *Text & Kontekst*, Kbh. 1994, s. 26-37.

Forfatteren har i udstrakt grad gjort brug af A.G. Moltkes righoldige arkiv på Bregentved. Da den udførlige registratur til dette arkiv giver præcise henvisninger til de enkelte sagsområder og til Moltkes betydelige korrespondancearkiv, skal der ikke her henvises i detaljer. Forfatteren vil dog flere steder nedenfor henvise til fuldt annoteret litteratur, egen såvel som andres, hvor sådanne specifikke henvisninger kan findes.

Kunstens store opgaver

Moltkes rolle ved Kunstakademiet er først og fremmest belyst udfra studier i hans arkiv på Bregentved og i Akademiets arkiv på Rigsarkivet, især dagbogen. En ny og udførlig redegørelse for Kunstakademiets første årtier fås i jubilæumsværket fra 2004: Emma Salling og Claus M. Smidt, "Fundamentet. De første hundrede år", *Kunstakademiet 1754-2004*, bd. I. Vedrørende guldmedaljerne til Moltke, se også Georg Galster, *Danske og Norske Medailler og Jetons ca. 1533 – ca. 1788*, Kbh. 1936.

Frederiksstadens grundlæggelse behandles af John Erichsen i *Frederiksstaden. Grundlæggelsen af en københavnsk bydel 1749-1760*, Kbh. 1972 og i forfatterens fuldt annoterede *Christian VII's Palæ, Amalienborg I-II*, Kbh. 1999 samt i både udstillingskataloget til *Gud Konge By*, John Erichsen (red.), Kbh. 1999 og i særudgaven af *Architectura 21* s.å. med mange relevante artikler. Selve bydelens arkitektur gennemgås i Knud Voss, *Arkitekten Nicolai Eigtved 1701-1754*, Kbh. 1971 (fuldt annoteret) og i forfatterens monografi *Eigtved* fra 2005. Om Amalienborg-palæernes bygherrer, arkitektur og indretning har forfatteren skrevet i ovennævnte *Architectura 21*. Om Frederikskirkens omtumlede skæbne i 1700-tallet kan læses i Birgitte Bøggild Johannsen, "Frederiks Kirke I 1749-1874", *Danmarks Kirker, København* bd. 5. 1983-87, i udstillingskataloget *Marmorkirken – Visioner og Virkelighed*, Hanne Raabyemagke (red.), Kbh. 1994, og nærmere om arkitekturen i forfatterens ovennævnte Eigtved-monografi, som også behandler Frederiks Hospital. Ulla Kjærs monografi om N.-H. Jardin, Frederikskirkens arkitekt fra 1755 forventes at udkomme i 2010. Hospitalet er desuden indsigtsfuldt behandlet af Hakon Lund i artiklen "Frederiks hospital og Frederiks stad" i *Det Danske Kunstindustrimuseum. Virksomhed 1964-1969*, IV, Kbh. 1969.

Rytterstatuen har, som Moltkes andre ovennævnte store opgaver, affødt en mængde kunsthistorisk litteratur over årene. Således udkom i 1973 med Viggo Sten Møller som redaktør *Amalienborg* med væsentlige artikler, også om Salys rytterstatue. Til en udstilling på Københavns Bymuseum i 1976 fulgte et glimrende katalog, *Fyrste og Hest. Rytterstatuen på Amalienborg* med John Erichsen og Emma Salling som redaktører. Svend Albinus og Emma Salling (red.), *Rytterstatuen, Amalienborg Plads. Rapport om undersøgelser 1978-80,* Kbh. 1982 skal også nævnes ligesom nyudgivelsen i 1999 af J.F. Saly og Henry d'Ursy Butty, *Beskrivelse over Statuen til Hest* fra 1774. Men her har studiet af primærkilderne i A.G. Moltkes arkiv givet interessante detaljer.

Den private bygherre

Moltkes arkiv, Bregentved er hovedkilden til historien om palæet på Amalienborg og danner da også rygraden i forfatterens ovennævnte detaljerede og fuldt annoterede *Christian*

VII's Palæ, Amalienborg I-II fra 1999. Ligeledes har tegningsarkivet på Bregentved leveret værdifuldt forskningsmateriale. Af den ellers publicerede righoldige litteratur om palæet skal her kun henvises til Christian Elling, *Amalienborg-Interiører. Christian VII's Palæ 1750-1800* fra 1945, til artiklerne i ovennævnte *Amalienborg* fra 1973 og til forfatterens tidlige artikel i *Architectura 5*, Kbh. 1983, "Moltkes Palæ på Amalienborg. Forsøg på en rekonstruktion af byggeriets "dagbog"".

Selve Bregentved er aldrig tilbundsgående kunsthistorisk behandlet i publiceret litteratur, så her baseres redegørelsen på studier af primærkilderne i Moltkes arkiv, mens lokalhistorikeren Arne Majvangs mere historiske redegørelse fra 1972, *Haslevs historie II. Bregentved*, også har givet værdifulde oplysninger. Interiører og møbler studeres indgående af Tove Clemmensen i *Møbler af N.H. Jardin, C.F. Harsdorff og J.C. Lillie*, Kbh. 1973, uden at hun dog har haft adgang til det inventarium, som er benyttet her. Parken på Bregentved er flere gange behandlet af Hakon Lund, senest i hans *Danmarks Havekunst* I fra 2000, ligesom forfatteren i ovennævnte *Eigtved* fra 2005 omhandler både hus og have. I *Eigtved* skildres også Turebyholm, men her må tillige henvises til arkitekten for den seneste restaurering, Bente Langes, "Raffineret mådehold. Eigtveds lysthus på Turebyholm", *Architectura 26*, Kbh. 2004, s. 44-68.

Om Glorup har forfatteren i 1988 publiceret "Den engelske have. A.G. Moltke og Glorup", i *Forblommet antik. Klassicismer i dansk arkitektur og havekunst*, s. 105-34. Artiklen er primært baseret på studier i Glorups arkiv og af overleveret kort- og tegningsmateriale.

Moltkes Glædeshave eller, som det bedst kendes, Marienlyst Slot var emnet for en fyldig og annoteret monografi med Jan Faye og Hannes Stephensen som redaktører, *Marienlyst Slot. Det kongelige lystanlæg ved Helsingør*, Kbh. 1988. Heri skrev forfatteren s. 93-186 afsnittet "Det Grevelige Moltkiske Lyst-Huus" baseret primært på indgående kildestudier i *Privatarkiver, Bregentved Arkiv, Sager vedr. Marienlyst Slot, C I-VIII* på Rigsarkivet. Om Moltkes virke på Fredensborg berettes hos Jan Steenberg, *Fredensborg Slot. Monumenter og Minder, Tiden 1720-1796*, Kbh. 1969.

Afsnittet om Dronninglund er først og fremmest baseret på studiet af korrespondancen mellem Moltke og forvalter Roosen, der er bevaret i Bregentved Godsarkiv, XII.F. Den publicerede artikel af Alexander Rasmussen, "Kulturbilleder fra Dronninglund Gods i Grev A.G. Moltkes Tid", *Vendsysselske Aarbøger Bd. IV*, Hjørring 1921-22, s. 1-35, er baseret på samme kildemateriale. Hertil kommer Bente Hammer, "Dronninglunds barokhave. En herregårdshave og dens historie", i *Architectura 1*, Kbh. 1979, s. 34-46. Primærmaterialet om Noer findes især i A.G. Moltkes arkiv, Bregentved, hvortil kommer omtalen i Henning von Rumohr, Slotte og Herregårde Syd for Grænsen, bind 20 i *Danske Slotte og Herregårde*, Kbh. 1968 og i Peter Hirschfeld, *Herrenhäuser und Schlösser in Schleswig-Holstein*, München 1974.

Redegørelsen for gravkapellet i Karise støtter sig til A.G. Moltkes arkiv, Bregentved, til tegningsmaterialet bl.a. bevaret sammesteds og til Karin Krygers fyldige artikel "Gravkapellet i Karise. A.G. Moltkes kapel og dets sarkofager" i *Architectura 4*, Kbh. 1982, s. 7-46. Hertil kommer litteraturen om Harsdorff, f.eks. F. Weilbach, *Architekten C.F. Harsdorff*, Kbh. 1928, udstillingskataloget *Arkitekten C.F. Harsdorff, 1735-1799* fra 1985 og senest Hakon Lund, *C.F. Harsdorff* fra 2007. Den bevægende skildring af Moltkes død ses i det omtalte anonyme udkast til en ligtale i A.G. Moltkes arkiv, Bregentved, III.A.30.

Billedkunst og kunstindustri

Kunsten i Moltkes Palæ er indgående behandlet i forfatterens ovennævnte *Christian VII's Palæ, Amalienborg* I-II, Kbh. 1999. Endvidere kan henvises til ovennævnte Politikens Dansk Kunsthistorie bind III, til Mario Krohns værk og til artiklen af Meir Stein i *Amalienborg* 1973. Det samme gør sig gældende vedrørende malerisamlingen i palæet, mens Bregentveds malerisamling er skildret ved selvsyn og ved hjælp af den bevarede kladde til en fortegnelse i A.G. Moltkes arkiv, Bregentved. Omtalen af Det Kongelige Billedgalleri baserer sig primært på Peter Hertz' artikel "Den Kongelige Malerisamlings Tilblivelse" i *Kunstmuseets Aarsskrift 1921-1923*, Kbh. 1924, s. 358-90.

Portrætter af Moltke

Til dette afsnit har forfatteren haft stor hjælp af Det Nationalhistoriske Museum på Frederiksborg Slot, hvis database med registrant over portrætter har givet vigtige fingerpeg. Andre relevante oplysninger fandtes i Kunstakademiets arkiv, Rigsarkivet. Om Høyers miniaturer oplyses i Torben Holck Colding, *Cornelius Høyer*, Kbh. 1961. Ellers er de fleste nævnte værker studeret ved selvsyn, enten i offentlige museer og samlinger eller hos private.

Kunstindustri og diplomatiske gaver

Nøstetangens glasproduktion behandles af Ada Buch Polak i *Gammelt Norsk Glas*, Oslo 1953, og de danske porcelænsforsøg er omtalt både af V. Slomann i *Tilskueren* 1933, s. 319-35, af Kaj Uldall i *Gammel dansk fajence*, 1967 og af Bredo Grandjean i *Det danske kunstindustrimuseums virksomhed 1964-69*. Mange af Moltkes private kunstindustrielle skatte er omtalt i *Kunst i privat eje* bd. III, 1944-45. Historien om gaverne af Meissen-porcelæn til Frederik V og Moltke står i Maureen Cassidy-Geiger (red.) *Fragile diplomacy. Meissen Porcelain for European Courts ca. 1710-68*, 2007, hvor artiklen om gaverne til Danmark er skrevet af Mogens Bencard, som takkes hjerteligt for henvisningen. De andre diplomatiske gaver til Moltke er indgående behandlet af forfatteren i ovennævnte *Christian VII's Palæ, Amalienborg* I. Det lille brev fra madame de Pompadour findes i A.G. Moltkes arkiv, Bregentved under *Korrespondancesager* I.A.3.

SLÆGTEN MOLTKE

(side 390-413)

Der henvises for dette afsnits vedkommende generelt til forfatterens fuldt annoterede værker, Poul Holstein, "Stamtavle over slægten Moltke", *Danmarks Adels Aarbog*, bd. XCIII (1991-93), s. 523-909 og Poul Holstein, "Slægten Moltkes heraldik". I *Heraldisk Tidsskrift*. Bd. 8, nr. 74. 1996, s. 137-174.

PERSONREGISTER

STEDREGISTER

MOLTKE
Rigets mægtigste mand

Forlagsredaktion: Grethe Jensen
Projektledelse: Henrik Sebro
Omslag og grafisk tilrettelæggelse: Lene Nørgaard, Propel
Forside: A.G. Moltke, malet af Peder Als, 1766. Privateje.
Foto Elizabeth Moltke-Huitfeldt;
Bagside: Bregentved, malet af W.A. Müller, 1763.
Det Nationalhistoriske Museum på Frederiksborg Slot.
Foto Kit Weiss
Illustrationer: Se bogens billedtekster
Prepress og tryk: Narayana Press, Gylling

ISBN 978-87-12-04354-6

1. udgave, 2. oplag